迈向贸易强国

——中国外经贸战略的深化与升级

李钢 李俊◎著

人民出版社

责任编辑:姜 玮

图书在版编目(CIP)数据

迈向贸易强国——中国外经贸战略的深化与升级/李钢、李俊著.
-北京:人 民 出 版 社,2006.8
ISBN 7－01－005677－3

Ⅰ.迈… Ⅱ.①李…②李… Ⅲ.对外贸易-经济发展战略-研究
-中国 Ⅳ.F752

中国版本图书馆 CIP 数据核字(2006)第 072815 号

迈向贸易强国
——中国外经贸战略的深化与升级

MAIXIANG MAOYI QIANGGUO
——ZHONGGUO WAIJINGMAO ZHANLUE
DE SHENHUA YU SHENGJI

李 钢 李 俊 著

人 民 出 版 社 出版发行
(100706 北京朝阳门内大街 166 号)

北京新魏印刷厂印刷 新华书店经销

2006 年 8 月第 1 版 2006 年 8 月北京第 1 次印刷
开本:710 毫米×1000 毫米 1/16 印张:22
字数:360 千字 印数:0,001－4,000 册

ISBN 7－01－005677－3 定价:40.00 元

邮购地址 100706 北京朝阳门内大街 166 号
人民东方图书销售中心 电话 (010)65250042 65289539

CONTENTS

导　论

一、从贸易大国迈向贸易强国

20 世纪中叶,在近现代发展史上,中国沉睡了数百年之后,终于觉醒,以崭新的姿态出现在世界面前。20 世纪 70 年代末,中国步入了改革开放的新阶段,经过二十多年的高速发展,综合国力迅速大幅提升,国际竞争力不断提升,和平发展势不可挡。

回顾改革开放短短二十多年的历史,纵向来看的确使人欣慰。根据中国国家统计局发布的数据,中国国内生产总值(GDP)已由 1978 年的 2111.2 亿美元(3624.1 亿元人民币,按当年年平均汇率 1 美元兑 1.7166 元人民币计算),上升到 2005 年的 22257 亿美元(182321 亿元人民币,按 2005 年年平均汇率 1 美元兑 8.1917 元人民币计算);由在世界经济中无足轻重的国家发展成为经济规模超过英国(2.03 万亿美元),仅次于美国、日本和德国,居世界第四位的经济大国。

在成为世界经济大国的同时,我国也已确立了世界贸易大国的地位。作为经济实力和国际竞争力的重要组成部分,中国的对外贸易(货物贸易)进出口总额也由 1978 年的 206.8 亿美元,占世界货物贸易的比重仅为 0.78%,攀升至 2005 年的 14221 亿美元,由贸易小国成长为居世界第三位的贸易大国。2004 年我国在世界出口和进口排名中均已位居第 3 位,其中出口额占世界货物贸易出口的比重为 6.5%,进口额占世界货物贸易进口的比重为 5.9%。

与此同时,服务贸易也由 1982 年(当年中国首次进行服务贸易统计)的 45.6 亿美元,占世界服务贸易的比重接近 0.57%,居世界第 34 位,快速提升到 2004 年的 1286 亿美元,占世界的比重提高到 2.8%,世界排名升至第 9 位。其中出口额占世界服务贸易出口的比重为2.8%,进口额占世界服务贸易进口的比重为3.3%。

中国出口贸易占世界出口贸易的比重超过本国GDP占世界GDP比重将近2个百分点,这在世界经济大国中是不多见的,说明中国的对外开放程度达到了一个较高的水平,对外部市场的依赖程度也达到了一个前所未有的程度。在经济全球化和中国加入WTO的今天,中国对外贸易的增长不仅成为中国自身经济增长的重要发动机,同时也成为世界贸易和世界经济增长的重要发动机之一。这证明世界的发展离不开中国。中国的和平发展是历史的机遇,也是世界和平发展的机遇,而绝不是对别国的威胁。中国开放的市场向世界打开了大门,吸纳了相当比重的世界进口,带动了周边甚至整个亚太地区的增长与繁荣。

但是在可喜的总量数据攀升的背后,以人均为单位比较就远不那么乐观了。一旦按照人均水平计算,中国与世界的差距就明显表现出来。2004年中国人均GDP才只有1486美元,按照世界银行的统计,经过调整的数字,中国2004年人均GDP的排名也只占世界第九十多位。按世界人口60亿,世界GDP 40.67万亿美元计算,当年世界人均GDP为6779美元,中国人均GDP只为世界平均水平的21.9%。2004年世界货物贸易中人均出口额为1520.7美元,而中国人均货物出口额只有456.4美元,仅为世界平均水平的30%。2004年世界服务贸易中,人均出口额为350美元,而中国人均服务出口额只有45.3美元,仅为世界平均水平的12.9%。

中国经济在世界经济与贸易中总量居前而人均靠后的巨大反差使国人不得不直面相对。上述数据反映中国的真实现状,即正处于并将长期处于社会主义初级阶段,生产力还不发达,工业现代化的任务还很艰巨,融入世界经济的深度与广度还远远不够。

国人同样必须直面的是在经济快速增长,经济规模迅速扩大的背后,国际经济竞争力的提高还很缓慢,粗放、低效、外延、扩张型的增长方式已经到了必须根本转变的时期,资源瓶颈使得过度依靠国内外大量低价资源的状况难以为继,粗放经营所导致的环境污染使得未来治理成本进一步加大,从而在相当大的程度上抵消了增长的成果,甚至有可能陷入"有增长无发展"的"贫困化增长"泥潭。科技要素和人才要素投入的严重不足,使得增长的质量不高,增长效益低下,产业竞争力提升迟缓。由此导致的消极影响已经显现:在近几年瑞士洛桑国际管理学院和达沃斯世界经济论坛上发布的世界重要经济体竞争力排名中,中国排名位次连续三年下降的事实就已经证明了这一点。

与此同时,也应当清醒地看到,在中国对外贸易高速增长的背后,中国也付出了相当的代价,对外贸易粗放、外延扩张型的增长方式受国内外资源和市场的制约已经难以为继;在中国加入 WTO 后的数年内,中国对外贸易的超高速增长即将告一段落,未来必将重回略高于 GDP 增速的常规态势,并且更加强调进出口的相对平衡和对国民经济的整体效益;中国制造业的崛起在世界范围内提高了劳动生产率,降低了制造成本,通过贸易提高了全球福利水平,特别是进口国国民福利水平。但同时,也应看到中国对外贸易条件在贸易高速增长的同时,并未得到根本的改善,在有些时候,商品贸易条件甚至在恶化:一方面中国的制成品出口在不断增加,而价格却在不断降低;另一方面,中国进口的原材料价格指数在相当一段时期内持续攀升,导致需要付出更多成本才能满足进口增长的需求。对此,不能不引起国人的高度警觉。与货物贸易相比,服务贸易发展相对滞后,结构层次水平也较低,与世界平均水平的差距更大一些,需要迎头赶上,加快发展。

中国未来进一步发展同样也离不开世界。新世纪的世界仍然是风云变幻,天下并不太平。旧的世界政治经济秩序与新的世界政治经济秩序之争还在继续。多极化还是单极化的较量持续进行。经济领域全球化潮流既带来生产力的提高与普及,同时也带来南北世界贫富差距急速扩大的鸿沟。以世界贸易组织为核心的全球多边贸易体系也遭遇到了空前的挑战:乌拉圭回合所达成的协议并未得到切实的履行,发达国家在把服务贸易、与贸易有关的知识产权以及与贸易有关的投资措施等统统纳入 WTO 管辖范围之后,享受了这一回合谈判结果的主要利益,而广大发展中国家所得实在可怜,在农产品问题上仅仅做出了有限的承诺,在纺织品协议到期终止后实际上变相延长,环境、劳工、社会等标准也逐渐被发达国家当作贸易壁垒的手段,而以高新技术为后盾的技术性贸易壁垒变本加厉,这些都严重地损害了发展中国家的利益。2001 年启动的多哈发展回合谈判前景未卜,发达国家与发展中国家立场严重对立,而目前已到中期审议阶段,仍然看不到发达国家让步的姿态。不仅如此,发达国家内部也由于各自的利害关系纷争不断,发展中国家之间也因发展程度不同存在利益之争,因此,多哈发展回合的前景不容乐观。

与经济全球化并行的另一趋势是区域一体化(集团化)。由于对多边贸易体系的失望,地缘相近的国家或国家集团在双边或区域层面上的合作迅猛开展,从双边自由贸易协定数量的大幅攀升,到各种区域、次区域自由贸易协定的拓展与强化,使区域主义盛行,区域集团内部高度的贸易投资自由化与便利化,使得"开放的地区主义"成为空想与空谈。双边自由贸易区已由 WTO 的特例或例外衍生为一种新潮流,成为一个新规则,而它对多边贸易体系的挑战是不言而喻的。

正是在纷繁变幻的国际环境下,中国以"和平、发展、合作"为旗帜,紧抓 21 世纪头 20 年的战略机遇期,加快全面建设小康社会。在国民经济持续快速发展的同时,工业化、城镇化、市场化、国际化的水平得到不断提升,在工业方面,由初级的轻纺工业化向重化工业化阶段发展;在城镇化方面,正在深层地进行二元结构的解构,农民变市民的进程加快;在市场化方面,市场经济体制基本确定,正在制度层面进一步深化与完善;在国际化方面,开放度与透明度不断提高,从被动实施既有的国际规则到主动参与国际规则的修改与新规则的制定。这些都表明,我国经济现代化的进程在加快,同时也到了重要的转折关头,在人均 GDP 由 1000 美元逐渐上升到 3000～4000 美元的过程中,伴随着社会生产力的巨大发展,经济结构、城乡结构、区域结构、需求结构、分配结构、就业结构的矛盾日益突出,资源制约、环境制约、人才制约、科技制约、增长方式制约日益成为不可避免的挑战。全面提高中国综合国力、国际竞争力和抗风险能力是必须面对的重大课题。

在由经济大国向经济强国迈进的过程中,必须加快转变经济增长方式,以提升产业竞争力为核心,构筑国家竞争优势。按照哈佛大学迈克尔·波特教授的观点,不能再单纯以要素投入、资本投入为导向,而必须以创新投入为导向,全面提高生产力(特别是劳动生产率)。同样,在由贸易大国向贸易强国进军的过程中,也必须加快转变贸易增长方式,以提高对外经济贸易的质量效益为核心,在继续发挥动态比较优势的同时,构筑新的竞争优势。为此,必须重新审视目前的贸易增长方式,并在反思的基础上,制定符合时代特点的战略与策略。

二、对外经济关系的理论与战略

1978 年年底,党的十一届三中全会以来,以改革开放的总设计师邓小平为代表的第二代领导集体确立了改革开放的基本国策。在改革过程中,从农村到城市,从包产到户到企业改革,从微观放开搞活,到宏观体制变革,在经历了高度集中的中央计划经济——计划经济与市场经济相结合——社会主义市场经济的渐进式演进中,逐渐找到了走中国特色社会主义道路的"经济路线图"。在对外开放基本国策形成与发展过程中,我国也走过了相似的道路,从开放试点到全面开放,从单向开放到双向开放,从经济特区——沿海开放带——内地全方位区域开放,从第一、二产业开放到第三产业开放,由此形成了全方位、多层次、宽领域的对外开放总体格局。

在对外开放基本国策的实施过程中,对外经济贸易领域始终处于中心地位。中国对外经济贸易的发展离不开改革开放。早在 1982 年 4 月以《红旗》杂志编辑部名义发表的"关于我国的对外经济关系问题"一文就明确提出,对外经济关系是一个带有全局性的战略问题,具有极其重要的战略地位和战略意义;指出几年以前,邓小平同志就提出对外经济工作是关系到我国四个现代化建设的一个战略问题。党中央提出在社会主义现代化建设过程中,要利用两种资源——国内资源和国外资源,要打开两个市场——国内市场和国际市场,要学会两套本领——组织国内建设和发展对外经济关系的本领,这是对我国对外经济关系制定战略地位的进一步明确。不但要放手地调动一切国内一切可以调动的积极因素,而且要放手地利用国外一切可以为我所用的因素,以天下之长,补一国之短。通过对外经济联系,借助国外资金和先进技术尽快发展我们的民族工业,使社会主义现代化建设事业得到更加迅速的发展。这是对外经济关系的战略意义之所在。与此同时还就制定实施对外经济关系的一整套正确的方针和政策进行了系统的阐述。

我国对外经济理论界与实际工作者做过众多有益的探讨,提出了许多颇有价值的观点并对中国对外开放的实践起到了重要的作用。一是对马克思主义经典作家有关国际贸易和对外关系的理论阐述的指导作用与不同时期不同国情的具体运用的深入研究。主要涉及马克思关于国际分工、国际交换、国际贸易以及世界市场的重要论断,列宁关于苏维埃新经济政策以及社会主义国家对外贸易垄断的有关论述,毛泽东关于"自力更生为主,争取外援为辅"和实行"对外贸易统制"的论述等。二是邓小平对外开放理论,这是在中国改革开放条件下,运用马克思主义理论结合中国国情的具体运用与创新发展。主要是对邓小平理论中关于对外开放的一系列论述的系统归纳与总结,包括对外开放与对内改革、对外开放与国际环境、对外开放的性质、对外开放与独立自主自力更生、对外开放与现代化建设目标、对外开放的国内布局、对外开放的国际布局、对外开放的风险防范、对外开放与"一国两制"以及对外开放的长期性等。三是对从古典经济学到现代经济学者关于国际经济贸易的经典理论的译介、评论与借鉴。主要涉及对亚当·斯密绝对成本(绝对利益)学说、大卫·李嘉图比较成本(比较利益)学说、赫克歇尔—俄林资源禀赋学说、迈克尔·波特国家竞争优势学说等的评价与借鉴。四是对外经济贸易领域改革的理论与实践的探讨。主要是在对外贸易体制改革的目标与路径的探索,即由与高度集中的中央计划经济相适应的"对外贸易统制"向与社会主义市场经济相适应，并且符合 WTO/GATT 基本规则与相关协议的自由贸易体制转变的渐进演进，法律制度与政策措施的重新设计与实施。包括放开对外贸易经营权并由审批制逐步改变为登记备案制、政企分开并在国有外贸企业中建立现代企业制度、打破条块分割并使外贸政策在全国范围内统一实施、实行国民待遇并形成外贸经营主体多元化的格局等。五是在对外经济贸易发展战略的研究与探讨。主要是对外经济贸易战略的总体指导思想与基本原则、对外经济贸易战略模式的选择、对外经济贸易战略的目标、对外经济贸易战略实施与不同时期政策措施的配套选择等方面的分析与建构。

在中国实施对外开放基本国策过程中，国外经验的借鉴、一些国际和区域性组织的分析与建议也对中国改革和对外开放的实际进程产生了十分重要的影响。从 20 世纪 70 年代末到 80 年代中后期的一段时间里，先是借鉴前苏联东欧等国家改革开放的经验，进行经济体制以及对外贸易体制的改革，然后是借鉴战后新型工业化国家和地区，特别是亚洲"四小龙"和新"四小虎"实行开放型经济的有益经验，进行技术层面的贸易政策措施的中国化"移植"。

在此期间，国际货币基金组织和世界银行的一系列报告与建议的许多合理观点更是得到了我国政府的决策部门认可并被积极稳妥地转化为实施的政策措施。尤其是世界银行对中国改革开放，特别是对外经贸领域改革开放的重要建议为中国政府所采纳。如 1987 年世界银行根据 1963～1985 年 41 个国家和地区的资料，把贸易战略分为坚定外向型、一般外向型、一般内向型和坚定内向型，建议在贸易战略上实行由内向型向外向型转变并进行相应的体制改革。这一观点最终经过改造演变成为中国特色的开放型贸易体制，也促成了 20 世纪 80 年代对外经贸领域的改革与深化。

自 1986 年中国向关税与贸易总协定秘书处递交恢复我国在其中的缔约国地位的申请书之后，在 20 世纪 80 年代中后期以 GATT 中国工作组审议《中国贸易制度备忘录》为开端，中国开始了实质性的贸易制度改革，进而整体上的经济改革。中国复关的良好势头在 1989 年的政治风波期间暂时中断，随着 1992 年邓小平同志南方谈话的发表，中国开始了新一轮的改革开放浪潮。1995 年世界贸易组织正式成立之后，中国在进一步深化渐进改革，特别是外经贸领域改革的基础上，中国加入 WTO 的谈判也在不断推进，当然 WTO 主要谈判对手的要价也更高，这对中国的进一步改革开放提出了更加严峻的挑战。新世纪伊始的 2001 年年底，中国正式加入 WTO，此后随着全面履行中国加入 WTO 各项承诺，我国也进入了被一些学者称之为"倒逼改革"的新阶段。在此之前,随着 1998 年中国加入亚太经合组织(APEC)并实施在 APEC 范围内的贸易投资便利化的自主承诺,也使中国的进一步开放在该区域内率先实施。

对外经济关系作为一项重大的战略问题,不但应确立其战略地位和战略意义,还必须制定一整套的方针和政策。对外贸易是对外经济关系的基础,因此必须要在对外经济贸易领域制定和实施相应的战略。按照《辞海》的解释,战略一是军事名词指对战争的筹划和指导。二是泛指重大的带全局性或决定全局的谋划①。从实际出发,可以从以下三个层面来探讨中国对外经济贸易战略问题。

第一个层面是对外经济贸易的发展战略。对外经济贸易发展战略是我国整体经济发展战略的有机组成部分,它必须服从和服务于我国经济发展的总体战略目标,并根据我国经济发展战略目标而制定对外经济贸易发展的战略目标。1979 年年底党中央提出到二十世纪末,国民经济达到小康水平,即第一步战略目标实现国民生产总值翻两番,人均国民生产总值达到 800~1000 美元,由当时人均 GDP 250 美元增长到 1000 美元,国民生产总值达到一万亿美元。第二步战略目标就是达到翻两番目标之后,再花 30 年到 50 年时间,达到或接近经济发达国家中等生活水平,改革开放总设计师邓小平十分明确地指出:"没有对外开放政策这一着,翻两番困难,翻两番之后再前进更困难。"对于实现第一步而言,在对外贸易领域也明确提出了翻两番的战略目标,即由当时的 400 亿美元(1980 年)增长到世纪末的 1600 亿美元。实际上 1992 年中国的对外贸易额就已经提前实现了这一目标,达到 1655 亿美元,而到 2000 年实际上已经远远超过了这一目标,达到 4743 亿美元,是规划目标的 2.87 倍。

对外贸易发展战略是服从和服务于整个国民经济翻两番的总体目标而制定的,它是整个国家经济发展战略的有机组成部分,主要侧重于实现发展战略的目标设计,以及达到目标的手段。邓小平言简意赅地指出了对外贸易发展战略的实质:"我们要翻两番,而且翻两番之后还要达到一个新的目标,这离开对外开放政策不可能。从一个角度就可以很简单地了解这个道理。现在我国的对外贸易额是四百多亿美元吧? 这么一点进出口贸易额,关起门来能翻两番? ……我国年国民生产总值达到一万亿美元的时候,我们的产品怎么办? 统统在国内销售? 什么

---

① 在本书中,对外贸易战略是从狭义上使用的概念,前期主要是指对外货物贸易的发展战略,后期则包含货物贸易与服务贸易两个方面。而对外经济贸易发展战略则是广义上使用的概念,既包括对外贸易,也包括利用外资、对外投资以及对外经济技术合作等领域。我们更多的是在广义上使用上述概念。

都自己制造？还不是要从国外买进来一批，自己的卖出去一批？"①由此可见，当时所探讨的对外贸易发展战略是围绕建设小康社会的时候来设计的。

第二个层面是对外经济贸易的发展模式战略。对外经济贸易发展战略同时也是我国对外开放基本国策的组成部分。贯彻落实对外开放基本国策，必然涉及经济发展模式的战略选择，即如何由封闭半封闭型走向开放型，由内向型转为外向型。在对外经贸发展战略的指导思想上，必然进行重大的转变，由强调"自力更生为主，争取外援为辅"，将对外贸易的作用归于"互通有无，调剂余缺"转为"利用国际国内两种资源，国际国内两个市场"，发挥比较优势，积极参与国际分工与交换，不断提高国际竞争力，使对外贸易成为引领中国经济持续快速增长的"发动机"，成为拉动国民经济的三驾马车（投资、消费、出口）之一。

在我国对外经贸战略模式转型设计上，就是由进口替代型转向进口替代与出口导向相结合的类型。在贸易政策上，由保护性贸易政策的"奖出限入"逐渐过渡到相对自由的贸易政策，借用世界银行专家在 20 世纪 80 年代中期建议中的说法，就是中国对外贸易政策选择上应采用既不片面鼓励出口，也不歧视进口的中性贸易政策。在贸易政策的具体实施中逐渐跳出了"以进养出"的框架。在 1987 年中央提出"沿海外向型经济发展战略"之后，更是形成了"大进大出"的新局面，由"三来一补"发展演变而成的加工贸易成为与一般贸易并列的对外贸易主要方式。对外开放的基本国策的贯彻落实以及对外经贸发展战略模式的转变，使中国逐渐成长为世界贸易大国，也逐渐改变了在国际分工中的不利地位，在参与全球垂直分工的同时，参与水平分工的水平也不断提高，在一些领域已经或多或少地突破了"中心——外围"、"头脑——躯干"分工的格局。

第三个层面是对外经济贸易的实施战略。这是实现战略目标，实现战略模式转型，实现对外经贸对国民经济发挥更大作用，获得更大的国际分工与交换利益的具体战略与策略，可以称之为实施战略②。配合总体的开放战略，在对外

---

① 《邓小平文选》第 3 卷，第 77 页，人民出版社 1993 年 10 月第 1 版。

② 按照《辞海》的解释，战略和策略既有区别也有联系。战略指政党、国家规定的一定历史时期内全局性的方针任务。策略指为实现战略任务而采取的手段。战略和策略的关系反映全局和局部、长远利益和当前利益之间的辩证关系，它们既是有区别的又是一致的。策略是战略的一部分，它服从于战略，并为达到战略目标服务。而战略任务又必须通过策略来一步一步地完成。战略在一定历史时期内具有相对稳定性，在达到这一历史时期所规定的主要目标以前基本上是不变的；而策略则具有较大的灵活性，在战略原则许可的范围内随着形势、力量对比的变化而相应地变换。在一定范围内的战略任务，在另一范围内可以是策略任务，反之亦然。但在同一个范围内，战略和策略之间的区别又是确定的。本书对外经济贸易实施战略就是在战略与策略的基础上展开的。

经贸领域陆续形成了具有鲜明的贸易政策特点的四大战略:即以质取胜战略、市场多元化战略、科技兴贸战略和"走出去"战略①。这些战略的形成、实施与逐渐完善,对于扩大中国对外经济的规模、范围与水平起着不可替代的作用,也正是在这些战略及其政策措施的支持、促进、服务下,中国对外经贸事业才取得了突飞猛进的发展,使出口贸易与投资、消费一起成为拉动国民经济增长的三大引擎。

在对外经济贸易战略问题的研究方面,学术界以往更多的是侧重探讨第一和第二个层面的战略问题,而对第三个层面的战略问题较少涉及。这主要是由于理论工作者对外经贸的实际运作了解有限,且其中的许多政策措施在不同时期还以"红头文件"的面目出现,学者很难接触,造成了对实施战略知之不多的情况。与此同时,对外经贸领域的实际工作者又大多关注于第三个层面的具体政策措施问题,而理论层面的思考则略显不足。

笔者从 20 世纪 80 年代中期开始进行中国对外开放领域的研究,亲身参与了对外经贸领域改革和发展的一些具体问题的探讨与方案设计。按照理论——政策——实践的递进与反馈,从改革与开放相结合的角度对外经贸领域的一系列重大问题进行过专题性研究,涉及对外贸易在国民经济中的宏观经济效益、对外贸易体制改革、对外贸易发展战略、加工贸易、邓小平对外开放思想理论体系等。这使笔者有可能弥补理论工作者与实际工作者相结合之不足,并进而更加深入地探讨对外经贸领域的实施战略与策略问题。虽然这些战略基本上都是在 20 世纪 90 年代之后明确提出的,但是它们从酝酿、提出,直到实施也是有一个历史演进的过程,这些战略实施及其深化与升级是本书所要具体论及的主要内容。

三、对外经济贸易的实施战略

从 20 世纪 70 年代末到 90 年代初的十多年,中国按照邓小平同志的战略部署进行着改革开放的探索。在对外经济领域,遵循了同样的路径,在摸索探讨世界经济发展客观规律的同时,更加强调我国的对外经济贸易沿着改革开放的方向发展。

在 90 年代初以前,我国对外经贸领域的主要任务是进行宏观管理体制和微观经营体制的改革,以改革开放促发展。在对外贸易、投资和经济技术合作

---

① 除上述四大战略之外,20 世纪 90 年代还实施过"大经贸"战略,参见附录。

领域虽然也进行了一些战略问题的探讨,但尚未形成具体的战略性指导,因此,其发展基本是"摸着石头过河"的自然发展状态,也由此产生了一些迫切需要解决的矛盾与问题:在出口秩序和出口商品质量方面主要表现为,出口秩序混乱,出口企业竞相压价,出口产品质量低劣,在国际市场上造成了不良印象;在出口商品结构上主要表现为,出口的主要是些初级产品和初级加工品,附加值比较低,出口效益欠佳;在对外经贸的区位方面表现为,我国的主要外资来源集中于港澳台及东南亚华人资本,而对外贸易尤其是出口则集中于美国日本等发达国家;在吸引外资方面主要表现为,吸引外资质量不高,高技术引进没有达到预期效果,而且是单方面的吸引外资,对外投资少、质量不高,我国企业不能走出国门在世界市场上竞争;如此等等,不一而足。为了解决上述问题进而在全局上进行指导,亟须在对外经贸方面制定并实施具有自身特色的、切实可行并可操作的、具体的对外经贸战略。20世纪90年代初,根据问题的紧迫程度以及考虑自身经济发展的实际情况,陆续提出、制定并实施了以质取胜战略、市场多元化战略、科技兴贸战略、"走出去"战略等重大战略。由于当时解决出口产品质量问题和出口市场区位问题又最为紧迫,因此,在90年代初最先提出了市场多元化战略和"以质取胜"战略。在90年代后期,根据我国对外开放以及对外经贸发展的需要,又陆续提出了"科技兴贸"和"走出去"战略。

(一)以质取胜战略

从时间序列看,最先提出、形成并实施的是以质取胜战略。最初是针对中国出口商品处于价值链的低端,原材料、半制成品及农副土特为主的落后的出口商品结构,必须尽快加以改变,因此要制定和实施这一战略。在改革开放初期,以量取胜,以廉取胜的现象举不胜举,"国内压价收购,国外低价竞销,出口商恶性竞争,肥水流入外人田"成为普遍现象。国内外汇短缺造成的"外汇饥渴症",使得在"要外汇还是要人民币"的争论中,出口创汇占上风,这就造成了以创汇为中心的一系列恶果,不计成本,争抢货源,促成了"蚕茧大战"、"兔毛大战",以及众多矿产资源领域的出口大战,结果是国际市场价格逐渐走低,企业亏本出口,国家补贴出口,最终使得整个国家本应通过对外贸易取得的经济利益受到了巨大损害。正是因为以量以廉不能取胜,反而遭致诸多摩擦,低价廉价策略对国家和企业的长期发展而言也难以为继,因此,才明确提出"以质取胜"战略。通过实施"以质取胜"的一系列政策措施,中国出口商品质量得到了迅速提高,这从商品结构的阶段性变化就可以看出质的飞跃:20世纪70年代末到80年代初中期,中国出口商品以原材料、半制成品和农副土特产品为主,原料性、附加值和技术含量相对较低是其主要特点，而80年代末期，制成品和半制成品出口超过原材料及农副土特产品的出口比重，粗加工、低附加值、低技术含量成为其主要特征。这是以质取胜的第一阶段成果。从20世纪80年代到90年代中后期，完成了第二个转变：制成品出口占出口的绝大部分比重，且机电化工产品超过纺织轻工产品的出口比重，深加工、精加工程度显著提高和附加值与技术含量不断提升是其主要特征。与此同时，伴随着出口商品结构的优化，贸易条件也得到了显著的改观，中国取得了应有的对外贸易利益。从20世纪末到21世纪初，截至目前，正在经历第三个转变：高新技术产品出口比重逐年提高，精深加工、高技术含量和高附加值成为主要特征。也正是在这个时期，"以质取胜"战略在取得了阶段性重要成果之后，又在两个方向上进行纵深发展：一是全面拓展以质取胜战略涵盖的范围，向"品牌战略"迈进，质量的范围不再单纯局限于生产过程的质量控制，符合出口的质量标准（或国际标准），而且向前后向延伸，即从前端的研发设计创新与改进，到售后服务与信息反馈，全程的质量提升，打造品牌的美誉度，使"中国制造"成为响当当的质量标识和消费者信得过的产品。二是在高端产品中，推行"科技兴贸"战略，全力打造中国制造的高科技产品的国际竞争力。

（二）市场多元化战略

进入20世纪90年代之后，由于出口规模的扩张，以规模、分散市场风险，改变出口市场过度集中在欧美日等发达国家市场的状况，提出了"市场多元化"战略。对于贸易大国而言，贸易对象伙伴国会覆盖世界上绝大部分国家和地区，但是能够在多元市场中占有单元席位的市场是极为有限的。事实上，在世界经济格局中，经济大国同时也是贸易大国，因此，在市场多元化中，能够构成真正意义上单元的，事实上就是经济合作与发展组织（OECD）的主要国家。除了发达国家之外，新兴工业化国家和转型经济国家能够进入中国市场多元化视野的只是个别例外。对于广大发展中国家而言，只能以亚、非、拉地区市场的组合形式构成具有单元意义的市场。对于中国来说，除了一般意义上的市场多元化之外，还有一个独特的贸易对象，即"一国两制"条件下的"两岸四地"的贸易。内地与香港、澳门的贸易，大陆与台湾的贸易在中国内地的对外贸易中占有独特地位，亦可视为单独的一元。

按大洲划分，2005年在中国对外贸易中，亚洲占56.81%，欧洲占18.43%，北美洲占16.24%，拉丁美洲占3.55%，非洲占2.79%，大洋洲占2.17%。按发达国家（OECD）和发展中国家划分，二者各占55.75%、44.25%，显示了由经济实力决定的贸易比重。根据该区域经济合作论坛来划分,亚太经合组织(APEC)所涵盖的国家和地区占中国对外贸易的71.44%,亚欧会议(ASEM)所涵盖的国家占中国对外贸易45.29%。上述两者有重合,但由此也显示出各自的分量。按照世界上主要自由贸易区(国家集团)的划分,2005年中国与北美自由贸易区(NAFTA)贸易额占中国对外贸易的16.77%,中国与欧盟(EU)的贸易额占中国对外贸易的15.28%,中国与东南亚国家联盟(ASEAN)的贸易额占9.17%。

按照传统的分析方法,贸易对象一般是指国别或地区(即非国家集团形态的单独经济体),因此,在中国市场多元化提出之后,也只是按此方法进行多元分析与解剖。但在与经济全球化趋势并行的区域一体化(集团化)深入发展且区域经济合作成为新潮流之后,有必要将多元化市场的核心概念,由国家层面转而升至为区域层面,即"国别元"升级为"区域元",进而也要以中国正在形成的国际区域经济合作布局为基础,深化对以区域为单元的贸易对象地区进行深层次分析,进而将市场多元化向前推进。

(三)科技兴贸战略

20世纪90年代后期,世界科技进步成果推广运用加快,对全球产业的改造、升级及转移产生了重大影响。中国经济结构、产业结构的改造、调整、升级速度进一步加快,进而使对外贸易的商品结构发生了重大变化,高新技术应当成为引领出口商品结构升级的主要驱动力量。但是,受传统体制的影响,中国的科技成果与市场的结合能力较低,在市场化程度低,许多科技成果尚未产业化、国内化的条件下,不可能真正推进国际化。而在中国加入WTO在即,国内市场日益国际化,国际市场国内化,使得加速国内科技成果市场化、国际化成为必然选择。与此同时,亚洲金融危机的爆发,使我国出口商品与除日本以外的东亚国家出口商品同质同构的矛盾凸现。正是为解决这一矛盾,由当时的外经贸部和科技部共同提出、制定和实施"科技兴贸"战略,加快中国高新技术产品走向国际市场的进程,进而在国际高端产品市场占有一席之地。科技兴贸战略从1998年酝酿到提出,经过不到一年的时间,1999年正式形成为具有实际具体政策措施的行动计划。科技兴贸战略实施以来,取得了重大的成果,2005年在中国出口商品结构中,高新技术产品所占比重已经接近30%,这标志着中国出口商品结构发生了质的深刻改变。未来实施科技兴贸的一系列卓有成效的政策措施与协调机制应当也必须应用到所有出口产品领域,从而加快出口产品的技术含量、附加值的提升,提高整体出口效益,达到从根本上转变数量规模扩张的粗放型增长方式,走上质量效益提高的集约型贸易增长的轨道。科技兴贸与以质取胜一起成为加快外贸增长方式转变的核心战略。

(四)"走出去"战略

在世纪之交的 90 年代末,根据中国经济蓬勃发展的现实考量,中央于 1999 年年底正式明确提出制定和实施"走出去"战略。制定"走出去"战略有着深刻的国内国际背景。从国内来说,改革开放以来,中国通过二十多年的"引进来"战略的实施,市场换技术取得了一定成绩,中国企业及其相当一部分产业具备了相对的比较优势,已经有能力、有条件"走出去",通过开展对外直接投资,更深层次地开拓国际市场,参与国际市场的激烈角逐,进而滋生、培育、形成一批中国的本土跨国公司,使之成为中国国际竞争力的坚强基石。与此同时,为了更好地贯彻利用国际国内两个市场、两种资源的方针,就必须在国外资源与市场上下更大的工夫,利用对外直接投资作为新的手段和竞争工具,解决国内持续快速发展所面临的资源短缺对经济增长的约束问题。从国际背景来看,国际直接投资的迅猛发展,带动了国际贸易的发展,国际跨国公司巨头在世纪之交进行了规模巨大的全球性战略兼并与重组,试图继续牢牢控制既有市场份额,实现其寡占利益。在世纪性的兼并重组浪潮中,跨国公司也在进行中国市场的战略布局,而中国企业再也不能无动于衷,不仅在中国市场,而且在国际市场中,有必要采用更多、更为有效的手段和武器与对手展开竞争。在中国加入WTO 的条件下,以自由公平竞争为原则,必然要放开国内企业的手脚,允许其在国际市场上放开一搏,与跨国公司展开公平竞争。与此同时,中国单纯依靠贸易的方式拓展国际市场,提高市场份额的方式,已经受到了来自贸易对象国的贸易保护主义压力,贸易摩擦频生,中国成为反倾销案板的重要受害国,且频率、密度日益增大。针对这种压力,其破解策略之一就是通过对外直接投资,减缓贸易摩擦,以投资与贸易相互结合、相互促进的方式,提高在国际市场上的竞争力。

中国实施"走出去"战略以来,通过重构对外投资政策,形成了支持、促进、服务、监控联为一体的较为完善的框架体系,已经由原来完全依附于单纯贸易政策、与投资有关的贸易政策措施体系演变为相对独立的、与贸易有关的投资政策措施体系。通过对外投资政策体系的重构,使得"走出去"战略的实施得到了强有力的制度保障。

(五)各项实施战略之间的相互关系

从整体与部分的关系来看,以质取胜、市场多元化、科技兴贸和"走出去"四项实施战略既是对外经济贸易总体战略的有机组成部分,服从并服务于总体战略,同时各个战略又是相对独立的,各自所要实现的具体目标和所要解决的任务也有所不同。如果从贸易与投资上划分,以质取胜、市场多元化和科技兴贸战略属于贸易战略的范畴,而"走出去"战略则属于投资领域范畴。

从部分与部分的关系上看,四项实施战略虽然相对独立并完成各自的任务,但所要实现的目标是一致的,因而彼此之间又是相互依存、相互依赖、相互支撑的。不仅如此,各项实施战略的具体政策措施之间也是彼此交叉,相互衔接、相应衬托的,有时甚至很难分开。以质取胜战略本身是从传统的贸易商品结构分析引申而来的,它要解决的是出口商品的质量、效益与结构的问题。在与市场多元化战略的关系上,仅就发展中国家市场与发达国家市场的购买力与需求层次而言,按照市场营销策略,以质取胜战略就要针对不同市场采取"高质中价"、"中质低价"等不同的适应当地市场的价格策略以及策略组合。在与科技兴贸战略的关系上,二者更不能分开,质量的提升最终要依靠科技进步手段,没有科技的支撑,以质取胜就不可能持久。在与"走出去"战略的关系上,不仅对外贸易要实施以质取胜,"走出去"开展对外投资、承包工程和劳务合作等业务,也都必须树立牢固质量信誉观念,质量当头,效益优先,这样才能立于不败之地。

市场多元化战略本身也是从传统的贸易地理方向分析框架引申而来的,它要解决的是在一国对外贸易布局中,一方面要巩固和深度开掘传统市场,另一方面要扩大对新兴市场的开拓,在全面均衡的市场格局中规避风险,并提高抗风险的能力。在与以质取胜战略的关系上,无论是深度开掘传统市场还是开拓新兴市场都必须以质量信誉作为基础,否则已有的市场会丢失,新兴的市场机遇也会丧失。无论是在传统的发达国家市场上,还是在新兴市场上,价格竞争不仅早已为他国所指摘,而且也已经在频繁发生的反倾销中成为众矢之的,必须依靠质量、标准、品牌竞争才能巩固并扩大原有的市场份额。在与科技兴贸战略的关系上,巩固、扩大和开拓各类国家(地区)市场,必须在高端产品领域的贸易中占有一席之地,以此争得水平分工之利益,在提升产品竞争力的同时,获取国际分工的利益最大化。在与"走出去"战略的关系上,依照我国可持续发展对外部资源的需求,本身就必须寻求资源来源的多元化;优势产业适度向发展中国家转移,以舒缓贸易不平衡的压力;在发达国家市场上促进中国本土跨国公司与西方跨国公司进行竞争。

科技兴贸战略作为"科教兴国"战略在对外经贸领域的直接体现,主要解决的是用科技进步的成果改造传统的出口产品,提升科技产品在整个出口贸易中的比重,进而提高中国产品的整体竞争力。在与以质取胜战略的关系上,它既是以质取胜战略的更高、更深层次的表现,也是对以质取胜的全新诠释:原创核心技术、自主知识产权与自主品牌就是"质"上提升的终极显示。在与市场多元化战略的关系上,无论传统市场还是新兴市场,科技兴贸都是最为重要的利器。国际竞争说到底就是国际劳动生产率之争,而科学技术正是改进和提高劳动生产率的主要手段。科技兴贸与市场多元化的有机结合,将使中国产品更好地适应当地市场需求,并且在售后服务上适应当地消费者的特殊需求与偏好方面做出及时改进。在与"走出去"战略的关系上,通过对外直接投资的不同形式,一方面可获得"微笑曲线"两个高端的利益——前端的研发设计、后端的营销网络,另一方面也可利用当地设厂之利,通过市场信息的及时反馈,不断改进产品并使之当地化。

"走出去"战略就其实质而言应当是对外投资战略,当然它也必然扩展到国际经济技术合作的业务领域——对外承包工程与劳务合作。作为四项实施战略当中惟一的对外投资战略,它与其他三个对外贸易战略既有明显的区分又有相互依赖的关系。从20世纪80年代到20世纪末,呈现出世界投资拉动世界贸易增长的显著趋势。中国在这20年里更多地通过利用外资、增强自身的贸易能力,并成为了"世界加工厂"。在世纪之交,当中国具备了一定的对外投资能力之时,加强中国对外直接投资对出口贸易的带动作用,并进而相互促进、相互依赖、相互支撑成为必然的选择。"走出去"的空间很大,投资对象必然是面向全球的每个可以获利的市场,投资项目必然与我国产业转移与升级的政策导向相适应,投资的企业也必然拥有相对东道国的比较优势,在以质取胜与科技兴贸的具体运用中,实现对外投资的经济效益。

四、对外经济贸易战略的深化与升级

中国正在由经济大国迈向经济强国,这当然需要整个国家竞争力的提升与支撑,而其核心是产业竞争力的提升,贸易竞争力是产业竞争力的外在表现。与此同时,也应看到,与产业政策一样,贸易政策也具有相对的独立性,必须对对外经济贸易的战略问题进行深层次的研究与务实推进,这样才能适应外贸增长方式转变的需要,以相应的战略深化与升级,促进贸易竞争力的提升,从而为贸易大国向贸易强国的转变提供强有力的支持。

从目标战略层面看,中央关于制定国民经济和社会发展第十一个五年规划

的建议明确提出,要全面提高我国的综合国力、国际竞争能力和抗风险能力,"十一五"期间应在优化结构、提高效益和降低消耗的基础上,实现2010年人均国内生产总值比2000年翻一番,资源利用效率显著提高,单位国内生产总值能源消耗比"十五"期末降低20%左右。在对外开放方面,提出进一步扩大对外开放,以开放促改革、促发展。对外贸易领域要以加快转变对外贸易增长方式为目标,积极发展对外贸易,优化进出口商品结构,着力提高对外贸易的质量和效益;扩大具有自主知识产权、自主品牌的商品出口,控制高能耗、高污染产品出口,鼓励进口先进技术设备和国内短缺资源,完善大宗商品进出口协调机制。继续发展加工贸易,着重提高产业层次和加工深度,增强国内配套能力,促进国内产业升级。大力发展服务贸易,不断提高层次和水平。如果单从对外贸易的发展指标上看,2005年我国对外贸易总额达到14221亿美元,是2000年4743亿美元的近三倍(以当年价格计算),远远超过了原定到2010年翻番的目标,因此在"十一五"期间,将主要目标设定为转变外贸增长方式的质量效益指标。实际上,依据改革开放以来的经验性数据,如果国内经济保持持续快速增长,世界经济和世界贸易保持平稳增长,且没有明显的重大突发性事变使外部需求持续锐减的情况,我国对外贸易在2005年的基础上到2010年增长一倍的可能性仍然存在。当然,数量规模扩张要让位于质量效益提高的主要目标。与此同时,要大力发展服务贸易,并不断提高在世界服务贸易中的比重与位次。只有中国的货物贸易与服务贸易均衡发展且均居世界前茅,才能符合贸易大国乃至贸易强国的称谓。

从选择模式战略层面来看,由于我国经济总量已占世界经济总量的4.6%,成为世界第四位的经济大国,未来的发展中投资需求拉动增长的作用将有所降低,消费需求带动经济增长的作用将不断提高并最终将占据主导地位。而在我国成功实行进口替代与出口导向相结合且以出口导向为主的模式之后,未来出口需求拉动经济增长的效应也将会有所降低。在这种条件下,贯彻落实对外开放的基本国策,进一步扩大对外开放,就必须在开放型经济中选择更为有效的模式战略,也就是以提高对外开放水平为指向,进一步利用好国际国内两个市场、两种资源,促进生产要素的跨境流动和优化配置,在充分发挥比较优势的基础上,构筑新的国家竞争优势,保持进出口贸易的基本平衡,实现对外贸易对国民经济发展的整体效益和利益最大化。

从实施战略层面上看,在外经贸领域实施并取得显著成果的四项重大战略,不仅要继续推进实施,而且必须向深度和广度推进,进而适时进行战略升级。

第一，以质取胜战略的深化与升级，就是质量的概念向外经贸所有业务领域全面拓展，向名牌战略和标准化战略深度推进。这是加快转变对外贸易增长方式的基础与必要条件。这两项战略是以质取胜战略的子战略，同时也是以质取胜战略在新时期的具体表现。根据2006年1月26日《中共中央国务院关于实施科技规划纲要增强自主创新能力的决定》，国务院颁布了《国家中长期科学和技术发展规划纲要（2006——2020年）》，该纲要明确指出，要实施技术标准战略，将形成技术标准作为国家科技计划的重要目标。政府主管部门、行业协会等要加强对重要技术标准制定的指导协调，并优先采用。推动技术法规和技术标准体系建设，促进标准制定与科研、开发、设计、制造相结合，保证标准的先进性和效能性。引导产、学、研各方面共同推进国家重要技术标准的研究、制定及优先采用。积极参与国际标准的制定，推动我国技术标准成为国际标准，加强技术性贸易措施体系建设。

第二，市场多元化战略的深化与升级，就是将原有的"国别（地区）市场元"向符合世界经济区域一体化趋势的"区域元"拓展，以适应我国积极参与并推动区域经济一体化的现实要求。当然，"国别（地区）市场元"仍然是基础，"区域元"并不能取而代之，但它提供了一个新的分析视角，是一种新的构成元素。

第三，科技兴贸战略的深化与升级，就是将按照建设创新型国家的要求，把增强自主创新能力作为调整产业和贸易结构、转变贸易增长方式的中心环节，将卓有成效的科技兴贸的政策措施运用到外经贸所有业务领域，在不断创新中达到向科技强贸的战略升级，为贸易大国向贸易强国的转变提供强有力的支撑。这一战略升级的表现就是以大力开发具有自主知识产权的关键技术和核心技术的自主创新为中心环节，按照上述中长期科技发展规划要求，实施知识产权战略。在外经贸领域的具体体现就是要实施"知识产权兴贸工程"。

第四，"走出去"战略的深化与拓展，就是要在对外投资领域初步实现资源和制造业主要区域布局的基础上，逐步实现全球布局，使对外贸易与对外投资相互依赖、相互促进，共同实现我国在全球经济中的最大利益。在这一过程中，加快中国本土跨国公司的成长是关键所在，甚至可以说，中国跨国公司成长的快慢、强弱决定着中国各类产业的国际竞争力，进而决定整个国家的竞争优势。

本书以中国对外经济贸易领域正在实施的战略作为研究对象，按照时间顺序逐一剖析以质取胜、市场多元化、科技兴贸和"走出去"四大战略各自形成的历史背景、战略内涵、发展进程及其在新形势下向纵深推进与升级的战略举措。随着这些战略的深入贯彻落实,中国必将在本世纪头 20 年的战略机遇期内,实现由贸易大国向贸易强国的转变,这不仅是良好的愿望,更有圆梦的现实基础。

第一章

以质取胜战略：走向国际市场的通行证

产品及其服务的质量是企业的生命，在国际贸易中，产品的质量更是走向国际市场的通行证，是国际竞争的保证。当今世界无论是货物贸易还是服务贸易，都是极为规范、高度竞争的市场。产品与服务达不到质量和标准要求，就不可能为国际市场所接纳，即使贸然或侥幸闯入进去，也会遭遇诸如拒收、拒付、退货、索赔等风险，这不仅会给厂商带来损失，如果情况严重，会毁掉一国产业的国际声誉。中国作为一个发展中的大国，在改革开放的过程中逐渐成长为贸易大国，必须把"质量第一"作为重要的理念加以贯彻实施，而在对外经济领域实行的"以质取胜"战略就是具体体现。

第一节 以质取胜战略形成的背景

以质取胜战略虽然是在 20 世纪 90 年代初提出并实施的对外经济贸易发展战略之一。但其从酝酿到提出却经历了改革开放前后数十年的历程，而且内涵也在不断延展，在制定和实施以质取胜战略之后，战略的重点在不同时期有所变化，并在新时期演变升级为以出口名牌品质战略和技术标准战略为核心的以质取胜战略。

一、对外贸易迅猛发展成效显著（1978～1990 年）

（一）贸易总额迅速增加，制成品份额扩大

改革开放以来，我国外经贸事业取得了长足进步。1950 年，我国进出口贸易总额只有 11.35 亿美元，随着与西方国家关系的改善和贸易的发展，1973 年首次突破了 100 亿美元，1980 年达到 378 亿美元，1990 年已经超过 1154 亿美

元,是 1950 年的 101 倍,平均年增长率为 12.2%。其中出口由 1950 年的 5.52 亿美元增加到 1990 年的 620.9 亿美元,进口由 5.83 亿美元增加到 533 亿美元,分别增长了 111.5 倍和 90.4 倍,平均年增长率分别为 12.5% 和 11.9%。同期出口总额占世界的比重由 0.91% 上升到 1.81%,在世界排名中的位次也由 22 位上升到 15 位。从 1978 年到 1990 年,我国出口平均增长率为 15%,远远高于同期国民生产的年增长率 8.7%。出口总额与国民生产总值的比例在 50 年代初为 4%,到 1978 年和 1990 年已经分别达到 4.7% 和 14.3%[①]。

改革开放以来我国外经贸领域取得的进步不仅表现在量上的迅速增长,更表现在出口商品结构的优化和附加价值的提高。改革开放前,我国出口的产品多为资源密集型或是没有国际统一质量标准的土特产品。而改革开放后,随着外资的进入,到 20 世纪 80 年代末 90 年代初我国主要出口产品逐渐转向劳动密集型工业产品,这包括纺织品、鞋类和玩具类产品等;而到 1995 年,机电产品超过纺织品成为我国最大出口创汇产品,使得我国出口产品结构有了进一步优化。

表 1-1　中国出口商品构成(1953 ~ 1990 年)

单位:亿美元

年　份	出口总额	农副产品		农副产品加工品		工矿产品	
		金额	占比(%)	金额	占比(%)	金额	占比(%)
1953	10.22	5.69	55.7	2.65	25.9	1.88	18.4
1960	18.56	5.75	31.0	7.85	42.3	4.96	26.7
1961	14.91	3.09	20.7	6.84	45.9	4.98	33.4
1965	22.28	7.37	33.1	8.02	36.0	6.89	30.9
1969	22.04	8.24	37.4	8.62	39.1	5.18	23.5
1970	22.6	8.29	36.7	8.52	37.7	5.79	25.6
1975	72.64	21.5	29.6	22.61	31.1	28.53	39.3
1980	182.72	34.19	18.7	53.97	29.5	94.56	51.8
1985	259.15	45.32	17.5	69.68	26.9	144.15	55.6
1990	520.67	67.64	13.0	151.85	29.2	301.18	57.8

资料来源:《1997 中国对外经济贸易白皮书》。按农副产品、农副产品加工品、工矿产品划分。

---

① 以上数据资料来源于:《1997 中国对外经济贸易白皮书》,中国对外经济贸易出版社 1997 年 5 月版。

在上世纪80年代末90年代初,我国以纺织品为代表的劳动密集型产品占出口绝对优势,这一变化对以质取胜战略的提出有两个方面的影响。一是这些劳动密集型产品的特点与资源密集型和土特产品相比,有国际上统一的质量标准,质量好坏易于比较,这就要求我国出口的这类劳动密集型产品必须符合国际市场上的统一质量要求;另一方面我国当时出口的这些纺织品、鞋及玩具类产品尽管是工业产品,相对于以前出口的资源型产品和农、副、土、特产品已经是一大进步,但这类出口产品的附加值在工业类产品中毕竟是较低的,即使同为纺织类产品,发达国家生产并出口的纺织品的附加值就要高出许多。因此,在上世纪80年代末90年代初我国仍面临增加出口产品附加值,优化出口商品结构的任务,如大力发展机电产品的出口等等。

(二)进出口贸易对国民经济发展的带动作用日益显现

改革开放以前,我国国民经济主要是内向型经济,对外贸易对国民经济的拉动作用不明显,只是起到调剂余缺的作用。而改革开放后,随着出口贸易的扩大,以及通过进口机器设备,对外贸易对国民经济增长的贡献越来越大,主要表现在以下方面:

在出口方面,自1978年以来,我国出口贸易有了突飞猛进的发展,出口占当年工农业总值和国民收入的比重显著提高。

表1-2 出口在国民经济中的地位(1978～1990年)

年 份	1978	1982	1983	1984	1985	1986	1987	1988	1989	1990
出口/GDP(%)	4.62	7.8	7.36	8.06	9.00	10.61	12.30	11.84	11.56	16.05

资料来源:根据未调整的《中国统计年鉴》中GDP数据(若未特别说明,本书所有涉及GDP的数据均指未调整的数据)和海关统计数据计算,汇率按当年平均汇率计。

由上表可知,出口占GDP的比重逐年扩大,国民经济对外贸的依赖逐渐增强。从增长速度来看,1978～1990年出口贸易每年以两倍于GDP的速度增长,出口贸易较大程度上拉动了国民经济快速增长。

在进口方面,进口额占工农业总产值的比重也迅速扩大,从1982年的4.3%增长到80年代末的10%以上。进口对国民经济发展的贡献主要体现在进口我国不能生产的产品,引进国外先进的机器设备方面,通过扩大关键设备的进口,使我国生产能力极大提高,产业结构和技术水平有了很大改善。

总体来说改革开放之后,我国出口贸易发挥了国民经济增长发动机的作用,进口贸易起到了节约社会劳动,支持经济增长的作用,取得了更大的比较利益。通过参与国际分工与交换,加速对外贸易的发展,使得整个国民经济现代化的进程加快,缩短了与世界先进水平的差距,这就是最大的宏观经济效益①。

(三)加工贸易迅速发展,与一般贸易形成了各占"半壁江山"的格局

在 20 世纪 80 年代对外贸易发展中,最为显著的是贸易方式的重大变化:一般贸易份额急剧下降,从 1982 年的 90% 以上下降到 1993 年不到 50% 的比例;而加工贸易所占份额急剧上升,从 1982 年不到 10% 的比例增长到 1993 年的近 50%,且超过一般贸易出口,形成了各占"半壁江山"的格局。贸易方式变化的原因是:加工贸易多由港澳台或外商投资企业出口,其产品的技术含义较高,品质较好,又与国际生产体系和销售体系紧密联系在一起;而一般贸易多由国有企业及其他乡镇企业出口,技术含量,产品品质等方面均不及三资企业。同时,贸易方式的变化对我国国民经济产生的结果也是两方面的:加工贸易的发展带动了出口贸易的大幅度增长,从而赚取了当时极为稀缺的外汇,而且随着三资企业加工贸易的发展,或多或少会对国内经济产生技术溢出效应和示范效应;然而,加工贸易两头在外,相对于一般贸易而言,其对国民经济的带动作用有限,参与加工贸易出口的国内主体仅得到劳务加工费用,大量利润被外方赚走。虽然加工贸易的迅速发展使得对国内经济增长贡献较大的一般贸易份额下降,但是却有力地促进了出口贸易的增长,缓解了我国外汇短缺的压力。

要促进一般贸易的发展,并不是要以降低加工贸易为代价。而是要在保持并改进加工贸易发展的基础上,寻找一般贸易份额剧烈下降的原因。而 20 世纪 80 年代到 90 年代初一般贸易比例迅速下降的原因正是因为其产品质量低劣、附加值低、无品质品牌可言,这样的产品在国际市场上是不可能得到长期认可的。因此,要促进一般贸易的发展,惟有大力实施以质取胜战略不可。

传统上,我国出口产品一向以低价格作为最大的竞争优势,有时甚至不计出口的经济效益,这在我国刚刚改革开放,在外汇极度紧缺的情况下暂时牺牲效益换取宝贵的外汇则是不得已的行为。而到上世纪 80 年代末 90 年代初,我国外贸

---

① 参见汪海波主编:《中国国民经济各部门经济效益研究》,经济管理出版社 1990 年 3 月第 1 版。该书是国家"七五"哲学社会科学重点科研项目,由工业、农业、建筑业、交通运输业、消费品流通、物资流通、对外贸易、金融业、固定资产等 9 个分报告组成。对外经济贸易部国际贸易研究所对外贸易经济效益课题组承担第七编"对外贸易经济效益现状、影响因素和对策方案",课题负责人为所长张培基,课题组成员和执笔人有李维城、李雨时、李钢、杨继建。李钢撰写了该编的第四部分"对外贸易在国民经济发展中的宏观经济效益"。

在保持大体平衡的总体条件下，个别年份甚至出现了顺差，使得外汇短缺有了一定程度的缓解，因此，在90年代初提出以质取胜战略而不再是"以量取胜"、"以廉取胜"是有一定经济基础和条件的，而以质取胜战略的提出就意味着牺牲效益换取外汇历史的结束。众所周知，产品质量和附加值的高低是提高产品国际竞争力的最为重要的条件，而且要进一步扩大我国出口贸易额，不仅需要出口数量规模的扩张，更需要出口产品单位价格的提升，很难想象仅出口资源型产品或是其他低附加值的粗加工工业品能使我国成为一个贸易大国，更遑论贸易强国了。所有这些都为在20世纪90年代初以质取胜战略的提出创造了条件。

二、对外贸易高速增长引发的矛盾与问题

改革开放至20世纪80年代末，对外经贸领域以扩大地方、企业对外贸易自主权为中心内容进行了全面改革，突破了对外贸易统治的体制，工贸、农贸以及地方、企业等外贸经营主体大量加入进来，打破了外贸总公司垄断外贸的格局，再加上边境贸易的恢复与发展，形成了千军万马做外贸的局面。与此同时，一些损害质量、信誉的事件也不断发生，对外贸易各个环节的监管也不到位，在一些传统市场，"中国制造"的信誉扫地，甚至成为假冒伪劣产品的代名词。"抬价抢购、低价竞销，肥水外流"的恶性竞争愈演愈烈。出口贸易数量和规模的扩张并未带来相应的经济效益。在"外汇短缺"的条件下，"要外汇还是要人民币"最终以出口创汇优先胜出为结局，这也为之后众多外贸、工(农、技)贸公司相继亏损挂账并最终破产、倒闭埋下了伏笔。

(一)出口商品量增价跌，效益递减

统计数据表明，改革开放以来，我国出口量的增长大大高于出口值的增长，到20世纪80年代后期，这种情况更加严重。从1981年到1989年，我国出口贸易量平均每年递增11.6%，而出口贸易值只增长9.5%，单位出口价格则每年平均递减1.8%。

表1-3 我国出口量、出口值和单位价格(1980~1989年)(指数：1980年＝100)

年 份	1980	1981	1982	1983	1984	1985	1986	1987	1988	1989
出口值	100	114.3	119.4	121.5	133.6	141.8	147.8	189.9	222.4	237.7
出口量	100	110.9	123.2	140.6	151.3	172.5	203.1	249.5	267.3	266.5
出口单价	100	103.1	96.9	86.4	88.3	82.2	71.7	76.1	83.2	89.2

资料来源：《中国对外经济贸易年鉴》1990年，第291页。

这种情况之所以会出现,除当时由于外贸体制不合理导致不平等竞争加剧,从而造成出口收购价格非常上涨的原因外,更主要的因素就是出口商品结构落后,质量下降,形成出口售价下跌,不适应出口创汇总量增长的要求。只能增加出口数量,以达到出口创汇总量扩张的目的。如果任由这种趋势长期持续下去,很可能使我国也像世界上某些发展中国家那样,陷入出口增加却导致国民经济"贫困化增长"的境地①。

出口商品附加值低级化是造成量增价减、效益低下的主要原因,无论是初级产品还是工业制成品出口,当时绝大部分是低档的粗加工和低附加值的产品。如果通过对产品的深加工和提高档次来增加单位出口品的附加价值含量,譬如增加 3% ~5%,将可以大大缓解出口结构与出口总量增长之间的矛盾,即在不增加或少增加出口量的基础上保持出口值的稳定增长或较大幅度增长。

因此,优化出口商品结构,提高出口商品质量和附加价值,是我国对外贸易从"以量取胜"、"以廉取胜"转向以质取胜的重要保证。具体地讲,就是要提高出口商品档次、质量和售后服务水平,逐步减少低层次、低加工度和低附加价值的劳动密集型产品在我国出口总额中的比重,增加深加工、高层次劳动密集型产品与资本——技术密集型产品以及劳动密集与知识——技术密集相结合产品的出口。

(二)出口市场秩序混乱,假冒伪劣严重

实践中,"以量取胜"、"以廉取胜"等短期行为大行其道,直接导致出口产品的质量不过关,假冒伪劣,以次充好。粗放型的数量规模扩张型的增长,带来了一系列恶果:国内抢货源、争原料,各种原材料出口大战,如"蚕丝大战"等屡见不鲜;国外抢客户,拼价格,压价竞销随处可见,反倾销案时有发生;"重合同,守信用"不再成为行业的行为规范,而被严重破坏,拒收、退货、索赔频生;假冒伪劣从边境贸易向一般贸易蔓延,且有愈演愈烈之势,严重损害了中国产品的声誉;出口指令性计划虽然逐渐改变为指导性计划,但其作为刚性考核指标的实质并未从根本上改变,这也是导致国内出口无序竞争、恶性竞争的深层次体制性原因。

我国对外贸易领域出现的上述情况是与特定历史发展阶段分不开的。在改革开放前,我国所有进出口贸易均由国家计划调控,国家哪些企业可以出口,

---

① 徐贤权主编:《90年代中国出口战略研究》,中国对外经济贸易出版社 1992 年 8 月第 1 版第 61 页。

出口多少均根据国家的计划安排,因此,那个时候出口产品的质量是可以很好得到监控的,不会存在假冒伪劣,以次充好的情况。但是随着改革开放的深入,我国外贸完全由国家计划调配的情况也随之打破。首先是出口企业主体的扩大,原来指定的外贸公司专司全国的出口任务,俗称出口创汇国家队;而随着外贸改革的逐步深入,大型国有生产企业获得外贸经营权,乡镇企业异军突起,也加入到外贸大军的行列之中。到上世纪80年代末90年代初,出现了千军万马搞外贸的局面。在这种情况下,外贸的管理跟不上形势的发展,对外贸易经营主体数量的扩大加上出口市场竞争的加剧,使得出口产品质量出现了大幅度滑坡。

上世纪80年代末90年代初中国产品质量不过关给国际市场一个极坏的印象,有的甚至视中国产品即质量低劣的代名词。我国进一步实施改革开放战略就必然要依赖国家市场,而中国出口的产品要在国际市场上占一席之地,就要坚决打击假冒伪劣、以次充好的出口产品。为此,90年代在外经贸领域及时提出并实施以质取胜战略就显得非常必要。

(三)体制性矛盾制约出口商品质量提高与结构优化

20世纪80年代末我国处于改革开放试验期,各项经济体制改革还未深入推进。在外经贸领域,虽然进行了一些改革,但收效甚微,许多方面只是改变了形式,而未根本革除弊端。具体表现在以下十个方面:

1. 政企不分的矛盾

1987年我国外贸体制通过承包方式进行了改革,但这是一种主体错位式承包,经贸部实际是外贸总公司的总公司。对国家它是承包者,接受计委下达的年度计划任务和附带财政补贴数额;对下它又成为发包单位,由所属的外贸总公司具体分包,总公司再向其所属分公司(支公司)分解承包指标。而1988年又改为外贸公司与地方政府承包,从1987年的"条条承包"改为"块块承包",这实际上只是承包的主体由一种类型的行政部门改为另一种类型的行政部门。对企业来说,只不过是换了个"婆婆",丝毫未改变自己作为行政机关附属物的地位。

2. 工(农、技)贸脱节的矛盾

工贸脱节表现在两个层次上:第一个层次是经贸部与各工业部脱节,第二次层次是外贸企业与生产企业脱节。两者的脱节造成利益的冲突与矛盾,外贸部总想压低采购价,而工业部门和生产企业总想抬高价格。这种矛盾集中表现在"双向保密"上:外贸企业向生产企业保密出口商品的成交价格;后者则向前

者保密出口商品的生产成本。这种隔层制约了对外贸易的正常发展。

3.经贸部与地方的矛盾

在中央与地方财政分灶吃饭的体制下,地方政府的利益目标是财政收入最大化,因此在对待地方所辖出口企业的态度上,积极支持它们抬高出口商品成本,硬性强迫外贸分公司接受这种高估的出口成本。而搞好同地方的关系,外贸分公司只好接受这种价格,甚至为稳定货源,把国际市场并不需要的产品收购上来,造成积压浪费,而亏损通过层层上报,最终只能挂账,由国家财政负担。可见,在地方创收与经贸部创汇的矛盾中,地方政府也具有反出口的倾向。这也是制约当时我国外贸发展的一大原因。

4.垄断经营与分散经营的矛盾

在对外贸易国家统治理论的指导下进行的外贸经营权(外贸经营主体多元化)的改革,始终存在对外贸易垄断经营与分散经营的矛盾。外经贸部下放经营权后,许多部门和地方相继成立了工贸公司和地方贸易公司,不少生产企业也获得了外贸经营权。由于国家贸易的绝大部分由专业总公司承担,因此,经贸部将本系统的外贸专业总公司视为嫡系的正规军,而将部门和地方的外贸公司、工贸公司及自营外贸生产企业视为游击队,没有把它们置于适当的地位。同时,由于放开经营是旧体制向新体制转变的初期步骤,没有以自负盈亏作为前提条件,在国家贸易与地方贸易之间发生了矛盾,造成了争抢货源、抬价收购、削价竞销、肥水外流的局面。

5.出口体制与进口体制的矛盾

当时出口体制与进口体制的分离,可以用"高价创汇,低价用汇"来概括。高价创汇是指用高于人民币与外币的官方汇价去收购商品并用于出口。所谓低价用汇是指用高于官方汇率的平均换汇成本换取外汇后进口的商品,按国内计划价格出售给用货单位。这样,在进口和出口两个环节上,均存在大量亏损,这种亏损必然要由财政进行"双向补贴",使得现行外贸运行机制不仅不能实现对外贸易应有的经济效益,而且从总体上有反出口倾向,与当时奉行的"奖出限入"的初旨严重背离。

6.出口总量与结构的矛盾

我国对外贸易中的出口,受到国家财政平衡和国际收支平衡的制约,并且在两大平衡的选择中摇摆,呈现出扩大出口总量,出口商品结构就恶化;而一抓结构优化,出口总量就上不去的状况。我国出口创汇以国家财政承受能力为限,在国家财政情况较好的情况下,扩大出口仍以资源性产品为主,因此仅仅表现为数量扩张。在国家财政情况不好的情况下，拿不出更多资金支持出口时，就会要求出口商品结构优化，以较少量的出口换取较多的外汇，但贸易总量却上不去，从而影响国际收支平衡。这种财政收支与国际收支的矛盾，以及由此引发的出口商品总量与结构的矛盾没有根本改变。

7. 国内经济机制与国际经济机制的矛盾

对外贸易联结国内和国际两个市场，要求国内经济机制与国际经济机制有机联系起来，但当时尚未形成衔接二者的机制。这特别反映在价格、税收、汇率和关税等方面。在价格方面，呈现出"倾斜型"价格结构；初级产品低于国际市场价格，而深加工产品则高于国际市场价格，结果妨碍出口商品结构优化。同时不合理的价格结构形成体系造成制成品外销不如内销的局面，这样很难在出口商品结构上有大的突破。

8. 外贸经营方式与加速外贸发展的矛盾

我国传统外贸出口经营方式以统购统销为特征。具体说就是国内实行统一收购制，并销往国外，亦即买卖垄断式经营。这种出口方式和出口体制严重束缚了我国出口的发展。当时，国际贸易方式、经营方式多样化，代理制、参与制、采购制和自营出口多种形式并存。专业外贸公司朝多元化、国际化、跨国化方向发展。与此相比，我国外贸方式较落后，对国际上新出现的贸易方式和灵活多样的做法反应迟缓，这对外贸发展制约较大。

9. 出口发展战略与部门、地区发展战略脱节的矛盾

长期以来，外贸出口发展战略很少与部门、地区发展战略的研究结合起来。经贸部门，特别是外贸专业总公司在确定出口发展战略中，更多只是追求数量指标，对现在有优势的出口商品给予重点支持方面，很少考虑长远发展目标和未来有优势的商品，所设立的出口生产专厂、出口生产基地，乃至出口生产体系，大都以短期利益为目标。外贸公司战略、地区战略、部门战略均是根据自身利益独立制定的，彼此脱节，使外贸发展中出口商品质量和结构难有较大突破。

10. 外贸政策与产业政策脱节的矛盾

外贸政策应服从于产业政策，并通过后者的导向具体确定进口政策和出口政策。但在外贸运行中，二者常常脱节，甚至产生矛盾，这不仅严重影响了外贸的国民经济效益，而且在很大程度上妨碍了产业结构的优化和本国民族工业的发展。

在上述背景下，中国外经贸发展虽然较为迅速，但主要以数量规模扩张为主，而质量效益日渐低下。因此，必须采取相应措施加以纠正，使对外贸易由追求数量、扩张规模的粗放型增长逐步转向提高质量、优化结构的集约型增长。以质取胜战略也就应运而生。

第二节　以质取胜战略的内涵与战略举措

一、以质取胜战略的思想理论渊源

改革开放的总设计师邓小平同志十分重视质量问题,并且将出口商品质量视为扩大出口市场、提高竞争力的重要手段。早在 1975 年邓小平同志主持中央工作时,他就对我国产品质量问题作了精辟的论述,"抓好产品质量。质量第一是一个重大政策。这也包括品种、规格在内。提高商品质量是最大的节约。在一定意义上说,质量好就等于数量多。质量好了,才能打开出口渠道或者扩大出口。要想在国际市场上有竞争能力,必须在产品质量上狠下工夫。"[1]"要讲实在的,真正扎扎实实把品种质量抓上去,特别是抓质量。……如果把这一点抓住了,我们将来得到的益处大,基础就更扎实了。"[2]他对具体问题还谈了自己的看法:"不说别的,光是出口商品的包装问题,我看就要好好研究一下。"[3]

1985 年在我国改革开放进入关键阶段时,邓小平同志又进一步指出:"工业生产特别是出口产品的生产,中心是提高质量,把质量摆第一位。……要立一些法,要有一套质量检验标准,而且要有强有力的机构来严格执行。这一关把住了,可以减少很多弊端,卡住那些弄虚作假的行为。质量问题虽然经常提,但现在只是一般地提不行,要突出地提,切实地抓。"[4]在这里邓小平同志把抓质量问题提高到了立法的高度,要用一整套规范,包括国际标准来要求。1986 年 6 月 10 日,邓小平同志在听取中央负责同志汇报经济工作时再次指出:"中国有很多东西可以出口。……还要研究提高产品质量。我去年就说过,产品不能只讲数量,首先要讲质量。要打开出口销路,关键是提高质量。质量不高,就没有竞争能力。"[5]由此在对外贸易领域也就有了后来形成的"以质取胜"的战略的

---

① 《邓小平文选》第二卷第 30 页,人民出版社 1994 年 10 月第 2 版。
② 《邓小平文选》第二卷第 202 页,人民出版社 1994 年 10 月第 2 版。
③ 《邓小平文选》第二卷第 29 页,人民出版社 1994 年 10 月第 2 版。
④ 《邓小平文选》第三卷第 132 页,人民出版社 1994 年 10 月第 2 版。
⑤ 《邓小平文选》第三卷第 159～160 页,人民出版社 1994 年 10 月第 2 版。

思想理论基础。

早在 1972 年,对外贸易领域就开始了在全国范围内建设出口商品生产基地、生产专厂、专车间。粉碎"四人帮",特别是实行对外开放政策后,各行各业发展对外经济贸易的积极性空前高涨,企业直接走上国际市场,外贸出口经营方式日益多样化,同时现代化建设急需外汇,创汇的任务也较重,但对国际市场不了解,急于求成,出现了重视完成出口数量指标,而忽视质量控制的现象,加上惟利是图、投机取巧等不良影响,后来在边境贸易中出现了比较严重的假冒伪劣现象,使我国的信誉受到损害。为引导企业提高出口商品质量,1985 年 2 月,外经贸部曾专门召开全国出口商品国外获奖表彰大会。表彰了改革开放以来我国在国外获奖的 41 种商品,包括粮油食品、土畜产品、轻工业品、纺织品、工艺品、丝绸、电子设备、五矿等,涉及全国十几个省区市、五十多个生产和外贸进出口公司。与此同时,还以"梅林"牌罐头为典型,总结了该品牌出名后,到处使用、冒用"梅林"商标,但不按其技术标准要求生产和出口,结果造成倒牌的沉痛教训。要求出口厂商迅速提高质量,创出更多的出口名牌商品,为现代化建设提供更多的外汇[①]。

1991 年是国务院提出"质量、品种、效益"的一年,当时的外经贸部结合我国对外贸易的实际情况,从进出口贸易的长远发展考虑,于当年正式提出制定和实施外经贸领域的以质取胜战略。1993 年《中共中央关于建立社会主义市场经济体制若干问题的决定》更是明确指出,要"积极推进以质取胜和市场多元化战略",从此,贯彻实施外经贸以质取胜战略成为外经贸领域的一项全国性战略。

二、以质取胜战略的内涵

以质取胜战略的核心内涵是:通过完善立法、打击制售伪劣产品、扶持优质产品、进行质量监督、营造重质量守信用的氛围、推行国际标准,达到提高出口产品质量、优化出口商品结构、争创出口商品国际名牌的目标。需要说明的是,以质取胜战略的内涵是随着对外贸易形势的发展变化不断调整、升级和演化的,不同时期有不同的侧重点,具体来说,在以质取胜提出的初期,主要侧重于规范出口行业秩序,打假、扶优,提高出口产品质量方面;在出口商品质量得到

---

① 参见刘向东著:《邓小平对外开放理论的实践》,中国对外经济贸易出版社 2001 年 6 月版,第 254 页。

一定程度提高后,以质取胜战略的侧重点则转移到推行国际标准、质量认证、提高出口产品附加价值方面,以改善出口产品结构;当我国出口商品结构成功实现从农副土特产品到轻纺产品,并从轻纺产品为主再升级到机电产品出口为主的格局后,我国以质取胜战略则升级到强调出口商品名牌建设工作上,名牌战略是以质取胜战略的高级阶段,它是我国出口商品在完成质量和结构的优化后,进一步提高我国出口产品国际竞争力,获取最大限度的国际贸易利益的必经阶段。

(一)提高出口商品质量

提高出口商品质量的主要内容是:在外经贸工作中正确处理好质量和数量、效益和速度的关系,商品内在质量和外在质量的关系,样品质量和批量产品质量的关系,质量和档次的关系。凡出口产品,从研究、开发、设计,到生产制造、装配以及包装、储藏、运输等的所有环节,都必须一丝不苟,确保质量,使外贸出口商品尽快走上高质量、多品种、多档次和高创汇率的发展轨道。[①]

这种初始含义是与当时的外贸发展形势密不可分的。"要以提高出口商品质量和经济效益为重点,抓好出口工作,在全国外贸系统开展质量、品种、效益年活动;积极扩大工业制成品出口……继续整顿外贸经营秩序"[②]。在以后的各年外贸统计年鉴中均有类似阐述,如"以质取胜战略是开拓国际市场,进一步发展对外贸易经济合作的关键。要使外经贸企业牢固树立重质量、守信用观念,不断提高出口商品质量。要健全出口商品质量管理,奖惩等规章制度,扶持优质产品,争创国际名牌,严厉查处制造和出售假冒伪劣产品的行为"[③]。"关于以质取胜,重点仍然要抓打击制售假冒伪劣的行为,把质量问题提高到反映民族素质,维护我国改革开放形象的高度来认识。要继续通过大力宣传和生动形象化教育,在全社会大造重视质量的舆论,提高全行业质量意识,牢固树立质量兴国的风气"[④]。

可见,产品的品质和质量是以质取胜中的"质"的原始含义。以质取胜战略的最初形式就是加强出口商品的质量监管管理,打击出口商品中的假冒伪劣,提高出口企业的质量意识,改善我国出口商品在国际市场的形象。

---

① 陈文敬主编:《邓小平对外开放理论与我国的对外开放政策》第 118 页,中国对外经济贸易出版社 2000 年 4 月第 1 版。

② 摘自 1991 年《对外经济贸易年鉴》对外经济贸易部部长李岚清的致辞。

③ 摘自 1993 年《对外经济贸易年鉴》对外经济贸易部部长吴仪导的致辞。

④ 摘自 1994 年《对外经济贸易年鉴》对外贸易经济合作部副部长郑斯林的致辞。

（二）优化出口商品结构

提高出口商品的品质和质量，打击出口商品的假冒伪劣行为这只是以质取胜战略的最原始的含义。随着外贸的发展，出口商品的质量已经得到了较大改善的情况下，以质取胜的内容和侧重点也就相应发生了变化。虽然在20世纪90年代初主要强调出口产品的质量，但优化出口商品的结构也引起了外贸主管的注意，如在提到"在外贸系统开展质量、品种、效益年活动"的同时，也提到"积极扩大工业制成品，特别是深加工和高技术产品和创汇农业产品的出口"①，因此，可以说出口商品结构问题几乎与出口商品质量问题同时得到了主管部门的关注，只是鉴于90年代初外贸发展的主要矛盾侧重点在于解决出口产品的质量问题。而到了1996年，在整顿提高了出口产品的质量后，结构问题就突出来了。如"外贸进出口增长迅速，进出口商品结构明显优化"，"要根据发挥优势，专业化分工的原则，围绕骨干产品……进一步优化出口结构，提高附加价值"。②可见，90年代中期以后，结构问题成为以质取胜战略的侧重点。

以优化出口商品结构为侧重点的以质取胜战略就要求我国的外贸发展从出口劳动密集型商品向出口资本、知识和技术密集的商品转变；从出口低附加值的产品向出口高附加值的产品转变；从出口初级产品向出口制成品转变；从出口轻纺类资源型产品向出口机械电子等资本技术密集型产品转变。事实上，随着以优化出口商品结构的以质取胜战略的进一步实施并取得了一定成绩后，我国外贸行业又即时提出了科技兴贸战略，使我国出口产品结构向高新技术产品进一步优化。可以说，科技兴贸战略是以质取胜战略的补充和进一步延伸，而在促进高新技术产品出口的同时，其他出口商品的结构仍有较大的优化调整的空间。

（三）争创出口商品名牌战略

出口商品的品牌问题与出口商品的结构问题一样，也是在20世纪90年代中期以后，在解决了出口商品质量问题后得到关注和重视的，如"要根据发挥优势，专业化分工的原则，围绕骨干产品，发展系列化经营，创造更多的名牌商品"③。商品的品牌不仅起到与别的产品相区别的作用，更在于它作为企业的一种无形资产，它体现的是产品的质量、品质、声誉和服务。因此，名牌超越了产品的质量，而将品质和服务以及与之伴随的企业声誉、产品文化等融为一体，使

---

① 摘自1991年《对外经济贸易年鉴》对外经济贸易部部长李岚清的致辞。
② 摘自1996年《对外经济贸易年鉴》对外经济贸易部部长吴仪的致辞。
③ 摘自1996年《对外经济贸易年鉴》对外经济贸易部部长吴仪的致辞。

产品的价值和竞争力得到极大提高。创出口商品品牌战略是以质取胜战略进一步发展的结果,它是以质取胜战略的高级化阶段。对于20世纪90年代中后期,出口商品在实现了从出口轻纺产品为主向机电产品为主的结构转变后,出口商品的品牌问题就成为了我国外贸发展的主要矛盾。最突出的表现是我国企业生产的产品质量大大提高后,大量为国外知名品牌生产加工产品,进行贴牌加工,其赚取的利润虽然相对于纯粹的两头在外的加工贸易要高一些,但是由于缺乏国际知名品牌,无法赚得销售及品牌利润,市场和利润为外方控制。可见,仅有质量而无品牌也是制约我国企业发展的重大障碍。因此,在这种背景下将以质取胜战略的侧重点放在创出口商品品牌方面是正确的战略选择。

三、实施以质取胜战略的举措

(一)建立和完善质量方面的立法

为贯彻邓小平同志关于产品质量的讲话,1989年2月21日,七届人大常委会第六次会议通过《中华人民共和国进出口商品检验法》,并于当年8月1日起实施。1991年5月7日,国务院发布《中华人民共和国产品质量认证管理条例》。同时,我国外经贸管理部门根据不同时期出口商品质量和对外经济贸易合作项目质量方面出现的突出问题,采取了一些相应的措施,并于1989年到1991年,连续召开3次全国性的提高出口商品质量、重合同、守信用工作会议,分析情况,总结经验,制定管理措施,对总体工作进行部署,要求全国外经贸管理部门和企业事业单位,作为对外经济贸易发展的重大战略问题,坚持不懈地长期抓下去。1992年8月12日发布《全国对外经贸进出口企业全面质量管理办法》(试行),使实施以质取胜战略逐步走上规范化、制度化。1993年2月22日,七届全国人大常务委员会第三十次会议通过《中华人民共和国产品质量法》,其针对在我国境内生产、销售产品的内在质量与外观标志等方面均做出了具体规定,从根本上保证了我国外贸产品质量的提高,于当年9月1日实施。1994年5月12日八届人大常委会第七次会议通过的《中华人民共和国对外贸易法》对保证商品质量又做了明确规定,加入WTO后,于2004年4月6日第十届全国人民代表大会常务委员会第八次会议进行了修订。

(二)树立"质量第一"的观念

质量第一,质量是企业和产品的生命,重视和提高出口产品的内存质量和外在质量、品质。在国内大力宣传倡导"质量第一"的意识,帮助企业建立和完善质量保证体系,建立目标管理和组织保证体系、开展群众性质量管理活动。

在中央政府和各级地方政府的大力支持下，以群众监督和舆论监督的方式开展中国质量万里行活动。这样就形成了企业、媒体和政府之间有机结合，即把群众监督、舆论监督、行政监督相结合，这样就形成了"三结合"的质量监督管理体系。同时，质量不过关的最主要根源就是国内出口市场混乱，同业竞相压价。针对这种情况，对外经济贸易合作部于1996年发布《关于处罚低价出口行为的暂行规定》。该规定对那些低价竞销、不守出口秩序的企业给予批评、警告、罚款、取消出口许可及其他经济责任和行政责任，有力地规范了我国外贸行业秩序；另一方面，也保证了出口商品的质量，避免低价出口商品的质量低劣。

(三)重合同、守信用

就是外经贸行业一直提倡的重合同、守信用，按照合同的条款，保质、保量，及时交货，保持自身的良好信用，赢得客户信任与满意，巩固客户渠道。党的十六大提出了整顿和规范市场经济秩序，健全现代市场经济社会信用体系的战略任务。为此，有关部门积极建立、完善诚信制度和诚信体系的建设，一是加快诚信体系方面的立法工作，尽管现在有四百多部行之有效的法律，有八千多个法规，有上万个部门规章，中国的法律法规在各个层面已经初步完善，但是到目前为止，中国还没有一部独立、专门、完整的诚信方面的法律；二是从立信和征信两个方面发展第三方公正的信用机构，目前我国立信机构和评估机构发展虽然还远远不够，缺乏真正意义上的社会信用评估机构，但经过近几年的努力，到目前为止，全国各种信用机构已经有两千多家，包括培训、咨询、中介、讨债等类型的信用机构。在外经贸领域，2003年9月，根据全国整规办提出的外贸信用体系建设"要在现有基础上，率先启动，做好试点带动作用"的要求，经商务部批准，决定由中国外经贸企业协会牵头，组建了中国外经贸企业协会信用体系专家评审委员会，成立了国商国际资信评估有限公司，有步骤地开展了外贸企业信用档案建设的行业试点工作。中国外经贸企业协会信用体系专家评审委员会成立后，针对低价竞销、合同欺诈、逃废债务、偷税漏税、走私骗汇、虚假报表、黑幕交易、价格陷阱、地方保护等出现在外贸企业中的失信行为以及严峻的信用问题，会同国商国际资信评估有限公司研究提出了加快信用体系建设工作的基本思路，开展了外贸领域诚信体系的研究、教育、宣传等方面的基础建设工作。

(四)打击制售假冒伪劣

严厉查处制造和销售假冒伪劣产品的行为，堵住其出口的渠道，特别在边境贸易中的边民互市、旅游购物贸易，以及对一些经济转轨国家的包机(包船、包车)包税等非规范贸易方式中存在的类似问题应当禁绝。针对边境小额贸易、边境民间贸易、边民互市贸易和边境地区的地方贸易等贸易方式的进出口商品检验管理工作,国家质量监督管理部门于1993年制定了《边境贸易进出口商品检验管理办法》,对这类贸易方式在产品质量的检验监督方面进行了规范,较大程度上扭转了这一贸易方式出口产品质量低劣的形象。九届全国人大常委会第27次会议通过了关于修改进出口商品检验法的决定,修改后的商检法将于2002年10月1日起开始施行。根据修改后的商检法,进口或者出口属于掺杂掺假、以假充真、以次充好的商品或者以不合格进出口商品冒充合格进出口商品的,由商检机构责令停止进口或者出口,没收违法所得,并处货值金额50%以上3倍以下的罚款;构成犯罪的,依法追究刑事责任。

(五)扶持优质产品出口,优化出口商品结构

重点扶持大宗、龙头、优质产品出口,提升中国产品的形象,提高出口贸易效益。不断优化出口商品结构,提升产品加工程度,技术含量和附加值,获取结构提升的总体效益,获得更为有利的贸易条件。这主要表现在积极扩大机电产品的出口以及后来积极推动高新技术产品出口上,为此国务院转机电产品出口办公室的文件——《关于"八五"期间进一步扩大机电产品出口意见的通知》,通过一系列措施有力地支持了机电产品的出口增长,促进我国外贸以轻纺工业制成品为主向机电产品为主的转变。国家质检总局于1995年发布《出口轻工业机电产品质量许可证管理办法》,在扩大机电产品出口量的同时,保证了出口产品的质量。

(六)积极推广使用国际标准

ISO9000质量标准认证是我国企业和产品大规模走向国际市场,并提高经营效益的重要条件,我国于1993年采用了这一标准,企业可自愿申请国务院产品质量监督管理部门或其授权的部门认证。我国外经贸行政管理部门和质量监督管理部门为落实外贸领域的以质取胜战略,提高出口产品的质量,积极推动和帮助企业建立健全质量保证体系,积极申请质量认证,推动外贸行业产品质量达到国际标准。针对近年来国际上兴起以ISO14000系列认证为标志的国际绿色环保认证体系以及SA8000为标志的企业社会责任认证体系,我国外经贸管理部门和质量监督管理部门也积极推动我国企业积极申请、认真对待,帮助企业完善进入国际市场需要具备的各种认证。除此以外,针对具体的目标市场,还有各种不同行业的具体标准,这些技术性标准往往以技术性贸易壁垒或绿色贸易壁垒的形式存在,我国外经贸管理部门专门组织人员收集相关信息,

并编制《国外技术贸易壁垒应对指南》,帮助企业开拓国际市场。

（七）争创中国出口商品名牌

为贯彻外贸出口以质取胜战略,商务部自 2002 年公布了重点培育和扶持的品牌企业和产品,国家对列入商务部"重点支持和发展的名牌出口商品"的企业,给予一系列具体的扶持和鼓励。另外,还从以下几方面采取具体措施①:

一是完善制度环境。协调相关部门,从研发设计、政府采购、境外投资、国际营销体系建设、贸易便利、金融保险、知识产权保护等方面对自主出口品牌建设给予全方位的政策扶持;同时,鼓励各地、各行业结合本地区、本行业实际,有针对性的出台分类扶持政策,推动全国自主出口品牌建设工作。

二是给予资金支持。会同财政部,对出口企业开展自主知识产权保护、国际广告宣传、建立境外营销机构和售后服务体系等自主品牌建设活动给予适当资金支持;同时,支持行业中介组织对本行业的自主出口品牌开展整体性的培育发展和宣传推广活动。

三是加强舆论宣传。与媒体合作,积极宣传国家培育自主出口品牌的扶持政策,各地、各行业培育自主出口品牌的做法与经验,介绍名牌出口企业品牌国际化的成功道路,同时,利用政府网站、课程培训等途径,宣传自主出口品牌建设的理论和实务。

四是开展促进活动。针对我国出口企业国际营销能力薄弱这一关键环节,以商务部名义组织一系列国际商务活动,整体推广展示自主出口名牌,包括扩大广交会品牌展区规模,在欧洲和美国分别举办名牌展,在重点市场举办重点商品的专项推广活动,以此来提高中国品牌的国际知名度,加快中国品牌走向世界的步伐。

（八）强化进出口产品的质量监督

根据《中华人民共和国产品质量法》的规定,国务院产品质量监督管理部门负责全国产品质量监督管理工作。国务院有关部门在各自的职责范围内负责产品质量监督管理工作。在外经贸领域,根据《中华人民共和国进出口商品检验法》的规定,国务院设立进出口商品检验部门,主管全国进出口检验工作,同时国家进出口商品检验局又制定了若干具体的检验监督办法,作为对进出口商品进行质量监督的具体操作规范。同时,各行业主管部门制定了相关的出口商品质量监督管理办法,如原国家机电部于1990 年制定了《出口机电产品质量管

---

① 资料来源:商务部网站。

理与监督办法》,专门针对出口的机电产品进行质量规范,保证了我国机电产品质量过硬,提高了机电产品的国际竞争力。

第三节 以质取胜战略实施的成效

自20世纪90年代提出并实施以质取胜战略以来,在各个部门的紧密协作下,在外经贸领域适时采取了一系列政策措施,在提高出口商品质量、优化出口商品结构、转变外贸增长方式、出口贸易的经济效益等方面取得了有目共睹的成绩。

一、出口商品质量整体上大幅度提高

(一)提高出口商品质量的具体措施

大多数工业制成品的质量是有国际标准的,这些质量标准是由国际市场消费者认可的。既包括商品的内在品质,也包括外观的式样、花色等,还包括附带的包装、装潢质量,以及履约状况和售后服务等方面好坏。不同发展阶段,对商品和服务质量有不同的要求,国际市场对质量的要求变化很快,必须跟上这种变化。

自从外经贸行业提出以质取胜战略以来,外贸主管部门在提高出口商品质量方面做了大量工作,并取得了显著成绩[1]。

1. 加大宣传力度,提高质量意识。商务部(原外经贸部)多次召开全国性质量工作会议,并在《国际商报》开辟质量宣传专栏,监控我国出口商品质量状况,奖优罚劣,对已认定的出口有严重质量问题的企业和人员进行处罚,对伪劣商品进行曝光处理,举办了优劣出口商品对比展,促使全社会形成一种注重质量的良好风气。现在企业的质量意识已有明显加强。

2. 推行出口商品生产许可证制度,不具备严格质量保证体系的生产外贸企业不准经营出口,不准收购或代理其产品出口。推行工、贸、检联合抓质量的做法,共同确定目标,选择重点商品,采取措施,有计划地分批、分期对出口商品进行质量鉴定,并在此基础上实行择优定点,引进必要的先进技术,加速出口商品生产企业的技术改造,特别是有计划、有重点地对外贸出口生产基地、专厂、专车间进行技术改造,使其产品更好地适应国际市场的要求。经常性地收集国际

---

① 资料来源:商务部网站。

上对我国出口商品质量的要求和改进意见，及时反馈给生产部门和商检部门，不断根据国际市场的变化改进我们的工作。

3. 在外经贸行业推行与国际标准接轨的质量管理体系。1991年，商务部与国家商检局联合发文，在外经贸企业中推行 ISO9000 系列质量体系认证，到2000年6月，我国共有两万七千多家企业通过了 ISO9000 质量体系认证。同时，我国还开展了 ISO14000 环境体系认证和其他国际通行的产品质量认证。

4. 强化出口商品质量监督和执法力度。商务部和国家出入境检验检疫局密切配合，按照《中华人民共和国进出口商品检验法》的规定，在为企业提供良好服务的同时，严把出口商品质量关。例如，为鼓励机电产品的出口，1999年，外经贸部与国家出入境检验检疫局联合发文，加强对出口机电产品的监管力度。商务部还决定利用中央外贸发展基金，强化机电产品出口认证和分类检验工作。

5. 1996年12月，国务院颁布了《质量振兴纲要（1996~2010年）》，提出"经过5至15年的努力，从根本上提高我国主要产业的整体素质和企业的质量管理水平，使我国的产品质量、工程质量和服务质量跃上一个新台阶"。

（二）出口商品质量提高的具体成效

1985年中国产品质量国家监督抽查合格率仅为66.5%，到2000年新《产品质量法》实施后上升为78.9%。一批产品已经接近或达到国际先进水平，一批质量效益型企业成为中国经济发展的领头羊，中国主要行业的重点产品实物质量迈上了一个新的台阶。在全国产品合格率提高到同时，出口到国际市场的产品合格率更是得到了全面地提升。

十年前开始实施的《产品质量法》标志着中国质量工作走上了法制化轨道。十年来中国从计划经济体制转变到建立和完善社会主义市场经济体制，从改革开放到加入 WTO 全面融入世界经济舞台，全社会经历了深刻的变化，人民群众生活发生了根本的改变，产品质量工作在其中发挥了重要的作用。

上世纪90年代以后，随着改革开放和现代化建设的深入发展，中国产品质量整体水平不高，质量不稳定，在国际市场竞争力不强的问题日渐突出。而假冒伪劣产品的泛滥，更是引起了广大消费者的不满，影响了企业公平竞争，严重制约了经济的健康发展。

为此，政府各有关部门采取措施，扶优扶强提高产品竞争力。通过大力开展中国名牌产品评价活动，实行产品免检制度，原产地域产品保护制度，努力减轻企业负担，促进了中国产品竞争力的提高。目前，已有两百多家企业的322

个品牌获得了"中国名牌产品"称号,共有 34 大类产品涉及 789 家企业的产品获得国家免检产品资格,共有 61 种地方名特优产品获准原产地域保护。与此同时,出口商品名牌上榜的数量也在不断增多,目前已经达到 308 个。

二、出口商品结构进一步优化

20 世纪 80 年代中国出口商品结构的改善主要体现在轻纺工业的出口份额上升,而 90 年代出口商品结构的改善则主要体现在机电和高新技术产品等资本、技术密集型产品的份额上升并占主导地位。

(一)出口商品结构优化的具体措施

虽然出口商品结构的优化体现在多方面,在不同的历史时期出口商品结构的优化体现在不同的方面。到了 20 世纪 90 年代以后,尤其是 90 年代中后期,出口商品结构的优化主要体现在机电产品和高新技术产品的迅速上升。在以质取胜战略的指导下优化出口商品方面采取的措施方面,主要介绍促进机电产品的出口上,而促进高新技术产品出口的政策措施属于科技兴贸的范围。

经过多年的发展,目前我国已经形成了一套促进机电产品出口的政策措施体系,主要体现在几个方面[①]:

1. 产业支持政策

根据企业的出口业绩,目前,我国机电企业分为出口基地企业、扩大出口企业和一般企业三个层次。现有出口基地企业和扩大出口企业约 2000 家,这是我国机电产品出口的骨干力量。对这些企业的支持政策主要体现在产业政策上:给予机电产品出口专项技术改造贷款和技术更新贷款贴息支持;鼓励机电产品出口企业科研开发投入;机电产品出口企业技术改造进口设备免征进口环节税收,机电产品出口基地企业、扩大出口企业利用技术改造贷款和外贸发展基金为扩大出口或技术改造而确需引进企业自用、国内不能生产、技术先进的加工设备、测试设备和样机,免征关税和进口环节增值税;利用国际金融组织贷款和外国政府项目国际招标国内中标机电设备进口所需用零部件免征关税。

2. 提供信贷支持

对符合有关规章或规定的条件的机电企业和产品出口,银行给予流动金融资方面的支持便利;政策性信贷支持政策完善和扩大机电产品出口信贷(包括卖方信贷、买方信贷和对外担保)业务,对大型和成套设备出口、高新技术机电

---

① 资料来源:工商协会网。

产品出口逐年增加出口信贷规模，并对银行所贷资金国家进行担保。现行的出口卖方信贷的种类包括项目贷款、中短期额度贷款、对外工程承包贷款、境外带料加工贸易出口卖方信贷、境外投资贷款。

3. 政策性保险支持

建立机电产品出口信用保险制度，降低出口信用保险保费费率，对国家风险分类和国家限额进行调整。

4. 出口退税政策

改善出口退税的管理体制和机制，在生产企业全面推行"免、抵、退"税政策；对机电产品出口采取优先恢复退税率，优先办理退税，对利用国际金融组织贷款和外国政府贷款项目国际招标国内中标的机电设备给予退税，通过多种形式融资，如推行出口退税账户托管贷款业务。

5. 境外加工贸易的支持政策

继续执行1999年国务院及有关部委制定的鼓励企业开展境外加工贸易的规定，完善外经贸部会同有关部委制定的有关配套政策，在资金、税收、外汇管理、外派人员审批等方面给予重点扶持，继续给予资金鼓励、外汇管理、出口退税等政策。

6. 加工贸易的支持政策

继续执行和完善1999年国务院办公厅发布的《关于进一步完善加工贸易推行保证金台账制度的意见》中规定的政策措施，对大型高新技术企业的加工贸易实行免设台账、免审合同、免办手册管理。

7. 质量认证和出口商品检验方面的支持政策

积极支持机电产品出口企业通过产品认证、国际安全认证和企业质量体系认证及环保认证；积极推行免检、自检加强制检验分类检验监管制度，建立科学、有效、方便的机电产品出口检验体制，扩大免检范围。

8. 机电产品出口的秩序方面的支持政策

对易造成出口秩序混乱的机电产品实行出口招标管理，对部分机电产品实行海关核查签章管理，加强对大型成套设备对外投标（议标）秩序的协调管理。

（二）出口商品结构优化的主要成效

实施以质取胜战略在优化出口商品结构方面的成绩可以从两个方面加以考察，一是出口的初级产品和工业制成品的比例变化，二是工业制成品内部劳动密集型产品和资本技术密集型产品的出口比例变化。通过考虑以质取胜战略提出前后出口商品结构优化情况，可以从一定程度上说明以质取胜战略取得的成效。

1.初级产品和工业制成品出口比例的变化

20世纪70年代末至80年代前期,我国出口贸易基本上以农副土特、原材料等初级产品为主,其特点是谈不上什么附加值、技术含量、加工制造(工艺品除外)。改革开放前后,初级产品和工业制成品出口所占比例变化如下图所示。

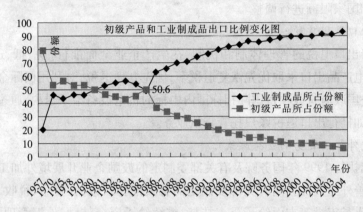

图1-1 1991年前后初级产品和工业制成品出口比例变化图

如上图可见,改革开放以来我国出口商品中初级产品和工业制成品所占比例变化大致可分为两个大的阶段。

第一阶段(1991年以前):这一时期,虽然以质取胜战略并未提出,但国民经济结构仍然向高级化方向发展,外贸结构中制成品份额仍然不断上升,而初级产品在不断下降。具体又分为三个时期:

改革开放前至1980年:这一时期的特点是工业制成品所占份额较小但在缓慢上升,而初级产品所占出口份额较大但在缓慢下降。而且总体上初级产品占出口份额高于工业制成品的出口份额。1970年,初级产品出口占总出口份额的53.5%,而工业制成品出口占46.5%的份额;而到改革开放初的1978年,出口的初级产品和工业制成品所占比例分别仍为53.5%和46.5%;

1981～1985年:这一时期虽然大部分年份工业制成品所占出口份额超过了农产品的出口份额,但是变化幅度不大,而且有反弹的趋势。1981年,初级产品出口比例首次降到50%以下,降为46.7%,而工业制成品首次超过50%,达到53.3%。然而在1985年,初级产品占出口总额比例再一次超过50%,达50.6%,而工业制成品则降为49.4%。

1986～1991年,这一时期工业制成品占出口总额的比例持续快速增长,而初级产品所占出口比例则迅速下降。1990年,初级产品所占份额降到25.6%。

第二阶段(1991年至现在):这一阶段的显著特点是工业制成品份额持续稳定上升,而初级产品出口份额则持续稳定下降,到2000年,初级产品出口份额降到10.2%,而到2004年,则降至6.58%;同时,工业制成品所占出口总额比例持续上升,在1990年,这一比例为74.4%,而到2000年,上升到近90%,2004年为93.4%。可见,工业制成品已经占据了我国出口商品的绝对主导地位。

2.工业制成品内部出口商品结构的变化

按照国际贸易标准分类,工业制成品分为化工产品,轻纺、橡胶和矿冶产品及相关制成品,机械及运输设备,杂项制品和其他未分类产品。其中,化工产品及机械、运输设备可归为资本及技术密集型产品,而其他产品则可归为劳动及资源密集型产品。工业制成品出口商品结构的变化主要表现为资本及技术密集型产品和劳动及资源密集型产品所占出口比例的变化。

自1986年工业制成品成为我国主要出口商品,完成了出口商品结构从初级产品升级为工业制成品的转变后,出口商品结构的升级和优化则主要表现为工业制成品中劳动和资源密集型产品和资本及技术密集型产品分别所占出口总额的比重变化。

各年各类工业制成品所占出口份额的变化如下图所示。

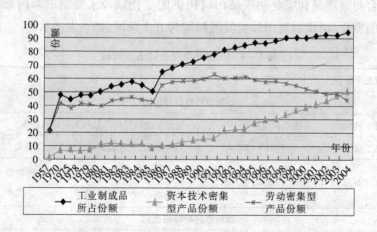

图1-2 历年工业制成品出口结构变化图

资料来源:由海关统计整理。

由上图可知,除个别年份外,工业制成品占出口总额的比重呈持续上升的态势,而推动这一趋势的动力来自两个方面:一是劳动和资源密集型产品出口的增长,二是资本和技术密集型产品出口的增长。

根据上图,也可以将工业制成品出口商品结构的变化分为两个阶段来看。

第一阶段(改革开放前至1991年),1991年以前,主要是劳动和资源密集型产品促进了工业制成品出口的增长。在这一阶段,由过去出口初级产品为主向轻纺类半制成品、中间品转变,特点是较低技术含量、粗加工、简单加工。

第二阶段(1992年至现在),这一阶段又可分为两个时期。

1992~2003年:1991年劳动和资源密集型产品所占出口总额的比例达到了62.2%的顶峰后,资本和技术密集型产品的出口增速强劲,所占出口总额的比例从1990年的15%,到2000年的38%,再到2003年的47.4%。因此,这一时期是以出口轻纺产品为主向出口机电化工、高新技术产品等重化工产品转变,其特点是一定程度的附加值、一定程度的技术含量、精加工、深加工。

2004年至今:2004年资本和技术密集型产品所占出口份额首次超过劳动和资源密集型产品(44%)份额,达到49.4%,使其成为促进工业制成品持续稳定增长的最主要动力,顺利完成了劳动和资源密集型的低附加值的出口商品结构(轻纺产品等)向资本和技术密集型(重化工、电子产品等)的高附加值的出口商品结构的转变。

综合初级产品和工业制成品出口比例的变化以及工业制成品内部出口商品结构的变化,可以对我国外贸发展归纳为五个阶段,如下表所示。

表1-4　我国外贸发展的五个阶段

外贸五个阶段	区　　间	特　　点
以质取胜战略提出前		
第一阶段	改革开放前至1980年	完成从出口初级产品向工业品的转变
第二阶段	1981~1985年	初级产品、工业制成品比例变化均不大
第三阶段	1986~1991年	以出口轻纺产品为主的劳动资源密集型产品增长较为迅速,所占份额较大
以质取胜战略提出后		
第四阶段	1992~2003年	以出口机电、高新技术产品等重化工制成品增长迅速,所占份额迅速上升
第五阶段	2004至今	资本技术密集型产品超过劳动资源密集型产品的出口

上述我国外贸发展的五个阶段包含了我国出口商品结构变化的三次转折，具体如下表所示。

表1-5 我国出口商品结构变化的主要标志

三个拐点	具体时间	标志
以质取胜战略提出前		
第一个拐点	1981年	出口工业制成品比例达到53.3%，首次超过初级产品
第二个拐点	1991年	出口的轻纺产品为主的劳动资源密集型比例达到62.2%的最高水平
以质取胜战略提出后		
第三个拐点	2004年	出口的机电、高新技术产品等重化工制成品首次超过劳动资源密集型产品，达49.4%

出口商品结构的历史变化轨迹是与我国工业化、现代化的进程高度相关的，同时也是不断演进、升级的进程，并非一蹴而就，一次就能完成或实现跨越式发展的。同时，20世纪90年代以来外经贸主管部门陆续提出和实施的"以质取胜"战略，科技兴贸战略，对外贸商品结构的三次转变起到了重大的指导作用，同时相关的财政、金融、税收、保险等政策的鼓励与扶持，促进服务体系的不断完善起到了推动作用，此外利用外资政策及加工贸易政策的不断完善也起到了一定作用。

三、加工贸易迅速发展且增值率稳步提高

（一）加工贸易迅速发展

我国出口商品结构的变化固然和国内经济结构的升级是密切相关的，同时也和贸易方式的变化密切联系。

1. 贸易方式转变的历史轨迹

从改革开放前到1992年，一般贸易方式所占出口的比例均高于50%；尤其是在前两个阶段，即改革开放前到1986年，各年的一般贸易占出口贸易总额的比例均在80%以上。而后两个阶段，即从1993年起，加工贸易超过了一般贸易比例，成为了我国出口贸易中主要的贸易方式，到2004年，加工贸易出口额占总出口额的55.28%，而一般贸易的比例为41.06%。

一般贸易和加工贸易所占出口贸易份额的历史变化趋势可见下图所示。

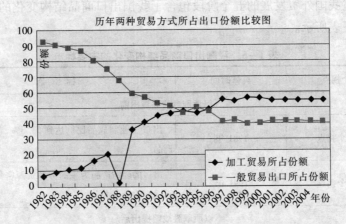

图1-3 历年一般贸易和加工贸易所占出口份额比较图

由上图可知,一般贸易和加工贸易比例变化可分为三个阶段。

第一阶段(1982~1992年):一般贸易高于加工贸易比例,但是一般贸易所占比例迅速下降,而加工贸易所占比例迅速上升。

第二阶段(以质取胜战略提出后):又可分为两个时期。第一个时期(1993~1995年),加工贸易首次超过一般贸易所占比例,但不稳定。第二个时期(1996~2004年),加工贸易超过一般贸易,两类贸易方式所占比例变化不大,加工贸易保持在55%左右,一般贸易保持在41%左右。

可见,从改革开放初到1996年,是我国加工贸易发展的黄金时期,在这一时期,加工贸易增长迅速,有力支撑了我国外贸出口的高速增长。而1996年以后,加工贸易后来居上,成为我国出口贸易的最主要贸易方式。

我国出口贸易的迅速增长以及出口商品结构的优化是与加工贸易比较迅速上升,一般贸易比较迅速下降同步的。但是以质取胜主要是针对国内企业的一般贸易而言的,其战略目的是要提高一般贸易的出口商品的质量、品质和附加价值。因此,虽然加工贸易是符合中国国情,也是符合生产的国际化和全球化的趋势,但是根据以质取胜原则,需要在保持加工贸易稳步发展的同时,要扩大一般贸易所占比重,以便更好地发挥对经济的综合牵动作用。

(二)加工贸易增值率稳步提高

我国20世纪80、90年代加工贸易的发展各大的促进我国外贸总量的扩张,加工贸易份额一路飙升至55%以上。与此同时,反映加工贸易对国民经济拉动作用的重要指标,即加工贸易增值率经过20世纪90年代的波动发展后,

20 世纪 90 年代末 21 世纪初一直稳定在 47% 以上。

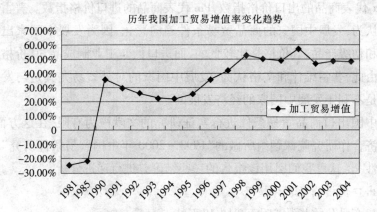

图 1 - 4　我国加工贸易增值率变化趋势（1981～2004 年）

资料来源：中国海关统计。

　　由上图可知，我国加工贸易增值率经过 20 年代 90 年代初期缓慢下降后，从 1996 年起一直稳步上升，进入世纪之交，则保持在 50% 左右，处于稳定发展阶段。这一过程与我国以质取胜战略的实施也是一致的，以质取胜战略提出之时正值 20 世纪 90 年代初加工贸易增值率下滑期，随着以质取胜战略的实施，到 20 世纪 90 年代中后期，加工贸易增值率也扭转了下滑的态势，稳定上升，一度使增值率超过 50%，这不能不说是与加工贸易领域实施的以深加工结转、鼓励国内配套等以质取胜战略政策措施联系在一起的。

四、贸易条件得到相对改善

　　贸易条件是发展经济学用来研究贸易与经济发展之间关系的一个重要概念。它包括两个方面：商品贸易条件和收入贸易条件①。一般来说，贸易条件的改善意味着本国出口的单位产品相对于进口的单位产品有更高的价值含量。而以质取胜战略的一个重要方面就是提高出口商品的附加值，增强出口商品的盈利能力。因此，贸易条件的变化可以从一个侧面反映一个国家出口产品的相对品质和价值。

（一）中国商品贸易条件的变化

　　商品贸易条件是普雷维什和辛格在 1950 年提出的。它是指商品的出口价

---

① 谭崇台：《发展经济学》，上海人民出版社 1989 年版，第 407 页。

格指数与进口价格指数(百分率)之比,即 Tb = Px/Pm。其中,Tb 代表商品贸易条件,Px 代表商品的出口价格指数,Pm 代表商品的进口价格指数。普雷维什和辛格都认为,发展中国家的商品贸易条件趋向恶化,因为发展中国家出口的是农产品和初级产品,其价格是比较低的,而进口的是工业制成品,其价格是比较高的。由此,普雷维什和辛格认为,发展中国家的对外贸易尤其是与发达国家的贸易是不利于发展中国家的经济发展的。

对中国出口商品贸易条件进行实证研究的文献极为有限,在这方面,国际贸易经济合作研究院课题组所做的"1993～2000 年中国贸易条件研究"报告较有代表性[①]。这里我们引用该报告的一些结论并进行递进分析。

1. 出口价格指数变化情况

出口商品价格指数变化呈现出以下特点:

(1)总的看来,中国对发达国家和发展中国家出口价格变化有所不同。从初级产品来看,对发展中国家的出口价格升幅远高于对发达国家的出口价格升幅。从制成品来看,中国对发达国家的出口价格升幅大于对发展中国家的出口价格指数。

(2)部分出口商品的价格指数变化并没有鲜明反映出发达国家和发展中国家市场的区别。这主要是因为中国对发达国家和发展中国家出口的这些产品均为劳动密集型或低技术产品。

(3)有些产品出口价格指数近年来上升幅度十分明显。这些产品多为外资企业生产并返销回发达国家的产品,具有较高的质量和档次。

(4)有些产品出口价格在所有市场全面下跌,更多反映了国内出口厂家之间激烈的竞争。

2. 进口价格指数变化情况

根据报告,中国进口商品价格的变化呈现出以下特点:

(1)与出口价格指数的变化相比较,进口价格指数上升幅度较大,特别是制成品价格指数上升幅度超过了出口价格指数上升的幅度。

(2)中国从发达国家和发展中国家进口的中等技术产品和劳动/资源密集型产品进口价格指数上升幅度较大,进口的高技术产品价格也出现了上涨。但进口的低技术产品价格指数还出现了下降。

---

① 参见对外贸易经济合作部国际贸易经济合作研究院:《2002～2003 年中国对外经济贸易蓝皮书》,中国对外经济贸易出版社 2003 年 5 月第一版,第 315～338 页,作者为赵玉敏、郭培兴、王婷。

（3）中国从发达国家进口价格涨幅大大超过从发展中国家的进口价格涨幅。

（4）中国从发达国家和发展中国家进口的制成品中,高技术产品价格上涨幅度小于其他进口产品。

3.商品贸易条件的变化

根据定义,贸易条件是出口价格指数与进口价格指数之比。根据报告的计算,1993～2000年中国贸易条件的变化如下表所示：

表1-6　1993～2000年中国商品贸易条件的变化

单位:%

	进口价格	出口价格	贸易条件
所有产品	19	4	-13
初级产品	16	14	-2
制成品	20	3	-14
劳动/资源密集型产品	21	7	-11
低技术产品	2	-0.5	-3
中等技术产品	26	3	-18
高技术产品	17	-6	-20

资料来源:对外贸易经济合作部国际贸易经济合作研究院所编辑出版的《2002～2003年中国对外经济贸易蓝皮书》,赵玉敏、郭培兴、王婷:《1993～2000年中国贸易条件研究》一文。

由上表可知,整个20世纪90年代,从整体上看,我国各类进出口贸易产品其进出口价格均有所上涨,但是总体上进口价格涨幅较大,出口价格涨幅较小,从而导致20世纪90年代各类外贸商品贸易条件普遍恶化。

4.商品贸易条件分析的局限性

按照传统的商品贸易条件分析工具对20世纪90年代中国商品贸易条件进行分析,必然会导出中国商品贸易条件恶化的结论,而这一结论似乎是不容置疑的。由此似乎又可推论从20世纪90年代初中国实施的以质取胜战略没有取得成功,甚至是失败的。但要得出这种结论却是大可商榷的,因为它与中国对外贸易发展对国民经济的实际贡献及其对中国现代化的推动作用不符。必须认清20世纪90年代我国贸易整体格局的变化,即迅速从一个贸易小国成为一个贸易大国,从外汇短缺到经常账户连年顺差的事实,这表明对20世纪90年代我国外贸发展的反思应该同时关注两个方面:即不仅要分析商品贸易条件,还必须进一步分析收入贸易条件。事实上商品贸易条件恶化与收入贸易条件大幅度改善并存,中国贸易利益相对获得较少与贸易利益绝对量增加同时并存。必须指出,中国主要的贸易对象国是发达国家,中国对外贸易的整体发展并未导致一些单一型经济的发展中国家所遭遇的"增长陷阱",更非陷入"贫困化增长"的困局。为此,必须从中国的实际出发,考虑中国由贸易小国发展成为贸易大国的历程,这是一般发展中国家不能比拟的。当中国逐渐成为贸易大国,并以轻纺产品占据世界市场相当大份额时,意味着拥有较高生产率的中国轻纺工业与世界较低劳动力成本相结合,拉低了世界轻纺产品的价格,事实上中国其他大类出口产品与轻纺产品相类似,这是由中国作为贸易大国可以改变世界市场价格的地位决定的。而与此同时,世界上绝大多数原材料、矿产品的价格,在涨跌互见中仍以升为主,一方面是由于初级生产部门劳动生产率提高较慢,另一方面,20 世纪 90 年代世界经济持续增长,促使需求强劲增长,而供给却受到有限资源的制约。对于高科技产品或高科技产品的核心部件,又由于受跨国公司技术垄断,导致价格始终有利于发达国家的跨国公司。各大类产品的这种价格形成机制决定了后起发展中国家商品贸易条件必然有恶化趋势。但是,这是经济后起的非产油国家经济发展的必经阶段,必须要充分认识到这一阶段对发展中国家经济起飞的重要贡献。为此,就需要在商品贸易条件分析的基础上,引入收入贸易条件作进一步分析。

(二)中国收入贸易条件的变化

收入贸易条件是威尔逊(T·Wilson)、辛哈(P·R·Sinha)和卡斯特里(J·R·Castree)在 1969 年提出的。它是指出口产品价格指数与进口产品价格指数之比乘以出口量,即商品贸易条件与出口量的乘积: $Ti = (Px/Pm) \times Qx = Tb \cdot Qx$。威尔逊等人认为,商品贸易条件和收入贸易条件是有区别的,前者衡量的是出口对进口的单位(或平均)购买力,而后者衡量的是出口对进口的总购买力。商品贸易条件恶化,而收入贸易条件不一定随之恶化,相反,有可能改善,即在出口量增大的情况下,有可能提高一个国家总的购买力。因此,商品贸易条件恶化不一定对经济发展不利,只有收入贸易条件恶化才不利于经济发展,而收入贸易条件改善则有利于经济发展。从理论上讲,将商品贸易条件和收入贸易条件相区别是很有意义的,它至少可以说明,对于发展中国家而言,即使商品贸易条件处于不利地位,但通过扩大出口,增加出口总量,也能提高发展中国家的总购买力,从而有利于经济的进一步发展。

对于中国来说,尽管出口的商品贸易条件普遍恶化,但是很少有人怀疑20世纪90年代我国外贸发展促进我国经济增长和结构调整的重大作用,更没有人会认为,20 世纪 90 年代我国外贸的发展对中国经济是不利的。于是就出现了这样的困惑,一方面是商品贸易条件的恶化,另一方面是这种导致商品贸易条件恶化的进出口贸易对经济的增长和结构调整是有利的,而并非有害。这其中的主要原因应该在于我国收入贸易条件的变化。如果收入贸易条件改善了,则可用收入贸易条件的改善来解释这种理论上的困惑。

根据前面介绍的计算收入贸易条件的公式,$Ti = (Px/Pm) \times Qx = Tb \cdot Qx = (Px \cdot Qx)/Pm$。经过公式变换,可知收入贸易条件等于出口额的指数与进口价格的指数之比。

表 1 – 7 1993 ~ 2000 年中国收入贸易条件的变化

单位:(%)

	进口价格	出口金额	收入贸易条件	商品贸易条件
所有产品	19	172	128.57	– 13
初级产品	16	52.7	31.64	– 2
制成品	20	198	148.33	– 14
劳动/资源密集型产品	21	134	93.39	– 11

资料来源:在前表的基础上根据收入贸易条件公式计算而得。

上表表明,虽然进口价格均有较大幅度上升,但是出口金额增长更大更快。从而导致收入贸易条件大幅度上升。2000 年全部产品出口额较 1993 年增长 172%,虽然进口价格上升了 19%,收入贸易条件仍然上升了 128.57%,可见,虽然商品贸易条件(纯贸易条件)下降了 13%,但是整个出口却大幅度上升,即每单位的相对出口创汇减少了,但是出口创汇总额却增加了。

对于初级产品而言,其商品贸易条件恶化幅度最小,但其收入贸易条件的改善也最少,改善了 31.64%。而制成品的商品贸易条件恶化幅度最大,但其收入贸易条件的改善最多,达到了 148.33%。这主要是因为初级产品的需求弹性较低,而制成品需求弹性较高。需求弹性较低的初级产品,其相对价格的下降对促进出口作用不大,而对于制成品而言,其需求弹性较大,相对价格的下降,能极大促进出口的增加。虽然由于缺少相关数据难以计算出资本和技术密集型产品的收入贸易条件的变化情况,但是可以推测,相对于劳动或资源密集型产品而言,其商品贸易条件的恶化幅度较高,相应地,其收入贸易条件的改善也应较大。

(三)对两种贸易条件的总体评价

商品贸易条件的普遍恶化似乎表明 20 世纪 90 年代以来我国以质取胜战

略是不成功的。而收入贸易条件的大幅提升似乎又证明这一战略是成功的。那么如何看待依据两种贸易条件分析工具导致的悖论以及与以质取胜战略的关系呢?

1. 商品贸易条件的相对恶化是发展中国家追赶发达国家的必要代价

商品贸易条件的恶化表明出口商品价格相对在下降,而进口商品价格相对在上升。这表明单位出口商品的收益相对下降,是国民福利的相对损失。然而,要知道,正是单位出口商品的相对收益下降,才使得出口总收益上升,以及国民福利的总体提高。由于发展中国家经济发展水平较低,出口商品质量、结构以及附加价值与发达国家存在较大差距,因而其出口商品的竞争能力相应较低。发展中国家要扩大出口,抢占国际市场,惟一拥有的优势可能就是价格,因此,低价格就成了扩大出口的重要手段。可以说,通过汇率贬值、出口补贴等手段支持本国出口商品的低价格是发展中国家在发展初期不得不做出的必要代价。

2. 在一定阶段,收入贸易条件的改善更能体现发展中国家的利益追求

出口商品价格的相对下降是有利于扩大出口的,而进口商品价格的相对上升有抑制进口的作用。这对于发展中国家有特别的重要意义,无论是实行进口替代或是出口导向的发展中国家,其外贸政策的核心就是扩大出口,抑制进口,多创外汇,增加外汇储备,改善国际收支状况。因而,出口商品价格的相对下降和进口商品价格的相对上升是符合发展中国家的外贸利益的。

3. 中国商品贸易条件的相对恶化与出口商品质量改善和结构优化同步

如果仅从商品贸易条件的恶化来判断以质取胜战略的失败是片面的,甚至是错误的。主要依据在于商品贸易条件恶化的同时,我国出口商品质量得到了较大改善,出口商品的结构也大大优化。主要表现在我国出口商品从初级产品转向制成品为主,从出口轻纺等资源劳动密集型转向出口以机电及高新技术产品为主。可见,虽然我国商品贸易条件恶化,但是出口商品的质量和附加价值在不断上升。这是国家经济发展而表现出来的经济实力的体现。

4. 收入贸易条件的改善,出口贸易对国民经济增长的贡献大幅度提高

仅看商品贸易条件来评价以质取胜战略的成绩是无意义的。商品贸易条件衡量的是出口的相对收益,而收入贸易条件衡量的是出口的绝对收益。仅看出口的相对收益是片面的,对于发展中国家来说,在一定阶段,出口的绝对收益可能比相对收益更重要。中国出口贸易对国民经济贡献度大幅度提高,就是明证。因此,在一定阶段,收入的贸易条件比商品贸易条件显得更为

重要。

5. 以质取胜战略的最终目标还是要既改善收入贸易条件,也要改善出口的商品贸易条件

毫无疑问,商品贸易条件和收入贸易条件均得到改善是以质取胜战略所追求的目标。但这是以国民经济整体素质的提高为基础,以出口商品的质量、品质、竞争力的大幅度上升为条件。中国作为"世界工厂"地位的初步确立,不仅意味着在总体上依照自身的实力与市场份额提高了世界劳动生产率的水平,也同时意味着进行国际交换的单项产品的价格降低,这就是当代世界货物贸易的"中国因素"。尽管如此,我们决不能因具有规模优势而获得的较为有利的收入贸易条件而满足,还必须苦练内功,扎扎实实地渐进改善商品贸易条件,当然这是一个漫长的过程。

五、外贸体制改革不断深化与外贸主体多元化

(一)外贸体制改革推动了以质取胜战略的实施

从改革开放以来至实施以质取胜战略之前,我国外贸体制改革经历了两个阶段①:

探索阶段(1979~1987年):根据中央关于改革开放基本方针的精神,对外经贸体制改革的首要任务是外经贸经营管理权逐步放开。包括国家统一经营的进出口商品经营权,外商机构设置审批权和外汇使用审批权等下放到地方和部门。通过下放外贸经营权,充分调动各级地方政策、工业生产部门发展外贸的积极性。

铺开阶段(1988~1990年):1988年2月,国务院下达了《关于加快和深化对外贸易体制改革若干问题的规定》。从此,外贸体制改革步入全面铺开阶段。外贸系统借鉴工业生产单位,在外贸全行业抢先承包经营责任制。推行中央向地方下达的出口计划、上缴外汇计划和盈亏总额为主要内容的三项指标承包经营责任制。在承包计划内外贸企业盈亏由中央财政负担,超计划部分的盈亏则由地方财政负担。各地的外贸专业分公司财务与总公司脱钩而与地方财政挂钩。同时,选择轻工、工艺品、服装三个专业总公司作为自负盈亏试点企业,将出口创汇的留成部分全部自用,为企业自负盈亏创造有利条件。通过这一阶段

---

① 陈文敬主编:《邓小平对外开放理论与我国的对外开放政策》,中国对外经济贸易出版社2000年版,第160页。

的改革,初步改变了财务统负盈亏的格局,向外贸自负盈亏迈出了第一步。

在实施以质取胜战略之后,我国的外贸体制改革又经历三个阶段:

攻坚阶段(1991～1993年):1990年12月9日国务院公布了《关于进一步改革和完善对外贸易体制若干问题的决定》,主要目标是从实行外贸企业自负盈亏入手,使外贸体制改革逐步走上统一政策,平等竞争,自主经营,自负盈亏,工贸结合,推行代理制的轨道。另一个主要内容是改变外汇留成办法,将过去按地区实行不同比例的留成,改为按大类商品实行统一的比例留成。另外是深化外贸企业经营机制改革,提出了外贸企业转换经营机制的"十个转变"。通过这个阶段的改革,改变了国有外贸企业吃"大锅饭"的经营体制,将其推向市场,在国际和国内市场的竞争中求得发展。

转折阶段(1994至2001年加入WTO之前):以党的十四届三中全会通过的《关于建立社会主义市场经济体制若干问题的决定》为契机,我国外贸体制改革进入全面启动和深入阶段。而以1994年年初的外汇体制改革为核心,进入了改革的转折时期。首先是进行汇率并轨,实行以市场供求为基础的、单一的、有管理的浮动汇率制度;取消指令性计划,利用经济、法律并辅以行政手段对外贸运行实行宏观调控,如出口退税,鼓励和支持出口的金融政策及关税等;逐步放开外贸经营权;打破外贸企业不搞合资企业的禁区;在外贸行业推行现代企业制度,转换经营机制等。

全面融入世界多边贸易体系阶段(2001年年底迄今):通过加入WTO,履行承诺,加快与多边规则和协议不相适应的国内法律法规等的"废、改、立",特别是通过修改《对外贸易法》以及利用外资、对外投资等方面的法律法规,全面融入世界多边贸易体系,彻底消除了中国企业进入国际市场的"国内门槛",极大地激发了国内企业从事对外经济贸易活动的积极性,中国企业也由此大踏步走向国际市场并在国外竞争中一展身手。

通过这后三个阶段的改革使我国外贸行业在经营权,在建立现代企业制度、政企分开,在调动各级政府和企业开展外贸的积极性,在促进工贸结合、提升外贸企业竞争力等诸方面均取得了可喜成绩,使我国一般贸易规模稳步上升,出口商品结构明显优化,一般贸易占总出口的份额在经过最后一个阶段的改革后,基本遏制住了急剧下降的势头。

在以质取胜战略的指导下,我国外贸的重要发展目标就是在保持加工贸易进一步发展的基础上,稳步提高一般贸易的出口份额。在我国业已加入WTO的背景下,推进我国国内统一大市场建设,加快培育具有国际竞争力的外贸主体、对外投资与出口的相互促进对于扩大我国外贸规模和一般贸易出口份额均是十分重要的新课题。

（二）外贸经营主体竞争力的提升促进了以质取胜战略的实施

以质取胜战略的实施主体是外贸经营企业，而传统的国家统治式的外贸体制是不利于发挥生产企业积极性的，外贸领域的根本矛盾集中体现在外贸经营主体的国家垄断上。为进一步发展我国外贸事业，为国民经济做出更大贡献，必须进行以扩大外贸经营主体为主要任务的外经贸体制改革。而外贸经营主体的改革又进一步建立起了实施以质取胜战略的微观基础，为实施以质取胜战略取得良好成绩奠定了主体基础。

对外贸易经营管理体制的改革的一个重要组成部分，就是中央政府下放外贸经营管理权，这直接导致了外贸经营主体多元化格局的初步形成。也有一些国内有关专家将其称之为"外贸经营权制度改革"。在宏观管理层面上，主要是中央政府将外贸经营管理权和审批权逐步放开。其主线一是由外经贸部向中央其他部委放权，这使一批中央部委所属的工贸公司应运而生；二是中央向地方放权，这使一大批地方外贸公司建立并在其后的外贸发展中起到了重要的作用；三是中央政府直接向符合条件的生产企业赋予外贸经营权。

在微观经营层面上，主要是赋予各类企业外贸进出口经营权，主要进展是1983年赋予部分国有大中型企业（包括一些工业部门的工贸进出口总公司）自营进出口经营权；1988年外贸专业总公司和部分工贸进出口总公司与其地方分支机构——分公司脱钩，从此形成了大批地方专业外贸公司；1993年赋予科研院所科技产品自营进出口经营权；同年在商业、粮食、物资和供销等内贸企业中进行赋予进出口经营权试点；1996年开始设立中外合资对外贸易公司试点；1998年赋予私营生产企业和科研院所自营进出口经营权；赋予一大批企业边境贸易经营权，6800家大型国有生产企业实行外贸经营权自动登记制等。2001年中国在加入WTO前夕就已经全面放开了外贸经营权，彻底放弃了审批制，代之以登记备案制，使国内企业真正享受国民待遇。

外贸经营主体多元化格局的初步形成具体表现在以下方面：一是所有制形式多元化，由过去单一的公有制（国有）企业从事对外贸易发展到多种所有制企业以及外商投资企业共同从事对外贸易；二是经营主体形态多样化，由过去单一的流通性外贸企业从事对外贸易发展到生产企业（企业集团）以及科研院所等多种类型企业从事对外贸易；三是由特许专营逐步过渡到少数商品配额许可证管理，大部分商品放开经营；四是逐步降低外贸领域的准入"门槛"，由特批制转变为相对规范的审批制和有限的自动登记制。

外贸经营主体多元化的改革对外贸发展产生了两方面影响：一是一大批中小型外贸公司、有出口权的生产型企业加入后，他们当中有的并不都具有相应的外经贸经营管理人才，再加上前述的十大矛盾与问题，导致整体外贸队伍素质下降，号称50万外经贸大军中大多是从事国内收购业的人员，真正的外经贸业务人员比例少之又少，这也是导致外贸效益低下的一个成因；二是随着改革的深入，对外贸经营主体的多元化改革直接促成了出口效益低下的国有外贸公司的出口份额下降，而外商投资企业和私营企业出口份额迅速上升，一般来说，外商投资企业多集中在机电产品和高新技术产品的出口，他们的生产和销售国际化程度较高，在花色品种、档次、规格、附加价值含量方面较国有外贸企业的质量高，因此，不同所有制企业出口份额的不同变化，可以从侧面反映出我国出口商品质量和结构的提高。根据外经贸部的统计，按企业性质划分，在1981、1990、2004年，国有企业在出口份额分别为99.8%、87.2%、25.9%，外商投资企业各年分别占0.1%、12.6%、57.1%，其他企业（包括集体企业、私营企业）占0.1%、0.2%、17.1%。数据表明，改革开放以来，国有外贸企业出口份额迅速从99.8%下降到25.9%，而外商投资企业从0.1%上升至57.1%，成为我国出口贸易的主要力量。同时，正是由于外商投资企业份额的迅速扩大，才使得我国出口商品结构的相应优化，附加价值和科技含量不断提高，有力地促进了以质取胜战略的实施。

第四节　以质取胜战略的深化与发展

以质取胜战略是我国外经贸领域发展的一项长期战略。在20世纪90年代，以质取胜战略从关注产品质量，到关注出口商品结构，再到后来的品牌战略，其内涵经历了几次扩展和提升。进入21世纪以来，国际国内形势发生了较大变化，新的形势要求外贸领域的以质取胜战略赋予新的内涵，在原有基础上进行扩展和调整，以适应新的世界经济和国民经济发展要求。

一、新世纪面临的国内外经济贸易形势

进入21世纪以来，国内经济持续高速增长，外贸、外资继续持续表现良好，尤其是加入WTO后，国际经贸环境得到改善，对外开放进程更是进入了全新时期。与此同时，随着国内国际经济环境的变化，国民经济和对外开放逐步进入

成熟阶段,其关注的重点已经或正在发生变化。正确认识现阶段国际国内形势的发展变化,是确定我国宏观经济政策,包括对外经济领域的各项政策的关键。

(一)落实科学发展观与转变外贸增长方式的客观要求

2003年10月召开的中共十六届三中全会提出了科学发展观,并把它的基本内涵概括为"坚持以人为本,树立全面、协调、可持续的发展观,促进经济社会和人的全面发展"。而十六届五中全会对国民经济社会发展的"十一五"规则建议中又进一步提出要建设资源节约型、环境友好型社会。然而,目前中国发展的可持续性和科学性方面面临的形势却是严峻的。

在外贸领域,改革开放以来,我国对外贸易取得了举世瞩目的成就。但是,受整体产业发展水平较低的制约,我国外贸出口的增长仍属于数量扩张型的较为粗放的增长方式,出口的质量和效益都有待提高。这主要体现在以下三点:一是出口产品层次较低;二是自主品牌产品出口较少;三是出口价格不高,贸易条件有恶化的趋势。

上述情况要求我国必须重视生态环保保护问题,提高资源的利用效率,促进国民经济可持续发展。在外经贸领域就是要转变外贸增长方式,实现质与量的统一,要大力倡导绿色外贸意识,减少资源型商品的出口,对那些能耗大,环境污染严重的出口商品进行限制,提出我国出口商品在技术、安全、卫生、环保、能耗各方面接近或达到国际标准的要求,这样不仅有利于国内经济的可持续发展,使外贸与自然环境协调发展,还可以有效避开发达国家的绿色贸易壁垒,减少贸易摩擦。

(二)我国贸易大国地位更加巩固,急需向贸易强国转变

在对外贸易领域,我国现阶段最突出的特点就是:我国已经成为了名副其实的贸易大国,但还不是贸易强国。其最近的主要标志就是2004年11月20日中国外贸总额首次突破1万亿美元,2004年全年无论是出口还是进口,中国在世界贸易中的排名都升至第三位。经济大国不一定是经济强国,同样,贸易大国也不等于是贸易强国。这主要表现在以下几个方面:

从商品质量和品质来看,我国出口产品主要占领的是国际市场的中低档市场,尤其是在消费品的低端市场上,自主品牌少,多以贴牌生产或加工贸易方式为主,我国企业仅赚取生产加工费用,国际市场受到跨国公司的品牌和营销渠道的控制,国内企业处于国际价值链的底端,而且时刻受到其他发展中国家替代我国企业的国际分工地位的威胁,在这样的微观背景下,是不可能支撑起我国的贸易强国地位的。

从当前我国出口产品结构来看,尽管我国出口商品结构已经明显提升,但在技术含量较高的商品领域,我们仍然属于净进口国,我国对外贸易总体上仍然呈现依靠出口低附加值消费品换取资本产品的格局。高技术含量、高附加价值、具有核心技术、自主知识产权的产品较少的问题正成为我国迈向贸易强国的最大障碍。虽然 2004 年我国出口商品中资本和技术密集型商品首次超过了劳动密集型产品,但是在资本和技术密集型商品中很大部分是由外资企业承担的,即资本技术密集型产品的出口中很大一部分是加工贸易方式。因此,一方面要优化出口商品结构,另一方面即使商品结构不断调整升级,也还要考虑贸易方式问题。

从出口企业的主体来看,我国外贸额的一半以上是由外商投资企业承担的,而国内企业,包括国有企业、私营企业及其他各类国内企业的出口仅占一小半,而且这一小半的出口份额中还有一部分是加工贸易方式的出口,如果将加工贸易的进口扣除,那么由国内企业承担的出口就会大打折扣,那样算起来,中国连贸易大国可能都算不上。

从贸易方式来看,一般贸易出口比重偏低,对国民经济增长和就业的带动作用有待增强,同时存在附加值和技术含量不高,拥有自主知识产权和自主品牌产品少,一般贸易出口产品结构低于加工贸易。加工贸易比重偏高,虽然有促进增长、带动就业、增加税收及技术溢出等效应,但是从根本上来说,加工贸易与一般贸易两张皮的问题仍未从根本上得到解决,其对我国产品结构调整与升级的作用并不十分明显,这也不容回避。世界上没有哪一个贸易大国有一半以上是通过加工贸易的方式进行的,而中国却正是通过加工贸易这种方式跻身贸易大国行列的。虽然加工贸易是符合我国当前国情的,但是促进一般贸易和加工贸易的协调发展仍会是中国外贸政策的导向。

从贸易条件来看,实施以质取胜战略以来,虽然由于我国出口商品结构的高级化导致我国出口商品价格呈上升趋势,但是进口商品的价格上升得更快,我国外贸商品的纯贸易条件呈相对恶化态势并未得到根本的遏制。根据世界银行的统计,以 1995 年中国出口商品价格指数为 100,2001 年这一指数下降为 83,2002 年进一步下降为 78。

国际市场的容量是有限的,我国一些产品已经是第一大出口国,占据了国际市场相当大的份额,进一步提高市场份额的空间极为有限。因此,靠过去那种数量型增长的方式将难以为继,如鞋类已占国际市场 60% ~ 70% 的份额,纺织品、玩具等一些大类产品从数量上看已经没有太大的增长空间。但是如何提高已经占有份额的效益的质量，这里面大有文章可做。如果在出口数量不变的情况下，努力提高出口商品的品质和品牌，提高商品附加值，这样就能使出口商品单价提高，从而也能使出口金额得到相应提高。

（三）传统贸易保护工具与新型贸易保护工具盛行

我国加入世贸组织后，国外对我国出口商品的关税壁垒及许可证、配额等传统非关税壁垒的门槛虽然继续阻碍我国产品顺利进入目标市场，但毕竟由于受到 WTO 规则的约束，这类壁垒逐步降低或将取消，但这并不意味着中国商品便可在国际市场上畅通无阻。事实上以技术壁垒、环境壁垒、社会壁垒以及各类"公平贸易"措施为核心的形形色色新贸易壁垒的门槛正在日益提高，并将成为未来我国对外贸易发展的最大障碍。

技术壁垒指的是一国以维护国家安全、保障人类健康、防止欺诈行为及保证产品质量等为由而采取的一些技术性措施。它主要通过颁布法律、法令、条例、规定，建立技术标准、认证制度、卫生检验检疫制度等方式，对外国进口商品制定苛刻的技术、卫生检疫、商品包装和标签等标准，从而提高对进口商品的技术要求，最终达到限制其他国家商品自由进入本国市场的目的。技术性贸易壁垒对出口影响越来越大。据测算，2001 年我国因不符合国际环保标准而受阻的出口商品价值就已超过 100 亿美元，2002 年欧盟禁止我国动物源性产品进口一案就涉及我国 94 家企业，贸易金额达 6.23 亿美元。一些出口市场和产品结构比较单一的企业，还将因此次事件濒临破产，据统计，这些企业中涉及的劳动力近 5 万人。此外，欧盟的禁令还殃及十几万农户因上述出口企业无法全部履行合同而遭受经济损失，重点出口地区还将面临群众经济收入来源减少，社会安定受到威胁的局面。

环境壁垒指为维护生态环境、维护人类的可持续发展为由而采取的一些环境法规和措施。主要通过颁布新的高标准的环境技术标准；签订多边环境保护协议；规定一定的环境标志等措施提高进口商品的环保要求，提高进口产品成本，以达到限制进口商品的竞争力为目的。如 1994 年，美国环保署规定，在美国 9 大城市出售的汽油中硫、苯等有害物质含量必须低于一定标准，对此，国产汽油可逐步达到，但进口汽油必须在 1995 年 1 月 1 日生效时达到，否则禁止进口。又如国际上已签订的多边环境协议有一百五十多个，其中近 20 个含有贸易条款。特别是保护臭氧层的有关国际公约，将禁止受控物质及相关产品的国际贸易。又如国际上采购商在要求有 ISO9000 质量证书的同时，还要看有无 ISO14000 环保证书。

社会壁垒是指以劳动者劳动环境和生存权利为借口采取的贸易保护措施。目前,在社会壁垒方面颇为引人注目的标准是SA8000,该标准是从ISO9000系统演绎而来,用以规范企业员工职业健康管理。欧洲在推行SA8000方面走在前列,美国紧随其后。欧美地区的采购商对该标准已相当熟悉。目前全球大的采购集团非常青睐有SA8000认证企业的产品,这迫使很多企业投入巨大人力、物力和财力去申请与维护这一认证体系,这无疑会大大增加成本。特别是发展中国家,劳工成本是其最大的比较优势,社会壁垒将大大削弱发展中国家在劳动力成本方面的比较优势。

最后是各类"公平贸易"措施也逐步成为WTO条件下的贸易保护手段,主要有反倾销、反补贴以及保障措施三类"公平贸易"手段。贸易摩擦的案件数量不断扩大,全球贸易摩擦近10年内数量大幅度上升。值得注意的是中国是这些反倾销和保障措施的最大受害者,20世纪90年代以来,世界上平均每6~7起反倾销和保障措施案件中,就有一起是针对中国的。根据商务部统计,2005年共有18个国家/地区对我国发起"两反两保"调查63起,涉案金额21亿美元。其中,反倾销51起,涉案金额17.9亿美元;特保案件7起,涉案金额2.2亿美元;保障措施5起,涉案金额0.9亿美元。此外,美国对我国7种产品发起337起调查,涉案金额约12亿美元。欧盟、美国、土耳其等国对我国纺织品启动了242起调查或实施限制措施。

(四)竞争与合作并存,贸易摩擦增多

中国的和平发展就是坚持中国特色社会主义道路,以和平、发展、合作的理念,不断发展与各国的对外经济关系。和平发展道路是对一系列"中国威胁"论的回应,表明了中国坚定地走和平发展道路的思想。在对外经济领域的中国威胁论主要表现为:"商品倾销论"或"产品冲击论","人民币倾销论"或"人民币升值论"、"输出通胀论","世界工厂论"等。作为一个13亿人口的大国,经济的崛起必然会引起世界范围内的适应性调整,引起世界所有的国家的种种担心,出现了诸如贸易争端升级、反倾销案件增多、经济问题政治化等种种倾向。

事实上,中国作为一个拥有世界上最多人口的国家,从一个经济上的小国发展到一个有重大影响力的经济大国必然会对世界经贸既有格局产生强烈影响。正如历史上美国、日本、德国的逐步崛起对世界资源的消耗、对世界经济的影响一样,中国在崛起过程中也必然会对世界产生震撼性的影响。而中国和平发展的发展道路就是要尽可能减少这个过程的负面影响。

目前我国面临的国际经贸形势不容乐观。"中国威胁论"、"输出通胀论"

都是打压中国的借口,最近的例子包括迫使人民币升值,针对中国纺织品美国和欧盟采取特别保障措施,以及西方一些所谓学者将全球石油矿产资源的涨价归于中国的大量进口。中国的经济崛起势必要对全球市场的石油及矿产资源产生强大需求,从而影响了发达国家对世界石油矿产资源的长期低价占有。这种排斥中国崛起的歧视性逻辑应该受到"谴责",但是作为中国自身的外贸发展来讲,应该努力避免其他国家认为中国的崛起是对世界的威胁和危害,要努力通过自身的努力避免贸易摩擦。其中的手段之一就是大力实施以质取胜战略,用低资源消耗高质量、高品质的产品在国际市场交换,从而使中国的崛起与中国外贸和世界经济协调发展。

(五)吸收外资居发展中国家之首,亟待提高引资质量

近十年来,我国利用外国直接投资呈现持续的增长态势。尤其是进入新世纪以来,全球 FDI 流量大幅度下跌,但流入中国的 FDI 在 2001 年和 2002 年分别增长了 11.5% 和 12.6%。而 2003 年和 2004 年,中国利用 FDI 达到了 535 亿美元、606 亿美元,连续刷新历史记录,并超过美国,成为全世界利用外商直接投资最多的国家。

从外资存量来看,截至 2004 年年底,我国累计吸引外资合同金额超过 1 万亿美元,累计实际利用外商直接投资超过 6000 亿美元。在发展中国家之中,中国吸引外资金额遥遥领先。2003 年的数据显示,中国吸引的外资约占世界总量的 8%,占发展中国家的 34% 和亚洲的 53%。可见中国利用外资的绝对规模已经相当大了。

在利用外商直接投资达到世界最高水平后,外资的质量成为了更令人关心的问题。关于外资的质量问题,可以从以下几个方面来理解:

从引资的代价来看。主要包括两个方面:一是引资成本问题,二是环境污染问题。现在一些地方政府为了提升吸引外资的竞争力,过度给予外商优势措施,制造"政策洼地",导致大量土地浪费,投资密度不高,税收减免过多,甚至降低环境保护标准,引资成本过高。在新形势下应该改变这种地方政府无序竞争,引资优惠政策到底线甚至突破底线的行为。此外,一些跨国公司利用发展中国家竞争吸引外资的机会,将污染严重的产业转移到国内,并在生产经营过程中,降低环保标准,这也应引起重视。

从跨国公司经营行为来看,价格转移和限制性商业措施是不利于东道国的两个主要方面。跨国公司普遍实行全球化经营战略,利用其全球网络,转移价格或者转移利润是普遍现象,东道国可以采用适当的规制措施,减少因为价格转移而对本国的负面影响,提高引资质量。另外,跨国公司存在的限制性商业措施,滥用市场垄断力量,出现一些反竞争的行为,也可以通过制定反垄断法以改善外资的质量。

从技术转移和外溢性来看,我国吸引外资的主要目的之一在于通过技术转移和外溢性促进国内企业技术水平的提升。然而,跨国公司的投资动机是追求利润的最大化,技术的转移与否是服务于利润最大化这一目的的。无论外商以前在技术转移和技术的外溢性方面如何,今后政府的政策导向都应是促进跨国公司进一步的技术转移和技术外溢,从而提高利用外资的质量。政府通过制定各种政策和措施促进跨国公司与东道国当地企业建立关联是一种重要的有效途径。

二、以质取胜战略的深化与拓展

时代在变化,以质取胜战略内涵也要与时俱进。正如在 20 世纪 90 年代以质取胜战略侧重点从关注出口产品质量,到关注出口产品结构,再到出口商品品质(品牌)一样,进入新世纪,在新的一系列变化了的国内和国际贸易投资形势下,以质取胜战略侧重点需要调整,其内涵也需要做出新的扩展。在进一步实施以质取胜战略过程中,首先要对以质取胜战略的全新内涵有一深刻认识。

以质取胜战略的全新内涵应该是:在外经贸工作中正确处理好质量和数量的关系;优化出口商品结构,增加高附加价值的出口商品比例;在继续大力发展加工贸易的同时,努力提高一般贸易的出口份额;在提高出口商品质量和品质的同时,争创出口品牌,实施品牌战略,扩大自主品牌商品的出口;保持外贸与自然生态环境的协调发展,限制高能耗、高污染和重要资源产品的出口,用科学发展观指导外贸发展;与标准化战略有机结合,积极采用和转化国际标准和国外先进标准,增强企业国家竞争力,有效跨越国外技术性贸易壁垒,减少贸易摩擦,维系和发展与其他国家和谐的外经贸关系,为中国的和平发展创造良好外部环境;同时,在进口方面更为我国可持续发展服务,对战略性资源的进口要实行市场多元战略;深入推进外贸体制改革,培育以质取胜的外贸多元化主体,促进以质取胜战略实施;同时,在引资、对外经济技术合作、服务贸易领域均应贯彻以质取胜战略思想,走质量取胜的道路。

(一)实施出口品牌战略并进一步改善出口商品结构

新世纪以来,中国贸易大国地位更加巩固,从贸易大国向贸易强国发展更显紧迫;而加入 WTO,全面融入世界经济,使得中国无论在国内还是在国际均不得不面对来自发达国家的跨国公司的竞争。而要全面参与国际竞争,光靠价格优势是不行的，还必须在产品的附加价值和品牌两方面提升竞争力。因此，今后在实施以质取胜战略过程中，仍然要大力优化我国出口商品的结构，提升我国出口产品的附加价值。另外，商品的竞争实际也是品牌的竞争，因为品牌是包括了产品质量、技术水平、附加价值以及服务等综合信息。产品质量、品质的提高最终体现在商品品牌的知名度上。因此，品牌战略是以质取胜的重点内容，仍需在未来重点关注。在积极扶持和培育出口商品品牌的基础上，也要加强对我国国际知名品牌的有效保护。最近几年，国外一些企业，特别是跨国公司侵犯我知名商标和品牌的案件时有发生，政府和企业不仅要有创名牌的意识，也要有护名牌的意识。

（二）推进技术标准战略

从某种程度上讲，质量的竞争就是技术标准的竞争，技术标准的层次是反映产品质量的重要指标。而发达国家较高的产品安全、卫生、环保等方面的技术标准，阻碍了中国企业深入开拓当地市场，但从另一方面看，逐步提高国内企业产品标准，更大程度和范围采用国际标准和国外先进标准的必要性，与其说是产品质量达不到国外要求，倒不如说是国内技术标准与国外技术标准存在差距。为此，在进一步实施以质取胜战略的过程中，要向技术标准战略方向推进，将产品技术标准纳入质量概念范畴。

（三）更加注重贸易与环境，推动可持续发展

WTO条件下新型贸易保护工具的盛行，中国和平崛起的发展道路，以及追求可持续发展的科学发展观的提出也要求我国在外经贸领域实施以质取胜过程中，要关注生态、环境保护和国民经济以及外贸的可持续发展。

新型贸易保护主义多以保护生态、环境为由提高进口商品的进入壁垒，增加进口的成本，降低进口商品的竞争力。在这样的背景下，出口商品如果不满足生态环境标准，连市场进入的可能性都没有，也就根本谈不上商品的质量。在一个以人为本、消费者至上的社会，产品的质量已经扩大到生态环保方面。

中国和平崛起的发展道路要求我国在崛起过程中尽量减少对世界造成的震撼，令世界欣然接受中国崛起的事实。在外经贸领域应尽量减少、避免、处理好同其他国家的贸易摩擦，营造良好的国际经贸环境。而以质取胜战略的实施就应该为中国的和平崛起服务，为减少中国贸易摩擦服务。事实上，中国目前有很多国际贸易纠纷均来自于中国产品没有很好实施以质取胜战略。

可持续发展和落实科学发展观的提出更为我国以质取胜战略指明了方向。即经济发展要与自然、社会相协调，不能牺牲自然、社会的发展来获取经济的增长。同样地,外贸的发展不能以牺牲国内环境、生态以及资源为代价,相反,要让外贸为我国生态环境改善、促进国民经济可持续协调发展助力。因此,这也要求以质取胜战略的侧重点要向保护生态环境、促进国民经济可持续发展倾斜。

(四)以质取胜战略向进口、引资和国际经济技术合作延伸

进入新的世纪,在世界投资浪潮退去的情况下,中国超过美国吸引外商直接投资达到世界最高水平;在实现了引资数量世界第一的目标后,对于引资的质量问题就显得更加重要。而中国政府提出的"走出去"发展战略极大促进了中国企业的跨国经营。从 1999 年起,中国企业对外直接投资,跨国并购,对外工程承包以及国际劳务输出均有较大的增长,尤其进入 2001 年以来,均出现了大幅增长。在大量企业走出国门进行跨国投资和跨国经营后,其在东道国的业绩表现、对出口的带动、对企业技术水平的提升等都是更加令人关注的问题。在这样的背景下,以质取胜战略内涵也应当延伸开去,即不仅关注出口,还应关注进口、利用外资以及对外投资的以质取胜问题。

(五)以质取胜战略向服务贸易领域的延伸

我国货物贸易顺差的迅速增长表明物质生产领域已经形成了初步的国际竞争力,但随着我国服务贸易领域的进一步开放,不断提高服务行业的国际竞争力越来越紧迫。为此,以质取胜战略在货物贸易领域取得较大成绩后,下一阶段将向服务贸易领域延伸,将促进我国从货物贸易大国向服务贸易大国转变,并从货物贸易强国向服务贸易强国迈进。

三、进一步实施以质取胜战略的具体举措

在全新的以质取胜战略内涵下,应着重从以下方面贯彻实施:主要是加大力度培育发展出口名牌;推进标准化战略的实施;推动认证认可工作再上新台阶;优化结构;进一步完善出口促进服务体系;积极应对贸易摩擦;提供引资质量与水平;在服务贸易中推进以质取胜战略的实施①。

(一)加强质量控制,争创出口商品名牌

事实证明,以前在实施以质取胜战略中所采取的措施是切实可行的,这包括推行与国际接轨的质量管理体系,商检部门强化出口商品质量的监督和执法力度,努力促进机电产品的出口,提高出口产品附加值,大力开展外经贸部门出

---

① 关于以质取胜战略中品牌、标准、认证认可方面的内容后文有详细介绍,此处仅介绍一般性的措施。

口创名牌工作等,这些工作和措施需要进一步深入下去。这些措施是实施全新内涵的以质取胜战略的基础,因此必须进一步完善已有的促进以质取胜战略实施的措施。

具体地说,继续整顿和规范外贸经营秩序,提高出口效益。继续大力整顿和规范外贸经营秩序,严厉打击走私、骗退税、逃套汇行为,制止低价竞销等破坏出口秩序的行为,维护我国出口企业和出口商品在国际市场上的信誉。充分发挥进出口商会的作用,加强行业协调和自律,避免恶性竞争和"价格战"。引导出口企业提高产品质量。实施出口商品名牌战略。

(二)加强出口促进和服务体系的建设

以以质取胜战略为指导,进一步完善出口服务和促进体系的建设。中央和地方应以财政预算的形式,拿出资金用于支持质量效益导向型外贸促进服务体系的建设。通过举办展览、培训、贸易咨询、出口辅导、与出口相关的技术服务等方式促进以质取胜战略的实施。加大对中小企业的服务,引导企业扩大高质量、高品质和拥有自主品牌的商品出口,帮助企业开拓出口新市场,推动企业打造出口品牌,在扩大出口的同时提高出口的效益。

(三)加强贸易政策与产业政策的协调

为培育一批拥有自主知识产权和自有品牌的出口产品,需要从科研、生产等环节加大对具有潜在国际竞争优势行业的扶持力度。要选取一批重点行业的创品牌出口工作提供重点支持,力争在较短时期内培育一批国际知名的出口品牌商品。进一步通过信贷、税收、出口辅导等方式扩大外溢性强的高附加价值产品的出口。同时,对于容易引起国际贸易摩擦的行业,要实行出口预警机制,采取措施主动控制出口,鼓励将过剩的生产能力转移到其他发展中国家。

(四)优化进口商品结构,提高进口的综合效益

在进口方面,要根据国内经济发展的需求,加大国内不能生产或达不到要求的高科技资本型产品的进口,提高国内技术装备水平。另一方面,要加大战略性石油和其他矿产资源性产品的进口,利用我国充足的外汇资源,通过进口建立石油及其他战略性资源的储备,将外汇储备转换成资源和实物储备,保证我国未来经济发展的需要。

(五)促进贸易政策与生态环境政策的协调

为确保外贸与自然生态环境的协调发展,需要将生态环保政策与外贸政策相结合。首先,政府应通过一系列法规、制度,使企业改变传统的局限于企业内部利润的最大化或者成本的最小化的经营决策,将环境成本纳入企业效益评价体系之

中,采用社会经营决策,统筹协调企业经济效益、社会效益与环境效益之间的关系;要根据《环境保护法》对于一些能耗大、环境污染严重的行业和企业进行技术整改;对于没有达到一定环保要求的产品要限制其出口或征税环境税。

(六)提高引资质量,促进外资与内资的关联

对于提高引资质量的问题,其手段包括降低引资成本,并提高引资效益。

对于降低引资成本,首先要规范统一我国各级地方的优惠政策,不能无限制地优惠到底,制造"政策洼地"。引资成本主要体现在土地的低价甚至无偿转让,税收的关税,降低环保标准,降低工人待遇和工作环境。因此,提高引资的质量首先要清理一些不合理的优惠政策,将政策优惠规定一个下限。当然全国不能一刀切,根据国家经济发展需要,一些地方可以继续保持一些优惠政策,而一些地方就要进行调整,条件成熟的地方则要取消优惠政策。

对于提高引资效益,主要是促进外资企业的技术转让、扩大外溢性,政府可以通过一系列措施促进跨国公司与内资企业的各种关联。政府可以通过下列方式促进这种关联:

信息与中介:利用公告、关联信息报告会、展览会等形式,赞助交易会、举办会议等使供应商与跨国公司相互沟通。

技术提升:鼓励或要求技术转让,鼓励合作研发,鼓励与本地公共机构建立联系。

培训:对人力资源开发方面的支出减税或免税。建立供应商协会;支持私人部门的培训计划;与国际机构合作,使其参与对东道国供应商的培训工作。

资金支持:跨国公司提前支付供应商货款给予税收支持;通过立法限制延期支付等;为供应商提供长期资金的公司提供税收抵免或其他财政补贴;两步贷款,官方发展援助。

(七)加快"走出去"步伐,提高利用两种市场和资源的质量

目前我国应该重点增大以下三类境外投资:以获取国外战略性石油、森林矿产等资源开发性投资;以带料加工为特征的境外加工贸易;以及通过并购方式获取发达国家有价值资产的投资。

对于资源开发性投资,应使我国企业的全球资源战略成为一种国策,政府可以通过贴息贷款、发展境外债券市场,资源税减免和经营特许措施,加大信贷、保险、外汇方面的支持力度,培育几家能够进入世界前列的国际型矿产资源型跨国资源开发航母;国家可以通过经济外交等手段,通过政策性引导,推动我国企业在资源国开展"以工程换资源"和"以贷款换资源"的合作模式,建立我

国经济发展中短缺资源长期、稳定的供应渠道。

境外加工贸易的政策导向主要是鼓励那些带料加工装配项目的投资,越是对原料零配件出口带动大的项目,就越应该鼓励和支持。对于这类境外投资项目,可以通过购汇优惠;提供优惠贷款或融资便利;提供国外市场信息,为国内企业提供目标市场的调研报告,协助境外投资企业进行项目可行性分析;另外,由于现阶段我国境外加工贸易政策属于内部文件,没有对外公开,可以考虑制定公开透明的境外加工贸易政策措施,为境外加工贸易发展服务。同时,境外加工贸易的各项优惠政策我们要优先用于支持品牌企业。在援外项目中,要优先采购自主品牌的产品,特别是名牌产品。要优先安排名牌企业用优惠贷款到受援国进行加工、生产和组装。另外,在法律、法规允许的范围内,优先安排名牌企业的进出口配额。

对于并购海外有价值资产的投资,政府应该着重做好以下几方面的工作:加快制定我国企业海外并购的管理条例,做到管理海外并购项目法律公开、透明、简便;完善政府对境外并购的监督管理;海外并购投资时效性较强,尤其是并购那些处于清算阶段的企业,需要在限定的期限内决定并购与否,需要简便审批程序,缩短审批时间;对于一般性的海外并购项目,可以仿照其他国家采取"安全港"(safe harbor)条款而不需要审批,这样将给予企业海外投资极大便利;因此,政府需要在这些方面加以改善,从而促进中国企业的海外并购,政府在弱化审批职能的同时,应加强其服务职能;政府可以为企业的并购决策提供服务,提供及时信息;对于国家支持战略性并购项目,国家可以通过贴息、外汇贷款、增加购汇额度等方式重点支持;可以考虑进一步开放资本项目,适度放宽购汇条件。

(八)培育本土具有国际竞争力的跨国公司

如果把做国际贸易的企业分成大型跨国公司和其他中小型企业,那么可以明显地看到这样一个现象:大型跨国公司多出口高品质、高附加值、高科技含量、高利润率的国际性名牌,从奔驰公司的汽车到波音公司的飞机,从耐克的运动鞋到微软的软件均是如此;而其他中小企业的出口产品则品质相对较低、附加值和科技含量也较少。出现这种现象绝非偶然,一般大型的世界性跨国公司历史悠久、资金雄厚、技术储备充足、国际性经济管理人才济济,这种世界性大型跨国公司完全有实力生产并出口品质近乎完美的产品,而大多数中小企业由于条件所限,其出口的产品各方面是不可能与这些世界性名牌企业相提并论的。因此,要实施以质取胜战略不仅需要在宏观方面有好的政策支持和监督,在微观方面更需要有生产并出口高品质产品的大型跨国公司。只有加快培育和发展自己本土的大型跨国公司,才有实力生产高品质的产品,才有实力在世界范围内出口并营销其产品并建立自己的品牌。因此,对于我国在未来进一步实施以质取胜战略过程中,也需要国内企业的成长,培育自己的跨国公司。

目前,国内已经有若干拥有较好国际品牌,有望成为世界级跨国公司的典型例子。比如海尔,在20年的时间里,能够从一个濒临倒闭的小厂发展成为世界级的企业,重要原因就是始终把创世界名牌作为自己的目标,并为之进行不懈的努力。在高科技的领域,华为、中兴、联想都是佼佼者,华为作为一家高科技的企业,在创建品牌的过程中,始终把研发放在首位。在近3万名员工中,有47%是研发人员,达到了14000多人,其中还聘用了3000多名优秀的外籍研发人员,这在国内是数一数二的。为了实施全球同步的研发战略,他们不仅在北京、上海、南京等地建立了6个研究所,而且在瑞典的斯德哥尔摩、美国的达拉斯、印度的班加罗尔、俄罗斯的莫斯科设立了多个研发机构。华为每年的研发投入要在销售收入的10%以上,有些年份甚至高于诺基亚、阿尔卡特和思科等世界著名公司,现在每年研发费用都已经超过40个亿,这也是华为品牌在IT业直线上升的重要原因。截至目前,华为公司累计申请专利八千多件,其中包括在美国、欧洲等二十多个国家和地区申请的八百余件。青岛啤酒、同仁堂这些老字号这些年也在焕发青春,走出了自己成功的路子。青啤和以上企业不同,他们打造品牌采用的是"青岛啤酒"这个百年名牌的带动效应,进行大规模的资产重组,走出了"大品牌"的发展战略。在实施品牌战略的过程中,要特别注意发挥榜样的作用,通过推出一批发展自主品牌的先进典型,促进中国本土跨国公司的成长,并带动品牌战略的全面展开。

任何战略的实施都是一个系统工程,需要各种战略的相互配合,以质取胜战略的实施也不例外。首先,在外经贸领域需要其他三大战略的配合,因为在"多元化战略"、"科技兴贸战略"、"走出去战略"中都有以质取胜战略的内容,或多或少都有所关联,尤其是科技兴贸战略更是与以质取胜战略联系紧密。因此,要进一步实施以质取胜战略的时候也需要实施其他三大战略。另外,以质取胜战略的实施也需要国内其他战略的进一步推进,如名牌战略、绿色战略、引资战略等战略的实施。

第五节　进一步推动实施出口商品名牌战略

品牌是企业用来识别其产品,并用以和其他企业产品相区别的标志,品牌尤其是具有法律意义的商标,对消费者来说意味着一种产品标准,并在实际上形成其产品品质的象征。而所谓"名牌"是指高质量、高附加值、高知名度、拥有较高市场占有率的产品品牌。可见,名牌是建立在产品质量基础上的,能使企业在市场上有较高知名度和占有率的一种无形资产,它超越了质量,甚至超越了附加价值。因此,可以说,品牌战略是以质取胜战略的一个重要发展阶段,是以质取胜战略发展的高级阶段。

一、实施出口名牌战略的重要作用与意义

(一)实施出口商品名牌战略是以质取胜战略的进一步深化

自从 1991 年提出并实施以质取胜战略以来,在出口商品的质量和结构(附加价值)方面取得了较大成绩,出口商品的品牌问题就成为了日益需要关注的问题。从宏观层面看,我国出口贸易虽然连年高速增长,但出口商品多以加工贸易、贴牌生产为主,没有国际市场知名的品牌,与我国不仅要成为贸易大国,更要成为贸易强国的宏观目标不符;从微观层面看,最突出的表现就是我国企业生产的相当数量的产品质量并不低于跨国公司的名牌商品,但由于没有国际上知名的自主品牌,使得国内企业只能为跨国公司贴牌生产,让跨国公司赚取了大部分利润,而自身只能得到蝇头小利。因此,在以质取胜战略实施取得初步成效,20 世纪 90 年代中后期出口商品质量的矛盾基本得以解决了的情况下,出口商品品牌问题成为了外贸行业的重要矛盾。在国际市场上,仅有好的质量还是远远不够的,中国的出口产品要占领国际市场,尤其想要在欧美等发达市场进一步打开销路,光靠没有品牌的低价格是不够的,而要在质量、外观、广告、服务、信誉等多方面入手,打造国际知名的出口商品自主品牌。在这样的背景下,作为进一步深度实施以质取胜战略的重要步骤,外经贸领域主管部门于1998 年正式提出了培育扶持出口商品名牌战略。

(二)实施出口名牌战略是贸易大国向贸易强国转变的必然要求

创立名牌是贯彻以质取胜战略的重要内容,又是提高出口竞争力的重要途径。创立名牌更有利于促进企业建立质量效益机制,有利于促进出口增长方式从粗放型向集约型转变。创立名牌的过程,也是优化社会资源配置、加快企业优胜劣汰、推动企业重组、形成规模经营的过程。

我国已成为世界主要贸易国之一,1997 年对外贸易总额升至全球第 10 位(2004 年升至第 3 位)。但我国出口增长方式仍属于粗放的数量增长型,出口商品的附加值较低,出口竞争力不强。与世界排名前几位的贸易大国相比,我

国出口商品不仅在质量和档次上存在差距,即使有些产品质量达到国际同等水平,但是由于缺乏在国际市场知名的名牌,其国际竞争力仍然落后。而通过实施出口商品名牌战略,不仅能带动出口商品质量的进一步提高,还可以提升出口商品的国际竞争力,实现外贸的集约化增长,实现从贸易大国向贸易强国转变。

一般来说,一个国家的名牌商品的多少,反映该国的综合实力、经济竞争能力和科技发展水平。可口可乐、麦当劳、微软代表的是他们所提供产品和服务的质量与品质,同时也反映了美国整体的经济实力;同样,丰田、本田等品牌代表的日本轿车的质量和品质,反映的却是日本汽车业甚至整个工业的实力。作为中国来说,虽然占世界贸易份额日益增大,经济大国地位和贸易大国地位日益巩固,但是自主品牌产品出口少,拥有自主品牌的出口企业不足 20%,自主品牌出口不足 10%,且鲜有在世界上具有影响力的品牌。要成为经济强国和贸易强国,就必须要大力发展中国的民族品牌,使每个主要行业和贸易商品中出现若干含有中国价值和文化内含的国际知名名牌。

(三)实施出口名牌战略是提高企业出口效益的重要手段

对于参与国际经营的企业来说,拥有国际知名的品牌对于企业在国际市场上的生存和发展具有重要意义。品牌是企业主要的促销工具,没有品牌,企业就失去了与国际市场沟通的中介。良好的品牌有助于培育顾客忠诚度,留住老客户、吸引新客户。国际知名品牌代表着企业在国际市场上的形象,一个名牌商标,对企业来说是一种无形资产。国际名牌代表的是质量、品质和服务的综合声誉。名牌商品能够明显地区别于其他商品,这就是由品牌导致的产品差异,而产品差异能够导致市场的部分垄断,因此,企业可以得到高于一般企业的垄断利润,从而有利于企业的发展壮大。

缺乏自主品牌的后果有两个:一是为外方贴牌生产,交易价格受外方控制和挤压,仅赚取少量的生产方面的利润;二是以低价格为武器,向外国市场出口"没有品牌的高质量商品"。为外国品牌"贴牌"生产直接导致我国出口商品利润率低,容易受外方控制,遭受其他国家和地区反倾销,导致贸易纷争。

我国相当一批出口商品的质量其实并不一定与国外品牌的内在质量有多大差距,甚至还可能优于其质量。如当时的海尔冰箱在德国、美国等发达国家市场上,完全可以和当地生产厂商的产品媲美。中国企业需要的是在提高产品内在质量的同时,加强在产品设计、外观、包装、营销和售后服务工作,增强商品美誉度,闯出自己的品牌产品,这已成为当今企业出口的当务之急。对于企业来说,只有更新观念,提高产品质量,采用品牌战略,争创中国名牌,才能在以质取胜之路上获得更大的经济效益。

(四)全球化条件下品牌的国际竞争要求发展我国的民族品牌

随着贸易和生产的日益全球化,跨国公司成为越来越重要的全球化载体和推动者。国家的竞争实质就是国家经济的竞争,而国家经济的竞争主要体现在国家与国家之间的跨国公司的竞争。而作为跨国公司最重要的资产之一的品牌是跨国公司的主要竞争手段。世界知名跨国公司的高技术、高品质和高质量的服务全都凝结在国际市场对跨国公司的国际知名名牌的认可和忠诚上。同时,当今跨国公司的全球产业链和各种跨国经营行为,实质上是依靠其强势品牌维系和支撑的,品牌控制实质上就是对市场份额和竞争主动权的控制。

在发达国家的名牌全球化过程中,发展中国家日益显现出了民族品牌危机。在美国《商业周刊》历年推出的"全球最具价值品牌"以及其他国际权威品牌排名中,除韩国个别品牌外,很难觅其他发展中国家品牌的踪影。在全球化时代,发展中国家的民族品牌日益处于被"边缘化"的困境。据联合国工业发展署统计,目前全球共有 8.5 万个名牌,其中发达国家和新兴工业化国家拥有90% 以上,处于垄断地位。全世界最有价值的十个品牌中,全部来自西方发达国家,其中美国就占了八个,足见国际品牌已被世界发达国家,尤其是最发达国家所垄断。

表 1-8　2004 年度全球最具价值品牌排名前十位

单位:百万美元

排　名	公司名称	2004 年品牌价值	2003 年品牌价值	所属国家
1	可口可乐	67394	70453	美国
2	微软	61372	65174	美国
3	IBM	53791	51767	美国
4	通用电气	44111	42340	美国
5	英特尔	33499	31112	美国
6	迪斯尼	27113	28036	美国
7	麦当劳	25001	24699	美国
8	诺基亚	24041	29440	芬兰
9	丰田	22673	20784	日本
10	万宝路	22128	22183	美国

资料来源:《商业周刊》相关各期。

缺乏自主品牌,不利于提高国际竞争力。近年来,跨国公司以名牌为纽带,构建全球性的生产和销售体系,把名牌作为控制、配置资源和生产要素的手段,利用名牌抢占和控制市场。据联合国发展计划署统计,名牌在全球品牌中所占比例不到3%,但市场占有率却高达40%,销售额超过50%,个别行业(如计算软件)则超过90%,国际市场已全面进入品牌竞争时代。由于缺乏自主品牌,中国出口尚处于产品竞争阶段,仍然是以价格为主要的国际竞争手段,这已严重阻碍了中国国际竞争力的提高。

中国在加入WTO的条件下,国际名牌产品会进一步大举进入中国。与此同时,中国企业在国际市场不能总是贴着别人的牌子求生存,没有自主的品牌产品是不能"与狼共舞"的。面对经济全球化、贸易自由化的世界潮流,面对更加激烈全面开放的国际国内市场竞争,中国企业推行品牌战略势在必行。要与世界名牌产品竞争,就必须创造自己的名牌,在品牌战略上下工夫,以品牌战略作为提高产品质量、品质和服务的手段,提升出口产品的国际竞争力。

二、实施出口商品名牌战略的措施与初步成效

外经贸部于1998年在全国开展创名牌出口商品活动,根据我国自主出口品牌建设薄弱的现状,1999年先后确定了118个重点支持和发展的自主出口品牌,重点从两个方面进行扶持和培育,一是集中力量对列入名单的品牌进行重点培育和发展,从资金、政策等方面对这些品牌进行支持,同时,按商务部的名单对这些品牌进行整体宣传和推广,在境内外开展了一系列可以明显提升中国自主出口品牌整体形象的活动:在广交会设立品牌展区,向国际采购商整体推介名牌出口商品;在广交会期间举办"名牌出口服装展示及流行趋势发布"活动,向国际服装采购商整体推介中国服装出口名牌;每年分别在北美和欧洲举办中国名牌出口商品展,深度开发欧美市场;印制发放出口名牌宣传画册,免费向境外商家发放;在法国举办"中国时装·商务活动";二是协调相关部门出台综合性的扶持政策,发动各地方、各行业结合本地区、本行业特点,有针对性地开展自主出口建设活动,同时,加强自主出口品牌建设的舆论宣传,为全国的自主出口品牌建设创造一个良好的政策和舆论环境,各地商务主管部门先后牵头建立了跨部门的工作机制,出台落实了配套扶持政策。

为进一步贯彻实施以质取胜战略,加快培育和创立高质量、高档次、在国际市场有影响和竞争力的系列化名牌出口商品,提高我国出口商品在国际市场上

的竞争力,外经贸部于 2002 年起分三次公布了共六批 308 个品牌[①]列为重点支持和发展的名牌出口商品,予以推动。

(一)在全国范围内开展出口名牌的全面建设

在这方面主要是开展出口品牌建设的理论研究,制定发展规划,组织各地开展区域出口品牌建设调查,摸清我国出口品牌建设的现状、问题和发展方向,组织各地商务主管部门和有关企业进行经验交流,唤起各级政府、中介组织和出口企业的出口品牌意识。

(二)确定"重点支持和发展的名牌出口商品"[②]

名牌出口商品的形成有一个历史过程,有一个国际市场和消费者接受与认可的过程,也有一个参与国际市场竞争和优胜劣汰的过程。鉴于我国工业化和参与国际市场竞争的历史较短,单一企业的竞争力较弱,经济体制仍处于转轨阶段,从政策角度对创立名牌给予支持和鼓励是十分必要的。外经贸部将已初步具备在国际市场创立名牌基础的产品,列为"重点支持和发展的名牌出口商品",是为了加快培育我国名牌出口商品的进程。

1. 外经贸部根据国家的产业政策、出口商品的代表性和比较明显的名牌效应作用,确定重点支持的名牌出口商品,其主要条件如下:

——出口经营者和生产者具有在国际市场创名牌的强烈意识,并已制定完善的规划和措施。

——该品牌商品的年出口额达 3 千万美元以上。

——产品质量稳定,出口商品检验合格,无外商对商品质量和履约情况进行投诉。

——生产者已获得质量管理体系认证。对实施出口质量许可制度和卫生注册登记制度的出口商品,须取得相应的证书。

——商标在主要出口市场获准注册。

2. 对列入"重点支持和发展的名牌出口商品",外经贸部将给予一定的扶持和鼓励。主要包括:

——优先支持企业在海外开展带料加工业务,设立相应的生产、经营和售后服务等项目。

——优先安排广交会参展,并为其参加国际著名博览会提供条件。

---

① 商务部三次公布的重点扶持出口品牌商品分别为 58 个、60 个和 190 个。
② 资料来源:商务部网站。

——优先安排企业使用中央外贸发展基金,企业广告促销、建立国外销售中心也可申请使用中央外贸发展基金。

——对出口属于配额管理的商品,在分配数量上给予倾斜;对实行配额招标管理的商品,放宽企业参加投标的资格。

——对出口列入名单中的机电产品企业,优先安排国家专项用于机电出口企业的技术改造贴息贷款。

——对承包工程项下带动列入名单的商品出口的项目,优先办理有关手续,并优先安排借用合作基金。

——运用出口信用保险的手段,支持这些商品出口。

此外,外经贸部驻外经济商务机构将加强对列入名单的商品的宣传,为这些商品开拓市场,包括对建立营销网点、展览、促销等活动给予支持并提供条件,各进出口商会及有关协会也将发挥行业组织的优势,积极协助和推动企业开创名牌出口商品

(三)宣传推介出口名牌商品

为加强自主出口品牌建设,培育世界名牌,商务部大力实施出口名牌战略,取得了初步成效。利用各种展会,推介出口品牌。在第 95 届广交会上,商务部首次设立"品牌展区",整体展示自主出口品牌,参展品牌在 7% 的摊位上实现了 18% 的成交额,参展新品比例接近 50%,比平均水平高出 20 个百分点,成交价格比同类商品平均要高出 10% 以上,品牌附加值得到了充分体现。第 96 届广交会,品牌展区的成交金额和所占比重进一步提高。为进一步贯彻实施出口商品名牌战略,商务部开展了一系列可以显著提升自主出口品牌整体形象,外部效应明显的活动。例如:

1. 2004 年 9 月在英国伯明翰主办"中国名牌出口商品欧洲展"

展出了 71 家名牌出口企业的百余种商品,累计接待专业采购商 3.5 万人次,合同金额 1.42 亿美元,意向成交 2.2 亿美元,BBC、路透社、凤凰卫视、中央电视台等境内外知名媒体对活动进行连续报道,提高了中国自主品牌在欧洲市场的知名度,提升了中国出口商品的档次和形象。

2. 在第 96 届广交会期间主办"名牌出口服装展示流行趋势发布"活动

面向广交会嘉宾和重要国际服装采购商集中展示了鄂尔多斯、雅戈尔等 10 家中国名牌出口企业的时装,同时进行了流行趋势发布和中国服饰文化表演,直接促进了参展企业的出口成交,改变了国际采购商对中国服装的印象,受到社会各界的好评。

3. 2004年11月初在法国巴黎举办"中国时装商务活动"

在2003年成功举办的基础上,2004年商务部继续在法国巴黎"法国现代服装展"上举办"中国时装商务活动",面向欧洲市场整体展示中国名牌出口服装,在扩大对欧盟服装出口的同时提升输欧服装的档次和附加值。

(四)鼓励各地、各行业根据区域经济和行业发展实际出台分类鼓励政策

一方面,在全国范围内引导广大出口企业开展商标境外注册、进行国际质量管理体系认证、设立境外营销机构等出口品牌建设基础性工作,鼓励扩大自主品牌出口,推动国内企业在充分利用现有比较优势,做好贴牌,加快积累的同时,积极转变发展战略,逐步走上创立自主品牌的道路。

另一方面,鼓励各地、各行业根据区域经济和行业发展特点出台分类鼓励政策,广东、江苏、浙江、山东、福建、宁波、厦门等地从机制入手,制定了本地区的出口品牌发展规划,建立了跨部门的工作机制,出台了配套扶持政策;服装行业结合产品特点,组织拥有自主品牌的企业到境外知名展会集体参展,组织时装发布会,有力地提升了出口服装的整体水平和档次。

三、出口商品名牌战略发展现状

几年来,通过各种手段和途径大力实施出口商品名牌战略,促进我国出口商品在国外的知名度和竞争力方面取得了较好成绩。一般来说,国内发展比较成熟的、竞争比较激烈的行业在创国际名牌方面也走在前列,主要有家电业、服装业,我国在这两个行业具有较强的国际竞争力。在这两个行业中,虽然个别领导企业在创国际名牌方面做了很多工作,也取得了很大成绩,但是整体行业的国际名牌发展状况与国外相比还存在相当大的差距。

(一)出口商品名牌战略总体发展情况

1. 国际市场占有率的提高为创国际名牌打下了产业基础

在多年的外贸发展中,一批企业勇于走出去,向世界先进企业学习,积极引进国际先进水平的设计与生产设备,在境外注册商标有所提高,自主出口品牌的数量以及出口额逐步增加,质量管理体系认证工作逐步加强,在国外建立营销机构和服务体系的企业增加,研发设计投入逐年增加,参加国际展览的数量和费用逐年增多,企业的自主品牌出口占据了国外一定的市场份额。我国在家用电器、纺织服装、轻工工艺等行业形成了一定的比较优势,产品的性价比有很强的国际竞争力。从市场空间上看,目前我国相当一部分出口商品已在国际市场占据相当份额。目前我国生产的玩具占国际市场份额33%,桔子罐头占

78%,家具占66%,陶瓷占56%①,如此巨额的市场份额为这些行业开展出口名牌建设打下了良好的产业基础。

2. 自主出口品牌建设工作取得初步成效

为配合以质取胜战略和名牌战略的实施,商务部自1999年以来进行了五个批次重点培育和发展的出口名牌的评选工作。

——前四批共评选出118个重点培育和发展的出口名牌

从行业来看,主要集中在机电、纺织和轻工领域,从地域来看,主要分布在浙江、广东、江苏、山东等沿海省市。

表1-9 商务部前四批重点培育和发展的出口名牌名单行业分布

行业分布	个 数	比 例
机电(包括家电、机械、摩托车、自行车)	51	43.22%
纺织服装	38	32.20%
轻工消费品	25	21.19%
信息产品	1	0.85%
食 品	2	1.69%
药 品	1	0.85%

资料来源:商务部。

表1-10 商务部前四批重点培育和发展的出口名牌名单地域分布

省 份	个 数	比 例
浙江	24	20.34%
广东	17	14.41%
江苏	16	13.56%
山东	13	11.02%
上海	11	9.32%
福建	9	7.63%
安徽	8	6.78%
辽宁	4	3.39%
重庆	3	2.54%

① 数据来源:商务部。

省　份	个　数	比　例
北京	2	1.69%
河南	2	1.69%
湖北	2	1.69%
内蒙古	2	1.69%
贵州	1	0.85%
江西	1	0.85%
宁夏	1	0.85%
四川	1	0.85%
新疆	1	0.85%

资料来源：商务部。

——第五次用新标准评选出 2005～2006 年重点培育的 190 个出口商品品牌

虽然前四批出口名牌的评选工作有力推动了自主品牌出口商品开拓国际市场，但随着外贸体制改革不断深化，市场竞争日趋激烈，前四批确定的出口名牌逐步产生了分化，为保持培育对象的先进性和代表性，商务部在深入调研、广泛征求意见的基础上，对原有指标体系进行优化，设立了资格条件和评审指标两套体系。其中，资格条件包括在境内外均已注册商标，通过质量管理体系认证等八项指标，缺一不可，完全符合资格条件的，按照产品科技含量、生产环节达到的标准、经营业绩、市场占有率、发展潜力和国际营销体系建设等十项指标进行打分，据此对前四批出口名牌进行动态管理，同时接受新的申请，优胜劣汰，确定了 2005～2006 年度"商务部重点培育和发展的出口名牌"。

与前四批出口名牌相比，本次活动参与面更广、代表性更强，得到各地区、各行业的热烈响应和积极支持，特别是评价体系和工作程序方面的重大改进，增强了评价标准的科学性和评审工作的规范性，受到各方肯定，充分体现了公开、公平、公正的原则。

与前四批出口名牌相比，本次发布的"商务部重点培育和发展的出口名牌"名单具有以下两个特点：

一是行业代表性更为广泛，结构更为合理。本次活动取消了行业限制，主要行业都有品牌入选,行业代表性更为广泛。从大类上看,入选品牌的行业构成为:机电产品71个、纺织服装55个、轻工工艺40个、食品土畜产10个、五矿化工7个、医药保健品7个,基本与我国现阶段的比较优势和产业发展水平一致。

二是地域代表性更为广泛、结构更为合理。本次入选的品牌分布在28个市、自治区,尽量做到每个地区的企业都能学有榜样、学有方向、学有动力,有利于发挥本次活动的引导、示范和带动作用。从区域构成上看,入选品牌数量最多的六个省市依次为浙江省、江苏省、广东省、福建省和山东省,基本与各地外向型经济发展状况和出口品牌建设水平一致。

3. 我国争创国际名牌初见端倪,但总体上是品牌小国

在世界品牌实验室"2003年世界最具影响力的100个品牌排名"中,中国的海尔品牌榜上有名,居第95位,其品牌价值为530亿元人民币,我国入围世界500强的企业数量不断增多(见下表),中国品牌已初步具备世界水平的生产能力和产品质量水平,初步具备了创世界名牌的企业基础。

表1–11 2002～2004年中国入围世界500强的企业数

年　份	企业数(个)
2002 年	11
2003 年	12
2004 年	14

资料来源:商务部。

改革开放以来,随着我国经济实力的增长和科技水平的提高,自主品牌建设取得了很大成就,涌现出一批具有国际国内影响力的知名品牌。但与国际水平相比,我国品牌发展还处于起步阶段。首先是世界级名牌少。目前我国有一百七十多类产品的产量居世界第一位,但与此形成鲜明对照的是,很少有世界水平的品牌。在2005年度"世界品牌500强"中,美国有249个,法国有46个,日本有45个,而我国只有4个,是典型的"制造大国、品牌小国"。另外,品牌价值也很低。2004年,《商业周刊》公布的全球最具影响力品牌中,可口可乐的品牌价值为673.9亿美元。我国企业还望尘莫及,但有不少企业正视差距,奋起直追,像海尔,在短短20年内,品牌价值就达到了616亿人民币,这是难能可贵的。有资料显示,2003年国内市场八十多种主要消费品销量前十位名牌的市场份额高达65%,最高的家电行业达到80%。而2004年中国出口总额高达5934

亿美元，但抽样调查显示，中国自主品牌出口尚不足 10%，全国出口企业中拥有自主品牌的不到 20%，称得上世界名牌的更是寥寥无几，部分企业虽然开始出口自主品牌商品，但由于缺乏自主知识产权，特别是缺乏核心技术，品牌的附加值仍然偏低，然而，目前国际市场上名牌数量比例不到 3%，但市场占有率高达 40%，销售额超过 50%，个别行业超过 90%，可见，总体来说，我国是个品牌小国，而且在我国的自主出口品牌建设工作尚处于起步阶段①。

从贸易方式看，加工贸易份额达 55%，这部分出口主要使用外方品牌，剩下 45% 的一般贸易出口中，又以订单贸易为主，大部分使用贴牌方式出口。这也说明，中国主要是在加工生产这一低端环节参与国际分工，以品牌为标志的研发和营销等高端环节主要还控制在外方手中。

缺乏自主出口品牌，在国际交换中，只能靠廉价出卖资源和劳动力，获取微薄的贸易收益。一条成本为 32 元人民币（折 3.9 美元）的全棉长裤，在美国卖到 40~55 美元不等，中国企业赚取得只是可怜的 8.5~12 元人民币（约合 1~1.5 美元）的加工费，而且，还包含了口袋布、棉线等辅料，扣掉辅料成本利润几乎所剩无几。

近几年，中国有关部门虽然加大了对自主品牌商品出口的扶持力度，也取得了一定成效，尤其是我国具有比较优势，竞争能力比较强的行业中处于领导地位的企业，其自主品牌出口有较大上升，而且其品牌的国际化战略也取得了较大成绩。但从总体上看，目前中国的自主出口品牌建设仍处于起步阶段。

(二)中国家电行业创国际名牌发展现状

机电产品已经连续 9 年成为我国出口的第一"大户"，为我国出口保持良好增长提供了长足动力。我国家电制造业已经走出了过去"组装厂"的时代，海尔、春兰、格力等一系列的家电生产厂家不仅向国外输出自己的产品，也在努力销售自己的品牌。在国内家电业发展相对成熟，竞争比较激烈的环境下，中国家电企业在树立品牌方面基本有了共同的认识，做了许多努力，也取得了一定的成绩。根据商务部公布的重点培育和发展的出口品牌名单来看，前四批公布的 118 个品牌中，机电产品 51 个（其中家电 28 个），占 43.22%；第五次根据新标准评选的 190 个出口品牌中，机电产品 71 个，占 37.4%，在各大类产品中占第一位，机电产品已经成为创中国出口名牌的主力。

---

① 资料来源:商务部。

1. 海尔品牌的国际化发展现状

海尔集团是中国家电行业的主要领导者之一。2003 年海尔品牌价值 612 亿元,稳坐中国第一品牌的宝座。在此前,海尔曾经是惟一入选世界品牌 100 强的中国企业。

首先,海尔认为必须在观念上转变传统出口的误区,出口是为了创牌而不仅仅是创汇,用"海尔——中国造"的著名品牌提升创汇目标。在进入国际市场时,海尔采用"先难后易"战略,先进入欧美等在国际经济舞台上分量极重的发达国家和地区,取得名牌地位后,再以高屋建瓴之势进入发展中国家,并把使用海尔品牌作为出口的首要前提条件。海尔冰箱能摆在自己的老师家门口——德国,靠的是揭下商标、打擂台的形式建立起海尔产品高质量的信誉。

其次,实行"三位一体"的战略。为了实现海尔开拓国际市场的三个三分之一(国内生产国内销售三分之一,国内生产国外销售三分之一,海外生产海外销售三分之一)的目标,海尔在海外设立 10 个信息站 6 个设计分部,专门开发适合当地人消费特点的家电产品,提高产品的竞争能力;1996 年开始,海尔已在菲律宾、印度尼西亚、马来西亚、美国等地建立海外生产厂。1999 年 4 月份,海尔在美国南卡州的生产制造基地的奠基标志着海尔集团在海外第一个"三位一体本土化"的海外海尔,即设计中心在洛杉矶、营销中心在纽约、生产中心在南卡州。立足当地融智与融资,发展成本土化的世界名牌。张瑞敏首席执行官把海尔的这一思路概括为"思路全球化、行动本土化",思路必须是全球化的,即使你不去思考全球,全球也会思考你。行动的本土化目的在于加快品牌影响力的渗透过程。海尔的本土化表现在广告上都应本土化,如海尔在美国的广告语是"What the world comes home to",在欧洲则用"Haier and higher"。

最后,超前满足当地消费者的要求创造本土化名牌。海尔实施国际化战略的目标是创出全球知名的品牌,要创名牌,仅有高质量是不够的,必须和当地消费者的需求紧密结合,而且要超前满足当地消费者的需求。海尔超级节能无氟冰箱就是一个典型的例证,它既解决了国际社会对于环保的要求,又考虑到消费者的切身利益,在开发无氟冰箱的同时实现了节能 50% 的目标,不但发明了一项世界领先的成果,还取得了巨大的市场效果。海尔超级节能无氟冰箱达到德国 A 级能耗标准,德国消费者凡购买海尔超级节能无氟冰箱可得到政府补贴。在美国,海尔产品达到美国 2003 年的能耗标准。

2. 长虹的国际化品牌发展情况

据国际品牌实验室(WBL)评估,"长虹"品牌的无形资产价值高达 330.73

亿元，成为中国家电行业品牌价值快速提升的典范，也是名副其实的中国彩电行业第一品牌。1998年长虹提出"世界品牌，百年长虹"的战略目标，成为长虹彩电正式走向全球市场的起点。

从出口1亿美元到7.8亿美元，从单一国内市场到全球九十多个国家和地区，如今，有八千多万户不同国籍的家庭看上了长虹彩电；在进出口值、出口值200强中双居国内同行企业首位、并惟一进入海关总署"红名单"的长虹，向全世界展示了"中国制造"的实力。海外贸易提升了长虹品牌的国际知名度。面对全球经济一体化的大背景，以及中国加入WTO和全球家电制造中心向中国的转移，近年来，长虹紧抓历史发展契机，于1998年大举进军海外市场，经过6年不懈努力，目前，已先后在美国、澳大利亚、俄罗斯、印尼等九十多个国家和地区建立了稳定的经销渠道。在实施国际化经营的战略过程中，长虹全球化经营优势日益凸显。

为推动海外市场的快速拓展，长虹针对不同国家不同时期采取了灵活的营销模式，其海外贸易手段主要以OEM方式为主，与国际著名大公司和贸易机构合作进行贴牌生产。由于长虹产品应用性开发快捷、交货及时、品质出色，2001年，长虹的全球市场迎来了历史性增长，出口额首次突破1亿美元，之后虽然经受了美伊战争、SARS风暴等对全球市场的影响，但长虹每年的出口均超过6亿美元。

"中国制造"要想在高起点且变幻莫测的全球市场上步步为营，稳健扩张，质量是根本。长虹从设计、采购到制造、运输的每个环节都执行自定的一套严格标准，即使有一个微不足道的瑕疵，也绝不放出国门，2002年到目前，长虹出口彩电的质量退货率年均低于0.01%，从而树立起了全新的"中国造"形象，众多新客户陆续慕名而来。

长虹的全球市场能迅速打开，得益于差异化的产品策略。即针对不同的消费市场，确定不同的产品定位与市场定位，采取不同的经营策略。比如在越南、非洲、印尼等发展中国家和地区以大众化的实用性产品为主，而在欧洲、澳大利亚、美国、日本等发达国家则以长虹数字可录DVD、数字高清电视、数字高清背投、数字卫星接收机、TV/DVD/VCR组合电视、移动DVD、网络空调、酒店电器等高技术附加值数字新品为主，并综合考虑经营渠道与经营环境，采取自主品牌与OEM相结合的方式，其市场得到了迅速拓展。

海关总署2004年3月24日向社会公布了第一批进出口企业"红名单"，在海关注册登记的22.4万家生产型进出口企业中，四川长虹电器股份有限公司等69家诚信守法企业进入"红名单",长虹成为惟一进入"诚信红榜"的国内彩电巨头;根据海关统计,长虹在2003年进出口值、出口值200强排名中位居显要位置。成功的品牌运作和国际市场开拓,使长虹这两项指标双居国内同行企业之首。

3.中国家电行业与知名国际品牌还有较大差距

虽然国内这些领袖厂商在创国际名牌方面取得了一定的成绩。但是与国际知名品牌相比,还有一定的差距。如家电行业距离松下、三星等这些世界级的家电品牌依旧还有一段距离。而且,在出口额中,有相当大的一部分是来自于外资企业的加工产品。因此,到目前为止中国自有品牌的家电产品还没有真正进入发达国家的主流市场,中国还未拥有真正在国际上有影响力的家电品牌。

(三)中国纺织服装行业创国际名牌发展现状

中国纺织服装行业是另一个国内竞争异常激烈,拥有较强国际竞争力的成熟行业。它和家电行业一起成为商务部培育和发展的出口品牌重点行业。目前,我国纺织行业中出现了一批如鄂尔多斯、鹿王、雅戈尔、波斯登等一批知名企业,且在国际市场的开拓中,努力加大自主品牌的出口份额,通过新建和并购方式建立海外销售企业,扩大海外市场的知名度等方面做了大量工作,并取得了一定成绩。商务部公布的重点培育和发展的出口品牌前四批共118个,其中纺织品38个,占总数的32.2%。根据新标准公布的2005～2006年度重点培育和发展的出口品牌名单,其中纺织服装类品牌55个,占29%,纺织品已经成为仅次于机电产品的创出口名牌商品的重要力量。这些入选的品牌企业都是业内的佼佼者,具有良好的产业基础和较高的市场知名度,在技术创新、产品开发、营销管理及市场开拓等方面都有各自的经验与特点。现重点介绍两家企业的情况。

1.鄂尔多斯创国际品牌的经验和成绩

从1999年起,"鄂尔多斯"品牌就被国家对外经济贸易合作部列为第一批外贸部重点支持和发展的出口品牌,而"鄂尔多斯"的品牌价值、年销售额以及出口创汇额(2003年近两亿美元)更是连续多年高居中国纺织行业第一。"鄂尔多斯"还是中国最具文化价值的企业品牌之一。

长期以来,国际羊绒制品贸易基本上是洋品牌占主导地位,中国企业的自主品牌仅占2%,绝大部分出口是使用外方品牌的加工贸易或以贴牌为主的订单贸易。作为中国羊绒产业的知名品牌和领军企业,鄂尔多斯集团认为,只有把研发、设计、营销等高增值环节掌握在自己手里，从简单的羊绒供应商成长为可以主导国际羊绒市场走势和价格的大名牌，才是集团扩大出口的长久之计。

1998 年，美国的艾迪巴尔公司在订货 3.5 万公斤时才首次使用了鄂尔多斯的商标，此后鄂尔多斯开始在海外建立自己的专卖店以扩大市场占有率和影响力，其中在美国有六家店，英国有两家店，还在法国购买了 14 家商店 20% 的股权；将最初的外贸商标 DOUBLEFISH（双鱼）改为"鄂尔多斯"以便识别。现在"鄂尔多斯"商标经权威评估机构评估品牌价值 34.16 亿元，王林祥的目标是经过 7～10 年的努力，实现向世界品牌的过渡。目前鄂尔多斯年销售额 24 亿元，创汇 1.3 亿美元；预计到 2005 年将达到 50 个亿，占据世界市场 50% 的市场份额。

打造自主出口品牌，需要多管齐下。鄂尔多斯集团首先在质量上力争得到国际市场认可，平均每年投入近亿元进行技术改造、引进和开发，目前主要生产设备已处于世界领先水平，可以完成设计师所能想到的最复杂花型。集团在技术创新中坚持国际标准，形成五十多道检验工序、六十多个检测点，配备五百多名专职原料、半成品、成品检验人员，并获得 ISO14000 国际质量保证体系认证资格证书，使产品质量长期稳定地保持在优良水准之上，其中鄂尔多斯针织纯羊绒服装连续数年被国际权威行业组织评定为"信心纺织品"。

加强自主出口品牌建设，营销也是关键。近年来，鄂尔多斯已在海外建立 7 个销售公司，在美、英、德、法、俄等重点市场开了近 30 个"鄂尔多斯"品牌专卖店，有效提升了品牌知名度。集团培养了一批熟悉不同市场消费习惯的销售人员，并打入国外服装分销渠道；他们与一些没有自己羊绒衫品牌的国外百货店合作，允许其使用"鄂尔多斯"品牌，通过宣传促销树立中国高档纺织品形象。他们还主动与欧洲一流设计公司合资合作，确保在羊绒服装设计领域"常做常新"。去年，鄂尔多斯羊绒制品出口近 600 万件，外销约 2 亿美元，被商务部列为"重点支持和发展的名牌出口商品"，出口额连续多年跻身全国纺织业前三甲。

2. 雅戈尔开创国际品牌的努力和成绩

早在 1999 年，雅戈尔就完成出口创汇 5000 万美元，取得了良好的出口经营业绩。为进一步实施以质取胜战略，在国际市场上培育和创立中国名牌出口商品，雅戈尔品牌被外经贸部确定为首批重点支持和发展的名牌出口商品。

雅戈尔日本公司的成立是雅戈尔实施国际化战略、创立国际品牌的第一步，改变以前 OEM（根据对方品牌生产）的单一状况，增添了海外合作，强化与日本在商品、品牌方面的开发、生产和贸易的合作,增加自己品牌的销售。

雅戈尔的出口比例中,美国市场的份额相当少,主要由于之前的配额限制,使得雅戈尔的市场主要集中在无配额的日本,60%的产品销往日本,20%销往欧洲,销往美国的产品非常少。同时,美国很多服装企业希望和雅戈尔OEM合作、合资,其主要原因是美国企业企图阻止雅戈尔以自身品牌开拓美国市场。雅戈尔的应对策略是:一方面,进行OEM加工发挥、消化雅戈尔服装城的产能,另一方面,雅戈尔积极扩大自有品牌的生产和销售。

雅戈尔的计划是,在1~2年内,考虑通过三种途径在美国开展创品牌商品的突破性工作:一是在当地建立零售店;二是与美国当地零售商合作,设立专柜或者店中店;三是雅戈尔会考虑与国外品牌合作,通过收购、参股形式在美国获得营销渠道、占据市场。

对于雅戈尔在美国进行的一系列品牌运作,公司领导也坦言:在美国设公司,成本很高,而且这一年内的路将会非常困难。但是,他认为这是中国品牌走出去的必经之路。

3. 纺织服装行业的国际品牌发展还不容乐观

虽然纺织服装行业中的诸如鄂尔多斯、雅戈尔等知名企业在创立国际名牌过程中做了大量工作,并且确实取得了一定的成绩,但我国纺织服装行业的名牌出口产品的价格、技术含量和附加值相对还比较低,与美国、日本、欧盟等国的产品结构还有很大差距。

在世界服装市场上,每3件服装就有一件"MADE IN CHINA"。但是,我国没有一个国际化的服装品牌也是不争的事实。这从出口服装的报验情况可以看出[①]:有50%以上的出口服装为来料加工;还有30%的出口服装由进口国提供商标、款式、纸样,进行复样加工;使用中国自己品牌的出口服装仅占10%左右,且款式单一,多为中式服装。随着墨西哥、印尼、柬埔寨等国OEM市场的扩张,我们特有的劳动力优势已越来越小。以发展贴牌起家的广东服装业2001年出口额下跌超过12%。据统计,2002年我国服装出口同比增长17.13%,但出口单价却下降了11.31%。

在国际上知名度很高而又有很高市场占有率的中国名牌产品相对还很缺乏;以出口服装为例,我国纺织品出口居世界首位,但就国内市场来看,"皮尔·卡丹"、"鳄鱼"、"金利来"等这些世界级名牌产品以其独特的魅力,几乎垄断了

① 资料来源:中华纺织网。

我国的中、高档市场。因此，无论是现在还是将来，国内还是国际市场，创立自己的名牌，都面临着十分严峻的考验。我国外贸要实现"名牌战略"的预期，提高我国产品的竞争水平，需要付出更为艰苦的努力。

四、进一步强化实施出口商品名牌战略

随着以质取胜战略及其内在延伸的品牌战略的实施，各类企业努力提高产品质量，争创世界品牌，使得我国自有品牌的出口取得了很大提高。正如前面介绍的那样，我国各行业的品牌出口还有很大的发展空间，民族品牌与世界品牌还有很大差距，因此，需要采取更有效更有针对性措施进一步实施名牌战略。同时，在国际商标、版权、国际知识产权纠纷不断升级的情况下，还要在争创名牌的同时，注意保护中国自己的名牌。

（一）树立实施出口商品名牌战略的新理念

在进一步推进创出口商品名牌战略中，首先要树立正确的争创品牌理念。

1. 争创出口品牌与国内名牌建设有机结合

对于企业来说，争创名牌可分为三个阶段，首先争取成为地区名牌，然后成为国内名牌，最后才有可能争创国际名牌，任何出口商品名牌的建设必然要有国内市场基础。因此，打破地区封锁，形成统一的国内大市场就显得非常必要，这是地区品牌发展到国内品牌的重要基础，而国内品牌向国际品牌的发展则需要企业在国际市场进一步扩大市场份额。因此，要意识到不同层次的品牌对应着不同层次的统一市场。

2. 正确对待贴牌出口与争创出口品牌的关系

目前，我国很多企业虽然有大量出口，但大多以贴牌的方式进行的，自主品牌出口的商品较少，虽然应该大力倡导以自主品牌出口产品，但也应该正视企业自身实力，创立国际名牌不仅需要较高的产品质量、技术支持，同时需要大量的广告、宣传费用，以及完善的销售网络和售后服务体系，到目前为止，我国大部分企业尚不具备这种实力。通过贴牌的方式，积累开发自主知识产权和品牌的产品的资金，并积极起进行国际化经营的经验，是有重要意义的。要充分认识到从无牌，到贴牌，再到自主品牌的发展过程是一个历史阶段，有时无牌和贴牌出口是创立自主品牌必须要经过的阶段，应抓紧超越这一阶段，尽快走向自主创牌。

3. 品牌战略应与技术标准战略和知识产权战略有机结合

不同层次的技术标准对应着不同层次的质量和品质，世界知名品牌均采用

国际最新标准,并主导同类产品标准的发展;对于高端产品的品牌产品是众多高专利、知识产权及其他各类标准的集合体。要创立国际名牌,提高产品质量和品质是根本,这就要求在技术标准和知识产权两个方面有突破性进展。

4. 争创品牌与保护品牌有机结合

目前,国际商标、专利、知识产权等纠纷逐步升温,据统计,目前我国 50 个最著名品牌商标在境外未注册比率高达 50%,不少著名商标在国外被抢注。如"青岛"啤酒在美国被抢注;"竹叶青"在韩国被抢注;"杜康酒"在日本被抢注;"阿诗玛"在菲律宾被抢注。更需关注的是,一些在华投资的跨国公司在其母国对中国的竞争对手采取恶意竞争手段,抢注中国企业产品的商标,如博世——西门子家用电器集团在德国及欧盟等地区抢注中国海信集团的"HiSense"商标,不仅如此,2004 年 11 月还将海信集团告上了德国科隆法庭,并开出 4000 万欧元的商标交换天价;西门子及其旗下子公司欧司朗抢注中国企业东林电子公司商标 FIREFLY(萤火虫)商标等。2005 年在中国商务部等政府部门以及中国家用电器协会的帮助下,在海信集团进行法律诉讼之前,博世——西门子家用电器集团最终被迫同意以 50 万欧元将其抢注商标转让给前者。中国企业商标被抢注,一方面是企业无形资产的损失,另一方面也阻碍了企业进入当地市场的步伐。为此,我国企业应该在积极争创国际品牌的同时,加强自主品牌国际注册与保护意识,应以战略眼光与视野在目标市场注册商标以及申请专利,强化品牌建设的工作,在遭受恶意抢注时应果断采取措施,利用法律手段保护自己的合法权益,将争创品牌与保护品牌结合起来。

(二)进一步完善出口商品名牌战略的政策措施

对于政府来说,需要总结几年来实施创出口商品品牌战略的经验,完善促进外向型企业出口自有品牌商品、名牌商品的激励机制,以在未来采取更有效更突出重点的促进企业创出口名牌产品的动力。

1. 完善进入品牌扶持范围的标准和品牌出口绩效评价机制

明确进入国家扶持范围的品牌企业标准,明确公布什么样的企业和品牌才能进入商务部一般扶持和重点扶持的范围。为此商务部已经成立由部长担任主任的出口品牌评审委员会。另外,还要建立对扶持企业和品牌的业绩表现的评价机制,例如专门针对重点扶持品牌的进出口状况进行统计等,包括自有品牌出口的规模和增长情况,在国内和国际市场上的品牌竞争力的排位等等。

2. 重点扶持和鼓励与所扶持品牌的广泛性和代表性相结合

在选择扶持创品牌出口商品的目标企业时,要突出重点,选择那些真正有潜力成为世界品牌的企业给予重点鼓励和支持。同时要将出口品牌产品的重点鼓励和扶持品牌的代表性和广泛性相互结合,拟定短期、中期、长期内所要支持的品牌出口企业。

3. 鼓励企业自主研发掌握核心技术的产品

鼓励有发展前景、有市场潜力的优势产品进行研发和技术创新,推动企业改善品牌商品的质量和附加价值,提升出口产品的国际竞争力。此外,商务部需要与其他部门一道通过加大知识产权保护力度保护出口品牌企业的合法权益。

4. 加强宣传力度

出口品牌战略将突出三类重点商品:高科技产品、机电产品和有传统出口优势的农产品、轻纺产品,并通过强化两个途径取得突破:一是发挥广交会以及商务部在欧美主办的"中国名牌商品出口展"等知名的展览优势,帮助这些品牌企业参加国际知名展会,提高产品的知名度,二是支持这些企业加大在国际市场的广告宣传力度。此外,该战略将率先寻求在北美、欧洲、东南亚和中东北非等四大国际市场的突破,把国内有传统竞争优势的产品和这些市场的需求结合起来,并根据不同国际市场的需求,细分市场战略。

5. 加强指导与协调,保护名牌发展

实施名牌发展战略,既要有紧迫感,又要防止一哄而上、盲目求名的现象。各级政府、企业、商会、协会等有关部门应通力合作,加强指导与协调,要按照社会主义市场经济体制的要求和择优扶强的原则,结合我国各行业、出口商品的实际情况,做到有的放矢、循序渐进、持之以恒。要加强对名牌的保护,建立健全保护名牌的法律体系,运用法律手段保护名牌商标所有者的合法权益,为企业创立名牌形成一个良好的外部环境。中国驻外使领馆也应在当地全力协助中国企业,维护其包括商标权在内的合法权益。

6. 协调各相关部门,运用综合手段,实行动态管理

从研发设计、政府采购、境外投资、出国参展、广告宣传、整体推广、国际营销体系建设、贸易便利、金融保险、知识产权保护、公共信息服务等方面出台综合性的扶持政策。同时,鼓励各地区、各行业结合自身特点和发展状况,确定本地区、本行业的培育对象,有针对性的出台分类鼓励政策,进行重点培育。对列为重点培育对象的品牌,坚持动态管理,根据培育效果,定期调整,优胜劣汰,始终保持培育对象的先进性和代表性。

(三)强化争创和保护出口商品名牌

对于企业来说,品牌就是利润,就是市场,就是竞争能力。因此,企业自身

有一种创立有自主知识产权的名牌商品的天然的冲动。随着外国企业逐步进入中国,以及中国企业日益进入国际市场,中国企业感受到了这种缺乏有竞争力的国际品牌的被动和竞争劣势,因此,中国企业现在创国际名牌的意识比任何时候都强。但是,对于如何创立国际名牌可以说还处于探索阶段。根据国际经验,中国企业在创立国际品牌方面应着重关注以下几个方面:

1. 坚持质量第一,重合同、守信誉,培养顾客忠诚度。质量和信誉是创立名牌的基础,是名牌产品最基本的要素。同时还要不断创新、不断提高产品质量档次、加大研发力度、培育有自主知识产权的高附加价值的产品,这样才能开拓市场,才能在国际市场中赢得信誉。

2. 整合生产体系和销售体系。从我国目前的实际情况看,生产企业具有生产产品的优势,外贸企业具有国际市场销售体系和国际市场运作经验的优势,都是创立名牌不可缺少的条件。这两个方面结合得好,必然产生综合优势。其解决办法就是通过并购的方式整合国内生产企业的生产资源和外贸企业的国际市场销售网络资源。

3. 加强企业的质量管理(认证)体系的建设。ISO9000 族系列标准是基础性标准,任何组织建立和实施质量体系时都应参照此标准。目前,国际上通过ISO9000 系列认证的企业已达二十余万家,而我国通过认证的不足 3000 家,仅为 1/70,所以必须大力宣传贯彻 ISO9000 族标准,建立健全质量体系,以产生更多高质量的"名牌产品"。以 ISO 系列为代表的质量管理认证体系可以说成为了产品进入国际市场的一张"绿卡",因此,中国企业必须高度重视。如中国香港 1998 年 5 月份正式实施电气产品(安全)规则,该法规明确规定了所有供港家电的安全规格,而取得 ISO9002 认证或具有"CE"测试认证的企业便可成为其认可的制造商,其产品很容易在中国香港打开市场。

4. 加强各类技术认证、绿色环保认证、社会认证的工作。要成功打开国际市场,成为国际知名的名牌产品不是一件容易的事情。随着世界消费者的要求越来越高,各个国家对进口产品的技术要求、环保要求越来越苛刻,其产品要成为国际市场公认的名牌产品必须要经过种种"关卡",而这种关卡的具体表现形式就是要求进口产品必须通过各种技术认证、绿色环保认证,甚至是社会认证。

事实上,发达国家的形形色色的各类认证实际上也是一种变相的贸易壁垒。而要突破这种贸易壁垒,惟一的办法就是要通过这些形形色色的质量认证。在世界贸易迅速发展的今天,非关税壁垒在不断地加大,各国对其输入的产品越来越严格,并通过各种形式的认证来限制进口。如机电产品要进入欧洲市场必须强制性加贴"CE"标志，只有产品符合了所有相关欧洲标准后，经过"CCA"（CENLEC CERTIFICATION AGREEMENT）成员认证后，才可加贴该标志。美国食品和药物管理局（FDA）要求所有在美国市场销售水产品的企业必须实施 HACCP（危害分析和关键控制点）质量保证体系。所以，我国企业必须适应这一发展形势，加大质量体系的国际认证工作，参与市场竞争。如我国的著名品牌小鸭洗衣机先后获 CE、GS 国际质量安全认证，从而成为"世界级合格供应商"。海尔集团先后通过 CE、GS、EMC、UL 各项国际认证，并首先在美国打出自己品牌，继而在世界各地拓展市场，其年出口量以 36% 的速度递增，市场份额达到 20% 以上，成为世界级名牌产品。

5. 在国外战略目标市场加快申请商标及专利。

中国企业愈来愈多走出国门在国际市场一展身手之际，还必须切实树立商标和专利保护意识，加快在国外战略目标市场申请商标及专利的步伐，以维护自身的长远利益。在遭遇侵权，特别是类似上述海信、东林等中国公司遇到竞争对手恶意抢注商标情况时，应在中国政府部门（包括驻外机构）以及国内相应商协会中介组织的帮助下，勇敢地拿起法律武器，切实维护自身的合法权益。

第六节 实施技术标准战略

随着全球经济一体化进程的逐步加快，标准化在国际贸易中的作用日益凸现出来，WTO 发布的 2005 年的报告，重点就是探讨标准与贸易的关系，报告的副标题就是"探讨标准[1]、贸易与 WTO 的关系"。我国政府十分重视标准在国际贸易中的地位和作用，2005 年中国政府专门就技术标准对国际贸易的影响问题向 WTO 递交了提案，阐述了中国政府对这一问题的原则立场[2]。根据 2006 年 1 月 26 日《中共中央国务院关于实施科技规划纲要增强自主创新能力的决定》，国务院颁布了《国家中长期科学和技术发展规划纲要（2006——2020

---

① 1983 年我国颁布的国家标准（GB3935.1—83）中对标准的定义为："标准是对重复性事物和概念所做的统一规定。它以科学、技术和实践经验的综合成果为基础，经有关方面协商一致，由主管机构批准，以特定形式发布，作为共同遵守的准则和依据"。国际标准化组织（ISO）在指南 2—1991《标准化和有关领域的通用术语及其定义》中将标准定义为："为在一定的范围内获得最佳秩序，对活动和其结果规定共同的和重复使用的规则、指导原则或特性文件；该文件经协调一致制定并经一个公认机构的批准"。ISO 同时在附注中指出："标准应以科学、技术和经验的综合成果为基础，并以促进最大社会效益为目的"。

② 商务部 WTO 司网站。

年)》,该纲要明确指出,要实施技术标准战略,将形成技术标准作为国家科技计划的重要目标。政府主管部门、行业协会等要加强对重要技术标准制定的指导协调,并优先采用。推动技术法规和技术标准体系建设,促进标准制定与科研、开发、设计、制造相结合,保证标准的先进性和效能性。引导产、学、研各方面共同推进国家重要技术标准的研究、制定及优先采用。积极参与国际标准的制定,推动我国技术标准成为国际标准,加强技术性贸易措施体系建设。

技术标准是衡量产品质量和品质的重要标志,产品质量和品质的竞争,从某种意义上讲就是技术标准的竞争。技术标准的发展并日益国际化对我国实施的品牌战略、高新技术产品发展等方面均具有重要影响。同时,在我国产品日益受到国外技术性贸易壁垒的背景下,积极实施我国标准化战略,积极采纳国际标准和国外先进标准,主动提高出口产品在安全、卫生、环保等方面的品质,对于减少贸易摩擦、扩大出口、深入推进以质取胜战略的实施,将我国从贸易大国向贸易强国转变,均具有十分重要的意义。

一、实施技术标准战略的重要作用与意义

(一)技术标准是产品质量的具体体现

企业要有较强的竞争力,关键在于生产技术进步和产品质量的提高,而各种各样的技术标准①则是衡量产品质量的具体指标。GB/T6583—1994 对质量的定义是:"反映实体满足明确和隐含需要的能力的特性总和。"据此,对产品质量可以理解为:反映产品满足明确和隐含需要的能力的特性总和。通常,我们可以把需要归结为以下六个方面的特性,即性能、可信性、安全性、适应性、经济性、时间性。它们分别反映了产品的使用性能和外观性能,也反映了产品可靠、安全、及时和灵活的程度,以及与之相适应的顾客和社会所付出的代价。在这些产品质量特性中,有一些是可以直接定量反映的,如化学成分等,但有一些则难以直接定量反映,如操作方便、安全可靠、美观大方等。这就要确定某些技术参数来间接反映产品的质量特性。

无论是直接衡量还是间接衡量的质量特性,将反映产品质量主要特性的技术经济参数明确规定下来,作为衡量产品质量的尺度,就形成了产品的技术标

---

① 标准按其性质分为技术标准、管理标准和工作标准。技术标准是对标准化领域中,需要协调统一的技术事项所制定的标准;是根据生产技术活动的经验和总结,作为技术上共同遵守的法规而制定的各项标准。技术标准又可进一步分为基础技术标准;产品标准;工艺标准;检测试验标准;设备标准;原材料、半成品、外购件标准;安全卫生环境保护标准等。

准。因此,产品技术标准是衡量产品质量的重要依据。

技术标准有不同的类型和层次,不同的标准对应不同的质量和品质,产品符合相应层次的标准,表明产品质量和品质就属于哪一层次,而不达标的产品则是假冒伪劣。为此,在理解技术标准与产品质量关系时要区分合格产品与高质量产品的不同含义。

在进行产品质量的合格判定时,是按照检测的质量特性值与产品技术标准或产需双方签订的合同中规定的技术指标相比较而获得的,即符合技术标准要求的产品就判为合格,不符合就判为不合格。也就是说产品质量是否合格是依据是否符合产品技术标准的要求来判定的。而判定时所依据的标准则有所不同。有先进的标准,有落后的标准;有国际水平的标准,有国家水平标准;有行业水平的标准,也有某一企业水平的标准。如果执行落后标准的产品,即使是合格产品也不会是高质量的产品。

所以,要提高产品品质和质量,使出口商品具有国际竞争力,就需要在技术标准上不断提高档次,不断从行业标准、国家标准向国际标准或国外先进标准看齐。从这个意义上讲,产品质量的竞争实质上就是标准水平的竞争。

(二)强化技术标准是建立我国对外贸易优势的重要手段

我国的改革开放大大促进了经济的快速发展,进出口贸易额也逐年快速上升。我国 2004 年进出口总额突破 1 万亿美元,2005 年达到 1.4 万亿美元,而在其中,我国技术标准的不断提升对于我国出口贸易的快速稳步发展起着不可替代的推动作用。

技术标准是使我国产品质量稳步提高,促进出口贸易的重要保证。随着我国的市场经济逐渐成熟,技术标准的作用在我国很多产业领域中逐渐体现出来。我国广大企业在市场竞争中都深刻认识到产品质量是占有市场的根本,而在生产过程中认真执行标准则是向市场提供高质量产品的保证。所以众多企业也都把开展 ISO9000 质量管理体系认证作为一项提高自身竞争力的重要途径。经过二十多年的努力,我国已经彻底摘掉了"生产效率低下、产品质量低劣"的帽子。我国的产品不但受到国内市场的好评,而且在国际上的声誉也不断提高,得到了国外厂商和消费者的认可。我国彩电、程控交换机、显示器、DVD 等跃居世界生产大国行列;一批有自主知识产权的产品已经在国内市场确立优势、在国际市场崭露头角;纺织品、服装、鞋类、自行车、缝纫机等传统产品的科技含量和附加值也明显提高,在国际竞争中的优势地位进一步巩固。我国的成本优势加上可信赖的产品质量大大促进了我国外贸出口。几十年的经验表明,积极采用技术标准在支撑广大企业提高产品质量起着非常重要的基础性作用,已经成为提高我国企业竞争力的一项有效手段,为促进我国的进出口贸易做出了重要贡献。

(三)大力推进国际技术标准有助于突破国外贸易壁垒

世界经济全球化的今天,越来越倾向于建立一个规则的世界。在国际贸易领域,关税壁垒的作用逐渐降低,非关税壁垒就越来越频繁地被多国在贸易中应用,利用各种标准化手段(技术法规、标准、合格评定、出入境检验检疫等)构筑技术壁垒就成了发达国家贸易保护主义的重要策略。国家能主动掌握这种贸易领域的各种标准,则有利于建立对外贸易优势,相反,则成为发展贸易的障碍。

目前,发达国家制定的技术标准越来越多,而且要求越来越高。我国出口贸易中常遇到的强制性技术标准主要有:食品中的农药残留量;陶瓷产品的含铅量;皮革的 PCD 残留量;烟草中的有机氯含量;机电产品、玩具的安全性指标;汽油的含铅量;汽车的排放标准;包装材料的可回收性指标;纺织品染料指标;保护臭氧层的受控物质,如冰箱、空调、泡沫塑料及发胶等。从实施技术壁垒的具体国别来看,我国出口日本的产品主要集中在植物卫生检疫标准上;而美国不仅对农产品有较高的卫生要求,还对机电产品和玩具的安全性更为看重。

目前很多国家都制定了法律,规定没有经过指定机构认可的产品,不准进入市场销售,如美国的 FDA、UL 认证、欧盟的 CE 认证,还有对全世界大部分国家和地区都适用的国际标准化组织颁布的 ISO9000 质量体系认证等。如果我们不能通过认证,就不能获取进入国际市场的"通行证"。根据商务部调研结果[①]:2002 年我国有 71% 的出口企业、39% 的出口产品遭到国外技术壁垒的限制,损失约 170 亿美元,相当于当年出口额的 5.2%。国外技术壁垒已经成为制约我国出口发展的最大障碍,使我国相当数量的传统优势产品出口锐减,甚至退出国外市场。

诚然,我国出口产品遇到的技术性贸易壁垒有的是不公正的,甚至是带有针对性地人为设置的贸易壁垒,但还有相对多的所谓贸易壁垒是我国产品达不到国际标准或为保证国际通行的产品品质、环保、安全等方面的标准所致。目前我国工业标准约有 70% ~80% 低于国际和国外先进标准,这才是我国不少商

---

① 2003 年 6 月 18 日人民日报。

品由于不达标而被排斥在国际市场之外的根本原因。

1995 年 WTO/TBT 协议规定：各国制定技术法规、标准和合格评定程序时，应以已有的国际标准为基础，各国制定的技术法规、标准和合格评定程序不得对国际贸易形成壁垒。这一规定一方面使得标准，尤其是国际标准的作用愈加明显；另一方面，使得各国必须以正当目标，即以国家安全、保障人类健康和安全、保护生态环境、防止欺诈行为等为由，采取以技术法规、标准和合格评定程序相互组合的形式，制定本国的技术性贸易措施。

当然 TBT 所允许的发达国家的技术标准或国际标准有的可能超出了我国经济社会承受能力，总体上不利于我国。但是要看到，对于技术性贸易壁垒的理解不应当存在偏差，相当多的国外技术性贸易壁垒反映出我国技术标准的落后。要提高应对国外技术性贸易壁垒的能力，关键在于提高我国技术标准的层次，不断采用国际最新标准和国外先进标准作为国内标准。

二、我国技术标准发展的现状与存在的问题

（一）我国国内技术标准发展现状及存在的问题

改革开放以来，我国的标准体系逐步完善、走上了法制化的轨道，并朝着适应市场经济体制运行的方向发展。我国在 1998 年颁布了"中华人民共和国标准化法"，此外，建筑法、食品卫生法、环境保护法、大气污染防治法、职业病防治法等法律涉及标准化有关事项的规定，还有 1990 年颁布的"中华人民共和国标准化法实施条例"、"中华人民共和国认证认可监督条例"等，涉及标准化工作的部门规章有五十多项，构成了我国的标准化法律法规体系，是我国标准化工作的最高准则。国家标准化管理委员会是国家质检总局领导下，由国务院授权履行统一管理全国标准化工作行政职能的惟一机构，对国家标准实行统一计划、统一编号、统一审查，统一批准发布等四个统一管理职能，对行业标准、地方标准、企业标准进行备案管理。国家标准的制修订是由国家标准委统一管理，各部门归口管理的 243 个技术委员会和 360 个分技术委员会负责制定，参与的各行各业的专家有 27000 多名。

目前，我国的技术标准体系由四级标准组成，到 2003[①] 年底我们的国家标准是 20906 项，已经备案的 36011 项，没有备案的标准也就三万多项。第三个地

---

① 资料来源：国家标准化委员会主任李忠海在 2005 年 9 月 5 日在北京"标准化与国际贸易：世界贸易的焦点 2005 年《世界贸易报告》解读研讨会"上的演讲。

方标准有 16800 多项,已经备案的企业标准有 110 万项左右。从国家标准组成结构来看,产品标准占 29.76%,方法标准占 40.89%,基础标准是 19.08%,安全、卫生、环保标准占 7.57%,管理和其他标准占 2.71%。按标准的性质分,其中强制性国家标准 2952 项,占 14.1%,推荐性国家标准 17954 项,占 85.9%。可以说,通过改革开放以来二十多年的努力,我国基本建成了满足国民经济和社会发展需要的标准化体系。

我国技术标准体系尽管在过去二十多年的发展中取得了长足进步,但由于受到我国经济社会发展水平、管理体制和技术标准意识方面的制约,还难以满足我国新形势下经济社会发展的要求,具体表现以下几个方面[1]:

一是法律法规及管理体制的滞后。我国标准化法实施于 1989 年带有强烈计划经济色彩的时代,现在已经不能适应社会主义市场经济的要求。目前新的标准化法正在修改过程中,估计不久即将出台。在管理体制方面,我国采用了统一领导、分工负责的标准化管理体制,按行政区域和行业进行条块分割的管理模式,沿用了政府行政管理方法和手段,使标准管理层次过多,造成了工作交叉,机构重叠和职责不清,造成宏观管理不善又影响了支撑部门的微观管理工作,使标准的实施滞后于市场变化的要求,降低了标准实施的有效性。

二是技术标准的市场适用性差。首先表现在标准立项的动因不是主要来自市场和企业,而是来自政府和标准机构。其次,有些标准的制定者不是面向市场需求,而是面向项目经费[2]。由于制订标准的立项不能及时反映市场的需求,由此造成了技术标准的市场适用性差,具体又表现在:技术标准总体水平不高,某些领域与国际标准和国外先进标准比较,差距较大;标准之间不协调,甚至互相矛盾,许多标准之间存在内容不协调的现象;标准制定周期太长,无法与技术进步、产业更新步伐相一致[3];标准修订不及时,国家标准“超期服役”的现象比较严重。按照规定,国家标准每 3~5 年应进行复审或修订,但我国国家标

---

① 参见中国标准化研究院“十五”国家重大科技专项课题:《国家技术标准体系建设研究》。

② 在抽查的 5809 项标准中:由研究院(所、中心、技术委员会)制订的有 4253 项,占总数的 73.21%;由企业制订的有 874 项,占总数的 15.05%;由大学(学院)制订的有 682 项,占总数的 11.74%。资料来源:国家标准数据库查寻结果。

③ 以协调难度较大的国际标准为例,据 IEC 统计,3 年内完成的项目 1999 年为 79%,2001 年则达 87%;发达国家如美国、日本和欧洲一些国家,国家标准制定周期则一般为 1~2 年;而我国,3 年内完成的项目仅占 46.6%。

准标龄在 5 年以上未进行修订或复审的竟占国家标准总数的 75%[①]；有些领域技术标准空缺，尤其在高新技术领域[②]。

三是实施模式单一，缺乏有机联系。技术标准实施的很多手段还充满了计划色彩，实施手段单一，没有充分发挥市场在技术标准实施中的重要作用。缺少有机结合，技术标准应通过相关的政策约束和激励措施来推动其实施。例如，国外技术标准往往与合格评定制度、标识制度等相互配套，成为一揽子政策措施集成，而我国合格评定制度和标识制度调整的产品范围还亟待进一步拓展，其模式应更能激发企业的主动性以推动技术标准的全面和有效的实施。未能形成技术法规、行政监管、社会监督、合格评定、自愿协议、契约合同、贸易仲裁等构成的社会综合有效的激励机制。

四是标准意识的普遍淡薄难以形成标准实施的自律机制。我国企业普遍对标准的理论、功能、作用认识不清，由于我国许多标准是强制性的，许多企业把标准视为束缚企业发展的紧箍咒，认为干涉了企业经营管理。另一方面，也表明政府应该思考企业需要什么样的标准，为什么企业不能自律地实施标准。标准与市场脱节，不能为市场规模提供技术依据，不能很好地为市场规范化动作提供技术支撑。标准水平低，阻碍了技术进步，纵容了大量低质量、低水平产品的生产和流通，影响了产品出口，但还有企业认为实施标准会吃亏，不仅没有效益，反而会增加成本。

五是标准内容和形式与 WTO 规则要求存在较大差距。按照世界贸易组织的规则，入世以后我国的技术法规、标准与合格评定程序应符合 WTO/TBT 协议，接受《关于标准制定、采纳和实施的良好行为规范》，并承诺以国际标准为基础制定技术法规的比例在 5 年内再增加 10%。WTO/TBT 协议对标准的核心要求在于标准的制定、采纳和实施不能给国际贸易造成不必要的障碍，而且应尽

---

① 在此仅举一例说明。根据现行的国家生鲜奶收购标准，国家一级奶中的微生物指标应小于等于 50 万个/毫升，而当今美国、加拿大等国收奶时规定，如牛奶中微生物超过 5 万/毫升，就要从严处罚。粗粗一算：两者竟然相差了不止 10 倍。这正是国家牛奶收购标准"超期服役"16 年的结果——资料来源：《一杯 16 年前的牛奶》，中国质量报，2003 年 9 月 12 日，第 2 版。

② 中国机动车百公里油耗要比发达国家高出 10% 至 20%，这也意味着，每百公里要多花 10% 至 20% 的油钱。到 2002 年底，中国机动车总量已达到 2050 万辆，并以平均 6% 的速度增长，汽车的迅速增加导致石油消耗的大幅增加，中国机动车目前已消耗了全国石油总产量的 85%，成为世界第三大石油消耗国，仅次于美国和日本。美国能源基金会交通项目主管何东全博士在接受记者采访时说，中国的机动车之所以油耗如此之高，一个关键因素是中国一直没有机动车的燃料消耗标准，这就使得一些汽车企业用较低的价钱引进较差的技术。——资料来源：《中国有车族多掏 10% 至 20% 油钱》，北京晚报，26 版，2003 年 11 月 10 日。

量采用或者以国际标准为基础。由于发达国家均采用自愿性标准体系,技术法规的制定也是以实现五个正当目标为前提的,与 WTO/TBT 协议不存在矛盾。而我国,除了以国际标准为基础制定国家标准的比例、技术水平和市场适应性较差外,国家标准的内容和性质也存在较大的差距:

首先,WTO/TBT 协议规定,标准"应尽可能按产品的性能要求,而不是按设计或描述特性制定"。以国家标准中的产品标准为例,我国的产品标准大多从生产的角度制定,过多地涉及了产品设计和加工等要求,普遍存在过繁、过细的缺点,缺乏用户选择权和技术包容性,而不是以规定产品的性能要求为主,因此不仅不适用于贸易反而在客观上对贸易构成了障碍。

其次,我国标准划分为强制性标准和推荐性标准,也与 WTO/TBT 协议的有关原则相违背。因为如果强制性标准作为标准,它就不符合该协议将标准定义为非强制性文件的规定。如果强制性标准作为技术法规,其内容和范围又超出了 WTO/TBT 协议所规定的实现五个正当目标所必需的方面,可能会构成没有必要的技术壁垒。同时还存在着程序失当、主体错位等方面的问题。比如,强制性标准是按标准的制修订程序进行的,而技术法规的制定则应遵循立法程序;强制性标准的制定主体是标准化管理部门,而技术法规则是由立法机关制定的。

(二)我国采用和转化国际标准的现状及存在的问题

我国是国际标准化组织、国际电工委员会和国际电信联盟三大国际标准化组织的积极成员。国家标准化管理委员会代表中国参加 ISO 和 IEC 组织,信息产业部代表中国参加 ITU 组织。我国也是国际食品法典委员会 CAC 的积极成员。我国多次当选为 ISO、IEC 理事会的成员,并承担了 ISO 和 IEC 中的 10 个技术委员会(TC)和分技术委员会(SC)的秘书处工作。在 ISO 和 IEC 的 908 个技术委员会和分技术委员会中,我国有近 300 家机构参加了 643 个技术委员会和分技术委员会的活动,占总数的 70%①。

1. 采用和转化国际标准取得的成效

改革开放以来,我国政府把积极采用国际标准和国外先进标准作为我国的重要技术经济政策加以推行。

从国家标准采用国际标准和国外先进标准情况来看,截至 2003 年底,我国已经批准发布的 20906 项国家标准中,采用国际标准和国外先进标准的有 9250

---

① 资料来源:中国标准化研究院"十五"国家重大科技专项课题:《国家技术标准体系建设研究》。

项,采标率为44.25%。一些重点行业采标工作取得较大进展。船舶、纺织行业采标率达到85%;化工行业的1853项国家标准,采标率达到82%;冶金行业的1050项国家标准采标率为67%;电子行业的1660项国家标准,采标率为56.4%;石油行业采标率为50.6%,其中天然气行业采标率为92%;出版印刷行业制定的国家标准全部采用了国际标准。

从国际标准化组织ISO和国际电工委员会IEC的国际标准转化情况来看,ISO/IEC现有标准16745项,已转化为我国国家标准的6300项,转化率为38%。其中比较突出的行业有:煤炭行业对应的ISO国际标准66项,转化率为97%;电力行业对应的IEC国际标准181项,转化率为81%;机械行业对应的ISO/IEC国际标准4417项,转化率为52%,其中电工行业对应的IEC国际标准1372项,转化率为64%;汽轮机、低压电器、电气传动等标准的转化率达到100%。

通过采用和转化国际标准和国外先进标准,大大提高了我国产品品质和技术含量,增强了国际竞争力,扩大了出口。以电工行业为例,该行业产品在采用国际标准或国外先进标准前,质量不稳定,安全性能差,电击登记事故时有发生,用户对国产电动工具缺乏信心。由IEC标准转化的《手持式电动工具的安全》系列标准是我国第一个电气电工产品的安全系列标准,已被11项国家标准、20项行业标准、四百多项企业标准所引用和贯彻。IEC标准的转化和实施提高了我国手持式电动工具的设计制造水平和产品质量,确保了可靠性和安全性,有效降低和防止了电击伤亡事故的发生。采标工作有力地推动了全行业的发展,电动工具17个系列的主导产品均达到国际水平,占行业产品总量的70%。电钻、电锤、电动角向磨光机等量大面广的主要产品品种质量达到20世纪90年代国际先进水平。通过积极采用国际标准,我国已成为年12.04出口亿美元的第一大电动工具出口国。2001年我国出口电动工具9458万台,占国内年产量的90%,占世界年产量的80%。

2. 采用和转化国际标准存在的主要问题

我国在积极参与国际标准化活动中的确取得了较好成绩,尤其近几年国家标准化委员会的一系列努力工作以及标准化战略的提出并实施以来,有力促进了我国产品质量、品质、技术含量、安全和环保等方面的提升,对我国企业扩大出口、开拓国际市场起了重要作用,但在采用和转化国际标准工作中也存在一些问题,主要表现在以下几方面①:

① 资料来源:中国标准化研究院"十五"国家重大科技专项课题:《国家技术标准体系建设研究》。

一是国家标准体系和国际标准的体系存在差异,不利于国际标准的采用和转化。我国的标准化体系建立于五十年代初,是依据苏联标准设计的,虽然也经过多次修订,采用了一些西方国家的国际和国外先进标准,但是在标准体系和内容上与国际标准还有差距,因此,不利于国际标准的采用和转化。目前,建立起一套与国际标准内容相适应、水平相当、适合我国国情的标准体系是当务之急。

二是缺乏对采标的数量和有效性的研究。目前,存在着只强调和重视采标的数量和比例,而不注重采用和转化国际标准的有效性,没有研究采用和转化国际标准与实际的经济效益和社会效益的关系。如我国冶金领域两大类产品——碳素结构钢和低合金结构钢采用国际标准的数量并不多,采用的比例并不高,但并不能说明采标的有效性不高。因为碳素结构钢和低合金结构钢这两大类钢产品占我国钢材总量80%以上,通过采用国际标准,使这两大类产品从生产工艺过程、质量控制和实物质量水平都发生了显著变化,替代了部分进口。据不完全统计,冶金行业按照国际标准水平,已经完成六百多条生产线的改造,使我国从冶炼、轧制到精整、检测工艺的装备和技术水平都有很大提高。相反,可以说采用的碳素结构钢和低合金结构钢国际标准数量不多,但是非常有效。

三是盲目采用国际标准,生硬转化国际标准。并非所有的国际标准和国外先进标准均适合我国,在采用和转化国际标准时,要系统、完整地对我国现行标准与国际标准进行适应性分析,对国际标准和国家标准的技术条件水平、范围进行充分研究和对比,切忌为了追求采标率而盲目采用国际标准,生硬地将国际标准转化过来。

四是对技术工艺的改进没有起到推动作用。从形式上,把国际标准转化过来,但对技术工艺的改进没有起到推动作用,有下面几种情况:国际标准水平高,很先进,但是全球采用得少,对我国企业并不适用;国际标准的更新速度快,没有采用最新的国际标准,而采用的是已经或接近淘汰的国际标准;国际标准难以体现我国的地理环境、资源状况特点,采用国际标准存在一定的困难;不仅没有对技术工艺的改进起到推动作用,反而有负面影响,如有些标准是与知识产权相关,特别是国外许多高科技企业,在标准中含有许多专利,采用了标准,在关键技术上就要交专利费,实际上是"标准陷阱",采用这些标准,就存在一定的负面效应。

三、强化实施技术标准战略

技术标准是反映产品质量和品质的重要方面,事实上特定产品就是由若干在反映产品的工艺、安全、技术、卫生、环境等方面特定技术标准的集合体,产品质量的竞争实质也是标准的竞争。在我国,大力推进标准化建设工作对于提高产品质量和品质、建设名牌出口商品工作、有效应对国外技术性贸易壁垒,促进以质取胜战略的实施具有重要作用。为此,在进一步实施以质取胜战略过程中,应大力推进标准化建设工作。

(一)加强国内立法和体制建设

推进标准化建设首先要加强国内立法工作,通过完善立法加强标准化管理、服务和保障体系建设,加强对中介机构的监督管理,使我国标准化工作符合市场经济及国际化的要求。

一是完善与技术标准服务体系有关的法律法规,根据《标准化法》制定技术标准服务实施条例。随着我国政府体制改革的深化,部门管理多元,法规条例简单重复或缺乏可操作性,而有些新兴领域则出现管理空白。

二是修改与世界贸易组织规则有部分冲突的法律法规。世界贸易组织协议与规则的要求及其发展使我国现行的一些法律法规需进行相应调整。我国自《合同法》颁布后,原有《技术合同法》自然失效了,一些地方的法律规章却未进行相应的修改。因此,健全标准化方面的法律法规,梳理与世界贸易组织的规则冲突和抵触的规章刻不容缓。

(二)大力推动采用国际标准和国外先进标准

改革开放以来,我国政府积极采用国际标准和国外先进标准,并取得了显著的成绩,但我国采用国际标准的广度和深度,还不能适应我国融入全球经济一体化进程中面临的激烈国际竞争的需要。提高我国出口产品的竞争力,减少贸易摩擦,很重要一点就是提高标准的国际竞争力,国内企业要参与国际化经营,也必须采用最新的国际标准和国外先进标准。为此,我们要大力推动采取国际标准和国外先进标准,对于适合中国国情的国际标准领域,要大胆采用国际标准,适时将国际标准转化为国家标准。

另外,在采用和转化国际标准的实际工作中应注意国际标准转化的合理性和有效性[①]:

国际上通用的综合性的基础标准应当等同采用。基础标准是科学技术、经济活动及人类生活中最基本的具有广泛指导意义的标准,总的来说,国际标准中的基础标准比较成熟、稳定、实用,具有较高的权威性、科学性和合理性,一般

---

① 参考中国标准化研究院"十五"国家重大科技专项课题:《国家技术标准体系建设研究》。

与各国的国情没有直接的关联,应等同采用,以保证采用国际标准的有效性。

国际上通用的方法标准也应等同或修改采用。目前,ISO 和 IEC 的方法标准分别占这两个组织标准总数的 40% 和 25%,许多国家等同采用相应的方法标准,其重要原因是国际贸易绝对需要一个在国际上统一的检验、试验、取样等方法标准,便于公正地处理贸易中的纠纷;同时,许多方法标准本身包含某些先进实用的技术,这对发展中国家来说是一种廉价的技术引进。

安全、卫生、环保标准应等同采用国际标准,特别是用于出口的产品标准中的安全、卫生、环保要求应与国际标准一致。

产品标准应根据具体情况决定采用方式。因为各国的自然资源、环境条件如气候、实际的生产技术水平等条件不同,应具体问题具体分析,不必强求等同采用国际标准。

要及时确定优先转化国际标准的领域、技术。在基础、方法、管理、高新技术等标准方面要尽可能优先转化。对反应国际先进技术和管理的标准要及时采用,促进科技进步,对体现我国技术特点和资源的标准要分析和有针对性采用,保留共性,体现特性。

在转化国际标准时,要从体系上整体考虑,实现体系的协调配套。一个标准不是孤立存在的,它往往同其他标准相互联系,相互影响,因此,采用国际标准必须配套进行。要注意方法标准和基础标准与产品标准之间相互配套;同时必须从原材料、元器件、零部件、配套产品、检测仪器设备和产品包装等方面的标准成套地采用。

最后,在合理转化国际标准的同时,推动将我国标准转化为国际标准。一方面要按照国家的要求积极把国际标准转化为国家标准,另一方面要积极参加国际标准化活动,把我们的国家标准纳入国际标准,或直接转化为国际标准,通过双向的工作,达到双赢的目的。

(三)加强实质性参与国际标准的制定

我国已经成为世界贸易排名第三的大国,但是由中国制定的国际标准只有千分之三,目前我国只是被动地接受国外标准,不能在国际标准的制定过程中反映我国经济技术情况,这是对我国国家利益的伤害。为此,我国要大力提倡实质性参与国际标准化活动,积极参与国际标准的制定工作。

对于目前还没有制定国际标准的领域,要及早介入、积极主动参与、大胆创新,把我国成熟的国家标准推向国际,多提新工作项目,承担新工作项目召集人,实质性地参加国际标准的制定和国际标准化活动,争取在国际标准化活动中取得主动权。

对于已有国际标准的领域,应积极承担国际标准秘书处的工作,主导国际标准的制修订权,占领国际标准的制高点;在传统领域(如冶金、机械领域)我国的国际标准化工作开展得比较早,具有丰富的经验,今后还应该争取多承担国际标准秘书处的工作。

(四)积极参与 WTO 相关评议,主动应对国外技术性贸易壁垒

入世以来,我国严格遵守 WTO 的有关规则,向 WTO 中央秘书处通报 TBT、SPS 措施 336 项,其中 149 项为强制性国家标准,但是,我国企业、政府对 WTO 其他成员通报的 TBT 和 SPS 措施的评议则参与不够,没有充分享受 WTO 给予的权利,今后必须大力加强这项工作,尤其是我国出口贸易比较集中的行业和领域要充分利用 WTO 的评议机制,避免对我国企业出口产品构成不必要的贸易障碍。

同时,要加强企业应对国外技术性贸易壁垒的能力。政府、行业协会要充分发挥其信息和技术优势,对我国主要目标市场的技术性贸易壁垒进行收集、整理,加强与企业的沟通,协助企业妥善应对国外的技术性贸易壁垒。

截至 2005 年,商务部共发布了 30 个技术指南。商务部发布的最新一批 10 个出口商品技术指南分别是:出口微波炉技术指南、出口电池技术指南、出口音视频产品技术指南、出口绸缎技术指南、出口木制品技术指南、出口灯具技术指南、出口香菇技术指南、出口水海产品技术指南、出口食品污染物及农残限量技术指南、出口建筑陶瓷技术指南。2005 年商务部联合质检总局共同颁布了《关于鼓励企业应对国外技术壁垒的指导意见》,明确提出了要不断完善对企业出口经营活动的技术服务体系。今后,商务部还将采取多种形式支持和鼓励相关的技术管理部门和行业组织为企业出口生产经营活动提供技术支持和服务。技术指南等技术支持体系的逐步建立和完善,促进了我国出口贸易的发展,是深入实施"以质取胜"战略的具体体现。

加快出口贸易增长方式的转变,优化出口商品结构,提高企业应对国际贸易非关税贸易壁垒的能力,通过积极完善产品和技术标准,提高产品质量和档次,并加强对国外市场技术性标准和措施的研究,将是深入实施"以质取胜战略"的必然选择。

四、进一步推动落实标准的认证认可制度

标准与认证认可是一个工作的两个方面,标准制定本身不是目的。要将认

证认可贯彻落实于企业的具体质量管理和技术提升的过程中,实现标准战略与认证认可制度的有机结合。要提高企业质量管理和技术水平,提升企业竞争力,顺利进入国际市场,必须在实施标准化战略的同时,大力推进标准的认证认可工作,加快企业参与国际竞争的进程。2001 年 8 月,国务院组建国家认证认可监督管理委员会,负责统一管理、监督和综合协调全国的认证认可工作。2002 年,国务院办公厅发布 11 号文,进一步明确了我国认证认可工作监管体制调整、改革的方向。2003 年 8 月 20 日国务院第 18 次常务会议通过,自 2003 年 11 月 1 日起施行《中华人民共和国认证认可条例》,是我国认证认可事业发展史上的一个重要里程碑。认证认可条例的颁布施行,标志着认证认可工作法制化进程向前迈出了一大步。条例的颁布施行,整顿和规范认证市场秩序,适应社会生产力发展需要,提高我国产品、服务质量水平和技术标准方面,提供了重要的法律保障。

(一)认证认可制度是贯彻质量和技术标准的重要手段

认证认可制度是国际上通行的贯彻落实产品质量和技术标准的重要手段。国际贸易的发展,经济全球化的出现,使认证认可制度成为市场经营者相互信任的支撑性、基础性制度,确保人员、服务、资本、商品跨地区、跨国界流动。当前,经济全球化的趋势增强,国际竞争逐渐从价格竞争转向质量和品质的竞争。认证认可作为质量管理、质量保证、贯彻技术标准的重要手段,越来越受到各国政府的重视。目前,认证已由过去单纯地对产品质量进行认证,拓展到服务和管理体系领域,认可机构对认证机构、认证培训机构、实验室和检查机构以及对认证人员的认可也逐步发展起来。截至 2003 年 7 月底,经批准设立的认证机构有 113 家,获得我国管理体系认证的企业共 9 万多家,共有 2 万多家企业申请了强制性产品认证(3C 认证),指定的认证机构共颁发了 8 万多份 3C 证书。在认证认可工作方面的成绩有力促进了标准化战略的实施,推动了企业质量和技术标准的提升,增强了企业开拓国际市场的能力。

(二)我国认证认可工作法律制度建设情况

2003 年颁布的《中华人民共和国认证认可条例》初步建立了我国认证认可的法律规范制度。条例分为七章七十八条,分别是总则、认证机构、认证、认可、监督管理、法律责任和附则,主要确定了以下几项主要制度①:

---

① 参考了中国安全技术防范认证中心主任李建平的文章,解读《中华人民共和国认证认可条例》,见中国公共安全认证网。

1. 关于认证机构的设立的制度

条例规定了认证机构的资质条件和强制性产品认证机构的指定制度。条例规定：认证机构必须有固定的场所和必要的设施；有符合认证认可要求的管理制度；注册资本不得少于人民币300万元；有10名以上相应领域的专职认证人员。条例规定，认证机构、与认证有关的实验室和检查机构经过国务院认证认可监督管理部门指定后，方可从事强制性产品认证活动。

2. 关于保证认证认可机构独立性的制度

条例规定：认证机构不得接受任何可能对认证活动的客观公正产生影响的资助，不得从事任何可能对认证活动的客观公正产生影响的产品开发、营销等活动，也不得与认证委托人存在资产、管理方面的利益关系，认可机构也不得接受任何可能对认可活动的客观公正产生影响的资助。需要说明的是，目前还有一些认证机构与行政机关存在隶属关系，考虑到完全脱钩还需要一段时间，条例规定，认证机构不得与行政机关存在利益关系。这些制度的设立保证了认证机构的独立性。

3. 保证认证认可活动客观公正的制度

一是，为了保障认证委托人和认可申请人在接受认证认可服务时享有平等的权利，条例规定：认证机构不得以委托人未参加认证咨询或者认证培训等为理由，拒绝提供本认证机构业务范围内的认证服务，也不得向委托人提出与认证活动无关的要求或者限制条件；认可机构受理认可申请，不得向申请人提出与认可活动无关的要求或者限制条件。考虑到强制性产品认证委托人选择认证机构、检查机构、实验室的余地比较小，条例特别规定，指定的上述机构应当为委托人提供方便、及时的认证、检查、检测服务，不得拖延，不得歧视、刁难委托人，也不得牟取不当利益。这是指定认证机构必须承担并履行的强制性义务。

二是，为了保证认证认可活动合乎规范，并将认证认可机构及其人员的责任落到实处，条例规定：认证机构以及与认证有关的检查机构、实验室应当严格遵循认证基本规范、认证规则规定的程序，确保认证、检查、检测的完整、客观、真实，不得增加、减少、遗漏程序，并对认证、检查、检测过程做出完整记录，归档留存。认证机构及其认证人员应当及时做出认证结论，并保证认证结论的客观、真实。认证结论经认证人员签字后，由认证机构负责人签署，认证机构及其认证人员对认证结果负责。

三是，为了保证认证认可活动的公开透明，保护认证委托人和认可申请人的合法权益,条例要求认证机构公开认证基本规范、认证规则、收费标准等信息;认可机构必须公开认可条件、认可程序、收费标准等信息。

四是,为了保证认证人员具备必要素质,条例要求从事评审、审核等认证活动的人员经认可机构注册后方可从事相应业务活动。条例要求认证人员必须在一个认证机构中从事认证活动。为了防止出现不符合条件的认证机构相互"借人"骗取设立审批,以及认证人员受聘于多个认证机构、难以保证执业活动质量的问题,条例规定认证人员不得同时在两个以上认证机构从事认证活动。

4. 保证认证认可结果持续有效的制度

为了保证认证认可结果的持续有效,保证被认证的产品、服务和管理体系持续符合认证条件,被认可的机构和人员始终符合认可要求,条例建立了认证认可机构对被认证认可对象的长期动态监督机制,规定认证机构和认可机构应当对被认证认可对象进行跟踪调查和跟踪监督,发现被认证认可对象不再符合认证条件或者认可要求的,应当及时采取暂停其使用直至撤销认证证书、撤销认可证书等措施,并向社会公布。

5. 统一的认可制度、自愿性认证与强制性产品认证相结合的认证制度

一是,统一的认可制度。统一的认可制度是确保认可结果的有效性和权威性的前提,也是开展认可结果的国际互认活动的必然要求。关于认可机构,条例规定,国务院认证认可监督管理部门确定的认可机构独立开展认可活动,其他任何单位不得直接或者变相从事认可活动。其他单位直接或者变相从事认可活动的,认可结果无效。关于认可的对象,条例规定,认证机构、检查机构、实验室可以通过认可机构的认可,保证其认证、检查、检测能力持续、稳定地符合认可条件;从事评审、审核等认证活动的人员,应当经认可机构注册后,方可从事相应的认证活动。

二是,自愿性认证与强制性产品认证相结合的认证制度。条例规定法人、组织和个人可以自愿委托依法设立的认证机构进行产品、服务、管理体系认证。规定为了保护国家安全、防止欺诈行为、保护人体健康或者安全、保护动植物生命或者健康、保护环境,国家对相关产品制定统一产品目录,实行强制性产品认证,即我们通常所称的3C认证。列入3C目录的产品,经指定认证机构认证并标注认证标志后方可进入流通领域。

6. 监督管理制度

条例针对目前认证认可市场发展的实际状况,参考国外认证认可行业监督管理的经验,规定了三项基本的监督管理制度:一是报告制度,认可机构、认证

机构以及与认证有关的检查机构、实验室,应当定期向国务院认证认可监督管理部门报告其业务活动情况。二是询问制度,国务院认证认可监督管理部门可以根据认证认可监督管理的需要,就有关事项询问认可机构、认证机构、检查机构、实验室的主要负责人,调查了解情况,给予告诫。三是举报制度,任何单位和个人对认证认可违法行为,都有权向国务院认证认可监督管理部门和地方认证监督管理部门举报,接到举报的部门要及时调查处理举报事项,并为举报人保密。

（三）进一步促进认证认可工作的具体举措①

为贯彻落实标准的认证认可制度,完善标准制定和认证认可工作的有效衔接,有效促进我国产品质量和技术水平的提升,加速提升国际竞争力,要把认证认可工作作为标准化战略的重要补充,认真贯彻实施。

1.完善法律法规加强监督管理

要根据我国标准化战略的实施进展,制定既符合国际规范又符合我国标准化建设情况、既符合实际又体现有效监管原则的国家认证认可和合格评定工作的方针、政策、规定,认真清理原国家质量技术监督局和原国家出入境检验检疫局发布的有关认证认可的法规、规章和办法,研究起草新的认证认可和合格评定的法律、法规和规章、制度,实现国家认证认可和合格评定的监督管理工作的法制化和规范化。要按照国际通行规则,研究建立符合世贸规则要求的合格评定程序,逐步统一和规范各行业、各专业的合格评定程序。要制定全国认证认可工作部际联席会议的议事规则和程序等,通过这一形式建立与各部门、各行业的协调渠道,形成认证认可工作部门间的"横向合力"。

2.整顿和规范认证市场

鉴于目前国内认证市场的混乱情况,应研究制定配套措施,加强对认证市场的监督管理。会同工商、外经贸部门对外国（地区）认证和检测、检查机构及咨询机构在中国境内的经营活动进行整顿和规范;整顿和规范自愿性认证、认证咨询及其相关的机构;加强市场上认证商品的监督检查,严肃查处强制性认证产品不加贴标志和加贴假冒认证标识等行为;坚决查处虚假认证和买证、卖证等行为,强化认证的后续监管工作的力度。积极推进认证、认证咨询等中介组织的改革,引导认证中介服务组织开展有序竞争。

3.加快认证认可工作的国际化步伐

为有效开拓国际市场,提升我国认证认可工作的国际认可程度,要进一步

---

① 此部分参考了国家认证认可监督管理委员会主任王凤清在认监会成立大会上的讲话。

加强与国际认可论坛、太平洋认可合作组织、国际审核员培训与注册协会、国际实验室认可合作组织、亚太实验室认可合作组织等国际或区域性组织及国际标准化组织和国际电工委员会等的联系,争取承担相应的工作,在其中发挥积极的作用。积极参与国际认证认可组织相关的合格评定活动,签署与合格评定有关的协议、协定和议定书,争取与更多的认证机构的相互认可和认证证书的互认。适应经济全球化发展要求,积极开拓国外(或境外)认证市场,加快我国认证认可工作国际化的步伐。

4. 加强横向协调、开拓认证认可新领域

要转变认证认可工作方式,理顺质量认证与工业产品生产许可证、产品质量监督抽查、强制性检验、出入境检验检疫等方面的关系,避免对同一产品重复检验或认证,重复使用标志。要协同有关部门推广应用先进的质量管理体系认证、服务质量体系认证等合格评定模式;积极推进农产品及食品的安全质量认证;尽快实施进口食品国外生产企业的注册制度,进一步完善出口卫生注册和后续监管制度。

5. 加强认证认可工作的队伍建设

认证认可工作在我国发展还不成熟,各项认证工作专业性较强,需要一大批懂专业懂认证工作的技术干部队伍。为此,要把队伍建设放在重要位置,下大力气加强对从业人员的思想政治教育和业务培训,努力培养造就一支政治思想好、业务能力强、工作负责、锐意进取的认证认可工作队伍。

第二章
市场多元化战略：分散风险
持续发展

第一节　市场多元化战略形成的背景

多元化市场与市场多元化战略是两个不同的概念。因此，首先有必要区分我国多元化市场的形成和市场多元化战略的形成。

一、多元化市场与市场多元化战略

多元化市场是一种客观现实，世界上任何一个国家，特别是经济贸易大国都是与众多的、不同层次的外部市场相互依存的。而这种众多的、不同层次的外部市场即为多元化的外部市场，这是世界市场内在构成的反映。而市场多元化战略则是国家为了有意识地全方位、多层次开拓国际市场而主动采取的一种国家发展策略。为实现这一战略国家采取一系列相应的政策、措施、手段，进一步全方位地开拓国际市场，以使外经贸市场多元化的发展朝着体现国家意志、符合本国利益的方向进行。因此，这两者是不同的。

多元化市场与市场多元化战略虽然不同，但是也存在密切联系。改革开放以来自然形成的初步的对外经贸多元化市场为 20 世纪 90 年代初提出多元化战略提供了现实基础，如果没有改革开放以来形成的对外经济贸易多元化市场，就不可能有 20 世纪 90 年代初的多元化战略的。而提出多元化战略的目的则是更好地在国际市场上拓展，优化业已初步形成的多元化市场。

多元化市场的形成是一个社会自然史的过程，更多的具有经济发展的自然属性，我国实行对外开放政策以来，对外经贸市场的多元化逐步形成雏形；而多元化战略的提出则是一种人的行为，其具有社会属性，多元化战略的提出旨在

更安全更健康地实施对外开放这一国策,其形成则不是经济发展的自然行为,而更多的是国家主动调控对外经贸活动的一种战略性策略,是国家意志在对外经贸领域的体现,其形成过程有诸多因素的促进。

二、市场多元化战略形成的客观必然性

对外经贸的市场多元化也是发展对外经贸关系的内在要求。无论一个国家有没有对外经贸市场多元化战略,只要这个国家实行对外开放战略,那么它就有实现市场多元化的本能。

无论哪个国家,只要进行对外经济交往,对市场多元化的追求就是自然而然的。对于早期的老牌资本主义国家,例如英国、西班牙、荷兰等,在资本主义发展早期,就极力拓展海外市场,在本国市场和欧洲市场无法完全消化其工业产品时,向各个海外市场拓展就成了其天生的本能,不仅要开发美洲,还要将广大的亚非拉国家变成其殖民地,将整个世界作为拓展海外贸易的版图。老牌的资本主义国家的多元化市场的形成与其对外侵略扩张是联系在一起的。由于它们本身就是不平等国际经济格局的始作俑者,从一开始就主导和控制着世界商品销售和原料来源的国际市场,因此它们大多似乎没有明确提出多元化战略的必要。

对于那些从二战中独立出来的新兴工业化国家,它们本身的富民强国之路就是走一条外向型的发展之路,但是,它们所面对的是一个早已为西方发达资本主义国家所支配的世界市场。因此,这些新兴工业化国家初期,都不可避免地要严重依赖于某些主要的西方发达资本主义国家,韩国、新加坡、中国台湾概莫能外。但是,对于这些新兴工业化国家来说,却要面临如何扩大海外市场和减少对少数发达国家严重依赖的对外经贸战略问题,因此,这些国家和地区在发展到一定阶段时,都会不由自主地提出自己的对外经贸市场多元化战略。例如,韩国在 20 世纪 80 年代后半期,就实行了市场多元化战略,改变其出口集中于少数国家的情况;同样,新加坡在 1986 年,其贸易和发展局就制定了减少对欧美市场依赖的促进市场多元化的经贸政策,以重点开拓印度、中国、西北非和加拿大等新市场。可见,这些新兴工业化国家是已经形成初步的多元化市场的情况下,为了摆脱对少数发达国家市场的严重依赖,实现国民经济健康、安全地发展,而主动实施一种战略行为,于是就提出了多元化战略。

对于中国来说,要发展国内经济就得与其他国家交往。在建国初期,由于美国等西方资本主义国家的封锁,使得中国外交被迫实行"一边倒"的战略,在对外经济交往方面,也被迫与前苏联和东欧社会主义国家以及一些发展中国家

交往,也就是说,在建国初期由于美国等资本主义国家的封锁严重阻碍了我国对外经贸多元化市场的形成。

我国的多元化市场是在改革开放后形成的。在即有的不合理国际政治经济秩序中发展外向型经济,在初期不得不建立依赖少数发达国家的初步的多元化市场,而发展到一定时期时,则适时提出市场多元化战略,以改变严重依赖少数发达国家市场的初步多元化市场。对外开放主要是向发达的资本主义国家开放,再加上已有的社会主义国家和发展中国家的传统经贸关系,使得对外开放后自然形成了由资本主义国家、社会主义国家和广大发展中国家所构成的初步的多元化市场格局。

我国实施的对外开放政策极大地拓宽了我国对外经济贸易关系,到 1990 年底外贸总额达 851 亿美元,但前三大贸易伙伴就占了近 60%,而且占我国对外贸易总份额 1% 以上的国家和地区只有 11 个,而且除我国香港和新加坡外都是西欧发达国家以及日本和美国。因此,我国在对外开放了近 10 年的时间里,同样遇到了其他新兴工业化国家遇到的问题,即对外经济关系严重依赖少数发达国家。尽管这种情况也许是在发达国家主导的世界贸易和投资格局的环境中不可避免的问题,但是作为一个发展中大国,考虑到对外经济安全、在未来与其他国家在政治经济等等方面的竞争优势,以及其他相关问题,制定和实施我国对外经贸市场多元化战略有着客观必然性和现实迫切性。

三、市场多元化战略的形成与制定

对外开放前 10 年所形成的初步的对外经贸市场多元化后,在对外开放进入新的发展阶段后,国家根据对外经贸现状的国际格局,以及整体考量国家的政治、经济、外交战略的基础上,酝酿并提出了对外经贸市场多元战略。

正如上面提到的,市场多元化是改革开放后逐步形成的。邓小平同志面向三个世界的开放理论阐述得十分清楚,就是要通过对外贸易、投资和经济技术合作寻求多元化的国际市场。在 20 世纪 80 年代中期,邓小平同志对中国对外开放的国际格局进行了如下部署,他指出:"我们实行对外开放政策,并不只是对美国、日本、西欧等发达国家开放。对这些国家开放,是一个方面;另一个方面,是南南合作;还有一个方面,是对苏联和东欧国家开放。一共三个大方面。"①邓小平同志的面向三个世界开放的理论既是对过去形成于 20 世纪 70 年代末 80 年代初的对外经

---

① 邓小平:《建设有中国特色的社会主义(增订本)》,83 页,人民出版社,1987 年 3 月第 2 版。

贸多元化市场格局的一个总结,也是进一步做好面向三个世界开放格局的战略部署。因此,可以说,尽管20世纪90年代初提出的多元化战略还有其他方面的考虑,但仍是在改革开放的伟大设计师邓小平同志的三个世界开放理论的战略规划之中。

邓小平同志还强调市场多元化的内涵不仅仅指出口贸易市场的多元化,也包括吸引外资来源的多元化,以及经济技术合作伙伴的多元化。"而对外开放,我们还有一些人没有弄清楚,以为只是对西方开放,其实我们是三个方面的开放。一个是对西方发达国家的开放,我们吸引外资、引进技术等等主要从那里来。一个是对苏联东欧国家的开放,这也是一个方面。国家关系即使不能够正常化,但是可以交往,如做生意呀,搞技术合作呀,甚至于合资经营呀,技术改造呀,一百五十六个项目的技术改造,他们可以出力嘛。还有一个是对第三世界发展中国家的开放,这些国家都有自己的特点和长处,这里有许多文章可以做。所以,对外开放是三个方面,不是一个方面。""开放是对世界所有国家开放,对各种类型的国家开放"①。

邓小平同志面向三个世界开放的理论可以说奠定了20世纪90年代初提出的市场多元化战略的基础,即在贸易、投资和经济技术合作三个方面对各种类型的国家开放;力求做到贸易伙伴的多元化,与各类贸易伙伴平衡发展,不过度依赖于少数国家,尤其是对于重要产品的进口和出口不严重依赖于少数国家,贸易盈余不严重依赖于少数国家;利用外资来源和经济技术合作伙伴多元化,而且要将走出去与引进来相结合,积极发展中国的对外投资,以及对外工程承包和劳务合作等。

对于中国来说,要对付少数国家利用有利的国际经济地位达到其国际政治目的,就必须实行对外经贸市场多元化战略,以摆脱对少数国家的过度依赖。中国对于国际政治历来主张世界要多极化发展,反对霸权主义和强权政治;要实现中国国际政治多极化的理念,在对外经济方面就要求制定并实施多元化的战略。虽然经济多元并不能直接导致政治多极,但对外经济贸易的多元化战略仍然是世界政治多极化战略的组成部分。

第二节　市场多元化战略与世界贸易投资格局

中国的的对外经贸格局是世界贸易和投资格局的一部分。世界经济本身是

---

① 《邓小平文选》第3卷,98页、237页,人民出版社,1993年10月第1版。

"少数主导、多元发展"的格局,我国的多元化战略必然要受世界经济这种"少数主导、多元发展"格局的制约。

一、世界贸易的多元化格局

自二战后,除苏联东欧等社会主义国家之间形成的贸易集团外,世界市场形成了以欧美日为主导的多元化格局态势。虽然期间也有一些重大变化,但这种格局一直持续到现在。

(一)世界商品贸易三极格局

分析 1980 年到 2004 年世界贸易格局,我们发现贸易总额排名前三位的均为欧盟、美国、日本三大经济体,而且这三大经济体的进出口总额占世界份额的比重,均占 1/2 强。各年三大经济体具体份额见下表:

表 2-1 各年世界三极占世界进出口贸易份额百分比

单位:%

年 份	1980	1990	1995	2000	2002	2003	2004
欧盟	38.95	43.8	39.65	35.9	37.4	38.1	40.25
美国	11.74	12.99	12.97	15.45	14.29	14.52	12.57
日本	6.61	7.48	7.47	6.55	5.73	5.62	5.47
总份额	57.3	64.27	60.09	57.9	57.42	58.24	58.29

注:欧盟包括成员国内部贸易。

资料来源:WTO 官方网站。

统计数据表明,欧美日三极经济从 20 世纪 80 年代起到 2004 年一直占据世界进出口贸易的中心地位,历年占世界进出口贸易份额始终保持在 50% 以上,占据着主导地位。自 20 世纪 80 年代以来,欧美日每年在世界贸易中的份额排名没有变化。但是三大经济体各年占贸易总额的份额稍有不同:欧盟所占份额变化不大,美国呈上升趋势,而日本有所下降。

(二)地区性贸易大国使得多元化格局明显

世界贸易格局除了美欧日占据主导地位的这一特征外,还有一个显著特点,那就是地区性贸易大国也是世界进出口贸易的一股重要力量。统计资料显示,从 1980 年到 2004 年,从进出口贸易排名(将欧盟作为一个整体)第 4 位到 20 位的国家和地区其进出口贸易总额几乎占世界总进出口贸易额的 1/3。

此外,在 1980 到 2004 年间,从第 4 位到 20 位的国家和地区其进出口的总份额虽然历年都占近30%，且有上升的趋势，而且第4到20位的国家和地区排名顺序几乎每年都有较大变化，有的国家和地区位次虽然在前20名，但排名下降（如沙特、瑞士、巴西等），有的国家从排上前20名到迅速上长为地区性贸易大国（如中国、韩国等，特别是在2004年中国超越日本成为第三名），有的则是从地区性贸易大国，到甚至前20名都排不上（如尼日利亚、南非、伊拉克等），需要注意的是从1990年起，前20位的国家和地区名单虽然位置仍有变化，但国家和地区几乎没有变化。总之这些变化明显反映出各国和地区对外经济贸易力量的对比变化，反映了整体世界经济格局的调整和重新组合。各年4～20位排名及占世界进出口份额见下表：

表2－2　进出口贸易额第4～20位排名及占世界的份额

单位：%

位次	1990		1995		2000	
4	加拿大	3.59	中国香港	3.54	加拿大	3.97
5	中国香港	2.39	加拿大	3.46	中国	3.61
6	韩国	1.93	中国	2.69	中国香港	3.17
7	瑞士	1.91	韩国	2.49	墨西哥	2.65
8	中国台湾	1.75	新加坡	2.32	韩国	2.53
9	中国	1.65	中国台湾	2.08	中国台湾	2.22
10	新加坡	1.62	瑞士	1.55	新加坡	2.07
11	墨西哥	1.20	墨西哥	1.49	马来西亚	1.37
12	澳大利亚	1.17	马来西亚	1.45	瑞士	1.26
13	沙特阿拉伯	0.98	俄罗斯	1.36	俄罗斯	1.15
14	挪威	0.88	泰国	1.22	澳大利亚	1.03
15	马来西亚	0.84	澳大利亚	1.09	泰国	1.00
16	泰国	0.80	巴西	0.96	巴西	0.86
17	巴西	0.77	印度尼西亚	0.82	沙特阿拉伯	0.83
18	印度尼西亚	0.68	沙特阿拉伯	0.75	印度尼西亚	0.73
19	南非	0.60	挪威	0.72	挪威	0.72
20	印度	0.59	印度	0.63	印度	0.71
总份额		23.34		28.63		29.89

位次		2002		2003		2004
4	中国	4.71	中国	5.59	日本	5.5
5	加拿大	3.64	加拿大	3.40	加拿大	4.8
6	中国香港	3.11	中国香港	2.99	中国香港	4.0
7	墨西哥	2.56	韩国	2.45	韩国	3.8
8	韩国	2.39	墨西哥	2.26	墨西哥	2.4
9	中国台湾	1.88	中国台湾	1.83	俄罗斯	2.3
10	新加坡	1.83	新加坡	1.79	中国台湾	2.2
11	马来西亚	1.31	俄罗斯	1.38	新加坡	2.1
12	瑞士	1.30	瑞士	1.29	马来西亚	1.8
13	俄罗斯	1.28	马来西亚	1.20	沙特阿拉伯	1.7
14	澳大利亚	1.04	澳大利亚	1.04	瑞士	1.6
15	泰国	1.01	泰国	1.02	泰国	1.5
16	巴西	0.84	印度	0.81	巴西	1.4
17	印度	0.80	巴西	0.81	澳大利亚	1.3
18	沙特阿拉伯	0.80	沙特阿拉伯	0.81	阿联酋	1.2
19	波兰	0.73	波兰	0.78	挪威	1.2
20	挪威	0.72	土耳其	0.75	印度	1.1
总份额		29.94		30.20		38.30

资料来源：WTO 官方网站。

当今世界贸易格局对我国对外贸易市场多元化有重要的启示：

一是由于世界贸易仍由美欧日主导，因此，对于中国的对外贸易市场多元化战略的首要目标市场应该是与美欧日之间的多元化，在我国与美欧日三大经济体发展对外贸易时，力求相对平衡发展，不过度依赖其中某一市场。这也可称作中国的对外经贸关系第一个层次的多元化。

二是要大力发展与新兴工业化国家和地区的经贸关系，也即中国对外贸易的第二个层次的多元化。虽然排名第 4 到 20 位国家的对外贸易进出口额占整体世界份额远不如美欧日那么大，但是作为一个整体，也几乎占 30%，且有上升的趋势。因此，发展与这一类国家的经贸关系，对于我国实施对外经贸市场多元化战略十分重要。与此同时，还应更加注重亚非拉发展中国家市场。

二、世界直接投资多元化格局

与世界商品贸易格局一样,世界投资格局也呈现出欧美日主导的多元化态势。除欧美日外,世界直接投资还有以下的主要来源:东亚各国和地区、其他西方发达国家、少数发展中国家和部分自由港。

(一)相对于国际贸易而言,国际直接投资来源多元化不甚明显

相对于国际贸易,国际直接投资风险,需要的经营实力更高,且往往国际直接投资的主体跨国公司大部分是以少数发达国家为母国的,因此,国际直接投资的来源地高度集中在少数发达国家。数据显示,按来源地分,国际直接投资前十位占了世界直接投资来源的近95%,各年具体份额如下表所示:

表 2-3　各年国际投资来源前 10 位占世界投资来源份额

单位:%

位次	1990~1995(平均)		1998		2000		2001		2004	
1	欧盟	46.3	欧盟	60.72	欧盟	70.1	欧盟	58.8	欧盟	38.32
2	美国	22.9	美国	19.15	美国	11.9	美国	18.3	美国	31.40
3	日本	9.89	加拿大	5.02	中国香港	4.30	日本	6.14	加拿大	6.50
4	中国香港	5.11	日本	3.53	加拿大	3.44	加拿大	5.71	中国香港	5.44
5	瑞士	3.36	瑞士	2.74	瑞士	3.09	瑞士	2.63	日本	4.24
6	加拿大	2.71	中国香港	2.4	日本	2.29	澳大利亚	1.80	瑞士	3.45
7	中国台湾	1.15	韩国	0.69	挪威	0.53	新加坡	1.65	澳大利亚	2.23
8	维尔京群岛	1.15	中国台湾	0.56	中国台湾	0.49	中国香港	1.45	新西兰	1.46
9	澳大利亚	1.02	澳大利亚	0.49	澳大利亚	0.37	中国台湾	0.88	俄罗斯	1.31
10	中国	0.93	巴西	0.42	韩国	0.36	智利	0.61	巴西	1.30
份额		94.5		95.8		97.0		98.1		95.65

注:将欧盟作为一个整体计算其直接投资额,包括了集团内部各成员国的相互投资。
资料来源:UNCTAD,FDI/TNC 数据库整理计算而得。

由上表可以看出,前 10 位的直接投资大国和地区几乎占了世界直接份额的95%以上,可见相对于国际贸易来说,国际直接多元化不甚明显。

(二)国际直接投资多元格局

尽管表 2-3 的数据给人的印象似乎是国际投资被少数大国所操纵,在吸引国际投资方面无多元化余地。事实上数据背后,隐藏着的是不甚明显的国际直接投资多元格局。将各年直接投资大国做一分类,我们大致可得如下几个国际直接投资来源区位。

1. 欧盟。数据显示欧盟内部和外部的直接投资额占世界国际投资份额的一半以上，但如果将成员国内部的直接投资减去，表中的数据将大幅度减少。但是，毫无疑问，欧盟在国际直接投资中是十分重要的独立一元。

2. 美国。美国各年均居国际直接投资份额的第二位，如果欧盟不包括成员国内部的相互投资，那么美国和欧盟的份额将不相上下。

3. 日本。虽然日本的对外直接投资能力与欧盟和美国相去甚远，但在世界直接投资中的地位不容忽视。

4. 东亚各国和地区。包括韩国、中国香港、中国台湾、新加坡和中国。东亚各国和地区经济的快速成长，迅速崛起的对外直接投资能力是一支不可忽视的力量。

5. 其他西方发达国家。包括加拿大、澳大利亚、挪威、瑞士等。

6. 少数发展中国家和自由港。包括巴西、智利、维尔京群岛等。

三、世界贸易投资格局与我国贸易和投资多元化

从前面对于世界商品贸易和国际直接投资格局的分析，一方面我们发现无论贸易还是投资都明显存在着多元化的格局；另一方面，虽然贸易和投资都存在着多元化的格局，但是都被欧盟美国日本等少数西方发达国家主导着。

中国的贸易和投资多元格局是世界贸易和投资多元格局的一部分，因此，中国的市场多元化战略必然会受到世界贸易和投资的制约。世界贸易和投资格局呈现出"多元发展，少数主导"的现状。因此，中国的市场多元化也必然呈现出"多元发展，少数依赖"的格局。

事实上，我国的贸易和投资伙伴也基本上是符合欧美日为主导的贸易和投资多极格局这一客观事实。这可以通过 1980、1985、1995、2000、2002、2003、2004 年我国贸易前十位贸易伙伴看出，见下表：

表 2 – 4　各年我国前十大贸易伙伴

单位:%

名次	1985		1990		1995		2000		2003		2004	
	国别/地区	总额依存度	国别/地区	总额依存度	国别/地区	总额依存度	国别/地区	总额依存度	国别/地区	总额依存度	国别/地区	总额依存度
1	日本	27.28	中国香港	31.06	日本	20.46	日本	17.53	日本	15.69	欧盟	15.42
2	中国香港	18.08	日本	15.19	美国	15.50	美国	15.70	美国	14.84	美国	14.73

迈向贸易强国——中国外经贸战略的深化与升级

名次	1985		1990		1995		2000		2003		2004	
	国别/地区	总额依存度	国别/地区	总额依存度	国别/地区	总额依存度	国别/地区	总额依存度	国别/地区	总额依存度	国别/地区	总额依存度
3	美国	11.66	美国	11.52	欧盟	14.36	欧盟	14.56	欧盟	14.71	日本	14.51
4	欧盟	9.87	欧盟	8.92	中国香港	14.09	中国香港	11.37	中国香港	10.27	中国香港	9.87
5	新加坡	3.79	苏联	4.57	中国台湾	6.37	韩国	7.27	韩国	7.43	东盟	9.24
6	苏联	3.12	新加坡	2.73	韩国	6.05	中国台湾	6.44	中国台湾	6.86	韩国	7.86
7	加拿大	1.82	加拿大	2.01	新加坡	2.46	新加坡	2.28	马来西亚	2.36	中国台湾	6.88
8	约旦	1.79	澳大利亚	1.90	俄罗斯	1.95	澳大利亚	1.78	新加坡	2.27	俄罗斯	1.82
9	澳大利亚	1.76	泰国	0.89	加拿大	1.50	马来西亚	1.70	俄罗斯	1.85	澳大利亚	1.80
10	巴西	1.62	古巴	0.78	澳大利亚	1.50	俄罗斯	1.69	澳大利亚	1.59	加拿大	1.35

注:欧盟包括:比利时、丹麦、德国、法国、英国、爱尔兰、荷兰、意大利、卢森堡、荷兰、希腊、葡萄牙、西班牙、奥地利、瑞典。

资料来源:《中国对外经济贸易年鉴》各期,经计算整理而得。

由上表可以看出,我国的贸易伙伴基本体现了世界整体贸易格局。我国最大的前四位贸易伙伴各年均为日本、美国、欧盟、中国香港,其中中国香港由于很大一部分属于转口贸易,因此是个例外。从1995年起,日本、美国、欧盟对华进出口总额均约45%,而我国前十大贸易伙伴对华进出口总额则将近80%。基于对世界贸易格局的分析,对我国对外贸易格局得可以做出两个基本判断:

一是我国的对外贸易格局明显受到世界贸易总体格局的制约。由于世界贸易格局呈现出以美欧日主导的多元化态势,三大经济体占世界贸易总额近1/2,因此,我国要发展对外贸易关系,美欧日为主导的发达国家就不可避免地会成为我国的主要贸易伙伴。而我国与日本、美国、欧盟的贸易总额占我国进出口总额近45%的事实表明我国的对外贸易格局的确明显受到世界贸易格局的制约。

二是与世界贸易格局的多元化相比,我国对外贸易的多元化格局还有进一步发展与调整的空间。数据显示,美欧日贸易总额占世界贸易总额的近1/2,占我国对外贸易总额的45%,基本与世界贸易格局一致。我国与三大经济体间的多元化主要在于均衡发展与他们的贸易关系,尤其是要着力提升与欧盟的经贸关系。另外,我国前十大贸易伙伴占我国进出口总额的近80%,而世界贸易格局中前20位才占世界贸易的80%,表明我国与前十大贸易伙伴的依赖偏高,与世界贸易格局的多元化格局相比，我国有进一步分散贸易风险，提升与后十位贸易伙伴的经贸关系的空间。

我国在吸引对外直接投资来源地方面也基本类似，见下表所示：

表 2 - 5　各年对华投资前十位国家和地区

单位：亿美元，%

2001 年	实际金额	百分比	2002 年	实际金额	百分比	2003 年	实际金额	百分比	2004 年	实际金额	百分比
中国香港	167.17	35.66	中国香港	178.61	33.86	中国香港	177	33.08	中国香港	132.5	33.4
维尔京群岛	50.42	10.76	维尔京群岛	61.17	11.6	维尔京群岛	57.77	10.80	韩国	56.84	14.3
美国	44.33	9.46	美国	54.24	10.28	日本	50.54	9.45	中国台湾	35.26	8.89
日本	43.48	9.28	日本	41.9	7.94	韩国	44.89	8.39	美国	34.02	8.57
中国台湾	29.8	6.36	中国台湾	39.71	7.53	美国	41.99	7.85	日本	29.91	7.54
韩国	21.52	4.59	韩国	27.21	5.16	中国台湾	33.77	6.31	维尔京群岛	21.08	5.49
新加坡	21.44	4.57	新加坡	23.37	4.43	新加坡	20.58	3.85	新加坡	11.12	2.8
德国	12.13	2.59	开曼群岛	11.8	2.24	西萨摩亚	9.86	1.84	加拿大	8.63	2.17
开曼	10.67	2.28	德国	9.27	1.76	开曼	8.66	1.62	西萨摩亚	7.30	1.84
英国	10.52	2.24	英国	8.96	1.7	德国	8.57	1.60	中国澳门	6.23	1.57
合计	411.48	87.78	合计	456.24	86.5	合计	453.63	84.78	合计	308.35	86.6

资料来源：商务部外资司业务统计。

从上表可以看出，2001 年到 2003 年及 2005 年对华投资前十位的国家和地区均在上文分析的世界直接投资六极中。表 2 - 5 显示，世界直接投资六极①中的四极：东亚各国和地区（包括中国香港、韩国、新加坡、中国台湾），美国，欧盟（其中的德国和英国），日本，以及自由港（维尔京群岛、开曼群岛、西萨摩亚）是我国吸引外资来源的重要对象。因此，我国吸引外资来源的多元化有两个方面需要加以完善：一是利用外资来源要做到对上述四极的多元化；二是在继续保持吸引以上四极的外资的同时，还要积极利用除欧盟、美国、日本外的其他西方发达国家的外资。

---

①　指上文提到的欧盟、美国、日本、东亚各国和地区、其他西方发达国家、少数发展中国家和部分自由港。

在未来若干年里,欧美日为主导的世界贸易和投资多极格局不会有太大改变。因此,在实施和评估我国的多元化战略时,必须充分考虑当今世界经济格局这一现实,既要注意对新伙伴和市场的开拓,又要特别注意对已有的伙伴和市场积极实施多元化。总之要进一步实施我国市场多元化战略,就必须进一步优化我国的贸易和投资的外部环境,同时要充分考虑世界贸易和投资现实格局的制约。

第三节 我国市场多元化的发展与现状

迄今为止,我国的经济贸易合作伙伴已达二百多个,基本上与所有国家和地区都有经济贸易往来,目前我国对外经贸基本形成以美国、日本、欧盟、中国港台地区为重点,遍布全球的多元化市场格局。

一、对外贸易市场多元化的发展与现状

我国20世纪90年代初提出的以邓小平同志的面向三个世界开放的理论为基础对外经贸市场的多元化战略,虽然本质应该包括三个方面的内容,即"进出口市场的多元化、外资来源多元,以及对外经济技术合作伙伴的多元化"①。但是,人们往往把多元化战略理解成对外贸易的多元化,尤其是出口市场的多元化,因此,对于我国出口市场的多元化方面的研究比较多,也比较深入。但是,我们的市场多元化不仅是出口市场的多元化,而且是进口市场的多元化,是以"保持进出口基本平衡"和"平等互利"为基础的。② 因此,研究对外贸易的市场多元化,也应该从进口的多元化和出口的多元化两个方面来分析。

(一)出口市场多元化的发展变化

正如前面分析的那样,我国外贸市场的多元化离不开世界贸易格局这一大环境。由于世界贸易格局呈现出以美欧日为主导的多个层次的多极化格局,因此,在分析我国出口市场的多元化现状时拟分成三个层次。

第一层次多元化:这一层次的多元化是指占我国出口总额10%以上的多元化格局情况。主要是指美欧日等世界级的贸易大国和地区。

第二层次多元化:这一层次的多元化是指占我国出口额5%~10%的贸易伙伴。

---

① 见1994年对外经济贸易年鉴吴仪的序言。
② 见《国际贸易》杂志1993年第4期吴仪部长在赋予首批一百家科研院所对外经营权大会上的总结讲话摘要。

第三层次多元化：这一层次的多元化是指占我国出口额1%～5%的贸易伙伴。主要是指除前两个层次以外的我国比较重要的经贸伙伴。

上述三个层次的多元化发展状况可以用下面的表格加以说明：

表2-6　中国出口市场三个层次的多元化发展状况

年份	第一层次	第二层次	第三层次	1%以上的贸易伙伴数
1985	中国香港(22.17%) 日本(21.64%) 美国(10.23%)	欧盟(8.69%) 新加坡(8.08%)	约旦(4.09%)　苏联(3.74%) 巴西(1.63%)　瑞士(1.36%) 罗马尼亚(1.03%)　波兰(1%)	第一层次：2个 第二层次：2个 第三层次：6个
1990	中国香港(35.7%) 日本(17.04%)	美国(9.25%) 欧盟(7.05%)	苏联(4.1%)　新加坡(3.58%) 泰国(1.77%)　巴基斯坦(1.09%)	第一层次：2个 第二层次：2个 第三层次：4个
1995	中国香港(24.19%) 日本(19.13%) 美国(18.43%) 欧盟(12.83%)		韩国(4.50%)　新加坡(2.35%) 中国台湾(2.08%)　泰国(1.18%) 俄罗斯(1.12%)　澳大利亚(1.09%) 加拿大(1.03%)	第一层次：4个 第二层次：0个 第三层次：7个
2000	美国(20.91%) 中国香港(17.8%) 日本(16.71%) 欧盟(15.33%)		韩国(4.53%)　新加坡(2.31%) 中国台湾(2.02%)　澳大利亚(1.38%) 加拿大(1.27%)　印度尼西亚(1.23%) 马来西亚(1.03%)　俄罗斯(1.12%)	第一层次：4个 第二层次：0个 第三层次：8个
2003	美国(21.09%) 中国香港(17.40%) 欧盟(16.46%) 日本(13.56%)		韩国(4.58%)　中国台湾(2.05%) 新加坡(2.02%)　澳大利亚(1.43%) 马来西亚(1.40%)　俄罗斯(1.38%) 加拿大(1.39%) 阿拉伯联合酋长国(1.15%) 印度尼西亚(1.02%)	第一层次：4个 第二层次：0个 第三层次：9个
2004	美国(21.06%) 欧盟(18.06%) 中国香港(17.00%) 日本(12.39%)		韩国(4.69%)　中国台湾(2.23%) 新加坡(2.14%)　俄罗斯(1.53%) 澳大利亚(1.49%)马来西亚(1.36%) 加拿大(1.38%) 阿拉伯联合酋长国(1.15%) 印度尼西亚(1.05%)	第一层次：4个 第二层次：0个 第三层次：9个

注：各年的欧盟均包括2004年5月1日以前的15个国家。括号中的百分数为我国对其出口贸易依存度。

资料来源：相应年份《中国对外经济贸易年鉴》，经计算整理而得。

由上表可以看出,我国各年第一、二层次的出口贸易伙伴均为美国、欧盟、日本以及中国香港,这四大出口市场各年均占我国总出口份额的70%左右,足见世界三大经济体对我国外贸发展的重要性。从上表可以看出,世界三大经济体,美国和欧盟市场在我国出口中的份额不断上升,而日本则有下降的趋势。

上表显示出的一个重要特点就是随着时间的推移,我国第二层次的出口市场出现了空白,这主要是由于欧美上升为第一层次,强化了其重要地位,以及新加坡地位相对降低所致。

而我国第三层次的出口贸易伙伴不断增多,从1985年的6个增加到2004年的9个;所占我国出口份额也不断上升,2004年达到17.02%,这是我国实施市场多元化战略取得的明显成绩。在第三层次的出口贸易伙伴中,韩国是最为重要的出口市场,对其出口份额从1995年起就一直保持在4%以上,大有进入第二层次的出口市场的态势。三个层次的出口贸易伙伴各年占我国出口市场份额见下表。

表2-7　我国对出口贸易的三个层次伙伴各年的出口贸易依存度

单位:%

出口贸易伙伴	1985	1990	1995	2000	2003	2004
第一、二个层次	64.28	69.03	74.54	70.81	68.51	68.51
第三层次	12.85	10.54	13.35	14.89	16.42	17.02
总份额	77.13	79.57	87.89	85.70	84.93	85.53

注:此处贸易依存度是由没有调整的GDP数据计算而得的,如果未作特别说明,本书所有依存度数据均是由未经调整的GDP数据计算而得。

资料来源:根据《中国对外经济贸易年鉴》各期计算整理而得。

(二)进口市场多元化的发展变化

进口对于一个国家的国民经济的发展的重要性也是十分重要的。尤其是进口的原材料和成套技术和设备对于国民经济的发展至关重要。近年来随着对石油的战略性进口市场的重视也唤起了对于重要战略物资的进口市场多元化的关注。

与我国出口市场多元化分析一样,我们也将我国进口市场的多元化现状分成三个层次来介绍。

第一层次多元化:这一层次的多元化是指占我国进口总额10%以上的多元化格局情况。主要是指美欧日等世界级的贸易大国和地区。

第二层次多元化:这一层次的多元化是指占我国进口额5%~10%的贸易

伙伴。

第三层次多元化:这一层次的多元化是指占我国进口额 1% ~5% 的贸易伙伴。主要是指除前两个层次以外的我国比较重要的经贸伙伴。

上述三个层次的多元化发展状况可以用下面的表格加以说明:

表 2-8　中国进口市场三个层次的多元化发展状况

年份	第一层次	第二层次	第三层次	1% 以上的贸易伙伴数
1985	日本(31.53%) 中国香港(14.99%) 美国(12.70%) 欧盟(10.77%)	无	苏联(2.66%)　加拿大(2.54%) 澳大利亚(2.53%)　巴西(1.61%) 罗马尼亚(1.33%)　瑞士(1.23%)	第一层次:4 个 第二层次:0 个 第三层次:6 个
1990	中国香港(23.76%) 美国(15.11%) 日本(12.27%) 欧盟(11.85%)	苏联(5.32%)	加拿大(3.98%)　澳大利亚(3.63%) 新加坡(1.40%)　古巴(1.03%)	第一层次:4 个 第二层次:1 个 第三层次:4 个
1995	日本(21.96%) 欧盟(16.09%) 美国(12.20%) 中国台湾(11.19%)	韩国(7.79%)	俄罗斯(2.88%)　中国香港(2.72%) 新加坡(2.57%)　加拿大(2.03%) 澳大利亚(1.96%)马来西亚(1.56%) 印度尼西亚(1.55%)　泰国(1.22%)	第一层次:4 个 第二层次:1 个 第三层次:8 个
2000	日本(18.44%) 欧盟(13.70%) 中国台湾(11.33%) 韩国(10.31%)	美国(9.93%)	中国香港(4.19%)　俄罗斯(2.56%) 马来西亚(2.43%)　新加坡(2.25%) 澳大利亚(2.23%) 印度尼西亚(1.96%) 泰国(1.95%)　加拿大(1.67%) 阿曼(1.45%)	第一层次:4 个 第二层次:1 个 第三层次:9 个
2003	日本(17.96%) 欧盟(12.85%) 中国台湾(11.96%) 韩国(10.45%)	美国(8.20%)	马来西亚(3.39%) 中国香港(2.69%) 新加坡(2.54%)　俄罗斯(2.36%) 泰国(2.14%)　澳大利亚(1.77%) 菲律宾(1.53%)　巴西(1.42%) 印度尼西亚(1.39%) 沙特阿拉伯(1.26%) 加拿大(1.06%)　印度(1.03%)	第一层次:4 个 第二层次:1 个 第三层次:12 个

年份	第一层次	第二层次	第三层次	1%以上的贸易伙伴数
2004	日本(16.81%) 欧盟(12.49%) 中国台湾(11.54%) 韩国(11.9%)	美国(7.96%)	马来西亚(3.24%)　新加坡(2.49%) 俄罗斯(2.16%)　中国香港(2.1%) 泰国(2.06%)　澳大利亚(2.06%) 菲律宾(1.61%)　巴西(1.55%) 印度(1.37%)　沙特阿拉伯(1.34%) 加拿大(1.31%)　印尼(1.29%)	第一层次:4 个 第二层次:1 个 第三层次:12 个

注:各年的欧盟均包括2004年5月1日以前的15个国家。括号中的百分数为我国对其进口贸易依存度。

资料来源:相应年份《中国对外经济贸易年鉴》,经计算整理而得。

由上表可知,相对于出口市场而言,我国进口市场多元化格局比较明显,这主要表现两个方面:一是第一、二层次的进口市场相对出口市场而言所占份额较低,且呈下降趋势,2004年达到51.39%;而第三层次所占份额相对较高,2004年达到了23.12%;二是对于进口市场,第三层次的贸易伙伴较多,2004年达到了12个。三个层次的进口贸易伙伴各年占我国进口市场份额见下表:

表2-9　我国对进口贸易的三个层次伙伴各年的进口贸易依存度

单位:%

出口贸易伙伴	1985 年	1990 年	1995 年	2000 年	2003 年	2004 年
第一、二个层次	70.03	68.31	69.24	63.72	61.42	51.93
第三层次	11.91	10.03	16.49	22.28	22.57	23.12
总份额	81.95	78.34	85.73	86	83.99	75.05

资料来源:《中国对外经济贸易年鉴》,经计算整理而得。

此外,战略性物资的进口市场多元化是应该得到特别关注的,其中尤其是石油进口市场的多元化问题。自从1993年成为石油净进口国以来,我国对进口石油的依赖越来越大,到2002年对石油进口的依存度达到33%,而根据权威估计,到2020年这个数字很可能达到50%～60%,这意味着中国到时候需要进口原油1.8亿至2亿吨。而石油这类战略性物资的进口在特殊时期则很可能受到各种各样的制约,因此石油安全就成为关注的焦点。事实上,目前我国石油进口来源的多元化正在如火如荼地进行,主要是寻求从中亚、南美、非洲、东南亚各国进口,从而降低对中东石油的依赖。

二、国际投资与国际技术合作的市场多元化

虽然过去人们更加关注出口市场的多元化，但是进入新世纪以来，随着我国经济条件和经济环境的改变，使得人们对市场多元化的关注又重新回到市场多元化本源意义上的概念，即它包括进出口贸易的市场多元，利用外资和对外投资的多元化，以及国际经济技术合作的多元化。

（一）利用外资来源多元化

国外直接投资来源多元化是指对华直接投资的国家和地区地理分布的多样化和多层次性。2003年我国利用外资金额达535.05亿美元，居世界首位。在利用国外直接投资额迅速上升的同时，我国利用对外直接投资的来源也呈进一步多元化发展的趋势。虽然香港历年对华投资均居首位，但所占比重呈下降趋势。与进出口贸易相比，在利用外资来源多元化方面不够明显，主要表现为：由于历史原因，我国充分利用了港澳在改革开放之初的重要作用，以及两岸经贸关系加强对统一的重要作用，客观上形成了港澳台的引资比重偏高；而与美欧等发达国家在世界国际直接投资格局中的地位相比，我国所利用的对外直接投资来自于美欧的份额明显偏低。我国各年前十位外资来源国（地区）见下表：

表2−10　我国前十位外资来源国和地区

单位:亿美元,%

1985	实际金额	百分比	1990	实际金额	百分比	1995	实际金额	百分比
中国香港澳门	9.5568	48.86	中国香港	38.3334	58.12	中国香港	200.6037	53.47
美国	3.5719	18.26	日本	4.57	6.93	中国台湾	31.6155	8.43
日本	3.1507	16.11	美国	3.5782	5.42	日本	31.0846	8.28
英国	0.7135	3.65	英国	1.1903	1.80	美国	30.8301	8.22
法国	0.3254	1.66	中国澳门	1.1015	1.67	新加坡	18.5122	4.93
联邦德国	0.2414	1.23	新加坡	1.0349	1.57	韩国	10.4289	2.78
意大利	0.1938	0.99	德国	0.4564	0.69	英国	9.1414	2.44
澳大利亚	0.1436	0.73	泰国	0.4173	0.63	中国澳门	4.3982	1.17
新加坡	0.1013	0.52	荷兰	0.216	0.33	德国	3.8635	1.03
加拿大	0.094	0.48	瑞士	0.1855	0.28	维尔京群岛	3.0376	0.81
合计	18.0924	92.49	合计	51.0835	77.44	合计	343.5157	91.55

续表

2001	实际金额	百分比	2002	实际金额	百分比	2003	实际金额	百分比	2004	实际金额	百分比
中国香港	167.17	35.66	中国香港	178.61	33.86	中国香港	177	33.08%	中国香港	132.5	33.4%
维尔京群岛	50.42	10.76	维尔京群岛	61.17	11.6	维尔京群岛	57.77	10.80%	韩国	56.84	14.3%
美国	44.33	9.46	美国	54.24	10.28	日本	50.54	9.45%	中国台湾	35.26	8.89%
日本	43.48	9.28	日本	41.9	7.94	韩国	44.89	8.39%	美国	34.02	8.57%
中国台湾	29.8	6.36	中国台湾	39.71	7.53	美国	41.99	7.85%	日本	29.91	7.54%
韩国	21.52	4.59	韩国	27.21	5.16	中国台湾	33.77	6.31%	维尔京群岛	21.08	5.49%
新加坡	21.44	4.57	新加坡	23.37	4.43	新加坡	20.58	3.85%	新加坡	11.12	2.8%
德国	12.13	2.59	开曼群岛	11.8	2.24	西萨摩亚	9.86	1.84%	加拿大	8.63	2.17%
开曼	10.67	2.28	德国	9.27	1.76	开曼	8.66	1.62%	西萨摩亚	7.30	1.84%
英国	10.52	2.24	英国	8.96	1.7	德国	8.57	1.60%	中国澳门	6.23	1.57%
合计	411.48	87.78	合计	456.24	86.5	合计	453.63	84.78%	合计	308.35	86.6%

资料来源:根据《中国对外经济统计年鉴》各期数据计算而得。

尽管如此,到目前为止我国在外资来源方面仍然基本形成了以港澳台为第一层次,以东亚新兴工业化国家、日本、美国、欧盟以及部分自由港为第二层次的多元化格局态势。我国吸引直接投资来源国和地区的多元化格局演变如下表所示:

表2-11 我国各年吸引外资来源多元化格局

单位:%

地区(国家) 年份	中国港澳台	东亚六国	日本	美国	欧盟	部分自由港
1995	63.06	7.05	8.28	8.22	5.68	1.1
2000	42.35	10.63	7.16	10.77	11	11.61
2002	42.28	11.23	7.94	10.28	7.03	15.51
2003	52.69	10.33	8.25	8.79	7.55	7.61
2004	43.76	19.06	7.54	8.57	6.39	7.92

注:东亚六国包括:印度尼西亚、马来西亚、菲律宾、新加坡、韩国、泰国;欧盟包括:比利时、丹麦、德国、法国、英国、爱尔兰、荷兰、意大利、卢森堡、荷兰、希腊、葡萄牙、西班牙、奥地利、瑞典;部分自由港包括:维尔京群岛、开曼群岛、西萨摩亚。

资料来源:《中国对外经济贸易年鉴》各期。

从上表可以看出，我国外资来源虽然基本形成了两个层次六个区位的多元化趋势。但是正如前面提到的那样，外资来源中中国港澳台地区所占比重过大，而美欧所占比例相对于在国际直接投资格局中的地位不相称，有进一步扩大吸引美欧直接投资的空间。另外，一般来讲，相对于中国港台地区以及东亚各国资本而言，美欧等发达国家的直接投资质量更高，对于我国提升产业结构，引进技术等方面有着更加重要的意义。

（二）技术来源多元化

一般来讲，发达国家的一个重要特点就是技术发达。不同于其他产品那样是双向的贸易，国际技术贸易的一大特点就是发达国家对于技术的单向输出，当然这也不是绝对的。因此技术贸易的这种特点就制约着技术来源的多元化了。但是，这并不是说对于技术来源的多元化我们就无所作为了。事实上，起码我们在引进技术时可以在各发达经济体之间做到平衡发展，同时也可以拓宽技术来源渠道，从新兴工业国家和一些拥有特殊技术优势的国家获取技术，在有限的条件下努力做到技术来源的多元化。

在过去十多年的时间里在技术来源多元化方面至少在以下两个方面取得了显著成绩：

一是基本上形成了欧美日三大技术来源的多元化格局，但从欧盟、日本的技术引进上升迅速。1990年我国从美国的技术引进项目的合同金额达3.20亿美元，占当年技术引进项目合同总金额的25.16%，大大高于第二位的德国（8.96%）。而到1995年从美国引进的技术项目合同金额为22.7亿美元，虽然也居第一位，但是所占当年我国引进技术项目合同总金额比例降到17.43%，比处于第二位的日本（17.25%）相差无几。而到2001年我国的第一大外资来源国已经不再是美国而是德国了，若算是其他欧盟成员国，无疑欧盟早已成为我国最大的技术来源国。

二是除从发达国家引进技术外，也扩大了向新兴工业化国家和部分有特殊技术优势的国家引进技术的力度，使得我国的技术来源渠道大大拓宽了。在1990年，我国前十大技术来源国无一例外是西方发达国家；而1995年前十大技术来源国除西方发达国家外，还有俄罗斯，从俄引进技术的合同金额占当年总金额的5.82%；2000年韩国和中国香港，2001年捷克相继成为我国技术来源的前十大来源地。可见，我国在技术引进方面除了继续从传统的技术来源地发达国家引进技术外，也加强了同新兴工业化国家和一些具有特殊技术优势的国家引进技术，努力拓宽技术来源渠道，向技术来源的多元化方向迈进。

（三）"走出去"目标市场多元化

"走出去"本身就是与多元化战略相互平行的对外经贸战略之一。在实施"走出去"战略中，也有"走出去"的市场多元化问题。"走出去"多元化涉及两个方面的内容：一是境外直接投资的多元化，一是国外经济合作的多元化。

在境外直接投资方面，我国企业境外投资的国家和地区分布的主要特点是：以周边国家和地区（尤其是中国香港）为主；在发达国家中的投资则主要以美加澳为主；而广大发展中国家也是我国对外直接投资的主要对象，例如2000年我国境外直接投资前两位的均为发展中国家，居首位的是赞比亚，对其直接投资占当年对外直接投资总额的14.52%。我国在非洲、拉美、东欧、俄罗斯及亚洲国家均有一定数量的直接投资，特别是加工贸易和资源开发项目较多。截至2004年，我国海外投资各大洲的分布比例为：亚洲（74.6%）、欧洲（1.7%）、非洲（2%）、北美（2.4%）、拉美（18.5%）、大洋洲（1.1%）；从国别来看，我国对外直接投资前十位的国家（地区）为：中国香港、开曼、维尔京群岛、美国、中国澳门、韩国、澳大利亚、新加坡、百慕大群岛、泰国。在国外经济合作方面，我国在市场多元化方面也取得了显著成绩。在援外基础上发展起来的国外经济合作包括对外承包工程、劳务合作和对外设计咨询。我国目前在全球一百八十多个国家和地区都有对外工程承包业务往来，基本形成了"亚洲为主，非洲、拉美、南太平洋地区为辅，中东稳步恢复，欧美取得进展"的向多元化方向迈进的市场格局。2002年对外承包工程营业额各大洲所占比例分别为：亚洲（51.2%）、非洲（16.1%）、欧洲（8.1%）、北美（5.0%）、拉美（3.1%）、大洋洲（0.8%）。从国别来看，前十位国家（地区）为：中国香港、美国、新加坡、苏丹、孟加拉国、伊朗、巴基斯坦、缅甸、哈萨克斯坦、阿尔及利亚，这10个国家的营业额合计占全部对外工程承包营业额的近一半，其中除美国外，其他各国均为我国对外工程承包的传统市场。在对外劳务输出方面，同样高度集中在亚洲地区，2002年底我国在各大洲的劳务数量所占份额分别为：亚洲（73.64%）、非洲（12.49%）、欧洲（5.46%）、拉美（2.73%）、北美（3.81%）、大洋洲（1.45%）；从国别来看，目前最大的劳务市场分别是新加坡、韩国、中国港澳台地区、美国、以色列、毛里求斯、俄罗斯、阿尔及利亚，这11个国家和地区的劳务量占全部劳务的71.6%。在2004年我国对外承包工程和劳务合作的营业额的各大洲比例分布为：亚洲（49.17%）、非洲（18.81%）、欧洲（7.70%）、北美（1.74%）、拉美（4.09%）、大洋洲（0.54%）；从国别上来看，前十位国家（地区）为：中国香港、阿尔及利亚、美国、新加坡、苏丹、孟加拉国、伊朗、巴基斯坦、缅甸、哈萨克斯坦。

综合上述分析，无论是海外投资、对外工程承包还是劳务合作都明显偏重在亚洲地区。这一方面反映了我国在亚洲地区开展投资和经济合作活动有相似文化和熟悉市场条件的优势，也反映了我国在投资和经济合作方面对于开拓新兴市场方面尚有不足。而正在实施的多元化战略不仅仅要求进口市场多元化、外资和技术来源多元化，也要求"走出去"的市场多元化，这就要求在确保亚洲周边市场作为"走出去"主战场的同时，也要积极拓展非洲、美洲、欧洲等市场"走出去"的空间。

第四节　市场多元化的指数与实证分析

在对我国对外经贸市场多元化发展现状的基础上，本节利用市场结合度和赫芬达指数对我国市场多元化发展现状做一递进分析。首先介绍这两个指数的含义，然后利用这两个指标对我国市场多元化战略的实施情况进行检验与评估。

——市场结合度指数

对于我国实施多元化战略以来所取得成绩的评估，大多数学者都像上一部分那样以我国对其他国家的贸易和投资的绝对份额来判断，由此得出我国对美日欧的依赖程度较大，而与广大亚拉发展中国家的贸易和投资份额就比较小，因此需要加大力度开拓亚非拉国家的市场。无疑这种评价在一定程度上反映了我国对外经济贸易关系的客观现实。但是如第二部分分析的那样，我国市场的多元化是在世界贸易和投资的客观环境中进行的，因此离不开世界贸易和投资"少数主导、多极发展"的现实格局的制约。因此，一方面应看到我国与发达国家在贸易和投资的绝对份额确实很大，但是另一方面也要看到，发达国家尤其是美日欧在整个世界的贸易和投资中的份额占绝对的主导地位，尤其是区域内部或是这三大经济体间的相互贸易和投资十分紧密。因此，判断我国对发达国家的贸易和投资是否过于依赖，一方面要看绝对份额，另一方面也要看双边贸易和投资的相对紧密程度，这种相对紧密程度是这些国家的平均紧密程度作为参照的。

衡量双边贸易关系相对紧密性的指标可以用贸易结合度指数来表示。贸易结合度指数首先由经济学家布朗（A. J. Brown）提出，后经小岛清、彼得·德拉斯戴尔（Peter Drtsadle）、山泽逸平等人的研究得到了完善，并明确了其统计学和经济学上的意义。

出口（进口）贸易结合度指数用公式表述如下：

$$EI_{ij} = (X_{ij}/X_i)/(M_j/M_w)$$

其中 X_{ij} 为 I 国对 J 国的出口（进口）额，X_i 为 I 国的出口（进口）总额，M_j 为 J 国的进口（出口）总额，M_w 为世界进口（出口）总额。X_{ij}/X_i 表示 I 国对 J 国的出口（进口）占 I 国出口（进口）总额的比率（依存度），M_j/M_w 表示 J 国的进口（出口）占世界进口（出口）总额的比率，这实际上为 J 国的进口（出口）能力。所以，贸易结合度指数表明，与 J 国的进口（出口）占世界进口（出口）总额的比率相比，I 国对 J 国的出口（进口）占 I 国出口（进口）总额的比率究竟多大。如果后者的比率大于前者的比率，即 $I_{ij} > 1$，就说明（与世界平均水平相比）I 国和 J 国在出口（进口）贸易上存在密切的关系；如果后者的比率小于前者的比率，即 $I_{ij} < 1$，就说明（与世界平均水平相比）I 国和 J 国在出口（进口）贸易上较为疏远。

与进出口贸易结合度指标类似，投资结合度指标也可分为吸引外资结合度指数和对外投资结合度指数。吸引外资结合度指数用公式可表述为：

$$IFDI_{ij} = (FDI_{ij}/FD_{Ii})/(OFDI_j/OFDI_w)$$

其中 FDI_{ij} 为 I 国从 J 国所吸收的直接投资额，FDI_i 为 I 国当年吸收的直接投资总额，$OFDI_j$ 为 J 国当年对外投资总额、$OFDI_w$ 为当年世界直接投资总额。如果 $IFDI_{ij} > 1$，就说明 I 国与 J 国在吸收对外直接投资上存在密切的关系；如果 $IFDI_{ij} < 1$，就说明 I 国与 J 国吸收其对外直接投资上的关系相对疏远。

与吸引直接投资结合度指标类似，对外投资结合度指标用公式可表述为：$OFDI_{ij} = (FDI_{ij}/FDI_i)/(IFDI_j/IFDI_w)$。其中 FDI_{ij} 为 I 国对 J 国的直接投资额，FDI_i 为 I 国当年对外直接投资总额，$IFDI_j$ 为 J 国当年吸引直接投资总额、$IFDI_w$ 为当年世界吸引直接投资总额。如果 $OFDI_{ij} > 1$，就说明 I 国对 J 国的直接投资关系密切；如果 $OFDI_{ij} < 1$，就说明 I 国对 J 国的直接投资的关系相对疏远。

——赫芬达指数

赫芬达指数源自产业组织学，是衡量市场集中度的一种指数，又称赫芬达—赫尔希曼指数（Herfindahl-Hirschman Index），简称 H 指数计算方式是将市场中所有厂商的市场占有率之平方数加总。OECD 出版的《经济全球化指数手册（2005）》借用了赫芬达指数来描述国际贸易和国际投资的地理集中程度（Geographic Concentration Index）。

OECD 将反应市场集中度（多元化）的指标也用赫芬达指数来表示。与产业组织学中反映市场集中度的赫芬达指数的计算类似，将反应一国出口（进口）地区集中度的市场多元化 H 指数等于与每个贸易对象国的出口（进口）占一国出口(进口)总额的比例的平方的总和。计算公式如下：

$$H = \sum_{i=1}^{n} \left(\frac{X_i}{\sum_{i=1}^{n} X_i} \right)$$

其中 X_i 表示出口时，则 H 指数表示一国出口贸易的市场多元化指数；若 X_i 表示进口时，则 H 指数表示一国进口贸易的市场多元化指数。

与进出口贸易的 H 指数计算类似，吸引外资和对外直接投资的市场多元化 H 指数等于与每个投资对象国的引资(投资)占一国引资(投资)总额的比例的平方的总和。计算公式如下：

$$H = \sum_{i=1}^{n} \left(\frac{FDI_i}{\sum_{i=1}^{n} FDI_i} \right)$$

其中 FDI_i 表示吸引外资时，则 H 指数表示一国在外资来源方面的多元化指数；若 FDI_i 表示对外直接投资时，则 H 指数表示一国对外直接投资的市场多元化情况。

无论是贸易还是投资，H 指数值均介于 1/n 与 1 之间。当市场分布完全均等，即实现了完全的多元市场，其值为 1/n；如果市场高度集中于一个目标市场，则 H 指数为 1；随着 H 指数的增长，市场越集中于少数市场，而随着 H 指数的减小，市场则越分散和多元化。

一、出口贸易市场多元化指数与实证分析

(一)出口贸易的市场结合度指数与实证分析

1. 出口贸易结合度国别元分析

1995 年、2003 年和 2004 年我国与出口贸易前 60 个国家的出口贸易结合度指数见下表：

表 2-12　各年出口贸易结合度国别指数

指数值	1995	2003	2004
10 以上	朝鲜(16.34) 缅甸(13.84) 中国澳门(13.33)	无	无
5~10	多哥(8.05) 巴拿马(8.00) 中国香港(6.52)	巴拿马(8.89) 缅甸(6.47) 中国香港地区(5.80)	巴拿马(10) 中国澳门(7.30) 缅甸(6.96) 科威特(6.67) 中国香港(5.92)

指数值	1995	2003	2004
2~5	孟加拉国(3.55) 越南(3.23) 日本(3.01) 巴基斯坦(2.41)	哈萨克(3.34) 尼日利亚(2.91) 苏丹(2.80) 日本(2.77) 阿拉伯联合酋长国(2.61) 巴基斯坦(2.52) 印度尼西亚(2.45) 孟加拉国(2.45) 越南(2.35)	苏丹(3.26) 哈萨克斯坦(2.85) 日本(2.58) 孟加拉国(2.46) 阿联酋(2.3) 巴基斯坦(2.21) 越南(2.18) 韩国(2.0)
1~2	古巴(1.97) 阿联酋(1.85) 韩国(1.76) 斯里兰卡(1.61) 埃及(1.34) 菲律宾(1.28) 美国(1.26) 印度尼西亚(1.26) 叙利亚(1.16) 约旦(1.08) 中国台湾(1.06) 新加坡(1.00)	韩国(1.99) 叙利亚(1.76) 伊朗(1.49) 菲律宾(1.39) 斯里兰卡(1.38) 俄罗斯(1.38) 马来西亚(1.35) 澳大利亚(1.30) 中国台湾(1.28) 新加坡(1.26) 美国(1.26) 埃及(1.25) 智利(1.18) 沙特阿拉伯(1.12) 科威特(1.07)	叙利亚(1.82) 印尼(1.81) 埃及(1.64) 中国台湾(1.58) 菲律宾(1.57) 俄罗斯(1.51) 斯里兰卡(1.43) 美国(1.31) 澳大利亚(1.30) 新加坡(1.23) 马来西亚(1.23) 伊朗(1.16) 智利(1.08) 沙特(1)
0.5~1	俄罗斯(0.97) 澳大利亚(0.94) 沙特(0.93) 智利(0.92) 泰国(0.88) 印度(0.78) 匈牙利(0.75) 南非(0.73) 伊朗(0.72) 秘鲁(0.70) 黎巴嫩(0.68) 尼日利亚(0.64) 荷兰(0.62) 新西兰(0.60) 马来西亚(0.59) 波兰(0.58) 罗马尼亚(0.56) 巴西(0.50)	南非(0.94) 阿尔及利亚(0.89) 泰国(0.87) 摩洛哥(0.87) 匈牙利(0.85) 印度(0.85) 中国澳门(0.82) 新西兰(0.77) 巴西(0.75) 芬兰(0.72) 乌克兰(0.71) 德国(0.57) 以色列(0.55) 朝鲜(0.55) 土耳其(0.54)	南非(0.83) 阿尔及利亚(0.90) 泰国(0.98) 摩洛哥(0.84) 匈牙利(0.73) 印度(0.97) 新西兰(0.75) 巴西(0.90) 芬兰(0.78) 德国(0.53) 以色列(0.58) 英国(0.52) 爱尔兰(0.56) 罗马尼亚(0.53) 荷兰(0.93)
0~0.5	阿根廷(0.48) 德国(0.43) 土耳其(0.43) 摩洛哥(0.40) 英国(0.37) 意大利(0.36) 加拿大(0.32) 西班牙(0.31) 希腊(0.26) 挪威(0.24) 丹麦(0.24) 法国(0.23) 以色列(0.22) 比利时-卢森堡(0.22) 瑞典(0.22) 芬兰(0.21) 捷克共和国(0.20) 瑞士(0.18) 奥地利(0.09) 墨西哥(0.09) 其他国家和地区(0.02)	英国(0.49) 爱尔兰(0.47) 丹麦(0.45) 捷克(0.44) 希腊(0.43) 波兰(0.43) 意大利(0.41) 加拿大(0.40) 荷兰(0.40) 挪威(0.40) 罗马尼亚(0.37) 其他国家和地区(0.35) 西班牙(0.34) 法国(0.33) 墨西哥(0.32) 瑞典(0.31) 比利时(0.30) 瑞士(0.15) 奥地利(0.12)	丹麦(0.46) 捷克(0.32) 希腊(0.42) 波兰(0.33) 意大利(0.42) 加拿大(0.40) 挪威(0.33) 其他国家和地区(0.46) 西班牙(0.35) 法国(0.34) 墨西哥(0.38) 瑞典(0.30) 比利时(0.33) 瑞士(0.21) 奥地利(0.10)

资料来源:由WTO官方网站和《中国对外经济贸易年鉴》数据计算整理而得。

根据上表中国对各个国家出口贸易结合度数据,可以对多元化战略所取得的成绩做如下大致的判断:

第一,我国与世界上绝大多数国家的出口贸易紧密程度增强。与1995年相比,2003年和2004年与我国出口贸易结合度指数大于1的国家数量明显增多。虽然出口贸易结合度在1995年大于10的有三个国家和地区,而2003年和2004年却没有贸易结合度10以上的国家,但是我国比较重要的贸易伙伴几乎其出口贸易结合度都有所提高,特别是与大部分欧盟各国的出口贸易结合度虽然各年均在0.5左右,但其值却有明显提高,显示出我国与欧盟的经贸关系相对紧密程度得到了加强。

第二,我国与日本出口贸易的相对紧密程度略有降低。出口贸易对日本的绝对依存度从1995年的19.13%,降到2003年13.56%,2004年又降到12.39%。中国与日本的出口贸易结合度(出口贸易相对依存度)也由1995年的3.01降到2003年的2.77,2004年再降到2.58,因此,中国对于日本出口的紧密程度有了小幅降低。但在所有发达国家中,日本与我国的出口贸易联系仍最为紧密。

第三,我国与美国的出口贸易紧密程度变化不大。中国与美国的出口贸易结合度1995与2003两年均为1.26,2004年小幅上升至1.31。我国对美国出口贸易的绝对依存度也从1995年的18.43%提到2003年的21.09%,2004年为21.06%。可见,美国在我国出口贸易中的地位无论从绝对依存度还是相对依存度来看都是比较高的。

第四,中国对欧洲各国的出口贸易紧密程度明显加强,且仍有进一步密切出口贸易紧密程度的空间。在数据上表现为1995年和2004年大部分欧洲国家的出口贸易结合度均在0.5左右,其数值均有不同程度的提高,尤其是德国。

第五,与我国出口贸易关系最为紧密的多为亚非拉发展中国家及新兴工业化国家。这似乎与我们平常的判断不一致:认为我国与发达国家贸易关系比发展中国家贸易关系密切。从上表看出,2003年和2004年我国与发达国家出口贸易结合度指数大于1的国家只有日本(2.77),美国(1.26);其他的出口贸易结合度指数大于1的均为发展中国家和周边新兴工业化国家;我国与其他发达国家的出口贸易结合度均小于1。因此,在看到我国对发达国家的出口贸易绝对依存度大以外,也应该看到对除美日外的西方发达国家的贸易结合度相对较低的事实。因此,对西方发达国家(尤其是西欧)有进一步加强双边经贸关系的空间。当然,之所以与西方发达国家出口贸易结合度低,很大原因是欧盟成员国内部贸易所致。但是也应该看到我国除了与欧盟成员国出口贸易结合度低外，还与澳大利亚、加拿大、瑞士、挪威等非欧盟成员国的贸易结合度低，可见我国与西方发达国家的出口贸易结合度低不能认为完全是欧盟内部贸易所致。

第六，虽然我国与个别发展中国家出口贸易关系比较紧密，但是我国对大多数发展中国家的出口与他们从世界的平均进口而言相对偏低，因此对广大发展中国家有进一步开拓市场的空间。这从上表中我国对"其他国家和地区"的出口贸易结合度数值可以看出，在 1995 年这一数值为 0.02，而 2003 年则为 0.35，2004 年为 0.46，可见出口贸易关系较以前紧密得多，但仍低于 0.5，因此还有较大的改善空间。

第七，总体来看多元化战略取得了比较显著的成绩。从上表可以看出，我国与世界各国和地区的出口贸易结合度有向中间缩拢的趋势，主要表现在前 60 位的出口市场中，出口贸易结合度 10 以上的国家和地区没有，同时低于 0.1 的也没有。因此，我国整体上与世界各国出口贸易发展向多元化方向迈进。最为重要的是，我国对欧美日这三大经济体的出口贸易结合度呈向中间靠拢的趋势，即对日本的出口贸易结合度略有下降，而对美国的出口贸易结合度维持不变，而对欧洲各国的出口贸易结合度均有上升，因此，我国与欧美日的出口贸易呈平衡发展态势。

总之，出口贸易结合度这一指标充分显示出了我国多元化战略所取得的成绩，即在稳住美日市场的同时，大力开拓欧洲市场。更为重要的是与东亚各国、澳洲、中东和拉美的主要国家的出口贸易结合度均有提高，显示出我国多元化战略实施过程中开拓发展中国家市场所取得的成绩。但是，前 60 位出口市场后的其他国家（在表中用其他国家和地区表示）虽然整体上出口贸易结合度上升很大，从 1995 年的 0.02 上升到 2004 年的 0.46，但是仍低于 0.5。因此，对这些市场的开拓仍然是未来我国多元化战略的重点。

2. 出口贸易结合度区域元分析

我国与世界各地区出口贸易结合度指标如下表所示：

表 2-13   我国与世界各地区出口贸易结合度

1995	出口贸易结合度	2003	出口贸易结合度	2004	出口贸易结合度
中国港澳台	4.69	中国港澳台	4.23	中国港澳台	4.16
日韩	2.65	日韩	2.51	日韩	2.39
东盟	1.05	上海合作组织	1.63	上海合作组织	1.71

1995	出口贸易结合度	2003	出口贸易结合度	2004	出口贸易结合度
美加墨	1.02	东盟	1.42	东盟	1.36
上海合作组织	0.99	中东地区	1.25	中东地区	1.08
欧盟	0.95(0.32)	澳新自贸区	1.17	澳新自贸区	1.20
亚洲其他	0.88	欧盟	1.15(0.43)	欧盟	1.34(0.45)
澳新自贸区	0.87	拉丁美洲	1.12	拉丁美洲	1.23
中东地区	0.81	非洲	1.10	非洲	1.04
非洲	0.70	美加墨	1.04	美加墨	1.10
拉丁美洲	0.44	亚洲其他	0.86	亚洲其他	1.45
欧洲其他	0.23	欧洲其他	0.32	欧洲其他	0.28

注:东盟包括10个国家;欧盟包括15个国家;上海合作组织包括除中国外的其他5个国家;中东包括13个国家;根据WTO网站上的统计分类亚洲包括了大洋洲;我国对欧盟的出口贸易结合度括号里的数字是包括了欧盟成员国国内部的贸易而计算的;拉丁美洲不包括墨西哥。

资料来源:由WTO官方网站、《中国对外经济贸易年鉴》计算整理而得。

由上表可见,我国与世界各地区的出口贸易结合度也有平衡发展的趋势,但是很明显我国与港澳台地区、日韩的出口贸易关系最为紧密,但数值呈下降态势,而我国与上海合作组织成员国的出口贸易关系上升较快。从数值上看2003年我国与各主要地区的出口贸易结合度均大于1,而只有亚洲其他国家和欧洲其他国家小于1,2004年则仅欧洲其他国家小于1,可见,从数值上看我国与欧洲其他国家的出口贸易关系疏远。如果将欧盟的内部贸易考虑在内,那么与欧盟的出口贸易关系也较为疏远。

(二)出口贸易市场多元化的赫芬达指数分析

1. 出口贸易国别多元化 H 指数分析

根据各年中国对世界其他各国出口额计算出出口贸易的 H 指数值如下表所示:

表 2-14　历年我国出口贸易国别赫芬达指数

年　　份	出口 H 指数
1984	0.116484172
1985	0.118791614
1989	0.156899608
1990	0.170696439
1995	0.135875487
2000	0.116042494
2003	0.101572582
2004	0.097499704

资料来源：根据海关统计计算而得。

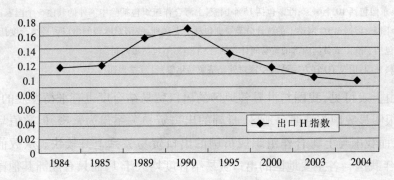

图 2-1　历年我国出口贸易国别 H 指数趋势图

由上图可知，自改革开放以来，出口贸易 H 指数值经历了由上升到下降的阶段，即在 20 世纪 80 年代我国出口贸易地理集中度越来越强，到 20 世纪 90 年代初达到顶峰，进入 90 年代后，随着市场多元化战略的提出，我国出口贸易的地理分散度逐步增强，到 2004 年达到最低点。可见，我国出口贸易市场多元取得了显著成绩。

2. 出口贸易区域多元化 H 指数分析

根据我国对世界主要出口区域数据，计算出了各年我国出口贸易区域多元化指数，见下表：

表 2 – 15　历年我国出口贸易区域赫芬达指数

	1984	1985	1989	1990	1995	2000	2003	2004
中国港澳台	0.05511	0.05304	0.11312	0.13233	0.07184	0.04069	0.03900	0.03824
日韩	0.00012	0.00019	0.03741	0.03106	0.05583	0.04514	0.03290	0.02916
东盟	0.00570	0.01070	0.00386	0.00415	0.00496	0.00484	0.00498	0.00523
上合组织	0.00064	0.00140	0.00164	0.00168	0.00016	0.00014	0.00033	0.00041
美加墨	0.01092	0.01245	0.00963	0.01025	0.03836	0.05158	0.05349	0.05415
欧盟	0.01000	0.00887	0.00609	0.00497	0.01647	0.02349	0.02709	0.03262
澳新	0.00009	0.00007	0.00009	0.00008	0.00016	0.00024	0.00026	0.00028
非洲	0.00065	0.00026	0.00021	0.00016	0.00028	0.00041	0.00054	0.00054
拉美	0.00061	0.00069	0.00012	0.00013	0.00039	0.00055	0.00073	0.00050
其他	0.15154	0.12841	0.02439	0.02246	0.00153	0.00419	0.00490	0.00428
区域 H 指数	0.23539	0.21608	0.19657	0.20728	0.18999	0.17127	0.16423	0.16542

注：上合组织指上海合作组织（1990 年前用苏联代替）；东盟指泰国、菲律宾、新加坡等 10 个国家；欧盟指欧盟东扩前的 15 个国家；拉美指除墨西哥外的其他拉美国家；其他指除表上所列区域外的其他国家的总和。

资料来源：根据海关统计数据计算而得。

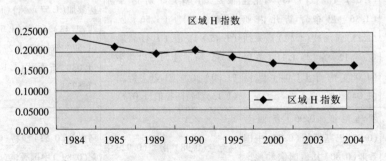

图 2 – 2　历年我国出口贸易区域 H 指数趋势图

　　由上表可知，我国出口贸易的区域分散度呈逐年下降趋势，到 2004 年达到最低点，表明，从区域经济体来看，我国出口贸易市场多元化也取得了较大成绩。

二、进口贸易市场多元化指数与实证分析

(一)进口贸易的市场结合度指数

1. 进口贸易结合度国别元分析

1995 年、2003 年和 2004 年我国进口贸易前 60 个国家的进口贸易结合度指数见下表。

表 2 - 16　1995/2003/2004 年进口贸易结合度国别指数

指数值	1995	2003	2004
10 以上	吉尔吉斯(11.78)	无	无
5~10	蒙古(8.33)也门共和国(6.92)缅甸(6.87)古巴(5.23)中国台湾(5.09)	苏丹(8.73)朝鲜(7.98)中国台湾(5.95)刚果(布)(5.64)	苏丹(7.5)朝鲜(7.80)中国台湾(5.80)刚果(布)(7)安哥拉(5.6)也门(5.2)阿曼(5.07)
2~5	阿曼(3.65)秘鲁(3.48)韩国(3.25)中国澳门(2.56)日本(2.55)越南(2.51)哈萨克斯坦(2.39)	安哥拉(4.45)韩国(4.02)菲律宾(3.08)阿曼(3.01)日本(2.85)赤道几内亚(2.85)马来西亚(2.52)哈萨克(2.42)也门共和国(2.34)	韩国(4.00)菲律宾(3.74)日本(2.72)赤道几内亚(3)马来西亚(2.35)澳大利亚(2.19)
1~2	澳大利亚(1.90)俄罗斯(1.80)加蓬(1.78)印度尼西亚(1.73)苏丹(1.65)乌拉圭(1.62)安哥拉(1.48)乌克兰(1.36)巴布亚新几内亚(1.15)新加坡(1.12)马来西亚(1.12)泰国(1.11)美国(1.08)南非(1.04)巴西(1.04)	智利(1.94)泰国(1.93)澳大利亚(1.88)加蓬(1.82)伊朗(1.80)印度尼西亚(1.72)阿根廷(1.69)哥斯达黎加(1.68)秘鲁(1.56)巴西(1.45)印度(1.41)越南(1.36)新加坡(1.32)俄罗斯(1.30)文莱(1.26)新西兰(1.13)沙特阿拉伯(1.07)	智利(1.86)泰国(1.94)加蓬(1.75)伊朗(1.63)印度尼西亚(1.63)阿根廷(1.53)哥斯达黎加(1.57)秘鲁(1.93)巴西(1.48)印度(1.61)越南(1.57)新加坡(1.27)俄罗斯(1.08)新西兰(1.14)南非(1.53)
0.5~1	罗马尼亚(0.96)新西兰(0.87)巴基斯坦(0.84)中国香港(0.80)其他国家和地区(0.73)阿根廷(0.70)菲律宾(0.70)卡塔尔(0.68)德国(0.60)芬兰(0.59)智利(0.56)加拿大(0.55)意大利(0.52)印度(0.50)	乌克兰(0.98)南非(0.92)中国香港(0.90)巴基斯坦(0.88)美国(0.85)其他国家和地区(0.66)芬兰(0.61)德国(0.59)	乌克兰(0.53)沙特(0.97)文莱(0.89)中国香港(0.72)巴基斯坦(0.73)美国(0.89)其他国家和地区(0.74)芬兰(0.81)德国(0.54)瑞士(0.50)

指数值	1995	2003	2004
0～0.5	瑞典(0.47)瑞士(0.44)伊朗(0.43)沙特阿拉伯(0.42)奥地利(0.39)科威特(0.38)西班牙(0.36)法国(0.35)英国(0.32)土耳其(0.26)丹麦(0.24)比利时-卢森堡(0.24)以色列(0.23)挪威(0.21)阿拉伯联合酋长国(0.18)捷克共和国(0.17)荷兰(0.16)波兰(0.16)墨西哥(0.10)	瑞典(0.49)瑞士(0.49)罗马尼亚(0.48)科威特(0.43)委内瑞拉(0.42)以色列(0.40)意大利(0.32)加拿大(0.29)法国(0.29)丹麦(0.26)阿联酋(0.24)挪威(0.23)英国(0.21)奥地利(0.21)土耳其(0.21)比利时(0.20)爱尔兰(0.19)墨西哥(0.18)西班牙(0.16)匈牙利(0.13)波兰(0.12)荷兰(0.12)捷克(0.11)	瑞典(0.45)罗马尼亚(0.23)科威特(0.47)委内瑞拉(0.35)以色列(0.40)意大利(0.30)加拿大(0.38)法国(0.28)丹麦(0.25)阿联酋(0.26)挪威(0.28)英国(0.22)奥地利(0.21)土耳其(0.16)比利时(0.19)爱尔兰(0.18)墨西哥(0.18)西班牙(0.16)匈牙利(0.13)波兰(0.11)荷兰(0.14)捷克(0.11)

资料来源:由 WTO 官方网站和《中国对外经济贸易年鉴》数据计算整理而得。

与出口贸易结合度相似,根据上表我国各年进口贸易前 60 个国家和地区的进口贸易结合度的数据我们可以有以下判断:

第一,我国与世界上绝大多数国家的进口贸易紧密程度普遍增强。在进口贸易结合度指标上表现为,2003 年和 2004 年前 60 个进口贸易伙伴中的大多数的进口贸易结合度值较 1995 年都有不同程度提高。

第二,我国与日本进口贸易紧密程度略有上升。1995 年我国与日本进口贸易结合度指数值为 2.55,而 2003 年上升到 2.85,2004 年降为 2.72。而 2003 年我国的出口贸易与日本较之 1995 年更为疏远,这与进口贸易关系刚好相反。

第三,我国与美国的进口贸易关系变得疏远。中国与美国的进口贸易结合度在 1995 年大于 1,其值为 1.08;而到 2003 年其值为 0.85,2004 年为 0.89,小于 1。因此,我国与美国的进口贸易的关系变得相对疏远了。

第四,中国与欧洲(包括欧盟各国)各发达国家的进口贸易关系比较疏远。我国对欧盟各国的进口贸易结合度指数没有一个国家大于 1。虽然 2003 年和 2004 年较之 1995 年我国与欧盟各国的进口贸易关系有所加强,表现为与 1995 年相比,大部分国家 2003 年和 2004 年的进口贸易结合度都有所提高,但提高的程度远不如中国对欧盟各国出口贸易结合度那么显著。

第五,较之发达国家而言,我国进口贸易与周边国家和地区以及其他地区的发展中国家更为密切,但是与大多数发展中国家的进口贸易关系较疏远。这一点可从上表数据看出，2004年进口贸易结合度大于1的发达国家只有日本(2.72)、澳大利亚(2.19)和新西兰(1.14)，其余的均为周边或其他地区的发展中国家和新兴工业化国家。而"其他国家和地区"的进口贸易结合度值不仅从1995年的0.73下降到2003年的0.66和2004年的0.74，而且低于1，因此我国对其进口贸易关系属于疏远层次。

第六，我国与"其他国家和地区"的进口贸易较之与其出口贸易关系要紧密得多。这可以由出口贸易结合度指标与进口贸易结合度指标的对比中看出。出口贸易结合度在1995年为0.02，而进口贸易结合度在1995年为0.73；出口贸易结合度在2003年为0.35，而进口贸易结合度在2003年为0.66。

第七，进口的多元化较出口多元化更为明显。主要表现为进口贸易与发展中国家的关系更为紧密，出口贸易则相对来说更集中在发达国家。美国是我国与世界各国进出口贸易发展不平衡的一个典型。2004年我国与美国的出口贸易结合度达1.31，属于紧密关系；而2003年我国与美国的进口贸易结合度仅为0.89，因此关系较为疏远。但是，由于日欧美在世界出口中的份额庞大，因此尽管相对进口贸易结合度低，但进口的绝对值仍然是发展中国家无法相比的。

2. 进口贸易结合度区域元分析

进口贸易的以上特点也可以通过我国与世界各主要经济区域的进口贸易结合度指标加以印证。

表2-17 我国与世界各地区进口贸易结合度

1995	进口贸易结合度	2003	进口贸易结合度	2004	进口贸易结合度
日韩	2.70	日韩	3.19	日韩	3.11
中国港澳台	2.50	中国港澳台	2.92	港澳台	2.78
上海合作组织	1.86	东盟	1.91	东盟	1.86
澳新自贸区	1.71	澳新自贸区	1.68	澳新自贸区	1.97
东盟	1.21	上海合作组织	1.39	上海合作组织	1.16
欧洲其他	1.17	亚洲其他	1.36	亚洲其他	1.95
欧盟	1.04	欧洲其他	1.35	欧洲其他	0.97
美加墨	0.87	拉美（除墨）	1.28	拉美（除墨）	1.28
拉丁美洲（除墨）	0.73	中东	0.90	中东	0.90

1995	进口贸易结合度	2003	进口贸易结合度	2004	进口贸易结合度
中东	0.55	非洲	0.88	非洲	1.10
亚洲其他	0.52	欧洲联盟	0.87	欧洲联盟	0.95
非洲	0.49	美加墨	0.62	美加墨	0.67

注:东盟包括 10 个国家;欧盟包括 15 个国家;上海合作组织包括除中国外的其他 5 个国家;中东包括 13 个国家;根据 WTO 官方网站上的统计分类亚洲包括了大洋洲;我国对欧盟的出口贸易结合度括号里的数字是包括了欧盟成员国国内部的贸易而计算的;拉丁美洲不包括墨西哥。

资料来源:由 WTO 官方网站、《中国对外经济贸易年鉴》计算整理而得。

由上表看出,在 2004 年日本和韩国无疑是与我国的进口贸易保持最为密切的两个国家(当年从日本和韩国的进口额占总进口的 27.9%,远高于中国港澳台的份额 13.9% 和东盟的份额 11.22%),紧随其后的为中国港澳台、东盟、澳大利亚和新西兰、上海合作组织的五个成员。上表中欧盟和北美自贸区在我国的进口贸易伙伴中,关系最为疏远(事实上从欧盟进口的绝对份额达 12.49%,仅次于从中国港澳台的进口份额;而从美加墨的进口份额为 9.27%),但进口贸易结合度值均低于 1,这与他们在我国的出口贸易中的地位是不相称的(2004 年我国与北美自由贸易区和欧盟的出口结合度分别为 1.10 和 1.34)。但是由于这两个区域的出口占世界总出口的份额巨大,我国对其进口贸易结合度低并不意味着欧美两集团在我国进口贸易中的地位就低,事实上,2004 年我国从美欧两大经济集团的进口总值占当年进口总额的 20.45%。我国对欧美的进口贸易结合度的确表明了欧美在我国的进口贸易中的相对地位不像出口贸易那样高(2004 年我国对欧美的出口份额占总出口额的近 40%),对此应客观分析,由于我国从欧美进口的多为技术型或资本型生产品,这些进口产品对于我国生产技术水平的提高,国内产业结构的提升都是十分重要的。因此,对于进口不能仅仅关注多元化问题,而是要考虑与出口贸易的平衡发展以及从发达国家引进技术提高自己的生产能力等方面。

(二)进口贸易市场多元化的赫芬达指数分析

1.进口贸易国别多元化的 H 指数分析

根据我国各年从世界各国进口的贸易数据,计算出我国进口 H 指数值如下:

表 2 - 18   历年我国进口贸易国别赫芬达指数

年　份	进口 H 指数
1984	0. 133247343
1985	0. 147660
1989	0. 104921
1990	0. 106201519
1995	0. 091116689
2000	0. 086119633
2003	0. 077197751
2004	0. 073505626

资料来源:根据海关统计计算而得。

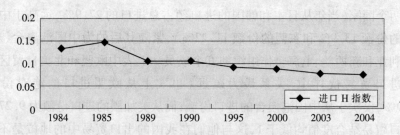

图 2 - 3   历年我国进口贸易国别 H 指数趋势图

　　由上图可知,我国进口贸易多元化趋势发展较为平衡,从改革开放以来,H值数值不断下降,表明我国进口来源多元化趋势越来越显著。

　　2.进口贸易区域多元化的 H 指数分析

　　从区域来看,根据我国历年多世界主要区域经济体进口的贸易数据,计算出了进口贸易的区域多元化 H 指数,见下表:

表 2 - 19   历年我国进口贸易区域赫芬达指数

	1984	1985	1989	1990	1995	2000	2003	2004
中国港澳台	0.01894	0.02322	0.04323	0.05904	0.01963	0.02420	0.02159	0.01871
日韩	0.00013	0.00005	0.02946	0.01609	0.08853	0.08267	0.08071	0.07783
东盟	0.00050	0.00037	0.00194	0.00167	0.00561	0.00971	0.01314	0.01258
上合(苏联)	0.00050	0.00071	0.00240	0.00283	0.00107	0.00092	0.00081	0.00071

续表

	1984	1985	1989	1990	1995	2000	2003	2004
美加墨	0.03446	0.02368	0.03195	0.03720	0.02068	0.01397	0.00935	0.00931
欧盟	0.02475	0.03278	0.01364	0.01405	0.02589	0.01878	0.01652	0.01560
澳新	0.00138	0.00085	0.00119	0.00154	0.00049	0.00063	0.00041	0.00053
非洲	0.00010	0.00004	0.00006	0.00007	0.00012	0.00061	0.00041	0.00078
拉美	0.00100	0.00129	0.00135	0.00114	0.00044	0.00048	0.00131	0.00122
其他	0.14783	0.15098	0.02325	0.02053	0.00922	0.01024	0.01540	0.01907
H 指数	0.22959	0.23397	0.14848	0.15416	0.17169	0.16220	0.15965	0.15635

资料来源：根据海关统计数据计算而得。

注：上合指上海合作组织(1990年前用苏联代替)；东盟指泰国、菲律宾、新加坡等10个国家；欧盟指欧盟东扩前的15个国家；拉美指除墨西哥外的其他拉美国家；其他指除表上所列区域外的其他国家的总和。

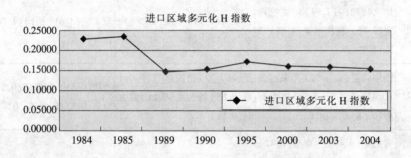

图2-4 历年我国进口贸易区域H指数趋势图

由上图可知，从区域元来看，我国进口来源的地理多元化状况从20世纪80年代有明显增强，而进入20世纪90年代以来，我国进口来源的区域H指数值均平稳地保持在0.15以上，可见，我国进口区域多元化发展状况在20世纪90年代保持稳定。

三、外资来源市场多元化指数与实证分析

(一)利用外资来源的市场结合度指数

1.外资来源结合度指数国别元分析

1995年、2000年和2004年我国吸收对外直接投资的前40个国家的对华直接投资结合度指数见下表。

表 2 - 20　各年各国对华直接投资结合度国别指数

指数值	1995	2000	2004
10 以上	无	毛里求斯（690.12）泰国（132.64）维尔京群岛（94.14）印度尼西亚（36.09）菲律宾（27.29）新加坡（14.82）开曼群岛（11.78）中国台湾（11.51）韩国（10.16）	开曼（115）泰国（15.8）维尔京群岛（35.03）印度尼西亚（12.68）菲律宾（17.5）开曼群岛（12.32）韩国（16.10）
5～10	中国台湾（9.91）中国澳门（9.77）菲律宾（9.40）中国香港（7.54）	中国香港（8.85）捷克共和国（7.68）沙特阿拉伯（6.28）	中国香港（5.7）捷克共和国（5.29）沙特阿拉伯（5.08）荷兰（7.2）
2～5	新加坡（4.37）百慕大（3.64）泰国（3.07）韩国（2.75）	马来西亚（3.32）日本（3.13）澳大利亚（2.05）	马来西亚（2.40）日本（2.16）澳大利亚（2.01）
1～2	捷克共和国（1.94）印度尼西亚（1.75）利比里亚（1.67）日本（1.30）	巴拿马（1.75）印度（1.28）南非（1.13）	意大利（1.61）德国（1.78）新西兰（1.91）
0.5～1	维尔京群岛（0.99）马来西亚（0.95）俄罗斯（0.68）澳大利亚（0.58）马耳他（0.56）	美国（0.90）德国（0.71）匈牙利（0.65）新西兰（0.64）意大利（0.58）	希腊（0.63）阿根廷（0.54）巴拿马（0.53）印度（0.50）
0～0.5	肯尼亚（0.44）巴拿马（0.42）开曼群岛（0.40）科威特（0.39）意大利（0.36）美国（0.31）阿根廷（0.29）加拿大（0.22）英国（0.19）法国（0.17）奥地利（0.17）丹麦（0.11）新西兰（0.11）德国（0.09）西班牙（0.07）荷兰（0.05）比利时-卢森堡（0.05）瑞士（0.05）芬兰（0.03）瑞典（0.01）	阿根廷（0.49）百慕大（0.45）荷兰（0.38）希腊（0.21）加拿大（0.20）以色列（0.18）俄罗斯（0.17）法国（0.16）英国（0.16）瑞士（0.15）瑞典（0.13）奥地利（0.13）挪威（0.11）芬兰（0.08）丹麦（0.07）西班牙（0.02）比利时-卢森堡（0.01）	百慕大（0.49）加拿大（0.17）以色列（0.10）俄罗斯（0.18）法国（0.11）英国（0.14）瑞士（0.11）瑞典（0.10）奥地利（0.16）挪威（0.11）芬兰（0.29）丹麦（0.08）西班牙（0.03）比利时（0.03）卢森堡（0.05）美国（0.40）

注：由于数据缺失，个别前 40 位的对华直接投资国（地区）无法统计在内。

资料来源：由各年度对外经济贸易年鉴和世界投资报告数据计算整理而得。

从上表中的数据可以对我国吸引直接投资方面做如下的判断：

第一，我国在吸引直接投资方面与绝大多数国家和地区的紧密关系得到了显著增强。上表中的吸引外资结合度指数表现为各个国家的对华投资结合度均有不同程度的提高。尤其是某些国家和地区，例如2000年指数值大于10的毛里求斯、泰国、维尔京群岛等，多数为当年在其他地方撤资，而在中国则增加投资，这突显出中国相对于世界其他地方更受到这些国家和地区的青睐。

第二，我国在吸引直接投资方面与美国和日本的关系得到了较大幅度提升。在结合度指数方面表现为：日本从1995年的1.3上升到2004年的2.16。美国从1995年的0.31上升到2000年的0.9，但2004年时又有所滑落，下降到0.4左右。

第三，欧盟各国对华直接投资紧密关系变化不大。其中德国对华投资紧密程度增加最大，从1995年的0.09上升到2004年的1.78，其次为意大利。欧盟其他主要成员国如英国、法国、西班牙对我国投资的紧密程度仍较低，且变化不大。当然这其中与欧盟贸易和投资的内向化有关。但是与美国和日本相比，仍然有进一步加大力度吸收欧盟各国对华投资的空间。

第四，在发达国家中，只有日本和澳大利亚对我国直接投资关系属于紧密层次，其他均属于疏远层次。在结合度数值上表现为只有日本和澳大利亚对华直接投资结合度大于1，其他西方发达国家均小于1。虽然美国对华直接投资关系发展迅速，但是到2000年和2004年，其结合度值为0.9和0.4，仍低于1，即中国对美国在吸引其直接投资上的关系仍低于世界平均水平，因此我国仍需要大力吸引发达国家的直接投资。但是要注意均衡发展，使我国在吸引对外直接投资方面，保持与美日欧关系的相对平衡。

第五，对华直接投资比较偏好的多为周边新兴工业化国家和地区以及一些自由港和一些发展中国家。这可以从上表中的结合度值大于1的国家中看出。

第六，从整体上看，我国吸引直接投资在多元化方面的发展可以概括为：在吸引直接的投资方面与周边国家和地区以及美日欧的关系均有不同程度的提高，但与除日本和澳大利亚外的发达国家在吸引直接投资的关系上仍需要大力加强，以使我国外资来源朝进一步的多元化方向迈进。

2. 外资来源结合度指数区域元分析

我国吸收外资来源的多元化在世界各主要经济地区上的表现与国别分析呈现出相似的结论。各年外资来源分地区的结合度指数见下表。

表2-21　各年外资来源分地区结合度

1995	外资来源结合度	2000	外资来源结合度	2004	外资来源结合度
中国港澳台	7.82	部分自由港	13.44	部分自由港	47.17
东盟	3.04	东盟	13.17	东盟	3.01
日韩	1.50	中国港澳台	9.30	中国港澳台	5.78
部分自由港	1.31	中东	6.92	中东	5.78
中东	0.70	日韩	4.08	日韩	4.04
上海合作组织	0.69	澳新自贸区	1.82	澳新自贸区	0.54
澳新自贸区	0.43	美加墨	0.74	美加墨	0.31
美加墨	0.30	上海合作组织	0.17	上海合作组织	0.19
欧盟	0.13	欧盟	0.16	欧盟	0.17

资料来源:由各项期《中国对外经济贸易年鉴》和世界投资报告数据计算整理而得。

注:部分自由港包括马绍尔群岛、维尔京群岛、开曼群岛、东西萨摩亚群岛、百慕大。

由上表明显可以看出,对外投资结合度指数,世界各主要经济地区对我国的投资直接投资紧密程度除上海合作组织的五个成员国下降之外,其余均有不同程度的上升。2004年港澳台对华直接投资额虽然占我国吸收外资总额的近44%,但是其与大陆的相对紧密关系还不如部分自由港和东盟。这表现出我国在直接投资来源方面的多元化有较大发展。由于欧美对外直接投资占世界份额庞大,使得尽管欧美的对华直接投资占我国利用外资总额较大份额,但与北美自由贸易区和欧盟的吸引直接投资结合度仍然低于1,虽然其中有这些国家更偏好于投向区内或是欧美之间的相互投资的缘故,但是要进一步提高我国利用外资的规模和水平,进一步平衡外资来源,改变欧美对华投资在绝对份额中国港澳台,相对份额(结合度)低于大部分国家和地区的现状,就得要加大力度进一步吸引来自欧美的直接投资。

(二)外资来源的赫芬达指数

1.外资来源的国别多元化H指数

根据历年我国从世界各国吸引外资的数据,计算衡量外资来源多元化的H指数,计算结果如下:

表 2 - 22　历年我国引资国别赫芬达指数

年　份	H 指数
1985	0.300068
1990	0.329779
1995	0.311355
2000	0.180825
2004	0.143717

资料来源:根据海关统计计算而得。

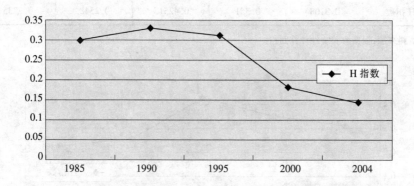

图 2 - 5　我国吸引外资的国别多元化 H 指数(1985～2004)

　　由上表可知,自改革开放以来,我国吸引外资市场集中程度在 20 世纪 90 年代初期达到顶点后,从 20 世纪 90 年代后期开始,引资来源逐步趋于多元化,尤其是进入新世纪以来,吸引外资的国别多元化取得显著成绩,H 指数从改革开放初到 20 世纪 90 年代中期均保持在 0.3 以下,而到 2004 年,H 指数值迅速下降至 0.15。

　　2. 外资来源的区域多元化 H 指数

　　从区域来看,根据我国历年从世界主要经济区域吸引外资的数据,计算出我国吸引外资的区域多元化 H 指数,结果如下:

表 2 - 23　历年我国引资区域赫芬达指数

地区	1985	1990	1995	2000	2004
中国港澳	0.2387	0.3011	0.3977	0.1986	0.1377
韩日	0.0259	0.0208	0.0122	0.0117	0.0391

地区	1985	1990	1995	2000	2004
澳新	0.0001	0.0001	0.004	0.0049	0.0034
亚他	0.0002	0.0006	0.00005	0.0001	0.0041
北美	0.0351	0.0177	0.0079	0.0131	0.0059
欧盟	0.0079	0.0018	0.0032	0.0143	0.0044
其他	0.0029	0.0089	0.0001	0.0121	0.0289
H 指数	0.3108	0.351	0.42515	0.2548	0.2235

资料来源:根据海关统计计算而得。

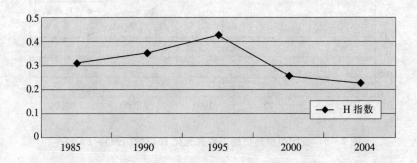

图 2－6　中国吸引外资区域多元化 H 指数(1985～2004)

从区域来看,改革开放以来,我国吸引外资集中程度不断增强(主要集中于港澳台资本),到 20 世纪 90 年代中期达到顶峰,H 指数值一度达到 0.4 以下,后逐步下降,到 2004 年,H 指数值为 0.22,可见,从区域角度看,我国吸引外资来源多元化趋势明显。

四、对外直接投资指数与实证分析

(一)对外直接投资的结合度指数

1. 对外直接投资国别元结合度指数

1995 年和 2000 年我国对外直接投资前 40 个国家的结合度指数见下表。

表2－24 1995、2000、2004年我国对外直接投资结合度国别指数

指数值	1995	2000	2004
10以上	中国澳门(9553.23)毛里塔尼亚(749.05)巴西(200.54)日本(122.15)塞舌尔(101.48)蒙古(99.58)莫桑比克(93.02)巴布亚新几内亚(60.40)牙买加(56.38)老挝(46.98)肯尼亚(42.28)缅甸(38.84)中国香港(30.96)巴哈马(30.07)坦桑尼亚(28.66)南非(26.55)斯里兰卡(23.49)赤道几内亚(23.37)安哥拉(23.25)乌干达(17.15)泰国(12.86)	中非(6320.59)也门(4542.40)老挝(1814.38)赞比亚(1452.01)缅甸(596.60)马里(520.36)贝宁(494.27)多哥(317.23)柬埔寨(312.55)蒙古(251.42)津巴布韦(229.74)莫桑比克(210.90)洪都拉斯(128.87)南非(95.23)博茨瓦纳(93.64)肯尼亚(80.95)毛里求斯(55.18)加纳(47.92)越南(35.51)埃及(19.44)孟加拉国(16.24)哈萨克(15.59)坦桑尼亚(14.52)乌克兰(14.52)俄罗斯(13.24)	也门(20)老挝(20)赞比亚(45.01)缅甸(596.60)马里(520.36)贝宁(25)柬埔寨(26.55)朝鲜(43.33)科威特(10)几内亚(13)苏丹(11.53)尼日尔(20)马达加斯加(35)塞拉利昂(142)尼泊尔(15)开曼(50.01)维尔京群岛(339.5)巴哈马(26.33)
2～10	毛里求斯(5.36)越南(3.15)阿联酋(3.13)委内瑞拉(3.07)韩国(2.77)马来西亚(2.24)	尼日利亚(6.77)菲律宾(6.59)印度(3.28)墨西哥(3.23)匈牙利(2.99)泰国(2.46)	多哥(3)刚果(2.2)加蓬(2.2)科特迪瓦(2)肯尼亚(7.14)尼日利亚(2.48)南非(3.56)吉尔吉斯(6)塔吉克斯(2.25)中国香港(9)中国澳门(5.33)印尼(7)伊朗(4.6)泰国(2.26)
1～2	智利(1.84)印尼(1.41)厄瓜多尔(1.34)新加坡(1.31)拉脱维亚(1.13)美国(1.12)	澳大利亚(1.96)巴西(1.65)加拿大(1.20)捷克(1.16)韩国(1.15)意大利(1.09)	津巴布韦(1.5)毛里求斯(1)哈萨克(1)加拿大(1.03)格鲁吉亚(1.13)阿联酋(1.15)
0～1	阿根廷(0.39)哈萨克(0.34)比利时(0.24)菲律宾(0.21)墨西哥(0.20)澳大利亚(0.19)俄罗斯(0.16)	中国香港(0.71)阿根廷(0.34)美国(0.19)德国(0.02)	日本(0.23)新加坡(0.35)俄罗斯(0.78)加纳(0.5)韩国(0.14)德国(0.04)法国(0.05)英国(0.04)瑞典(0.84)美国(0.15)澳大利亚(0.34)新西兰(0.24)

资料来源：由各年对外经济贸易年鉴和世界投资报告数据计算整理而得。

由上表可以看出我国对外直接投资具有以下特点：

第一，我国对外直接投资与其他国家的紧密程度整体上有很大程度的提高。具体表现为上表中的结合度数值除个别国家和地区有所下降外，从整体上看，结合度指数都有很大程度提高。

第二，与我国对外直接投资关系紧密的国家主要集中在非洲及周边发展中国家的状况基本没有变化。2004年我国对外直接投资第一大接受国（地区）为中国香港，占我国当年直接投资总额的47.53%。2004年我国对外直接投资前40位国家和地区中只有少数发达国家，其余均为发展中国家，尤其以非洲和亚洲较不发达国家为主。2004年在发达国家中只有加拿大与我国的对外直接投资关系属于紧密层次。

第三，我国对外直接投资与中亚部分国家的关系紧密程度迅速提升，如与俄罗斯的对外直接投资结合度从1995年的0.16上升至2000年的13.24,2004年又降到0.78；而哈萨克从1995年的0.34迅速上升至2000年的12.59,2004年降为2.25。

第四，在发达国家中，我国对外直接投资对美国和加拿大等北美国家更为青睐。我国对美国和加拿大在2004年的直接投资绝对份额分别达到2%和2.17%，这在发达国家中是极为少见的。而且加拿大的结合度指数在2004年达到1.03,已经属于紧密层次了。

2. 对外直接投资区域元结合度指数

我国对世界各地区的直接投资紧密程度，可以通过下表看出相应的变化。

表2-25　各年我国对世界各地区的直接投资接合度

1995	对外投资结合度	2000	结合度	2004	结合度
港澳台	25.79	上海合作组织	20.72	上海合作组织	4.66
日韩	4.94	东盟	14.68	东盟	1.03
东盟	2.97	澳新自贸区	1.55	澳新自贸区	0.34
其他国家和地区	1.04	其他国家和地区	0.75	其他国家和地区	2.98
美加墨	0.87	中国港澳台	0.68	中国港澳台	9.04
上海合作组织	0.20	日韩	0.65	日韩	0.43
澳新自贸区	0.18	美加墨	0.48	美加墨	0.15
欧盟	0.05	欧盟	0.03	欧盟	0.04

注：其他国家和地区指除上表中各经济体成员国外的国家和地区，绝对大数为亚非拉的发展中国家和地区。

资料来源：由各项期《中国对外经济贸易年鉴》和世界投资报告数据计算整理而得。

由上表可见,2000 年与 1995 年相比我国对上海合作组织各成员国的直接投资的紧密程度迅速上升,但到 2004 年则有所下降,其相对紧密程度居各地区前列(从绝对份额来看,2000 年我国对上海合作组织成员国的直接投资为6.04%,而 2004 年又下降到 1.64%),可见我国对上海合作组织内成员国的投资偏向明显高于世界对这些国家直接投资的平均偏向但是缺乏稳定性。2004年我国对其他亚非拉国家的直接投资紧密程度到上升很快,投资结合度达到2.98,远高于欧美日等发达国家。可见,我国对外直接投资的地区偏向主要集中在亚洲的周边地区以及亚非拉其他发展中国家。

(二)对外直接投资的赫芬达指数分析

1. 对外投资国别多元 H 指数

从国别来看,根据中国各年对世界其他国家的直接投资额,计算出赫芬达指数如下:

表 2 - 26　历年我国对外直接投资国别赫芬达指数

年　份	H 指数
1999	0.243343
2000	0.11678
2002	0.129148
2003	0.11156
2004	0.113467

资料来源:根据海关统计数据计算而得。

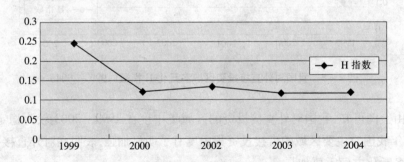

图 2 -7　我国对外直接投资国别多元化 H 指数(1999～2004)

由上图可知,进入新世纪以来,我国对外直接投资多元化 H 指数较 1999 年大幅下降,从近 0.25 降到 0.1 多一些,可见,"走出去"战略在实施过程中与市场多元化战略结合得较为紧密。

2.对外投资区域多元化 H 指数

从区域来看,根据我国对世界主要区域对外直接投资的数据,计算得到对外直接投资的区域多元化指数如下:

表 2 - 27   历年我国对外直接投资区域赫芬达指数

国 别	1999	2000	2001	2002	2003	2004
港澳	0.0097	0.0011	0.0824	0.1309	0.0202	0.1125
韩日	0.0001	0.0001	0.0035	0.0107	0.0094	0.0456
东盟	0.0083	0.0387	0.0703	0.0046	0.0116	0.013
北美	0.0698	0.0099	0.0065	0.0242	0.0034	0.0071
澳新	0.0141	0.0003	0.0002	0.0025	0.0003	0.0144
非洲	0.0183	0.1523	0.0024	0.0041	0.0032	0.0484
拉美	–	0.0127	0.0032	0.0014	0.0125	0.0934
欧盟	0.0006	0.0005	0.001	0.0013	0.0594	0.0018
上合	0.002	0.0034	0.0004	0.0016	0.0292	0.0068
H 指数	0.1229	0.219	0.1699	0.1813	0.1492	0.343

资料来源:根据海关统计计算而得。

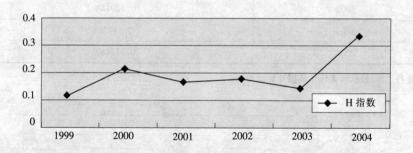

图 2 - 8   我国对外直接投资区域多元化 H 指数(1999 ~ 2004)

由上图可知,我国对外直接投资的区域集中度在 1999 ~ 2003 较为稳定,而 2004 年我国对主要区域的直接投资集中度有了明显加强,表明在对外直接投资区域多元化方面需要加强。

第五节   实施市场多元化战略的举措

在过去十多年时间里,为落实对外经贸市场多元化战略,我国采取了一系列政策措施旨在深度开拓发达国家市场的基础上,对发展中国家进行重点开发,以减少我国对外经贸对发达国家的过分依赖,提高我国与第三世界国家和地区的经贸关系密切程度。一方面,我们要看到采取的促进对外经贸市场多元化措施的确在一定程度上大大加强了我国同亚非拉发展中国家的经贸关系的密切程度,使我国在国际经贸交往中的回旋余地大大增加了;另一方面我们也应该看到在相当长的时间内我国对外经贸格局的特点是"以周边国家和地区为首要市场,以发达国家为关键市场,以发展中国家市场为基础"。我国对外经贸市场的多元化格局是世界贸易和投资格局的一部分,也就是说我国实施多元化战略要受到世界贸易和投资格局的制约,而世界贸易和投资的多极化格局受到世界经济全球化、区域经济一体化、国内经济条件、区位文化条件、跨国公司的活动等多方面因素的制约,因此,我国的对外经贸市场多元化一方面在受到政策措施促进的同时,也必然受到上述诸方面的制约。

一、实施市场多元化战略的政策措施

(一)财政支持

落实多元化战略的实施,国家以财政拨款的形式建立了中央外贸发展基金等各种开拓国际市场的基金。例如,为解决部分国家双边贸易中方大量顺差问题,减少双边贸易摩擦,国家财政每年安排一定的进口国别政策补贴预算,以弥补企业从发展中国家进口商品发生亏损,鼓励中方企业扩大进口,减少开拓市场的阻力。

(二)金融支持

落实多元化战略的实施,政策性金融支持是一个主要手段。如我国已经建立了中小企业开拓国际市场基金、援外合资合作基金、援外优惠贷款、境外加工贸易项目的中长期人民币贷款贴息等以优惠利率或贴息方式支持企业开拓国际市场。上述对我国企业开拓国际市场的政策性金融支持构成了实施多元战略的主要政策措施体系。此外,为扩大对一些需要重点开拓的发展中市场的机电产品和成套设备进行外贸政策性贷款,包括卖方信贷和买方信贷业务,并适当延长贷款期限。

(三)保险支持

国家对于开拓国际市场的保险支持与金融支持一样,也是构成多元政策措施体系的主体部分。由于企业尤其是中小型企业在开拓国际市场过程中必然会遇到市场进入的风险,因此,国家提高保险支持以分散和避免开拓国际市场的风险十分必要。因此,我国陆续建立了出口风险保险制度以及对外承包工程保险风险专项资金等项目。另外,还建立了出口特殊风险保险制度,为外贸企业到一些高风险的地区进行投资和贸易提供特殊的政策性保险服务。

(四)信息技术援助

企业开拓国际市场必然要受到国际市场信息的制约,首先是中小企业缺乏对国际市场的了解,不能获得潜在经贸伙伴的信息;另一方面不能盲目地进入国际市场,要做到及时成功地进入市场,避免事倍功半,就需要政府的信息技术援助。为此,商务部(原外经贸部)建立了中国贸易指南网站、中国投资指南网站等,免费介绍出口企业及其出口产品的情况,并向各类企业免费提供各种政策信息、商务信息、展览信息、世界进口商名录等。

(五)举办国际展览

商务部(原对外经贸部)还积极鼓励有能力的企业到海外举办展览会、展销会,特别是推动企业参加国际知名的专业博览会,开拓重点市场。为扩大中国商品的影响,推动企业实地考虑市场,了解消费市场需求,原外经贸部还陆续在瑞典、俄罗斯、阿根廷、南斯拉夫、科威特、肯尼亚和科特迪瓦主办了7个中国出口商品展览(销)会。极大地促进了中国商品在这些国家和地区的出口。

(六)各项外经贸业务相互促进、相互结合

各种国际经贸合作方式是相互联系的,例如对外投资、对外工程承包、经济技术合作以及发展援助都可以带动并扩大我国的出口;而反过来,要进一步打开外国市场,也需要对外投资以及发展援助等经贸方式的配合。在过去十多年时间里,有关部门逐步放开了各地方和部门经济技术合作公司的进出口权,鼓励经济技术合作公司利用在发展中国家承包工程、熟悉当地市场和客户的条件开展出口贸易。自1999年我国提出并实施"走出去"战略以来,我国积极组织和推动有实力的大中型自营进出口生产企业到一些发展中国家和俄罗斯及中东欧国家投资建立境外加工企业,带动我国设备、半成品及零部件的出口。而且充分发挥我国对外援助的作用,与受援国合作,利用援外贴息贷款等举办能够带动我国产品出口的合资合作项目。

(七)为企业开拓国际市场提供全方位的服务

由于我国企业开拓国际市场的复合型经贸人才缺乏,因此,国家加大了对既懂外语,又懂贸易政策,熟悉贸易业务的专业性人才的培养。

除此之外,为了打开一些发展中国家市场,我国在一些经济发展水平较好、当地市场较大、便于辐射周边地区和交通便利的地区建立了若干贸易中心、商

品分拨中心及精品店。这些都是实施市场多元化战略的有益探索和尝试。

由于我国对非洲和拉美运输条件限制,在一定程度上影响了我国对非洲和拉美市场的开发,因此我国政府也为改善对非洲、拉美国家的运输条件采取了重要措施。我国根据贸易发展的需要,开辟了直达航线、适当增加了班轮班次,允许承运单位自行租用外轮挂靠我国港口,弥补我国运力的不足。

在我国提出市场多元化战略之后,又相继提出了"以质取胜战略"、"科技兴贸战略"、"走出去战略"。这些战略的实施最终目的在于扩大我国对外经贸市场,其具体的措施也包含有市场多元化的内容。因此,这些战略的实施也进一步促进了我国对外经贸市场的多元化。

二、市场多元化战略实施的成效与进一步完善

(一)实施市场多元化战略所取得的成效

自提出并实施市场多元化战略以来,我国对市场多元化战略的认识、市场多元战略与政治多极外交的相互配合,以及我国对外经贸市场多元化的现实格局等方面都取得了显著成绩。

1. 市场多元化战略内涵不断完善,市场多元化战略支持了政治多极外交。

自从 20 世纪 90 年代初我国正式确定并实施市场多元化战略以来,其战略内涵不断完善、丰富和拓展。由贸易拓展到了投资和国际经济技术合作等多层次、多领域。而我国对外经贸领域的改革,以及中国加入 WTO,融入世界多边贸易体制,使市场多元化战略措施更具有市场经济的取向。因此,市场多元化战略与我国开放型经济发展,融入世界经济发展主流呈一致性。并且我国在市场多元化战略实施过程中获取了巨大的政治经济利益,支持了我国政治多极化的外交,谋求了与我国经济地位相称的政治地位与实际利益。

2. 我国对外经贸市场格局既与世界市场多元格局大体一致,同时也体现了我国具体的政治经济利益。经过十多年的发展,我国对外经贸市场格局基本与世界市场多元化格局一致,这主要体现在美欧日在我国对外经贸市场中的重要地位,这一点与世界大多数开放型经济体是一致的。但同时,我国的对外经贸市场也有基于我国具体的政治经济利益考虑的独立选择,以及不同的侧重点,这主要体现在我国与周边国家和地区的经贸关系相对紧密,尤其是与东亚各国华人经济圈国家和地区,以及一些亚非拉发展中国家的贸易和投资关系相对紧密,从而形成了具有我国特色的多元化市场,而这种特色正体现了我国具体的政治经济利益。

3．"大国是关键，周边为首要，发展中国家为基础，多边是重要舞台"的布局符合我国政治经济利益。经过十多年的努力而形成的我国对外经贸市场格局是历史上最合理的，整体上符合我国政治经济利益。因此，应当继续保持这个整体格局。同时，也应当看到现实的对外经贸市场多元化格局也有进一步调整的必要和空间，当然这是保持整体格局条件下的微调。具体地说就是进一步强化新兴市场，特别是发展中国家市场的地位，使未来市场多元化格局更趋合理。

（二）市场多元化进一步完善的制约因素

我国市场多元化格局有进一步完善的必要和空间。但是要进一步优化我国目前的多元化格局至少要受到以下四个方面的客观因素的制约：

1．国外经济条件的制约。由于美日欧为代表的发达国家经济总量大，他们的对外经济活动如贸易和投资相应也就比拥有较小经济总量的发展中国家的量要大，从而就产生了贸易和投资大国、小国的区分。在其他条件相同的情况下，我国发展开放型经济就必然要与贸易和投资大国打交道的机会多，而与贸易和投资小国打交道的机会就少。例如，中国与上海合作组织其他成员国的经济贸易关系虽然较为紧密，但由于俄哈等国经济总量小，使得其在我国对外经济贸易中的地位不甚突出。

2．区位因素的制约。地缘政治和地缘经济决定了周边国家和地区是我国对外经贸首要市场。而且地理位置较近、文化相似的国家和地区之间发展贸易和投资关系就比较容易。这完全可以用来解释我国与日韩、东盟以及港澳台的经济贸易关系。

3．跨国公司的制约。跨国公司的活动对一个国家影响是方方面面的，其中也会影响着一个国家对外经济贸易战略的实施。很显然，跨国公司多以西方发达国家为母国，对中国的贸易和投资都是根据其事先规划好的全球布局实施的，而这种全球布局往往与我国所希望的贸易和投资国别和区域方向不一致。

4．区域经济的一体化制约。众所周知，欧盟高度一体化的一个重要结果就是其经济的越来越内向化，即由于贸易和投资的转移效应导致贸易和投资多发生在成员国之间，这使得本来是欧盟成员国与域外的国家发生的贸易和投资活动很有可能由于"壁垒因素"而转移到成员国内来。而北美自由贸易区也一样，本来可由我国产品占领的北美市场份额会被墨西哥占有。这样的例子还有很多。总之，区域一体化给多元化战略的实施带来了新的挑战。在全球经济化受到严重挑战的情况下，区域经济的一体化会愈演愈烈。如果我们顺应这一趋势，积极主动参加区域经济的一体化进程，使之不仅为我国的政治和经济服务，也为我国对外经贸市场多元化战略的实施服务,那么区域经济一体化不仅不会成为我国多元化战略的制约因素,而且很有可能成为市场多元化战略的促进因素。事实上,区域经济一体化的过程就是寻找和建立长期稳定的贸易和投资伙伴关系的过程,同时也是实现更加稳定的贸易和投资伙伴多元化格局的过程。

鉴于实施多元化战略有如此众多而且十分重要的因素所制约,因此,我们就不能奢望对市场多元化的调整一步到位。因此,一方面由于众多客观因素的制约,多元化战略也就是一个长期的战略,当然这一战略对于扩大未来我国在国际政治经济合作与竞争中的回旋余地十分重要;另一方面也要看到实施多元化战略的根本目的是在未来的国际政治和经济格局中取得优势地位,事实上要真正使多元化战略能按照自己所期望的方向发展,也需要相应的经济优势和能力,因为一旦在国际经济竞争中处于优势地位,也能进一步加强本国实施多元化战略的能力,例如有了与跨国公司相抗衡的本国跨国公司,那么就更有能力影响贸易和投资的地理方向。

因此在进一步推进实施多元战略过程中,需要全面反思与检讨,以期改进、完善多元化战略的整个体系,而不再是单纯的出口支持体系。

在新形势下实施市场多元化战略,从根本上讲是要在全世界范围内部署我国的贸易和投资力量,发展战略性贸易和投资伙伴,尤其是在我国已经成为世界贸易和投资大国的情况下,就不仅仅是在国际市场上"补空白"的问题,而是主动与其他国家尤其是西方发达国家在世界范围内"争市场"和"夺市场"。但是要真正与发达国家在国际贸易和投资的竞争中占有一席之地,就不仅仅是要构建我国的贸易和投资的促进服务体系。中国在世界经济格局中日益崛起的地位,使得我们有必要对多元化战略重新认识,实际上,中国崛起过程中的多元化战略已经远远不单是外经贸领域的发展战略,而是整个国家对外经济的重要战略。因此,进一步实施我国多元化战略已经构成我国国家战略的一部分,而从根本上讲我国国家战略的实施旨在未来与其他国家竞争中取得优势地位,即取得国家竞争优势。因此,要想取得国家竞争优势的多元化战略的实施必须要有战略性的认识,因此其促进多元化战略实施的措施则不仅仅是完善已有的促进贸易和投资的措施了,而必须有新的战略性举措。

第六节　市场多元化战略面临的新形势

21世纪的头二十年是我国未来发展的战略机遇期,如何利用好这一战略机遇期,实现我国的和平崛起,是摆在中国人民面前的重大课题。当前世界经济全球化与反全球化并存,区域一体化加强,建立自由贸易区渐成趋势。而此时,我国已日益融入世界经济,2003年我国进出口总额居世界第四,正在从贸易大国向贸易强国转变。所有这些,都表明我国现在所面临的国际经济环境和形势以及中国自身经济条件和发展战略已经发生了深刻的变化。为了更好地继续深入推进对外经贸多元化战略就必须认清当前的国际国内新形势。

一、我国经济持续快速发展与国际经济贸易摩擦的加剧

中国经济持续保持快速增长,2005年,中国国内生产总值达到182321亿元①,按照2005年平均汇率计算,折合为22257亿美元,超过英国,成为世界第四大经济强国;在对外经济贸易方面,进出口贸易额达到14221亿美元,贸易顺差达千亿美元,外汇储备超过8000亿美元,利用外资继续保持600亿美元的高额地位,持续居发展中国家首位。

中国经济迅速崛起自然令人欣慰,但是同时更要关注中国的这种崛起是否安全,也就是要注意分散影响中国崛起的风险。至少近年有以下事件为中国进一步实施市场多元战略增加了必要性和紧迫感:中国与世界各国不断增加的贸易摩擦,其中以反倾销及其他新型的非关税壁垒为主,这些贸易摩擦严重影响了中国某些产品的出口;以美国为首的西方国家以中国大量贸易顺差为由要求人民币汇率升值的问题,虽然中国有能力顶住压力独立自主地实施自己的经济政策,但来自外部的压力和风险仍需关注;日本以各种理由减少对华贷款等事件使得我们能够真真切切地感觉到在中国崛起过程中来自外部的风险,尤其是我国作为一个出口贸易依存度达20%②的外经贸大国分散对外经贸风险更为紧迫和必要。

二、构建区域多元布局的步伐加快

区域经济集团化是当今世界越来越突出的一种趋势。区域经济集团化始于20世纪50年代,进入80年代、90年代发展更为猛烈,进程更加明显。据WTO统计,从90年代起到2002年,世界各国共签订了250个地区性贸易协定,而如果包括计划签订或正在谈判的地区性贸易协定,到2005年其总数将达300

---

① 2005年的GDP数据是根据新的统计标准统计的。
② 此数据是根据2004年GDP未调整的数据计算的,方法如下:出口贸易依存度 =(一般贸易出口 + 加工贸易净出口)/GDP。

个，WTO 的大部分成员国都参加了至少一个区域性贸易协定。

世界性区域经济集团化的趋势给我国实施多元化战略带来了新的影响因素：首先，要适应世界经济发展潮流，主动利用区域经济集团化这一战略手段为我国在新形势下实施多元化战略助力，世界上大部分发达国家都加入了至少一个区域性经济组织，例如，美国在主导建立的北美自由贸易区后，积极与南美各国建立跨洲域的自由贸易区，而日本与新加坡签订"新时代经济合作伙伴"协定后也积极进行与东盟建立自由贸易区的谈判。虽然发达国家都力图建立自己主导的区域性经济集团，其目的是划分自己的经济势力范围，以在世界经济政治竞争中增强自己的谈判力量，但同时在客观上也促进了市场多元化的发展，因此，我国在未来若干年，要适应世界区域经济集团化这一趋势，主动构建我国的对外经贸战略伙伴体系，促进我国对外经贸市场多元化向高级阶段发展；其次，区域经济集团化对我国实施多元化战略具有正反两方面的影响，区域经济集团的形成虽然既有贸易和投资转移效应也有贸易和投资扩大效应，但是往往贸易和投资的扩大效应在短期内很难实现，而贸易和投资的转移效应则是立竿见影的，即将区域成员国和地区的区域外的国家和地区的对外贸易和投资转移到了区域内成员之间的贸易上来。又如，中东欧 10 个国家于 2004 年 5 月 1 日正式加入欧盟，这是欧盟历史上的第五次扩大，已经产生了贸易和投资转移效应，从而影响我国对东欧各国的出口，以及从欧盟的外资引入，进而在某种程度上对我国多元化战略的顺利实施产生影响。因此，区域经济集团化和区域经济合作这一历史潮流对我国既有机遇，又有挑战，我国应趋利避害，积极主动顺应区域经济合作和区域经济一体化的趋势，为构造我国对外经贸市场区域多元化助力。

到目前为止，我国参加的最重要的两个泛区域经济合作组织是亚太经济合作组织和亚欧会议，我国的贸易和投资的绝大部分都是与这两个经济组织的成员国实现的。在这两大泛区域经济合作组织下，根据我国目前对外经贸关系发展现状，我们可以发现，中国的六大战略性区域经贸伙伴已经浮现。

（一）中日韩

与我国为近邻的日本和韩国经济发达，又由于与中国文化的相似性使得他们历来是我国对外经济贸易关系的重要伙伴。日本作为世界三大经济体之一，与欧盟和美国一起构成我国对外经济贸易三大支柱，2005 年中国与日本、韩国贸易贸易额分别占我国贸易总额的 21%。而韩国作为亚洲新兴工业化国家之一，自 1992 年与我国建交以来，经济贸易文化交流得到了迅速发展，2005 年中韩国进出口贸易总额达 1119 亿美元,韩国已经成为我国的第四大出口国、第二大进口国。东南亚经济一体化主要问题就是中日韩经济一体化,如果中日韩能够建立自由贸易区,那将更加有利于巩固我国对外经济贸易的良好外部环境,即通过自贸区的形式将对外经济贸易关系稳定化、内部化。日本和韩国应为我国市场多元化战略的重心之一。

(二)中国—欧盟

欧盟作为高度一体化的区域经济组织与美日共同主导着当今世界贸易和投资。正如前文所指出的那样,我国的对外经贸市场多元化战略至少可以分为几个层次,其中处于顶层的也是最重要的一个层次的多元化就是在美欧日这三极中的多元化,即中美、中欧、中日在贸易、投资以及其他领域的经济合作要做到平衡发展。自 1995 年欧盟发表历史上第一份对华文件《中国—欧洲关系长期政策》以来,中欧关系进入了快车道。而后欧盟又陆续发布《与中国建立全面伙伴关系》文件、《欧盟—中国关系报告》、《欧盟对华战略:1998 年文件执行情况和促进欧盟政策更为有效的未来步骤》、《国家战略报告:中国》、《走向成熟的伙伴关系——欧中关系中的共同利益和挑战》等文件,标志着中国与欧盟的关系进入了与美、日、俄同等重要的地位。而对于我国来说,同欧盟的经贸关系长期落后于同美国和日本的关系,因此,进一步巩固和提升同欧盟的经贸关系水平是我国对外经济关系的战略重点,无疑也是实现我国对外经贸市场多元化战略的重要组成部分。而 2003 年 10 月 13 日发布的《中国对欧盟政策文件》是我国发布的第一份对欧文件,提出在不太长的时间内,使欧盟成为中国第一大贸易投资伙伴,凸显欧盟在我国市场多元化中的特殊重要地位。欧盟也是我国进一步实施多元化战略的重心之一。2005 年中国与欧盟进出口总额达到 2173 亿美元,占中国贸易总额的 15.28%,欧盟已经超过美国成为中国最重要的贸易伙伴。

(三)中国—北美自由贸易区

毫无疑问以美国为核心的北美自由贸易区是我国贸易和投资的最为重要的伙伴。我国的最大出口市场是美国,最大顺差来源国是美国,2005 年中美贸易额达到 2116 亿美元,我国对美顺差达 1142 亿美元,同时美国也是对外直接投资最重要来源国之一。但是,另一方面中美贸易近年来摩擦不断,美国频频利用反倾销等手段向中国发难,甚至以中方的大量顺差为由压迫人民币贬值。当然我们不能因此而放弃美国这个全球最大市场,但是在进一步深度发展同美国的经贸关系的同时,要注意进口与出口的均衡发展。北美地区与日韩和欧盟一样,也是我国多元化战略的重心之一。

(四)中国—东盟自由贸易区

中国和东盟的地缘政治经济关系使得中国与东盟发展经贸关系具有十分优越的条件,而且东亚各国近几十年良好的经济表现,使得中国与东盟的合作前景十分看好。2005 年中国与东盟双边贸易额达 1304 亿美元,占中国进出口总额的 9.17%。中国与东盟计划在 2010 年前达成建立自由贸易区的协定,无疑会更加巩固我国与东盟的经贸关系,这将是我国参加的第一个区域性经济集团。因此要充分利用自由贸易区的这一优势,大力发展与东盟的经贸关系,实施我国多元化战略。在中国—东盟自由贸易区框架下东盟市场将是我国多元化战略的重点之一。

(五)上海合作组织

上海合作组织是由 1996 年成立的"上海五国"发展而来的,它建立在政治、外交、军事安全合作基础之上。2000 年后逐步转向包括经贸领域在内的全面合作。2001 年 9 月 14 日中、俄、哈、吉、塔、乌六国总理签署了《上海合作组织成员国政府间关于区域经济合作的基本目标和方向及启动贸易投资便利化进程的备忘录》,以此为标志正式启动了上海合作组织区域经济合作的进程。而 2003 年 5 月在莫斯科举行的六国峰会签署的《上海合作组织多边经贸纲要》标志着上海合作组织区域经济合作开始步入正轨,纲要明确了六国区域经济合作的优先领域,现阶段的主要任务和长远战略目标。因此上海合作组织不仅仅是中国寻求世界政治多极化的一个重要舞台,也必将是中国寻求对外经济贸易多元化过程中的重要伙伴。虽然目前我国与上海合作组织各成员国的经济和贸易关系从绝对份额来看远不如与欧美日这三大经济体的份额,也不如与港澳台以及东盟,但是中国经济的劳动密集型特征和上海合作组织各成员国内的丰富资源有着极强的互补性,我国与其余五国的经济合作潜力将十分可观,尤其是中国正在实施能源来源多元化战略的情况下,上海合作组织区域经济合作必将是我国实施对外经贸多元化战略的重要方面。2005 年中国与上海合作组织成员国贸易额达 377 亿美元,占中国对外贸易额的 2.65%。虽然中国与上海合作组织成员国的经贸关系发展迅速,但双方的合作潜力还远没有发挥出来,随着俄哈等国国内经济的逐步振兴,我国应不失时机地提升上海合作组织经贸合作的层次。为此,上海合作组织也应是我国今后实施多元化战略的重点之一。

(六)"一国两制"框架下的大中华经济圈

大中华经济圈包括中国内地、中国香港、中国澳门和中国台湾,其独特的地理位置和同根同种的历史渊源使得相互发展经贸关系具有得天独厚的优越条件。港台地区历来是我国出口和吸引外资的重要地区,2005年大陆和香港与台湾的进出口贸易总额达2032亿美元,贸易总额依存度近14%;而同时港台也是大陆外资来源的重要地区,2004年港台在大陆的投资额总额近210亿美元,占当年大陆利用外国直接投资总额的43.9%。中国内地和中国香港与澳门的"更进一步紧密经贸关系安排"协议的签订无疑会使港澳作为中国内地贸易和投资的基础地位更加巩固。未来在"一国两制"框架下,将中国台湾包括在内,在排除台独势力干扰的情况下,建立两岸自由贸易区,并与上述两个紧密安排连为一体,就有可能形成大中华自由贸易区。

除以上六大战略性经贸伙伴外,还有其他的西方发达国家和广大亚非拉国家。虽然非洲、拉丁美洲以及亚洲的其他发展中国家在我国的对外直接投资和劳务输出方面占有十分重要的地位,但从整体上看其在我国的对外经济贸易关系中的地位不如以上六大伙伴。广大的亚非拉发展中国家人口众多,市场潜力巨大,而且我们实施多元化战略的一个重要动机就是减少对发达国家市场的依赖,虽然这会受到世界经贸格局的制约,不可能在短期内实现,但是从长远看,大力加强同亚非拉发展中国家的经贸关系始终是我国对外经贸关系的一个重要战略。因此广大非洲和拉丁美洲以及亚洲其他发展中国家将长期是我国实施多元化战略的重点。尤其是在建立自由贸易区渐成国际趋势的情况下,我国与部分亚非拉发展中国家有可能建立自由贸易区,例如中国与巴基斯坦、中国与智利、中国与南部非洲各国、中国与海湾六国正在进行签订自由贸易协定的谈判,未来中国与发展中国家的经贸关系必将进入一个崭新阶段,也必将大大促进我国对外经贸多元化战略的实施。与此同时,我国也与澳大利亚、新西兰等发达国家展开了签订自由贸易协定的谈判,也为我国区域贸易投资自由化的布局拓展了更大的空间。

总之,在新世纪,面对区域经济全球化的世界潮流,中国要积极主动地寻求自己主导或参与的区域性经济集团,一方面增强自己全球政治经济竞争的砝码,另一方面为实施多元化战略助力,规划构建我国战略性经贸伙伴区域多元化新的布局。

三、经济外交的作用凸显

(一)多元化战略增加中国的软实力

美国哈佛大学国家事务研究中心主任约瑟夫·奈在美国《外交季刊》上

1990 年秋季发表的《软实力》一文中指出,在新形势下一个国家实力不再强调传统意义上的军事实力和征服别国的能力,而更注重经济、科技和其他方面的"软实力"或"融合性实力"。而且"软实力"(指文化的吸引、意识形态和国际机构)和"融合性实力"(即让其他国家愿意做你所希望做的事)会变得越来越重要。

新的世纪是中国崛起的世纪。在崛起过程中一方面要提防霸权国家不仅利用自身硬实力,更有可能利用其软实力对我国进行压制;另一方面中国崛起的过程不仅仅是硬实力增强的过程,更是自身的软实力增强并发挥作用的过程。

软实力的组成要素很多,但在对外经济贸易领域实施多元化战略无疑是增强自身在对外经济贸易方面的软实力并与强权国家在对外经济贸易领域的软实力相抗衡的重要战略之一。我国实施对外经贸市场多元化战略的初衷之一就是平衡发展我国与世界各国和地区的对外经济贸易关系,尤其要适度减少对某些发达国家市场的过分依赖,或主动改变、调整到适当位置,努力开拓在政治经济领域与我国有更多一致利益的国家和地区,以减弱某些发达国家利用我国对外经贸对其的过分依赖而获得的软实力制约中国。另一方面,我国大力加强和亚非拉国家的对外经贸关系,减少对少数发达国家的依赖也可以培育自身"软实力"。这又可以包括两个方面,一方面是减少对发达国家的依赖即是减弱了发达国家相对于我国的"软实力",从这个方面讲相对来说我国软实力也就增强了;另一方面应大力发展同亚非拉发展中国家经贸关系,虽然其绝对份额可能不大,但是正如前面利用结合度分析的那样,我国与部分发展中国家的贸易和投资的紧密程度是十分高的。这样很可能出现的情况是某些发展中国家对我国市场可能十分依赖,而这些发展中国家市场对我国来说份额可能很小,从而就培养了相对于那些国家的"软实力"。

(二)突出发展援助政策的经济功能

自新中国成立后一直把向贫困友好的发展中国家提供经济技术援助作为外交工作和对外经济关系不可缺少的重要组成部分和履行国际主义义务的重要内容。我国对外援助的规模和地理国别分布与各个时期的国际形势变化格局、对外政经关系的发展和国家财政经济状况密切相关。但是总的来讲从建国到改革开放前我国对外援助的一个显著特点就是政治外交色彩浓厚,对外援的经济功能不够重视。因此,自 1978 年后,在改革开放的大背景下,我国对外援助政策进行了合理的调整,开始注重对外援助的经济功能。

事实上,世界上主要国家的对外援助除了追求政治外交利益外,也常常和对外经贸政策联系在一起,使对外援助在获得政治外交利益的同时,促进对外经济战略的实现。

对于我国来说,自改革开放以来尤其是进入 20 世纪 90 年代以来,如何通过对外援助的方式更多地体现我国对外经济利益成为急需解决的课题。1995年国务院下达《关于改革援外工作有关问题的批复》标志着我国援外工作发展到一个新阶段。这次改革的重点放在推行援外新方式、扩大援外规模;通过银行提供优惠贷款,政府予以贴息;促进对外援助与贸易、投资等互利合作方式相结合;力争援外资金来源和渠道多元化,鼓励中国的优秀企业到发展中受援国举办合资合营企业,以进一步提高经济效益。

对外援助的这次改革为促进我国对受援国的出口、投资和劳务输出起到了极大的带动作用。许多援助项目我国只以较少的优惠贷款便带动了较多的投资以及大量的劳务出口,起到了"四两拨千斤"的作用。显然这种援助对于发展同受援国的经济联系,开拓亚非拉发展中国家市场,减少对发达国家市场的依赖,实现对外经贸市场多元化目标的作用都是十分明显的。在未来若干年,对外援助无疑会为我国进一步开拓与我国经贸关系疏远的发展中市场,促进多元化战略的实施起重要作用。

(三)能源外交占有重要地位

石油一向称为"工业的血液",对于国民经济的发展越来越重要。尤其是20 世纪 70 年代发生的"石油危机"使得世界各主要石油消费国越发意识到石油的安全、稳定、价格合理的来源对于一个国家的经济健康发展是多么重要。因此对于主要西方发达国家,以获取安全、稳定、价格合理的石油来源为目的的能源外交早就成为整体外交政策的重要组成部分。

对于中国来说,虽然从 1993 年成为石油净进口国以来,中国石油进口量迅速增长,石油进口依存度越来越大,到 2004 年达到了 38%,专家估计到 2020 年石油对外依存度将达 60%,意味着中国到时需要进口 1.8 至 2 亿吨原油,但是真正意义上的能源外交却还处于起步阶段。由于石油的供给和生产并非完全市场化,受到政治和外交甚至军事的影响较大,因此我国面临的巨额数量的石油进口不仅仅是我国经济上的沉重负担,也进一步增加了我国石油来源的风险。因此如何保障新世纪我国能源的安全供给已成为一重大课题。在这种情况下,中国新世纪的能源外交日益凸显了出来。

能源外交所要解决的最重要课题就是努力寻求石油来源的多元化。目前世界石油输出的地区比较集中在中东—北非、中亚—俄罗斯、西非及拉美等地区,因此我国的石油进口也必然主要从这些国家进口,如果利用政治经济外交手段获取这些地区稳定可靠的能源将是我国未来能源外交的主要内容。

与20世纪90年代相比,目前我国实施多元化战略所面临的国内外环境发生了巨大变化。在20世纪90年代初多元化战略的动机可能主要在于对发展中国家市场的开拓,由于当时国内经济规模、外贸规模相对较小,对世界经济和其他国家的影响较小,而现阶段,在进出口总额居世界第四、吸引外国直接投资居世界第一的情况下,我国已经完成从一个贸易小国向贸易大国的转变,而正从贸易大国向贸易强国转变。在这种背景下要继续推进对外经贸市场多元化战略就需要对其有新认识。首先,对多元化战略内涵的认识上,不仅要重视出口市场的多元化,也要重视进口市场的多元化、利用外资和引进技术以及"走出去"市场的多元化。其次,在实施多元化战略的措施上,面对新的国际政治经济形势,思维要更加开阔,要站得更高,以培育多元化能力(也即海外市场开拓力)为目的,以新的理念指导促进多元化战略向更高阶段发展的战略性措施。最后,应顺应当今区域经济一体化的趋势,要认识到对外经贸市场多元化的高级阶段应是积极参加各种经济合作组织,以自己参加的区域经济组织为基础构建我国对外经贸市场多元化的战略伙伴体系。

第七节 市场多元化战略的深化与战略升级

在新形势下应进一步推动我国多元化战略的深化与升级。多元化战略的实施效果从根本上取决于我国经济的竞争能力,因此,未来的多元化战略举措不能单纯地依靠贸易和投资的促进措施,更需要适应当前国内外世界政治经济形势,以理论创新为先导,以建设国家未来的综合性政治经济竞争优势为目标,采取适合我国实际情况的战略性措施。

一、以比较优势巩固市场多元化

目前我国已基本形成"以周边国家和地区为首要市场,以发达国家为关键市场,以广大发展中国家为基础市场"的多个层次的多元化市场格局。事实和经验证明,我国对外经贸格局取得了今天的成绩是坚定不移地发挥我国劳动力资源优势这一战略的结果。通过发挥比较优势,使我国从一个贸易弱小国家成功实现了向贸易大国的转变。在未来若干年所推进的多元化战略也必须要继续发挥比较优势,巩固业已形成的多元化市场。

由于我国的比较优势体现在多个方面和层次,因此完全可以根据比较优势的这一特点实现我国对外经贸市场的多元化。

首先,劳动力资源的优势是我国最大的比较优势。在未来实施的多元化战略中,要充分利用我国的劳动力密集型产品进一步扩大在发达市场、新兴工业化市场和广大发展中国家市场的占有率。

其次,在劳动力素质方面相对于大部分发展中国家也有一定的优势。经过多年"科教兴国"和"人才强国"战略的实施,我国劳动力素质得到了很大提高,受高等教育的人口数量居世界前列,而且劳动力成本相对低。因此,我国不仅仅对于生产纯粹的劳动密集型产品有比较优势,而且生产需要熟练劳动力的产品也具有优势。

再次,相对于其他发展中国家,我国的工业科技也占有一定的优势。我国完全可以利用科技上的相对比较优势开拓广大发展中国家的市场。

最后,需要强调的是在利用比较优势的同时,要注意不失时机地使产业结构升级,并使外贸的产品结构与国内产业结构保持同步升级,发展动态比较优势并使之高级化,避免落入"比较优势陷阱",这对于我国未来深度开拓发达国家市场,与扩大发展中国家市场十分重要。

二、以国家竞争优势优化市场多元化的格局

正如前面分析的那样,实施多元化战略最根本的目的在于提高中国企业国际竞争力,然而一个国家企业竞争力的状态从根本上说反映了这个国家的竞争力状况。要实施多元化战略,就要培育和扶持中国企业开拓和抢占国际市场的能力,因此,要从根本上提高我国多元战略的实施能力,不是在海外办几个贸易中心或是商品分拨中心就能解决的问题,而要根据国家竞争优势理论培育和增强我国的国家竞争优势。

波特在《国家竞争优势》一书中分四个方面论述了国家的竞争优势理论,即新型标准、菱形模式、政府作用和战略原则。波特的新型标准认为具体行业的竞争优势取决于技术的创新,市场营销水平的提升,原材料资源的优势,全球性战略规划等。他进一步指出没有一个国家能够在所有的行业拥有绝对优势,但只能在某些行业优势突出,一个国家很少能在孤立的行业中形成优势,而是通过紧密结合的行业集团形成核心优势。

波特认为国家的竞争优势取决于构成菱形的四个基本条件:一是该国独特

的生产资料优势,如劳动资源,基础设施和资金来源;二是国内市场需求优势,企业的竞争力通常首先是在迅速发展的国内市场上获得的;三是国内相关行业的辅助优势,强大的国内供应商和相关互补行业有助于提供类似的技术支持和共享人才资源;四是国内企业之间竞争带来的优势,当地市场的激烈竞争有利于促进企业加大投资,加快技术创新并迫使企业走向国际市场。

因此首先要充分发挥我国劳动力资源丰富的优势,要根据比较优势原理大力发展劳动密集型产业并出口。把劳动力资源丰富的比较优势转换成竞争优势至关重要,这就需要在基础设施建设、人力资源投资、吸引外资等方面下工夫。

根据波特的国家竞争优势理论,政府在从根本上提高我国实施多元化战略的能力,提升国家和企业的国家竞争力,应该在以下两方面发挥作用。

首先,政府应重视基础设施的建设,应努力为国内企业集团化优势的形成创造一流的基础设施并造就一流的人力资源环境以提高国内企业的国际竞争力。事实上,我国政府对电讯、电力、交通等基础设施的投入,对航空、金融等企业集团的资源整合以及对教育、国内人才培训、外国人才引进的重视都表明我国政府正在努力通过完善基础设施和改进国民教育以提升我国国内企业的核心竞争力。

其次,政府要转变职能。政府的角色从严格控制到放松管制正在发生重大的变化,政府应努力为企业创建一个宽松的竞争环境,而不是设置各种各样的障碍和贸易壁垒以提高企业参与国际竞争的能力。

总之,借鉴国家竞争优势理论,构建我国国际竞争力和抗风险能力,从根本上增强我国企业参与国际竞争的能力,对于提高我国实施多元化战略的能力是根本性和长远性的。

三、以战略性贸易政策实现市场多元化战略

所谓"战略性贸易政策"是指在不完全竞争和规模经济条件下一国政府可以凭借生产补贴、出口补贴或保护国内市场等政策手段,扶持本国战略性工业的成长,增强其在国际市场上的竞争能力,从而谋取规模经济之类的额外收益,并借机劫掠他人的市场份额和工业利润,即在不完全竞争环境下,实施这一贸易政策的国家不但无损于其经济福利,反而有可能提高自身的福利水平。

战略性贸易政策的核心是,在不完全竞争和规模经济条件下,政府对于贸易的最优政策不是基于传统的自由放任,而是要利用战略性的贸易政策扶持本

国的工业成长,增强其在国际市场上的竞争力。国家贸易政策的任务之一就是巩固比较优势,在没有比较优势的行业培育和创造竞争优势。

我国正在实施的多元化战略,虽然国家理所当然要发挥政府政策的导向性作用,但是开拓国际市场,分散对外经贸风险的主体却是微观的单个企业。而现实情况却是我国还缺乏国际知名的具有较强国际竞争力的企业,这就决定了我国企业在开拓新国际市场、巩固已有市场与其他实力更强的国际公司竞争时,就会处于不利地位。从微观方面讲,这种不利地位阻碍了我国企业开拓国际市场;从宏观方面讲,则会进一步影响我国多元化战略的实施。

因此,从理论上讲,政府应该对我国企业实施战略性生产补贴、出口补贴和战略性关税政策,以影响我国企业在国际市场与其他国际公司竞争时的战略态势,尤其是在一些垄断性比较强,规模经济比较突出的行业,更是要对这些行业中的企业进行适当扶持和保护,以增强他们在国际市场上竞争的战略优势。只有这样,才能将我国的多元化战略落到实处。具体地讲,我国在实施多元化战略中,要注意战略性贸易政策的配合运用。

首先,运用战略性贸易政策对技术密集型产业进行必要的保护和扶持。对于技术密集型产业,与发达国家相比我国是不具有比较优势的,但是要进一步深度开拓发达国家市场除了进一步搞好劳动密集型产品的出口外,还有必要提高我国产品的技术含量;而且,与大多数发展中国家相比,我国的某些产业的技术优势还是有的。虽然在加入 WTO 的情况下,我们要逐步弱化某些政策工具,如补贴和关税;但是,也不能完全弃之不用。例如,当我国某些特定产品在国际市场上具有明显的比较优势和一定的市场权力时,就要防止进口国利用进口限制或形成买方垄断集团等方法来转移我方利润。

其次,要扶持我国的跨国公司和集团。目前 1/3 的国际贸易和 2/3 的国际投资都是由跨国公司进行的,而目前我国还未真正形成一批跨国公司和集团,国际市场上的垄断竞争、寡头独占竞争为主的局面将在相当长一个时期内保持不变,我国企业在国际市场与大型跨国公司和集团竞争时必然处于劣势,因而会阻碍我国企业有效开拓国际市场。因此,面对国际市场上的这种不完全竞争态势,中国企业应真正成为世界性跨国公司,壮大自身实力,调整经营战略,与发达国家的跨国公司较量和抗衡。只有中国的企业在国际竞争中与其他跨国公司相抗衡时,中国才能从根本上提高我国实施多元化战略的能力。

四、以"国别元"和"区域元"构建市场多元化新格局

未来我国实施的多元化战略应强化"国别元"与"区域元"的有机结合。国别元一般指我国与各种类型的国家(包括发达国家、新兴工业化国家、发展中国家)和地区的经贸关系要均衡发展。区域元则指我国要积极参与区域经济一体化进程,并同时保持与世界主要区域经济组织的经贸关系均衡发展。

实施市场多元化战略不仅要增强企业开拓国际市场的能力,从根本上增强我国实施市场多元化战略的能力,同时应在国家层面上积极发展与各地区的国家和国家集团构建稳定的多边或双边经贸关系,为企业开拓国际市场营造良好的外部环境。以往由于地区经济的一体化安排使得我国丢掉某些市场的例子很多,为了避免和弥补因区域贸易自由化安排带来的贸易和投资转移效应给我国带来的负面影响,就需要积极参与这种区域经济一体化的进程。

目前我国已经与东盟签署了自由贸易协定,与中国香港和中国澳门也分别签订了更紧密经贸关系安排的协定,而上海合作组织也从贸易和投资便利化起步并逐渐朝着自由贸易区方向延伸。因此在我国的六大战略性贸易和投资伙伴中已经有三大伙伴与我国的经贸关系有稳定的法律基础。而与日韩、美国、欧盟的经贸关系仍然是我国对外经贸活动的主要部分,未来实施多元化战略的着眼点在于平衡发展与这三大经济体的关系,尤其是大力加强与欧盟的经贸关系。如果中日韩克服政治障碍,谈判建立自由贸易区,则我国的区域多元化体系将会更加巩固和稳定。

在此基础上,中国与智利、中国与南部非洲三国、中国与海湾合作理事会六国等正在进行的自由贸易安排也将是我国市场多元化战略的重要组成部分。从长远来讲,中国与非洲、拉丁美洲各国在某种形式上的贸易和投资的自由化安排,对于我国构建一个完整的对外经贸市场多元化体系意义十分重大。

五、市场多元化战略与其他外经贸战略的有机结合

由于我国对外经贸战略包括四大战略,即市场多元化战略、以质取胜战略、科技兴贸战略、"走出去"与"引进来"相结合的战略。市场多元化战略只是我国对外经贸战略的有机组成部分之一,这四大战略互为联系、相互配合,为实现我国整体对外经贸战略目标服务。

市场多元战略保证我国对外经贸的区域结构方面在未来国际竞争中保持有利地位,但是它的实施离不开以质取胜战略、科技兴贸战略和走出去战略的

实施。正如前面提到的,要进一步开拓欧美日等发达国际市场,要重点开拓广大发展中国家市场,就离不开产品有好的质量和形象;要想在国际市场竞争中取得优势,不仅仅要靠成本价格的优势,更要靠产品的科技含量;在贸易和投资越来越结合在一起的时代,要想真正牢固地占领外国市场,就需要对外投资的配合。因此,在实施多元化战略的同时,要进一步实施对外经贸的其他三大战略。

六、完善市场多元化战略的政策措施体系

目前我国已经初步建立了一套促进对外经贸市场多元化的政策措施体系,虽然尚存不少缺陷与不足,但是这些措施对于进一步做好多元化战略的实施仍然是必要的,因此,首先要做的工作就是要完善已有的政策措施体系。完善已有政策措施体系时必须要注意以下几个方面。

首先,明确国家整体的竞争优势和企业的国际竞争力才是提高我国实施市场多元化战略能力的根本。政府在开拓国际市场中的作用和职责应该是维护本国企业的利益,为本国企业进行国际竞争创造一个良好的国内国际环境。多元化战略无疑需要政府指导与推进,但是最终落实的则是企业对国际市场的均衡开拓。

其次,综合运用国家的产业政策、战略性的贸易政策,以及对外经贸的其他三个战略即以质取胜战略、科技兴贸战略和走出去战略,以培育我国的大型跨国企业和集团,培育和扶持本国企业的国际竞争力创造政策环境。

再次,在实施多元化时,政府应进一步改进和完善对企业的促进服务体系。如对国内企业的商业信息服务、组织国内企业在国外的促进活动,以及对企业进行法律援助等等,为微观企业开拓国际市场服务。

最后,企业开拓国际市场也需要大量的高级专门化人才,因此政府也应该在人力资源培育方面为企业服好务。还有国家也应该对多元化战略的实施目标作战略性规划,以使人们对未来若干年我国对外经贸格局有一个前瞻性的期望。

七、运用经济外交实现市场多元化战略

外交工作直接服务于本国的经济建设不仅是本国经济发展的需要,也是由当今国际政治经济的状况决定的。我国改革开放前的纯政治外交的时代已经成为历史,如今政治外交与经济外交相互服务、相互促进。经济外交涵盖的范

围较广,市场多元化战略的提出,无疑为我国经济外交注入了新的内涵,经济外交为我国实施多元化战略应该而且可以发挥重要作用。

促进市场多元化战略的实施而使用的经济外交手段很多,比如与其他国家谈判建立自由区,签订经贸关系协定以及以国家名义进行商务促进活动等。经验表明,许多得以进入国外市场的企业,不仅得到了其本国贸易促进组织的帮助,而且和本国政府的政治干预有关。在今天激烈竞争的全球市场中,贸易和投资中的政治因素已经渗透到各个经济部门。因此,我国整体的政治经济外交战略应该而且完全有可能促进我国市场多元化战略的实施。

对外发展援助是经济外交的重要工具和手段。对我国而言,对外发展援助要密切配合多元化战略的实施,即重点投向我国需要着力开拓的亚非拉市场,为我国企业开拓这些市场铺路,增强这些国家在我国外经贸市场中的份额。在促进东道国经济发展的同时,不断朝着互利双赢的方向发展。

第三章

科技兴贸战略:贸易增长方式转变的根本途径

第一节　科技兴贸战略形成的背景

20世纪90年代后期提出并实施的"科技兴贸"战略有着深刻的国际国内背景。90年代以来,为适应外经贸发展内外部环境的变化,对外经济贸易领域先后提出了"市场多元化战略"、"以质取胜战略",对于指导外经贸发展与改革发挥了十分重要的作用。随着全球知识经济的到来,面对发达国家高科技的巨大优势,我国外经贸特别是出口贸易发展面临的外部环境发生了较大变化,以质取胜战略需要进一步发展,为此,作为以质取胜战略的深化,品牌战略被提上了日程。1997年亚洲金融危机使我国出口贸易受到了较大挑战,由于我国与东亚各国出口产品结构较为相似,同构现象较为严重,不仅东南亚各国货币大幅度贬值,而且日本、韩国的货币也以相当大的幅度贬值。中国作为负责任的大国,坚持人民币不贬值,这直接影响了我国产品的出口增长,也为此付出了相当大的代价。为了缓解与东南亚各国在第三国市场上对头产品较多的矛盾,从根本上提升中国产品的竞争力,外经贸部与科技部提出要制定并实施"科技兴贸"战略,并成立科技兴贸领导小组。1999年6月外经贸部与科学技术部联合发布《科技兴贸行动计划》,正式提出"科技兴贸"是我国外经贸工作的基本战略之一,它是继"市场多元化战略"、"以质取胜战略"之后,实现外经贸跨世纪发展的一个新的重要战略。

一、"知识经济"与"新经济"蓬勃发展

"知识经济"或"新经济"就是高科技经济①，最早提出"新经济"的概念主要是针对美国20世纪90年代经济的持续增长，并试图对美国经济"长期繁荣"进行解释，并侧重于强调电子、信息和网络技术对经济增长的巨大影响。经济合作与发展组织（OECD）所称的"知识经济"涵盖范围似乎更广泛，不仅认为电子、信息和网络技术对经济结构和增长模式转变有巨大影响，还认为生命科学技术、新能源技术、新材料技术、空间技术、海洋技术、环境技术等均是促使经济摆脱传统增长模式的重要因素。

经济合作与发展组织在《1996年科学、技术和产业展望》报告中，第一次明确提出了"以知识为基础的经济"的概念。世界银行发表的1998～1999年度报告，题目就是《知识促进发展》。该报告明确提出知识是经济增长和可持续发展的关键，国际机构和发展中国家必须促进知识为经济服务。知识经济的概念提出后，世界各国都十分重视，纷纷制定迎接知识经济时代挑战的战略与政策。

随着以信息技术为标志的新一轮高新科技革命，20世纪90年代以来全球正经历一场以知识经济为主要特点的新的增长周期。我国政府和领导人看到了历史赐予的这一次发展机会，迅速抓住这次科技革命和经济增长的周期，发展我国的高科技产业，促进我国科技和经济实力的不断增长②。

（一）高新技术产业成为西方发达国家经济增长的主要动力

20世纪90年代以美国为代表的西方发达国家在新兴科技的引领下持续发展，以信息网络技术、生物技术、能源技术和纳米技术等为代表的高新技术产业成为西方发达国家经济快速增长的主要推动力量。企业之间的竞争不再局限于价格和产品数量的竞争，扩展到包括知识含量和附加价值的竞争；一家企业可以因发明一项新技术，并迅速商业化而带来巨额利润，但只要其他企业发明一种更好的同种产品，那么这项技术就会立即逊色并很快失去市场价值，这使创新成为企业持续发展和提高竞争力的最主要动力；个性化、多样化、低耗化和软件业等新型行业，取代生产原材料及设备的大企业而成为"核心产业"。相关资料显示，经合组织的主要成员国在20世纪90年代中后期，以知识为基础的产业已占国内生产总值的50%；美国也声称，知识和技术的作用已占了生产率

---

① 此定义参见张祥编著：《新经济与国际经济贸易》，中国对外经济贸易出版社2001年6月第一版。

② 参见李钢"知识经济与我国对外经贸事业发展"，《国际贸易论坛》，1999年第2期。

增长的 80%；并且东亚一些国家和地区的知识对于经济增长的作用也日趋明显。从就业看，1970～1994 年十余年间，在经济合作与发展组织所有国家整个制造业中，熟练工人的就业数量增加了 10%，而不熟练工人的就业数量则下降了 70%，与高技术相关的高工资就业增加了 20%，中等工资就业下降了 20%[①]。

（二）高新技术产品贸易成为拉动对外贸易增长的重要力量

在国际贸易方面，主要工业化国家高新技术产品出口的增长速度均高于全部出口增长的速度，这表明高新技术产品出口已经成为国际贸易新的增长点，高新技术产业已经成为推动国际贸易高速发展的主导力量。据统计，20 世纪 90 年代以来，世界高新技术产业出口年增长率在 10% 以上，比中低技术和低技术产业出口年增长速度高 5～6 个百分点，2000 年全球高新技术产业出口规模约为九千多亿美元。世界制造业出口结构也由此产生重大变化，高新技术产业在制造业出口总额中的份额呈加速增长趋势，到 2002 年约占制造业出口总额的 1/4；而中低技术产业和低技术产业的份额则呈下降趋势，从 1985 年的 58% 降至 2002 年的不足 50%。

不仅是欧美日成为高新技术产品贸易的主导力量，其他一些国家也紧跟潮流。如发展中国家的印度，根据世界经济科技发展新动向，选择软件产业作为突破口，采取各种措施促进国内软件业发展，其软件出口迅速增长，1998 年软件出口达 24.5 亿美元，成为仅居美国之后的第二大软件出口国，极大带动了外贸的增长和国内经济的发展。以色列以高科技兴国，努力发展国际尖端技术。由于其在电信、医疗设备、环保技术、电脑软件、生物技术和化工、农业等领域处于世界领先地位，其高新技术产品占出口总额的 70%。此外，新加坡以及中国台湾均在 90 年代积极为产业结构调整和进出口商品结构调整注入科技因素，均取得了显著效果。

二、科技创新体系的形成与"科教兴国"战略的实施

我国科技创新技术及高技术产业发展大致经历了两个阶段：第一阶段是 20 世纪 50 年代中期到 80 年代初期，这一时期我国科技创新体系及高技术产业处于萌芽阶段，主要以发展国防高科技工业为主；第二阶段是从 20 世纪 80 年代初至今，这一阶段为产业起步阶段，经过国家"863"计划、"火炬计划"，特别是

---

① 参见张祥主编：《知识经济与国际经济贸易》，中国对外经济贸易出版社 1999 年 8 月版，第 55～56 页。

"科教兴国"战略的实施,使我国创新体系及高技术产业获得了较大的发展,某些领域已达到或接近国际先进水平,初步形成了科(技)工贸一体化的高新技术产业体系。

(一)1986年实施"863计划"

"863计划"是在改革开放的总设计师邓小平同志的亲自关怀和指示下组织实施的。1986年3月王大珩等4位科学家对跟踪世界战略性高技术向中央提出建议,邓小平同志批示后,经二百多位专家论证,研究制定了《高技术研究发展计划纲要》,并经中共中央、国务院批准实施。据邓小平同志批示及科学家倡议的日期,这一计划又称"863计划"。该计划的目的是:在2000年前的十几年内,集中一部分精干的科技力量,在几个重要的高技术领域,跟踪国际水平,缩小同国外的差距,并力争在中国具有优势的领域有所突破,为20世纪末和21世纪初中国经济向更高水平发展创造条件。"863计划"根据"军民结合,以民为主","有限目标,重点突出"的原则,选择了生物技术、航天技术、信息技术、激光技术、自动化技术、能源技术和新材料等7个领域中的15个主题项目。随着计划的实施,水稻基因图谱、通信高技术等也已列入该计划中。生物技术、信息技术、自动化技术、能源技术、新材料5个领域和航天技术、激光技术2个领域分别由国家科委和国防科工委组织实施,高技术新概念、新构思、探索性基础研究由国家自然科学基金委员会组织实施。

(二)1988年实施"火炬计划"

为了促进我国高新技术成果商品化、产业化和国际化,1988年国务院正式批准实施"火炬计划"。其宗旨是:贯彻执行改革开放的总方针,发挥我国科技力量的优势和潜力,以市场为导向,促进高新技术成果商品化、高新技术商品产业化和高新技术产业国际化。通过创造高新技术产业发展的环境、建设高新技术产业开发区和创业服务中心、实施火炬计划项目、促进高新技术产业的国际化、培训人才等多种形式,实现"火炬计划"发展目标,即1.通过高新技术产业开发区的建设与发展,形成一批高新技术产业特色鲜明、管理体制先进、运行机制灵活、政策法规配套、支撑服务体系健全、环境条件优美的发展高新技术产业的基地。2.通过火炬计划项目的实施,培育一批高新技术的新兴支柱产业,有效地促进产业结构的合理调整,大幅度地提高全国劳动生产率。3.通过火炬计划重点项目的实施,重点发展一批具备现代化企业制度、具有名牌产品的高新技术企业;重点扶植一批用高新技术改造传统产业的大中型示范企业;重点促进一批具备条件的乡镇企业技术水平和管理水平上档次。重点支持一批民营科技企业高新技术产业发展上规模。4.通过高新技术创业服务中心对中小科技企业进行全方位、全过程的孵化服务,促进高新技术成果向商品的转化和再开发,为高新技术产业持续发展不断地提供高新技术企业新的生长点。5.通过火炬计划的实施,造就一批懂专业、会管理、善经营、勇于创新、敢于拼搏的发展高新技术产业的开发、经营、管理人才。

通过实施火炬计划,力争在20世纪末达到下述预计指标:1.实现年技工贸总收入6000亿元,其中高新技术产品年销售总收入5000亿元。2.通过高新技术产业开发区的建设与发展,实现年技工贸总收入5000亿元,其中工业总产值4000亿元。3.实现年销售收入3000亿元。国家级火炬计划项目累计3000项,地方级火炬计划项目累计9000项。4.通过火炬计划项目、重点项目的实施和高新技术产业开发区的建设与发展,培育认定各类高新技术企业3000家。5.通过火炬计划实施,造就高新技术产业开发、经营、管理人才50万人。

(三)1995年提出并实施"科教兴国"战略

以江泽民同志为核心的党的第三代领导集体,进一步贯彻落实"科技是第一生产力"的思想,高度重视科技进步在推动社会主义现代化中的关键作用。1989年11月,江泽民在全国科技奖励大会的重要讲话中,提出发展科学技术是全党的历史性任务。1991年,江泽民在全国科协第四次代表大会上,向全国发出了"把经济建设转移到依靠科技进步和提高劳动者素质轨道上来"的号召,并强调这一转移与十一届三中全会党的工作重点转移到经济建设上来具有同等重要的战略意义。

1993年7月2日全国人大八届常委会第二次会议于审议通过了《中华人民共和国科技进步法》,并于同年10月1日起施行。

1995年5月,党中央、国务院正式发布《中共中央、国务院关于加速科技进步的决定》。

1995年5月26日~30日,党中央、国务院在北京隆重召开全国科学技术大会。江泽民代表党中央在大会上正式提出要实施"科教兴国"发展战略。

1996年,党的十四届六中全会提出了面向21世纪实施"科教兴国"的政策建议。全国人大八届四次会议通过了关于国民经济和社会发展的"九五"计划和2010年远景目标,确定了我国中长期教育发展目标和改革的总体思路,其中把科教兴国战略作为我国的一项基本国策。1997年,在十五大上,江泽民再次提出把科教兴国战略和可持续发展战略作为跨世纪的国家发展战略。1998年6月,为切实贯彻落实"科教兴国"战略,加强对科技和教育领导,增加投入的力度,国务院成立了国家科技教育领导小组。

1998 年 6 月 9 日、10 月 28 日和 12 月 5 日国家科技教育领导小组先后召开三次会议,分别审议了中科院知识创新工程试点和《面向 21 世纪中国教育振兴行动计划》,部署了 1999 年科教兴国的战略步骤。

在外经贸领域,为落实"科教兴国"战略,转变外贸增长方式,1998 年起外经贸部就把落实"科技兴贸"战略作为外经贸工作的重点,并于 1999 年联合科技部正式出台《科技兴贸行动计划》。因此,"科技兴贸"战略既是整个国家"科技兴国"战略的组成部分或子战略,又是外经贸领域实施的一项全国性战略,它是二者有机结合的必然产物。

三、技术引进和高新技术产品出口迅速发展

(一)技术贸易迅速发展并取得的良好效益

改革开放以来,我国的技术贸易获得了迅速发展,在整个对外贸易的发展中起着愈益重要的作用[①]。

从 1979 年到 1998 年,我国共引进技术 27829 项,合同总金额 1054.8 亿美元。技术进口的项目数和合同总金额分别是改革开放前 30 年总和的 32.9 倍和 8.8 倍。1998 年我国的技术引进合同 6254 项,合同总金额 163.75 亿美元,比上年分别增长 5.1% 和 2.84%。我国的技术出口 20 世纪 80 年代开始起步,90 年代以来出现大幅增长。1981 年到 1998 年期间我国共批准技术和成套设备出口合同 9198 项(其中"九五"前三年的出口合同有 6270 项),合同总金额 282.2 亿美元(其中"九五"前三年的出口合同金额 169.0 亿美元)。1998 年我国的技术出口合同 2500 项,合同总金额 66.87 亿美元。出口合同金额比上年增长 21.12%。

从改革开放到 20 世纪 90 年代末,我国技术进口呈现出以下特点:从投资方向来看,技术引进与设备进口大多为能源、交通、通信、电子和化工项目。这些领域中技术与设备的引进对我国产业结构调整、基础设施建设及国有大中型企业改造都发挥了重要作用。从技术引进国别来看,仍然集中在美国、日本、德国、意大利等发达国家和俄罗斯。从技术的先进性来看,高起点的尖端技术所占比重有所增加,所涉及的行业有核电、移动通信、卫星地面站、复合材料、计算

---

① 参见徐贤权主编:《90 年代中国出口战略研究》,中国对外经济贸易出版社 1992 年 8 月第一版,李钢撰写的第十二章技术出口。

机软件等。此外,在合同总金额中,技术费所占的比例大大增加。技术和设备的引进推动了企业的技术改造,缩小了与国外的技术差距,提高了企业的经济效益,增加了国内有效供给,同时也扩大了我国的出口创汇能力。

同一时期,我国技术出口的主要特点是:以技术带动成套设备出口的项目稳步增长,成为我国技术出口的主要形式。技术出口的国别、地区逐年增多,目前已达到七十多个,向发展中国家出口技术和设备约占我国技术出口合同总金额的70%左右。高技术产品出口增长较快,1998年高技术产品出口已占我国技术出口合同金额的35.1%。一些企业以技术无形资产作为投资,到海外建立生产企业,带动了我国设备和零部件的出口。

通过技术贸易,从国外进口国内急需的先进技术和关键设备,提高了我国生产能力和技术水平,加速了经济发展,增强了自力更生的能力,增加了消费品生产,改善国内市场供应。而且,通过技术引进、消化、吸收,逐步建立了我国高新技术产业,提高了高科技含量的产品在国际市场的竞争力,为科技兴贸战略的实施奠定了技术产业基础。

(二)20世纪90年代高新技术产品在对外贸易中的地位逐步提高

改革开放以来,我国外贸出口发展实现了两次历史性跨越,每一次跨越均实现了出口结构的一次升级。1986年,纺织服装产品取代石油成为我国第一大出口产品,标志着我国摆脱了以资源为主的出口结构,进入到一个以劳动密集型制成品为主的时期。依靠轻纺产品,外贸出口于1989年达到525.4亿美元,迈上了第一个台阶,实现了外贸出口从主要依托资源型产品转变为主要依托劳动密集型制成品的第一次历史性跨越。1995年,我国外贸出口结构又出现了一个历史性的变化,机电产品出口首次超过纺织服装产品成为最大类出口产品。依靠机电产品,我国外贸出口由1994年的1000亿美元迈上了2000亿美元的台阶,实现了外贸出口从主要依托劳动密集型制成品出口转变为主要依托兼具劳动力密集型和资本技术密集型双重特性的机电产品出口的第二次历史性跨越。而在科技兴贸战略提出的前夕,我国高新技术产品出口在拉动贸易增长和实现出口产品结构升级方面发挥越来越重要的作用。

1.高技术产品进出口在对外贸易中的地位进一步提高

20世纪90年代以来,我国高技术产品在对外贸易中的比重不断上升,从1991年的9.1%上升到1998年的15.3%,1999年进一步上升到17.3%,为历年来最高水平。从出口看,高技术产品占全部商品出口的比重由1991年的4.0%上升到1998年的11.0%,1999年又提高到12.7%。高技术产品进口占全部商品进口的比重由 1991 年的 14.8% 上升到 1999 年的 22.7%。尽管如此,我国与世界先进国家和地区在高新技术产品贸易方面仍存在着很大的差距。

表 3-1　我国高技术产品进出口在对外贸易中的比重(1991~1999 年)

单位:%

年份	1991	1992	1993	1994	1995	1996	1997	1998	1999
出口	4.0	4.7	5.1	5.2	6.8	8.4	8.9	11.0	12.7
进口	14.8	13.3	15.3	17.8	16.5	16.2	16.8	20.8	22.7
进出口	9.1	8.9	10.5	11.4	11.4	12.1	12.4	15.3	17.3

资料来源:中国科技统计网站。

从工业制成品进出口看,高技术产业的发展明显提高了我国加工工业的水平和产品档次。20 世纪 90 年代以来,我国高技术产品在工业制成品进出口中的比重呈稳步上升态势,从 1991 年的 11.3% 增加到 1997 年的 14.8%,5 年提高了 3.5 个百分点;1997 年以后的 2 年里上升势头明显加快,提高了 5 个百分点。1991 年高技术产品出口额占工业制成品的比重仅为 5.2%,1999 年已经提高到 14.1%。这表明在工业制成品中,由 1991 年大约每 20 美元出口额中有 1 美元的高技术产品,提高到 1999 年约每 7 美元的出口额中有 1 美元的高技术产品。高技术产品进口额在工业制成品中一直占有较大的比重,1999 年为 27.1%,在不到 4 美元的进口工业制成品中就有 1 美元的高技术产品。

表 3-2　我国高技术产品进出口额占工业制成品对外贸易额的比重

单位:%

年份	1991	1992	1993	1994	1995	1996	1997	1998	1999
出口	5.2	5.9	6.2	6.3	7.9	9.8	10.3	12.4	14.1
进口	17.8	15.9	17.7	20.8	20.3	19.8	21.0	24.9	27.1
进出口	11.3	10.9	12.5	13.4	13.6	14.5	14.8	17.6	19.8

资料来源:中国科技统计网站。

2. 高技术产品出口对扭转我国出口下滑起到关键作用

东南亚金融危机对我国的外贸出口产生了较大的影响,由于周边国家货币的大幅度贬值,使得我国产品的比较优势下降,出口增长放缓,1999 年头几个月外贸出口甚至出现负增长。从统计数据上看,在扩大出口方面,劳动密集型产品的潜力已很有限。高技术产品对东南亚金融危机具有较强的抵抗性,对进一步扩大出口具有举足轻重的作用。因此,改变外贸出口的产品结构,扩大高新技术产品的出口将成为促进对外贸易的新增长点。

1999年,我国商品出口额增加了112.19亿美元,其中高技术产品出口比上年增加44.53亿美元。高技术产品虽然只占商品出口的12.7%,但对出口增长的贡献却高达39.7%。如果将高技术产品从全部出口商品中分离出来,并与非高技术产品进行对比,可以发现,高技术产品出口的增幅远高于非高技术产品,1999年高技术产品出口的增长幅度是非高技术产品的5倍多。

表3-3 高技术产品与非高技术产品出口增长情况对比

单位:亿美元,%

	1998 年		1999 年	
	金　额	比上年增长	金　额	比上年增长
高技术产品	202.51	24.2	247.04	22.0
非高技术产品	1635.58	-1.76	1702.27	4.1
全部	1838.09	0.5	1949.31	6.1

资料来源:中国科技统计网站。

四、科技进步促进贸易发展的作用不断增强

(一)科技进步日益成为促进国际贸易发展的重要因素

1.科学技术革命与国际贸易的发展

考察一下世界贸易产生和发展的历史,资本主义的每一次产业革命(科技革命)均对国际贸易产生了重要影响。

以珍妮纺织机的问世开始,以瓦特发明蒸汽机为主要标志的英国第一次工业革命,使得国际范围的分工初步形成[①]。如马克思在《资本论》中所描述的那样,产业革命将生产的社会化推进到了新的高度,其标志是社会分工超越了国界和民族地域的局限,而走向国际化,一种新的、适应于机器经营的国际分工发生了。工业革命后,机器大生产的社会化程度极高,它的原料供应和产业销售完全突破了地域性,而与遥远的海外发生紧密联系。正如马克思所说,由于有了机器,现在纺织工业可以住在英国,而织布工人却住在印度。在机器发明前,一个国家的工业主要是用本地原料来加工。例如,英国加工的是羊毛,德国加工的是麻,法国加工的是丝和麻,东印度加工的则是棉花等。这段话深入浅出

---

① 当然这种分工主要是发达资本主义国家与殖民地的不平等的国际分工。

地说明了国际贸易(国际分工)是产业革命(科技革命)的结果。由于纺织业是当时最大的支柱产业,国际贸易的最主要部分也是纺织品及其原料的贸易。当时,天然纤维成为最重要的原料,以至于马克思、恩格斯都说当时是"棉花的世纪"。第一次工业革命"首次开创了世界历史",它所带来的机器大工业为把国际间的交流推向全球化提供了必要的条件,为全球各地区、各国和各民族的沟通和未来全球一体化奠定了初步的基础。蒸汽机的发明,汽船的航运、铁路的畅通,是国家间、民族间交流所不可或缺的基本技术条件。更为重要的是,它为国际交流提供了经济前提。随着机器大生产取代手工劳动,资本主义商品经济获得迅猛发展,廉价的、新奇的、优质的商品成为打开别国门户、换回工业原料的利炮,由此初步形成了世界市场,并为最终形成世界经济打下了基础。

19世纪末和20世纪初世界主要资本主义国家发生了以电力的广泛应用为显著特点的第二次工业革命,人类历史从"蒸汽时代"跨入了"电气时代"。第一次工业革命以蒸气为主要动力,纺织、采煤、铁路、铸造等为主导产业;而第二次工业革命则以电气和内燃机为动力基础,汽车、化工、钢铁、机械制造等为主导产业,人类历史从轻工业社会升级为重工业社会。技术上的进步大大推动了运输和通信事业的发展,为统一的、无所不包的世界经济体系的形成提供了坚实的物资技术基础,大大推动了国际分工的进一步深化,促进了国际贸易的又一次飞跃式发展。据统计,通过苏伊士运河的船舶数量迅速增加,1870年出入苏伊士运河的船舶有486艘,共计435911吨,1913年增至5085艘,共计2003500吨,货运量增加了45倍之多。19世纪头30年,英国消费的粮食只有2.5%须依靠进口,而到了20世纪初,英国消费的小麦80%、肉类50%、黄油70%、乳酪52%均依靠进口才能满足[1]。同时各国产业结构的变化也推动着国际贸易商品结构的变化。由于一系列新产业迅速发展,其产品在国际贸易中的地位也日益重要,如1900~1913年德、美、英三国的钢铁出口额分别增长了7倍、5倍和2倍,石油及其制品在国际贸易中运输的实物量,1887年比1861~1870年骤增9倍,此外,各种机器设备在国际贸易中所占比重也大大增加。

第二次世界大战以来,在第三次科技革命的推动下,国际贸易得到了迅速的发展。从1950年到1990年的40年间,世界货物出口总额提高了约11倍。到1995年,世界货物出口总额已经达到了48900亿美元。技术因素对国际贸易发展的推动作用显得更加重要。具体表明为高技术含量的产品在国际贸易商

① 布哈林:《世界经济和帝国主义》(中译本),中国社会科学出版社1983年版,第5~6页。

品结构中的比重上升十分迅速,尤其是20世纪90年代以来的信息技术革命,极大地推动了国际贸易环境的改善(如电子通关技术等),为降低国际贸易交易成本作出了贡献,同时也进一步推动了贸易商品结构的变化。如以1996年为例,在世界贸易组织划分的11大类商品中,办公与信息设备类商品的增长速度达26%,比服装以及其他一般消费品的增长速度高出1倍,是所有大类商品中增幅最大的。我国也积极抓住世界信息革命这一机遇,主动承接发达国家和地区信息产业的外包加工的转移,使我国信息技术产品成为我国高新技术产品出口的主力产品,极大地推动了外贸出口商品结构的升级。

2. 技术早已成为推动国际贸易发展重要因素且日趋重要

技术进步与经济增长的关系一直是西方经济学家的研究重点,尤其是新增长理论一改技术是外生的假定,认为技术是经济体系内在决定的,从而将技术进步动态化。罗默的内生经济增长理论较有代表性,它将技术进步看成是经济体系内部决定的,是资本积累的结果。因为,技术的创新虽然表现为一种偶然的突破,但总体上,技术的进步与对研发的投入成正比。将技术作为内生变量的理论研究还特别重视技术外溢和干中学的效应。而技术的进步、技术外溢的效果可能改变和转移各国的竞争优势,影响贸易模式与福利,而干中学(通过实践掌握技术)还可能构成规模经济的一个重要原因,从而建立以规模经济为基础的贸易模式。

在解释国际贸易发生的原因方面,相关的国际经济(国际贸易)理论研究更为直接。经典国际贸易理论中影响较大的有比较优势理论和要素禀赋理论。

大卫·李嘉图于1817年出版的《政治经济学及赋税原理》中论证了著名的比较优势原理:如同一个人,一个国家通过在生产率方面具有最大比较利益的商品或服务的出口以及进口其比较利益最小的商品而从贸易中获得比较利益。虽然李嘉图并未回答产生生产效率差异的因素,但是可以显见,技术的差异是影响生产效率的重要原因。

1919年,瑞典经济史学家伊利·赫克歇尔(Eli Heckscher,1919)在一篇题为《基于收入分配的对外贸易效应》的短文中阐述了他的要素禀赋理论,他认为:"在一个国家与另一个国家之间,生产要素相对稀缺性的差异是产生比较成本差异的必要条件,因而也是产生国际贸易的条件。"尽管要素禀赋理论并未提及技术对贸易格局的影响。

但是1947年瓦西里·里昂惕夫对美国贸易结构的研究对要素禀赋学说提出了挑战,他的研究证实美国贸易结构的现实与要素禀赋理论所预示的格局并不相符,从而引发了第二次世界大战后在贸易理论方面的一系列"创新"。这些理论中包括技术差距说、人力资本说、产品生产周期说等,这些理论的背后均在于弥补要素禀赋学说的缺陷,将技术因素纳入解释国际贸易产生的因素之中,从而使国际贸易理论对更趋完善和发展。此外,当代国际贸易理论强调的产业内贸易、规模经济等均与技术进步有着直接或间接的联系。如马库森等人的研究证明,即使是在规模报酬不变并且完全竞争的市场上,技术上的差异也会导致产业内贸易的发生。克鲁格曼的研究成果认为技术变动对贸易模式与福利都会产生重要的影响,但他认为技术进步发生在发达国家,其影响主要是积极的,如果发生在落后国家,其影响则主要是消极的。

(二)科学技术是获取贸易利益最大化的关键因素

西方主流贸易理论一向鼓吹自由贸易,他们主要以解释贸易发生的原因为任务,并以世界福利的增长来说明应该实行自由贸易政策。然而,大同的世界并不存在,各主权国家的利益不仅有冲突的可能,而且这种矛盾有时还很严重。然而西方经济学家却回避贸易利益在各国的分配问题。相反,很多相对较落后国家的经济学家则提出了不同于西方主流经济学家的观点。他们直面贸易利益的分配问题,探析国际分工不平等的原因及表现。通过他们的研究成果,我们可以大致得出这样一条结论,即科学技术是获取最大贸易利益的关键因素。发达国家正是利用科学技术的优势,在国际分工和国际贸易中占尽了便宜。

德国历史学派的先驱李斯特最先提出了保护落后国家幼稚工业的理论①。他在 1841 年出版的《政治经济学的国民体系》一书中指出:英国的自由贸易理论是强国的经济政策理论,实际上并不存在以比较利益定律为基础的"天然的"或一成不变的国际分工,国际分工仅仅是强国利用经济和政治实力造成的历史性局面,只有当其他国家在工业实力上与英国平起平坐时,才可能存在经济自由主义者所拥护的那种世界性的国际经济。在英国用大量低成本工业品冲击德国国内市场的现实面前,德国人立即接受了历史学派的经济思想,成为第一个系统地执行产业政策并使经济得到发展的国家。

第二次世界大战后,站在发展中国家立场上较为系统论述国际分工的不平等的经济学家首推阿根廷经济学家劳尔·普雷维什的"中心——外围"理论。1949 年 5 月,普雷维什向联合国拉丁美洲和加勒比经济委员会(简称拉美经委

---

① 因德国当时相对于英国来说,经济较为落后,是当时世界的发展中国家。因此,此处我们称它为最早的发展中国家的贸易理论。

会)递交了一份题为《拉丁美洲的经济发展及其主要问题》的报告,系统和完整地阐述了他的"中心——外围"理论。普雷维什认为,在传统的国际劳动分工下,世界经济被分成了两个部分:一个部分是"大的工业中心";另一个部分则是"为大的工业中心生产粮食和原材料"的"外围"。在这种"中心——外围"的关系中,工业品与初级产品之间的分工并不像古典或新古典主义经济学家所说的那样是互利的。对此,普雷维什进一步指出:"从历史上说,技术进步的传播一直是不平等的,这有助于使世界经济因为收入增长结果的不同而划分成中心和从事初级产品生产的外围。"

在此基础上,不少学者都使用了"中心"和"外围"这一对概念来分析世界上发达国家与不发达国家的经济贸易格局。其中,美国学者弗里德曼(J. R. Friedman)在1966年出版的《区域发展政策》一书中提出的中心——外围理论较具代表性。弗里德曼认为,在若干区域之间会因多种原因个别区域率先发展起来而成为"中心",其他区域则因发展缓慢而成为"外围"。中心与外围之间存在着不平等的发展关系。总体上,中心居于统治地位,而外围则在发展上依赖于中心。中心对外围之所以能够产生统治作用,原因在于中心与外围之间的贸易不平等,经济权力因素集中在中心,同时,技术进步、高效的生产活动,以及生产的创新等也都集中在中心。弗里德曼对中心与外围关系的进一步研究指出,中心的发展与创新有很大的关系。在中心存在着对创新的潜在需求,使创新在中心不断地出现。创新增强了中心的发展能力和活力,并在向外围的扩散中加强了中心的统治地位。

世界银行在其发表的《知识促进发展》1998~1999年度报告中,采用"头脑国家"与"躯干国家"的说法来描述在知识经济条件下的这种分工关系。可见,分工的不平等、贸易利益的不均衡分配最根本、最重要的原因在于技术的差距,技术是影响一国国际分工地位的关键因素。

(三)运用战略性贸易政策推动高新技术产品出口具有较大利益空间

第二次世界大战后国际贸易新现象的出现引发了经济学家对传统国际贸易理论和政策的重新思考。传统的国际贸易理论已经不能解释产业内贸易等等一系列问题。以不完全竞争和规模经济为基础的战略性贸易政策成为国际贸易领域内经济学家关注的焦点。

1.战略性贸易政策

根据战略性贸易政策对贸易利益的着眼点不同,可以将战略性贸易政策理论分为两个分支。第一个分支是认为政府干预性的贸易政策可以将利润从他国转移到本国来,因此称其为"利润转移"理论。其基本思想是:在规模经济和不完全竞争的市场结构下,一国政府可以通过关税、配额等保护措施限制进口,同时利用出口补贴、研发补贴来促进出口,增强本国厂商的国际竞争力,扩大其在国际市场上的市场份额,实现垄断利润从外国向本国的转移,提高本国福利。

战略性贸易政策理论的第二个分支是"外部经济"理论。它将政府战略性的贸易干预政策看作是追求外部经济的手段。该理论认为,政府应该对那些能够产生巨大外部经济的产业进行扶植与保护。通常具有巨大外部规模经济的产业就是具有战略意义的产业。这些产业由于具有外部性,而这个外部性不能被企业所享有,因此单凭企业的自我决策不能使企业发展到令社会福利最大化的规模。这样,政府就要通过补贴等保护行为使企业发展到令社会福利最大化的规模。

战略性贸易政策的基本含义就是,在不完全竞争的市场条件下,政府通过干预,改变不完全竞争企业的战略性行为,使国际贸易朝着有利于本国企业获取最大限度利润的方向发展。战略性出口政策意味着对某种具有战略性意义的产业的出口进行鼓励或支持。

战略性产业的选择主要基于以下原则:具有广泛外部经济效应的产业;具有巨大内部规模经济的产业;具有巨大外部规模经济的产业;可能取得出口垄断地位的产业;重要的尖端的研发性产业。战略性贸易政策是保护那些影响深远的高新技术产业和重要的基础工业部门。

2. 战略性贸易政策对于促进高新技术产品出口的意义

科技兴贸战略的一项最为重要的内容就是大力促进高新技术产品的出口,在《高新技术产品目录》中所列的八大类高新技术产品①中无一例外均具有战略性产业特征,他们具有广泛的外部性、规模经济、容易形成垄断、处于尖端科技的最前沿。大力促进这类高新技术产品的出口将带动我国高新技术产业及其配套产业的发展,增强我国科技研发实力,提高国际竞争能力。通过在这些高新技术领域的出口中应用战略性贸易政策,对我国企业和国家整体核心竞争能力的提高意义重大。

首先,高科技产业部门的发展可以使其他产业获得广泛的外部经济,如信息技术、软件等新产业的发展可以提高我国信息化程度,符合我国走以信息化

---

① 这八大类产业分别是电子信息、软件、航空航天、光机电一体化、生物医药和医疗器械、新材料、新能源和节能产品、其他(环境保护、地球空间和海洋)。

带动工业化的道路,通过加快传统产业的信息化程度,提高经济整体竞争能力;其次,由于高新技术产业均有较大的规模经济效益,容易造成垄断,发展国家的跨国公司在这方面拥有较大优势,如果我国不发展自己的高新技术产业,跨国公司势必在国内高端领域形成垄断,不仅对整个国家经济福利造成危害,而且某些尖端科技的核心技术不为我方掌握,还会对国家安全造成危害。

因此,根据战略性贸易政策,我国正在实施的科技兴贸战略具有重要意义。通过实施科技兴贸战略,促进高新技术产品的出口,大力发展高新技术产业,这些部门所创造的知识可以使其他部门受益,并提高整个国家的技术水平,所以应该通过支持某些企业的研究与开发活动帮助本国公司在新的技术领域建立规模优势,并创造出公司和整个国家都可以利用的专门知识。在这些方面国家可以采取战略性行动,保护高新技术产品的国内市场;通过研发补贴、出口税收优惠、通关便捷等等一系列措施,促进高新技术产品的出口,广泛开拓国外市场,为国内战略性高新产业的产能寻找市场出路,以使国内外需求达到这些产业的规模经济要求,再沿着学习曲线继续提高效率,进而获得进入国际市场的竞争优势。

第二节 科技兴贸战略的内涵与发展

一、科技兴贸战略的内涵

(一)科技兴贸战略的提出

为顺应世界高新技术发展趋势,在外贸领域落实科教兴国战略,转变外贸增长方式,实现外贸可持续发展,顺利实现从贸易大国向贸易强国转变,1998年外经贸提出实施"科技兴贸"战略,以1999年外经贸部和科技部联合发布《科技兴贸行动计划》为标志,科技兴贸战略正式付诸实施。

党的十五届五中全会提出"重视科技兴贸";2000年底召开的中央经济工作会议明确提出要"实施科技兴贸战略",从而使科技兴贸战略由部门战略上升到国家战略,成为党中央国务院确认,并在全国范围内实施的重要外经贸战略之一。九届人大四次会议通过的《国民经济和社会发展第十个五年计划纲要》,把"更好地实施科技兴贸战略"作为经济工作的重要部署放到突出位置。

在领导机构方面,1999年科技兴贸部际联合领导机构只有外经贸部和科技部,2000年扩大到信息产业部和国家经贸委,2002年9月财政部、税务总局、海关总署、质检总局加入，联合工作机制由四部委扩大到八部门；2003年3月国务院机构调整后，商务部取代原外经贸部，国家发改委取代原国家经贸委；2004年3月和2005年1月，国家知识产权局和中科院分别加入，最终形成了科技兴贸十部门联合工作机制。

(二)科技兴贸战略的内涵及其发展

科技兴贸战略最初内容为扩大高新技术产品出口，利用高新技术改造传统出口产业，以及重视技术引进。2004年随着国家知识产权局和中科院分别加入科技兴贸联合工作机制后，科技兴贸战略内涵也就相应地有所扩展，即在促进高新技术产品出口、加强技术引进的同时，还包括制定标准、应对技术贸易壁垒、培育高技术出口品牌商品、促进自有知识产权的产品的出口，从而在更高层次上将科技兴贸战略引向深入。

1.扩大高新技术产品出口

扩大高新技术产品出口是"科技兴贸战略"的最重要内容。1999年发表的《科技兴贸行动计划》明确提出，通过确定和培育高技术出口产品，培育和建立高技术产品出口基地，确定高技术产品出口重点城市，组织国际高新技术成果交易会等形式，促进高新技术产品的出口。可见，当时科技兴贸主要围绕扩大高新技术产品的出口为目标。1998年我国高科技产品在出口总额的比重很低，只占12.4%，与我国的国际地位和世界贸易大国地位极不相称，发展高新技术产品出口是具有很大潜力的外贸出口新的增长点。

2.利用高新技术改造传统出口产业

我国工业经过几十年的发展，形成了门类较齐全、配套较完整的工业体系，但由于相对于国外同类技术而言，我国工业体系技术设备普遍较为落后，这就为我国利用高技术改造传统出口产业提供了良好基础，同时也显得尤为必要。科技兴贸的重要组成部分就是积极推动在高起点上采用高技术，尤其是微电子技术、新材料技术和自动化技术改造我国传统出口产业，这样可以迅速提高传统出口产品档次、水平，提高生产效率，降低生产成本，增强竞争力，实现科技对贸易的有力推动。

3.积极引进国外先进技术

无论是扩大高新技术产品出口，还是以高科技改造传统产业出口均需要技术支持，在科技学术发展相对落后的中国提升科技实力、迅速做大高新技术产业的一条捷径就是引进国外先进技术，通过引进、消化、吸收、创新，迅速扩大我国高新技术产业规模，扩大高新技术产品出口对我国对外贸易的拉动作用。因此,科技兴贸战略内涵在科技发展相对落后的中国很自然地就成为其重要组成部分。

4. 扩大自主知识产权高新技术产品出口

通过引进外资、购买外国专利而发展起来的我国高新技术产品出口对于优化我国出口商品结构,提升我国高新技术产品对贸易增长的拉动效应方面取得了一定成绩后,如何在扩大高新技术产品出口规模的同时,进一步增强其对国内经济增长和技术进步的拉动作用,更大程度地提升国内企业在国际上的竞争能力,提升出口效益,就日益成为政府和企业关切的焦点。尤其是 2004 年 3 月和 2005 年 1 月,国家知识产权局和中国科学院分别加入科技兴贸部际联合工作机制后,科技兴贸战略越来越强调要扩大自主知识产权的高新技术产品出口。

二、科技兴贸战略政策框架体系的形成与完善

20 世纪 90 年代末,经过长时间的酝酿,由外经贸部和科技部联合提出了科技兴贸战略,1999 年 6 月两部联合发布了《科技兴贸行动计划》,2001 年制定了《科技兴贸"十五"专项规划》,2003 年 10 月商务部等八部委联合发布《关于进一步实施科技兴贸战略的若干意见》,经过短短数年的努力,科技兴贸政策法规体系不断完善,初步建立起了以重点企业、重点城市、高新产业基地及若干科技博览会所组成的科技兴贸实施主体和实施平台,并形成了包括财政、税务、商检、海关等在内的成体系的促进高新技术产品出口的政策框架。

(一)科技兴贸战略的初步框架:《科技兴贸行动计划》

1999 年科技部和外经贸部联合发布《科技兴贸行动计划》,标志着科技兴贸战略开始正式实施,并初步构建了科技兴贸政策框架体系。科技兴贸行动计划目标是:在我国优势技术领域培育一批国际竞争力强、附加值高、出口规模较大的高技术出口产品和企业,使我国高技术产品出口额在现有基础上以年 30% 的比例增长,力争在 2002 年高技术产品出口额占外贸出口总额的比重从现在的 6% 提高到 14%。

1. 确定了实施科技兴贸战略的主要政策措施

(1)明确高新技术产品概念与范围

我国有关专家学者从 20 世纪 80 年代开始对国外高技术产业发展动态进行研究,与此同时也引入了高技术概念。863 计划中提及的"高技术产业"与发达国家高技术产业的一般概念相近,也是我国高技术产业的初始概念。此后,

根据党的十三大提出"注意发展高技术新兴技术产业"的要求和中央对发展高技术新兴产业的部署,原国家科委从 1988 年 7 月开始实施火炬计划,它与 863 计划的一个显著区别是将"高技术产业"延伸为"高技术、新技术产业",将"高技术产品"变化为"高技术、新技术产品"。从此,舆论界出现了高技术产业与新技术产业相提并论的情况,高技术产业的概念也已由狭义的一般的高技术产业概念演变为广义的,包括一切新技术领域的高新技术产业概念,"高新技术"的概念也应运而生,它有两层含义:高技术是指在一定时间里水平较高、反映当时科技发展最高水平的技术;新技术是相对原有旧技术而言的,指填补国内空白的技术,它并不一定是高技术。而科学技术是在不断进步变化的,高科技不断产业化,使得我国科技兴贸支持的高技术产业需要不断更新,跟踪高技术产业化的最新发展趋势;同时,原来是填补国内空白的技术,现在可能是普通技术,因此,在实施科技兴贸过程中,需要不断跟踪技术领域的这种变化,适应调整支持范围,将有限的政策资源用到最需要支持和鼓励的产业中去,实现政策效益最大化①。

（2）培育高技术出口产品

以国际市场为导向,在我国高技术产品优势技术领域和高技术渗透较好的传统领域选择一批有市场竞争能力、附加值高、对开辟和拓展我国出口市场有重大作用的高技术产品,通过定产品、定企业、定市场、定目标、定时间,创造有利的出口条件,力争在短期内形成较大的出口规模。1999 年先在信息、生物医药、新材料（资源高附加值）、消费类电子和家电等五个行业和领域各优选若干产品作为第一批重点出口产品,给予政策或其他支持。

（3）培育和建立高技术产品出口基地

选择有条件的国家级高新技术产业开发区,培育和建立国家高技术产品出口基地,发挥其高新技术产业集中、信息快、机制活、人才多等有利条件,充分利用国家赋予园区的有关政策,积极引导园区内的企业开拓国际市场,促进高技术产品的出口,加快园区的国际化进程。选择一批技术开发能力强、出口市场前景良好的高新技术企业、科研院所,培育和建立国家高技术产品出口产业基地,使之成为促进高技术产品出口的中坚力量。具体目标是:三年内在信息、生物医药、新材料（资源高附加值）、消费类电子和家电五个行业和领域分批培育

---

① 参见李钢:《关于高新技术及其产品产业概念界定的若干思考》《国际技术贸易市场信息》1999 年第 4 期。

和建立一批国家高技术产品出口基地。高技术产品出口基地的产品出口有较快增长,在短期内形成有较大出口规模的主导产品,并拥有出口产品的知识产权。二至三年内形成相对稳定的出口市场和出口渠道。形成高技术出口产品开发能力,推动科技成果转化,带动相关产业的发展。组织一批高技术产品出口基地企业通过 ISO 系列国际标准认证及高技术产品出口必需的其他国际标准认证。

(4)确定一批高技术产品出口重点城市

选择部分高技术产品出口基础较好的城市作为高技术产品出口重点城市。重点城市政府应加强本市的科贸结合,创造支持高技术产品出口的有利条件与环境,优化和调整外贸出口结构,推动区域经济的发展,对全国高技术产品出口工作起引导示范作用。

(5)建立高技术产品出口市场信息服务体系

为开拓高技术产品出口市场,建立适应高技术产品出口特点的市场信息服务体系。培育和建立国家技术贸易信息中心,其中设立高技术产品出口咨询服务中介机构。发展出口市场信息网络。国家技术贸易信息中心与外经贸部电子贸易信息网、国家科技信息网等国内外主要信息网以及省市外经贸委、科委、国家高新技术产业开发园区网站联网。高技术产品出口企业和科研院所可享受上网优惠服务。发挥我国经贸、科技驻外机构的作用,通过各种形式,向国内外提供国际技术贸易市场需求信息,当前重点向国内外提供高技术产品供求信息。积极利用中国香港、中国澳门的国际市场渠道,通过中介服务、合资合作等多种合作形式开拓高技术产品出口市场。

(6)建立高技术产品海外生产、加工与销售网络

鼓励有条件的企业和科研院所在国外建立高技术产品生产加工基地、销售网络和售后服务网,并可开展国内高技术产品出口代理业务。鼓励在重点出口国家和地区建立高技术产品出口代办处和服务中心,为国内企业和科研院所开拓国际市场和代理出口。建立国外高技术产品生产加工基地、销售网络和售后服务网络应充分发挥海外华人和留学生的专业知识与信息等优势,利用市场机制,调动他们为我国高技术产品出口服务的积极性,形成包括海外华人和留学生在内的高技术产品出口经纪人队伍。

(7)加强高技术产品出口队伍的建设

加强国际市场开拓队伍的建设,建立一支以企业家为主、具有创业精神的高技术产品国际市场开拓队伍。同时,利用市场机制,吸纳各方力量,充分发挥

从事外事、外贸和科技工作的离岗、退休人员的专长和经验,为促进高技术产品市场开拓服务。举办各种类型的培训班,使有外贸权的科研院所、高技术产品出口基地和出口企业的外贸人员掌握所需的国际技术贸易法律法规、国际惯例、贸易规则、国家有关政策法规知识和电子贸易等先进贸易手段,培养一批懂技术、懂外贸的复合型技贸人才。建立有效的分配制度,提高市场信息搜集与分析人员、技术开发人员、市场推销人员、售后服务人员等在高技术产品出口收益中的分配比例,以调动各类人员促进高技术产品出口的积极性和创造性。

(8)组织国际高新技术成果交易会

为推动我国高新技术产业的发展,促进高新技术产品出口,加强国际间技术贸易和高新技术成果的交流,国家将在国内外组织有关的展览洽谈活动。外经贸部、科技部、信息产业部、中国科学院和深圳市政府自1999年起每年秋季在深圳举办中国国际高新技术成果交易会。外经贸部、科技部和北京市政府每年在北京举办北京高新技术产业国际周。外经贸部、科技部和有关部门结合目标市场的开拓工作,组织企业和科研院所到国外举办大型或专业性的中国高技术产品展销会。

2.初步建立了实施科技兴贸战略的支撑体系

(1)向高技术产品出口科研院所和企业提供出口担保和出口保险

外经贸部、科技部会同有关银行和保险公司共同认定一批资信好的高技术产品出口企业和科研院所,核定一定的授信额度,在授信额度内开具投标保函、履约保函,预付金保函不需资产抵押。人保(集团)公司为认定企业和科研院所的高技术产品出口提供出口担保和出口保险。

(2)集成现有资源支持高技术产品出口

科技部有关科技计划和科技型中小企业技术创新基金在项目选项、项目目标和资金配置上向高技术出口产品的研究开发倾斜。外贸发展基金和机电产品出口发展基金在资金配置上向高技术产品出口倾斜。援外工作和国际科技合作项目要与高技术产品出口相结合。

(3)适时调整和发布《中国高技术产品出口目录》

为配合鼓励高技术产品出口政策的实施,适应我国高技术产品出口发展形势的需要,必须在此前科技部曾经颁发过的《中国高科技产品目录》基础上,科学界定高新技术产品和高技术产品的概念,适时对现行的《中国高技术产品出口目录》进行调整和发布。

(4)编辑出版《技术出口政策法规文件汇编》

组织对国家现行有关技术出口的政策法规进行整理、汇编,进一步促进现行技术出口鼓励政策的贯彻落实。

(5)进一步完善促进高技术产品出口的政策环境

加强促进高技术产品出口的政策研究,根据高技术产品出口发展适时制定相应的政策,对高技术产品出口重点城市和高技术产品出口基地给予相应的政策支持,并鼓励民营企业积极开拓国际市场。

3.确立实施科技兴贸战略的领导机制

(1)建立外经贸部、科技部推动高技术产品出口联席会议制度

外经贸部领导和科技部领导定期召开两部推动高技术产品出口联席会议,确定高技术产品出口的发展战略、工作方针和任务,指导科技兴贸行动计划的编制和实施。

(2)成立科技兴贸行动计划联合办公室

由科技部、外经贸部有关司组成科技兴贸行动计划联合办公室,组织编制和实施科技兴贸行动计划。

(3)外经贸部、科技部分别成立科技兴贸小组

为制定和实施科技兴贸行动计划,外经贸部、科技部分别成立由部内有关单位参加的科技兴贸小组。

4.《科技兴贸行动计划》的重要意义

《科技兴贸行动计划》的重要意义在于:它标志着科技兴贸战略的正式实施;构建了初步的科技兴贸战略政策措施体系,包括"五定"方案;确立了部际联合领导机制和战略实施的支撑服务体系。在知识经济迅猛发展、世界经济一体化、国际经济技术竞争更加激烈的大环境下,科技兴贸行动计划的制定和实施,对促进高技术产品出口,加快科技成果转化,提高出口商品竞争力,保证出口持续稳定增长,建立我国21世纪的国际竞争优势具有深远的战略意义。

总体上看,《科技兴贸行动计划》所构建的实施科技兴贸战略的政策措施体系还是粗线条的,重点是在促进高新技术产品出口,所做的多为基础性工作,如确定重点行业、重要基地、重点城市,编制《中国高技术产品出口目录》以及《技术出口政策法规文件》等,而对创新体制、自主知识产权尚未涉及。

(二)科技兴贸战略的深化:《科技兴贸"十五"专项计划》

根据外经贸"十五"计划的总体要求,2001年由外经贸部发布了《科技兴贸"十五"专项计划》,这是科技兴贸战略实施以来的又一份重要文件,它根据当时实施科技兴贸战略面临的形势,提出了我国科技兴贸战略的中长期发展目

标、重点任务,为我国科技兴贸战略的实施提供了中长期指导方向。

1. 提出了科技兴贸战略中长期发展目标

《专项计划》提出,要发挥政府的政策引导和服务功能,改善高新技术产品进出口政策环境,以国际市场为导向,加快出口商品结构调整,推进我国高新技术产业国际化,推动有自主知识产权的高新技术产品出口,大力改造和提升传统出口产业,促进国内产业结构升级,提高我国出口产品中技术密集型产品的比重,提高我国企业的竞争力,在发挥比较优势的基础上,创造新的竞争优势,实现我国对外贸易发展模式的战略转变,尽快实现由贸易大国向贸易强国的跨越。具体目标是:

(1)大力促进高新技术产品出口。高新技术产品出口在2000年占外贸出口15%的基础上,保持15%的年增长速度,到2005年占外贸出口的比重达到20%。到2010年占外贸出口的比重达到30%。

(2)提高传统出口产品的技术含量和附加值。以出口额最大的机电产品、纺织产品和农产品作为高新技术改造传统产业重点,到2005年,使其出口商品中技术含量、附加值较高的产品所占比重从目前的20%提高到50%。初步改变我国传统出口产品技术含量不高、附加值较低的局面。

2. 实施科技兴贸战略的重要任务

(1)促进高新技术产品出口体制创新

一是促进高新技术产业发展和产品出口的体制创新。在有基础、有条件、有优势的国家高新技术产业开发区中建立高新技术产品出口创业园试点。采取"境内关外"的封闭管理模式,在投融资、海关监管、外汇管理、税收管理、进出口管理、人员进出管理等方面进行探索,在促进我国高新技术产业发展和产品出口方面进行符合国际通行规则的体制创新。适应加入WTO的需要,充分发挥国家高新区的作用,特别是进一步加强国家高新技术产品出口基地的建设。通过制度创新,大力吸引国内外资金和创业人才,提高高新技术成果转化能力和持续开发能力,提高我国高新技术产业的国际竞争力,培育一批国际化的具有较强技术开发能力的、拥有自主知识产权的高新技术产品出口企业。在短期内形成较大的出口规模,成为推动高新技术产品出口快速增长的主要力量。

二是促进高新技术产业发展和产品出口的资金投入机制创新。加强科技、产业部门向高新技术产业和产品出口的资金支持,加强中央外贸发展基金对开拓高新技术产品国际市场的支持力度,建立以政府投资为引导、企业投资为主体、金融保险系统和社会风险投资共同支持的多渠道高新技术产品出口投入体系,大力吸引境外的风险投资、社会投资,建立多渠道的促进高新技术产品出口基金,主要支持出口规模大、市场前景好的高新技术产品出口企业与研究院所的技术开发、技术引进、技术改造、跨国经营和开拓国际市场。

(2)发展重点产业和技术领域的产品出口

一是促进高新技术产业的国际化。在我国优势技术领域培育一批在国际市场占有较大份额的有自主知识产权的出口产品,集中有限资源,创造有利条件,发挥聚集效应,使电子信息产品(见附件)、生物医药、新材料等竞争力强、出口市场前景良好的高新技术产品较快形成较大的出口规模,成为推动高新技术产品出口增长的主导产品。促进成熟的工业化技术出口并带动成套设备出口。培育一批具有国际竞争意识、熟悉和遵守国际贸易规则、善于开拓国际市场的高新技术产品出口企业和跨国公司,通过示范作用,带动我国高新技术产品出口企业国际贸易水平的整体提高。鼓励企业在国外设立技术研究开发中心,促进我国高新技术产业研究与开发的国际化。形成和不断提高高新技术出口产品的持续开发能力,通过高新技术产品的产业化和国际化,在更高水平上促进科技成果的转化。加强对外宣传自有品牌的产品,开拓国际市场。创造"走出去"的政策环境,从科技计划和科研院所中选择有国际市场、有竞争力的项目和产品予以支持;通过举办境内外国际展览会、交易会和网络交易市场等形式,拓宽对外宣传的信息渠道。

二是促进高新技术出口产品关键技术开发和产业化。根据技术预测和国际市场需求预测,选择若干技术领域和国际目标市场,针对提高出口产品竞争力的要求,组织重点出口产品关键技术开发,力争在软件、生物医药、通信等我国已有一定优势的技术领域取得技术突破,提高高新技术产品和传统出口产品的国际竞争能力和持续出口能力。优选和重点支持一批有出口优势和潜力的高新技术企业和科研院所,使之成为我国具有自主知识产权的高新技术产品出口骨干力量。国家和地方政府对重点出口企业和科研院所重大技术开发项目给予前期资助。在我国优势技术领域培育一批高新技术企业,使之成为在该技术领域具有较强技术开发能力、拥有自主知识产权的出口企业中坚力量。

(3)加强对出口产品的高新技术支持

一是提高传统出口产品的技术含量和附加值。加强技术创新,促进我国传统产业的优化升级。用高新技术改造一批机电行业和纺织行业的重点出口企业,加快利用高新技术开发新产品、新材料,实现行业技术改造跨越式升级。引导现代科技向农业及相关产业渗透,在形成高效农业和环保农业的基础上扩大农产品出口。加强品牌意识,培育一批高质量、高附加值的国际知名品牌,巩固和扩大传统出口产品的市场份额。配合西部大开发战略,根据东西部地区的资源特点和经济发展需求,将调整传统出口产业结构同技术的梯级换代结合起来;通过政策引导,组织和吸引东西部的科研院所、大学和企业优势互补、联合进行技术开发,促进高新技术对传统出口产业的改造,扩大高新技术产品和高附加值产品出口。

二是提高技术引进、消化、吸收、创新水平。初步建立技术引进、消化、吸收、创新的良性循环机制。按照我国产业结构调整和技术升级的需要,通过政策引导,积极引进国外先进技术和必要的关键设备,提高引进技术中专有技术、技术咨询、技术服务等软技术的比例,引导和组织企业与研究机构加强对高技术含量、高附加值产品关键技术的消化吸收,促进引进技术消化吸收再创新后形成竞争能力,参与国际竞争。鼓励跨国公司在华设立研发中心,通过提高外商投资质量促进我国引进技术和开发创新技术。

(4)构筑科技兴贸服务体系

一是加强技术贸易法律法规体系建设。贯彻《中华人民共和国技术进出口条例》等技术贸易法律法规,制定配套措施,规范高新技术进出口企业的贸易行为。加快技术贸易政策法规的清理、调整与建设工作,形成符合 WTO 规则、较为完善的促进高新技术产品出口政策法规体系和管理体系,为企业提供公平竞争、正当竞争的法律环境。健全技术贸易政策法规咨询服务体系和国际技术贸易纠纷与争端快速反应机制。

二是加强技术性贸易措施的研究与应用。加强对国际技术壁垒的研究,建立我国技术性贸易措施管理体系。组织实施技术性贸易措施体系建设推进计划,根据我国出口商品市场战略和国外技术壁垒,制定技术标准、检测标准和技术性防范措施。加强技术性贸易措施工作的对外磋商、对内协调工作。加强技术标准与进出口检验检疫基础建设,建立国际相互认证的国家认证体系。推动企业开展国际质量认证、安全认证、环保认证。

三是加强信息技术在外贸领域的推广应用。根据我国对外贸易发展的要求,研究和完善电子商务的交易规则、管理制度、技术手段和配套设施。组织实施科技兴贸信息化专项计划。率先在科技兴贸重点城市、高新技术产品出口基地、高新技术产品出口创业园、高新技术产业开发区、重点出口企业和科研院所建立电子商务应用系统,推动我国电子商务应用的快速发展。加快以信息化为基础的现代物流系统建设,提高对外贸易的物流效率,降低物流成本。

四是加大知识产权的保护力度。加强对我国知识产权保护的法规建设。加大对我国技术出口、高新技术出口产品海外商标注册的保护力度。鼓励有较大出口市场和出口潜力的技术成果在国外申请专利。加强研究和规范对跨国公司在华研发机构的技术贸易管理。

3.《科技兴贸"十五"专项计划》的重要意义

《科技兴贸"十五"专项计划》在《科技兴贸行动计划》的基础上向前推进了一步,在明确科技兴贸战略以促进高新技术产品出口和提高传统出口产品的技术含量和附加值为两大具体目标的同时,提出了推动自主知识产权的高新技术产品出口,实现从贸易大国向贸易强国转变的任务。

《专项计划》强调通过体制创新促进高新技术产品出口,提出要建立技术的引进、消化、吸引创新的良性循环机制,加强技术贸易法规体系建设、加强技术贸易壁垒的研究与应用,并加大知识产权保护力度,这些战略举措均是科技兴贸战略深入实施过程应该重点关注的方面,以此完善了实施科技兴贸战略的政策措施体系的内容。

(三)科技兴贸战略的全面深入推进:《进一步实施科技兴贸战略的若干意见》

在新世纪新阶段,党的十六大提出了国内生产总值到 2020 年力争比 2000 年翻两番的战略目标,为实现这一宏伟目标,外贸进出口总额到 2020 年也要翻两番,其中,高新技术产品出口必须保持更快的增长速度,这对实施科技兴贸战略提出了新的任务和要求。2003 年 11 月 12 日,国务院办公厅转发了商务部会同科技部、国家发展改革委、信息产业部、财政部、海关总署、国家税务总局、国家质检总局等八部门联合起草的《关于进一步实施科技兴贸战略的若干意见》(国办发[2003]92 号)(以下简称《若干意见》)标志着对科技兴贸战略的认识及其实施体系已趋于成熟。

1.《若干意见》针对的主要问题

《若干意见》指出,科技兴贸战略实施以来,我国高新技术产品出口取得了巨大发展,但也存在着一些制约高新技术产品出口的因素:

一是存在结构性矛盾。主要体现在:在产品结构方面,我国在中低端产品供大于求、生产能力过剩的同时,高端核心电子信息产品主要依赖进口。信息通信技术产品(ICT)占我国高新技术产品出口的较大比重,约占九成;电子信息产业以组装加工为主,缺乏核心技术的研发及产业化能力。高新技术产品出口市场集中在美日欧等发达国家,约占八成。国有企业和民营企业高新技术产品出口所占比重依然较低。

二是全球新贸易保护主义增强。由于全球信息产业不景气,国际竞争日益加剧,很多国家和地区为了保护本地市场,大力推行新贸易保护主义政策和措施,贸易摩擦日益增多,安全标准、质量标准、环境标准等技术贸易壁垒开始抬头,对我国高新技术产品的出口形成了很大障碍,提高了成本。

三是高新技术产品贸易竞争方式呈多样化趋势,国内产品价格优势减弱。高新技术产品国际贸易竞争的重点正从重视价格竞争转向非价格竞争;竞争方式从单一的物品出口形式,向多元化、复合型贸易方式转化。加入 WTO 后,我国大幅下调 IT 技术产品的进口关税,特别是下调进口关税后出现了整机关税与元器件进口关税倒挂现象,致使本地整机产品价格优势被削弱,并且我国2004 年开始的出口退税改革增加了部分高新技术产品出口企业的成本,对高新技术产品出口产生了不利影响。

四是科技兴贸工作有待进一步加强。主要体现在:鼓励和支持高新技术产品出口的政策不到位且缺乏可操作性。缺乏对重点科技型企业的扶持政策。缺少能有效推进加工贸易落地生根的机制与具体措施。科技型中小企业融资困难,需要科技兴贸专项资金支持。

针对这些问题,在总结实施科技兴贸战略四年来的成功经验基础上,通过制定《若干意见》,力求较好地解决金融、财税、物流等方面存在的制约因素以及在知识产权保护、应对国外技术性贸易壁垒方面所遇到的越来越突出的问题,并提出具有针对性的解决措施和政策建议。

2.《若干意见》主要核心政策措施

《若干意见》发布后,科技兴贸战略政策措施体系得以完善,初步形成了在资金、税收、信贷、保险、通关、检验检疫等方面成系统的促进政策体系。主要包括①:

在资金扶持方面:为促进高新技术产品的研发创新,提高产品的国际竞争力,按照《出口产品研究开发资金管理办法》,从 2003 年开始对高新技术出口产品的研发项目给予资金支持。

在出口退税方面:2004 年 1 月 1 日起我国对笔记本电脑、印刷电路等 97 种 HS8 位编码的高新技术产品继续实行 17 % 的出口退税率,这些产品的出口额约占全部高新技术产品出口额的 15 % 左右。

---

① 此部分参考商务部科技司网站。

在出口信贷方面：中国进出口银行对《中国高新技术产品出口目录》（2003年版）中的产品执行中国人民银行规定的第一档出口卖方信贷利率；并在2003年12月出台的进出银发〔2003〕472号文中提出降低提供出口卖方信贷的门槛，向高新技术产品年出口额300万美元，或软件产品年出口额100万美元的企业提供高新技术产品出口卖方信贷，并执行最优惠的贷款利率。

在出口信用保险方面：中国出口信用保险公司在2004年7月出台的商技发〔2004〕368号中将列入《中国高新技术产品出口目录》（2003年版）的产品以及信息通信、生物医药、软件、航空航天、新材料等高新技术产业作为业务重点，予以全面支持。在承保程序方面，对列入《目录》产品的承保给予"绿色通道"支持，对符合承保条件的客户，争取5个工作日内制作完成保单；在限额审批方面，同等条件下，限额优先保证列入《目录》产品的投保。在理赔速度方面，对符合理赔条件的案件，在收到索赔单证后，3个月内完成理赔工作。

在便捷通关方面：原外经贸部与海关总署于2001年7月12日联合下发了《关于支持高新技术产业发展若干问题的通知》，接着又以外经贸部和海关总署令发布了《关于大型高新技术企业适用便捷通关措施的审批规定》，对高新技术企业提供通关便利。2004年3月，海关总署为落实《若干意见》出台新措施：各地海关为出口额高、资信好的高新技术产品生产企业提供便捷通关的服务；对西部地区给予适当倾斜，西部地区高新技术产品年出口额在1000万美元以上的生产企业可以享受便捷通关服务。

在便捷检验检疫方面：2003年12月，质检总局出台国质检检〔2003〕482号：质检总局对高新技术产品出口额大、出口批次多、产品型号变动快、资信好的出口企业，给予免验或便捷检验检疫和绿色通道政策，到2004年年底享受此政策的企业可达到2000家。

3.其他政策措施

一是采取综合措施，应对技术性贸易壁垒，促进高新技术产品的出口。为了提高企业应对国外技术贸易壁垒的能力，商务部研究制定了《出口商品技术指南》，指导企业实现全过程质量控制，达到目标市场技术要求。为推动我国优势产品占稳国际市场，商务部积极研究制定相关的外经贸行业标准，从2003年开始，商务部选择植物药为试点，制定并推广《植物药及其制剂绿色行业标准》，2004年组织制定植物提取物等9项行业标准，保障有关产品在国际市场中形成的主导地位。

二是积极落实科技兴贸专项资金。商务部与财政部共同制定一系列文件、办法、通知建立和完善对高新技术产品技改项目贷款贴息和研究开发资助工作。地方各级商务部门通过各种网络平台、培训、调研、座谈的方式，宣传科技兴贸的有关政策，营造科技兴贸的氛围，引导企业参与到科技兴贸战略工作中来。

4.《关于进一步实施科技兴贸战略的若干意见》的重要意义

《若干意见》是我国1999年实施科技兴贸战略以来发布实施的第一个科技兴贸工作的纲领性文件，全面系统地提出了今后一个时期科技兴贸工作的指导思想、目标、工作原则和工作重点，真正把科技兴贸工作落到了实处，把"空心汤团"变成"实心汤团"，将对今后一个时期科技兴贸工作起到有益的指导作用，并将有力地促进我国高新技术产品出口，这对实现我国外贸出口发展的第三次历史性跨越产生积极影响。

《若干意见》第一次提出了实施科技兴贸战略的四个结合的原则，即把促进高新技术产品出口同提高传统出口商品的技术和附加值结合起来；把保持加工贸易连续性同加强对加工贸易的引导结合起来；把整体推进同重点扶持结合起来；把全过程支持同重点环节的支持结合起来。提出要将支持政策向产品源头延伸，特别要支持高新技术的研究开发、技术引进以及建立技术标准。这些原则的提出，使我们对科技兴贸战略的认识更进一步。

《若干意见》第一次有针对性地提出要把电子信息产品出口放在科技兴贸的首位，充分注意到了电子信息产品占我国高新技术产品出口的绝大部分的实际情况。并从资金支持、便捷通关和便捷检验检疫、有关人员出入境政策、加强对知识产权的管理和保护、加强技术性贸易措施体系建设等各个方面制定出了具体的、操作性极强的政策措施。

第三节 科技兴贸战略的实施

一、利用科技改造传统出口产品

利用科技改造传统出口产品，提高传统出口产品的附加值，优化出口商品结构，转变外贸增长方式是科技兴贸的重要方面。从这个意义上说，虽然我国从1999年才正式提出科技兴贸战略，实际上我国一直遵循着科技兴贸的原则。

利用科技改造传统出口产业所取得的成绩可以从我国外贸结构的不断升级和优化中看出。改革开放以来，以出口农副土特产等低附加值的出口商品为主,到出口轻纺等劳动密集型工业制造品,再到以机电、高新技术产品等资本、技术密集型出口商品为主,我国外贸增长方式经历了若干次重要转变。改革开放以来,我国出口商品结构的变化可以从两个方面加以考察,一是出口的初级产品和工业制成品的比例变化,二是工业制成品内部劳动密集型产品和资本技术密集型产品的出口比例变化。

(一)初级产品和工业制成品出口比例的变化

20世纪70年代末至80年代前期,我国出口贸易基本上以农副土特、原材料等初级产品为主,谈不上什么附加值、技术含量、加工制造(工艺的除外)。

由图1-1可知,改革开放以来我国出口商品中工业制成品份额不断上升,而初级产品持续下降。在20世纪80年代中期以前,初级产品和工业制成品几乎各占一半份额,而到2004年,达到93.4%。可见,工业制成品已经占据了我国出口商品的绝对主导地位。科技因素是导致出口商品结构不断优化的重要因素。改革开放以来,在"科学技术是第一生产力"的指导下,我国科学事业不断取得进步,尤其是外资的不断进入,带来资本的同时也带来了技术,使得我国出口商品结构不断改善。

(二)工业制成品内部出口商品结构的变化

按照国际贸易标准分类,工业制成品分为化工产品,轻纺、橡胶和矿冶产品及相关制成品,机械及运输设备,杂项制品和其他未分类产品。其中,化工产品、机械及运输设备可归为资本及技术密集型产品,而其他产品则可归为劳动及资源密集型产品。工业制成品出口商品结构的变化主要表现为资本及技术密集型产品和劳动及资源密集型产品所占出口比例的变化。

自1986年工业制成品成为我国主要出口商品,完成了出口商品结构从初级产品升级为工业制成品的转变后,出口商品结构的升级和优化则主要表现为工业制成品中劳动和资源密集型产品和资本及技术密集型产品分别所占出口总额的比重变化。

各年各类工业制成品所占出口份额的变化可见图1-2(第23页)。

由图1-2可知,除个别年份外,工业制成品占出口总额的比重呈持续上升的态势,而推动这一趋势的动力来自两个方面:一是劳动和资源密集型产品出口的增长;二是资本和技术密集型产品出口的增长。劳动和资源密集型产品出口份额经历了由上升到下降的变化,而资本和技术密集型产品则持续上升。

资本和技术密集型产品出口份额的持续增长充分体现了"科技兴贸"的原则和精神。虽然从1999年我国才正式提出并实施"科技兴贸"战略,但事实上,从改革开放以来,甚至在改革开放以前,我国资本和技术密集型产品的出口份额均一直呈现上升的态势。尤其是自1992年邓小平南方谈话发表后,欧美资本大举进军中国内地,相对于港台资本而言,欧美跨国公司的投资项目多集中在高新技术领域。因此,自1992年后,资本和技术密集型产品的出口份额以较快的速度持续上升,而资源和劳动密集型产品的份额出现逆转。1999年随着"科技兴贸战略"的实施,这种态势进一步强化了。

另外,20世纪90年代以来,外经贸主管部门陆续制定和实施的"以质取胜"战略、市场多元化战略、科技兴贸战略和中央提出并实施的"走出去"战略均对出口商品结构的优化起了重大的作用,同时相关的财政、金融、税收、保险等政策的鼓励与扶持。对促进服务体系的不断完善起到了推动作用,此外利用外资政策及加工贸易政策的不断完善也起到了一定作用。

二、高新技术产品出口现状

(一)高新技术产品进出口总体情况

1.总体概况

正如前面分析的那样,在"科学技术是第一生产力"以及"科教兴国"战略指导下,高新科技历来是促进我国经济快速增长的重要因素,在外贸领域,体现为以科技促进贸易规模的不断扩大。尤其是进入20世纪90年代以来,我国高新技术产品进出口呈快速上升的态势。1991~2004年我国高新技术产品进出口趋势如下图所示:

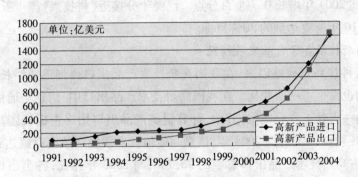

图3-1 1991~2004年我国高新技术产品进出口趋势图

资源来源:中国科技统计网和商务部网站。

由上图可知,自20世纪90年代以来,我国高新产品进出口呈快速上升的态势,尤其是 1999 年实施科技兴贸战略以来,高新技术产品进出口额呈现加速增长的趋势。随着一系列促进高新技术产品出口的政策措施的出台,我国高新技术产品贸易在"十五"期间得到了迅速发展。"十五"期间高新技术产品贸易几乎每年都有突破性进展,2001 年突破 1000 亿美元、2003 年又突破 2000 亿美元、2004 年突破 3000 亿美元。"十五"计划实施的前四年我国高新技术产业发展迅速,高新技术产品出口额累计突破 3900 亿美元,为整个"九五"期间的近3.5倍,是"八五"期间的近 14 倍。与 1991 年相比,我国高新技术产品出口额13 年间增长了 57 倍,年均递增 36.5%。1999 年以来,总体上,出口增速快于进口增速。尤其是 2004 年,在我国对外贸易进出口总额首次突破万亿美元大关,成为世界第三大贸易国的良好环境下,我国高新技术产品进出口总额首次突破3000 亿美元,达到 3269.7 亿美元。其中,出口额和进口额分别达到 1655.4 亿美元和 1614.3 亿美元,分别较 2003 年增长 50.1% 和 35.3%,出口额首次超过进口额,实现高新技术领域贸易的首次顺差。2004 年高新技术产品出口占全年外贸出口总额的 27.9%,拉动外贸出口 13 个百分点。可见,科技兴贸战略的实施是促使我国高新技术产品出口迅速增长的重要因素。

根据商务部的最新统计,2005 年我国高新技术产品进出口继续保持"十五"时期稳定快速增长势头,全年进出口额首次突破 4000 亿美元,达到 4159.6亿美元,比上年同期(下同)增长 27.2%,占全国外贸的比重达到了 29.2%;全年出口首次迈上 2000 亿美元台阶,达到 2183 亿美元,比 2004 年净增 527.1 亿美元;全年出口占全国外贸出口的比重首次跨越 28% 的门槛,达到 28.6% 的历年新高,比 2004 年增长 0.7 个百分点。已经十分接近《科技兴贸"十五"专项计划》到 2010 年所要达到的 30% 目标。

2. 高新技术各子行业发展情况

实施科技兴贸战略以来,在我国高新技术产品出口得到迅速增长的同时,产品结构也发生了一些变化。在我国高新技术产品出口中,信息与通信技术领域的产品一直处于主导地位,其中,计算机类产品出口始终占据我国高新技术产品出口额的一半以上。2004 年,信息与通信技术领域产品出口额达到1601.1亿美元,占高新技术产品出口总额的 96.7%,与 2003 年相比,各类出口产品的比重发生了一些变化。其中,计算机技术产品出口所占比重从 2003 年的53.86%下降到 50.7%,降低了 3.16 个百分点;通信技术则从 2003 年的29.48%增长到 31.7%,上升了 2.22 个百分点;其他如电子技术和光电技术等领域高新技术产品出口的比重也都有所提高。

表 3 - 4　1999 ~ 2004 年高新技术各子行业出口所占比例

单位:%

技术领域	1999	2000	2001	2002	2003	2004
计算机技术	69.83	44.90	45.58	49.10	53.86	50.7
通信技术		28.02	32.39	31.25	29.48	31.7
电子技术	17.03	15.78	11.98	11.67	10.35	11.1
计算机集成制造技术	1.60	1.35	1.29	1.04	0.93	0.9
光电技术	2.78	2.66	2.39	1.87	1.63	2.3
生命科学技术	4.37	3.71	3.63	2.99	2.27	2.0
航空航天技术	2.68	1.87	1.34	1.09	0.69	0.6
材料技术	0.53	0.86	0.64	0.33	0.37	0.4
其他技术	0.75	0.53	0.41	0.42	0.25	0.2
生物技术	0.42	0.35	0.36	0.24	0.17	0.132

资料来源:海关统计。

　　2004 年,各领域产品的出口增长率均在两位数以上。其中以光电技术和材料技术领域产品出口增速最快,分别达到 110.6% 和 62.4%。这两个领域产品出口得以实现高速增长主要依靠外资的拉动。2004 年,光电技术和材料技术领域产品分别实现出口增加值 19.96 亿美元和 2.58 亿美元,其中,外资企业出口增加值为 13.26 亿美元和 1.42 亿美元,贡献率分别达到 66.43% 和 55.04%。

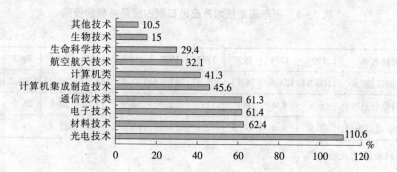

图 3 - 2　2004 年高新技术各领域产品出口增长率

资料来源:海关统计。

　　根据商务部最新统计,我国高新技术产品进口前三类为电子类、计算机类、通信类产品,2005 年前 11 个月进口额分别为 900.5 亿美元、308.6 亿美元、

231.7亿美元,分别增长29.2%、20.2%、16.1%,分别占高新技术产品进口额50.8%、17.4%、13.1%,电子类产品全年进口首次突破1000亿美元。其中,集成电路进口额前11个月达到724.0亿美元,增长33.1%,占我国高新技术产品进口额的40.9%,比2004年年底提高3.5个百分点。

我国高新技术产品出口前三类为计算机类、通信类和电子类产品,前11个月出口额分别为938.7亿美元、640.2亿美元、221.3亿美元,分别增长26.2%、38.0%、32.9%,分别占48.2%、32.9%、11.4%,计算机类产品全年出口首次超越1000亿美元。笔记本电脑、手机整机前11个月分别出口269.4亿美元、181.5亿美元,分别增长45.6%、44.8%,全年出口额将分别超过300亿美元和200亿美元。出口增幅最大的高新技术产品为光电技术类产品,前11个月出口60.7亿美元,增长87.0%。

(二)高新技术产品出口的主要特点

1.从出口所占地位看

高新技术产品出口不断增速,出口规模迅速扩大。1995年仅为100亿美元,2003年超过1500亿美元,而2004年达到1655亿美元。随着高新技术出口规模的扩大,其相对重要性也逐步提高,主要体现在占出口贸易的份额上,1995年高新技术出口占出口贸易总额和工业制成品出口的份额分别仅为6.8%和7.9%,而到2004年分别上升到27.9%和30%。可见,高新技术出口已成为拉动出口贸易增长的重要方面,其在出口贸易中的地位日益突出。

表3-5　历年高新技术产品出口额占贸易总额的份额

单位:亿美元,%

指标名称	1995	1996	1997	1998	1999	2000	2001	2002	2003	2004
出口额	100.91	126.63	163.1	202.51	247.04	370.43	464.57	678.55	1103.2	1655.4
占出口贸易总额比	6.8	8.4	8.9	11	12.7	14.9	17.5	20.8	25.2	27.9
占工业制成品出口比	7.9	9.8	10.3	12.4	14.1	16.6	19.4	22.8	27.3	30.0

资料来源:海关统计。

2.从贸易方式看

从贸易方式来看,我国高新技术产品出口的一般贸易方式迅速下降,以加工贸易占据绝对主导地位,一般贸易所占份额从1996年的近20%的份额,下降到2004年的7.37%。2004年我国出口总额的一般贸易份额和加工贸易份额分别为41%和55%,可见,贸易方式发展的不平稳在高新技术产品出口领域更为严重。

表3-6 2004年高新技术产品出口按贸易方式分类

单位:亿美元,%

贸易方式	金额	增长率	占比
一般贸易	121.95	52.82	7.37
加工贸易	1478.99	49.38	89.34
来料加工装配贸易	220.56	42.45	13.32
进料加工贸易	1258.43	50.67	76.02
其他贸易	54.46	63.30	3.29

资料来源:海关统计。

由2004年的最新数据表明,虽然加工贸易所占份额占绝对主导,但是其增长速度为49.38%,低于一般贸易的增长速度52.82%,可见,一般贸易增长较为强势。

3.从出口主体类型看

从历史发展来看,高新技术产品出口领域,国有企业出口份额自1996年以来呈现迅速下降的趋势,而三资企业份额迅速上升。

到2004年,国有企业高新技术产品出口份额下降到8.5%,而外资企业份额达到87.3%。值得一提的是,虽然私营企业高新技术产品出口份额仅为2.6%,但是其增长速度最快,2004年增速达67.6%,远远高于国有企业和外资企业的22.1%和53.4%。

表3-7 2004年高新技术产品进出口按企业性质统计

单位:亿美元,%

企业性质	进口额	同比增长	所占比重	出口额	同比增长	所占比重
国有企业	272.8	1.9	16.9	140.1	22.1	8.5
集体企业	23.3	34.6	1.4	26.9	32.1	1.6
私营企业	65.0	44.2	4.0	42.3	67.6	2.6
外资企业	1252.5	45.3	77.6	1445.9	53.4	87.3
中外合资企业	314.5	45.4	19.5	341.1	44.6	20.6
中外合作企业	24.3	11.6	1.5	28.3	20.4	1.7
外商独资企业	913.8	46.5	56.6	1076.6	57.5	65.0
其他	0.8	-34.2	0.047	0.093	25.6	0.006

资料来源:海关统计。

由于外资企业携技术和资本的优势,使其在高新技术产品出口方面占有绝对主导地位,而国有企业竞争力不断下降。虽然从贸易总额上来看,不同所有制企业的出口表现也存在较大差距,但是并不如高新领域这样明显,2004年国有企业占出口贸易总额的份额为26%,而三资企业份额为57%。可见,在高新领域提高国有企业的出口表现,增强国有企业在高新技术领域的竞争能力显得十分必要。

根据商务部最新统计,2005年前11个月,外商独资企业进口额占我国高新技术产品进口额的60.9%,占三资企业高新技术产品出口额的76.2%,分别比2004年提高了4.3个百分点、3.2个百分点;外商独资企业出口额占我国高新技术产品出口额的67.0%,占三资企业高新技术产品出口额的76.2%,分别比2004年提高了2.0个百分点、1.7个百分点。集体、私营企业高新技术产品出口增长迅速,前11个月增幅分别达到50.8%、46.4%,远高于出口总体水平。国有企业前11个月出口额占我国高新技术产品出口额的7.4%,比2004年有所下降,但高新技术产品在国有企业出口中的比重与2004年基本持平。

4. 从出口地区来源看

高新技术产品的特性决定了经济发达、技术先进、外资集中的地区有较大优势。根据近两年的出口额,可以将全国各省市作如下归类。

表3-8　高新技术产品出口额按地域分布

单位:亿美元

出口额	2003 年	2004 年
>100	广东、江苏、上海	广东、江苏、上海、天津
30~100	天津、福建、北京	福建、北京、浙江
10~30	辽宁、浙江、山东	辽宁、山东
1~10	四川、湖北、陕西、安徽、河北	四川、湖北、安徽、陕西、河北、贵州、黑龙江、重庆
<1	重庆、黑龙江、贵州、云南、吉林、江西、湖南、河南、新疆、甘肃、广西、海南、宁夏、山西、西藏、内蒙古、青海	云南、吉林、江西、湖南、河南、新疆、甘肃、广西、海南、宁夏、山西、西藏、内蒙古、青海

资料来源:由商务部统计数据整理。

由上表可见,广东、江苏、上海和天津是高新技术产品出口超过100亿美元的省市。整体上看,高新技术产品出口超过10亿美元以上的均是东部省市,而中西部省市均在10亿美元以下。

即使在沿海省市中,出口分布也十分不均衡,高新技术产品出口前三位广东、江苏和上海分别占全国份额的40.1%、20.7%和17.5%,三者之和占全国份额的近80%。尤其是广东,由于在信息行业领域承接了国际上大量加工装配业务,使其表现最为突出。

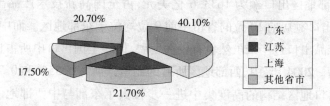

图3-3 2004年中国高新技术产品出口区域颁布图

资料来源:商务部。

根据最新统计,东部沿海的广东、江苏、上海高新技术产品出口继续保持前三位,2005年前11个月分别出口729.9亿美元、476.3亿美元、330.6亿美元,分别增长25.8%、48.7%、25.7%,合计占我国高新技术产品出口的78.9%。西部的山西、内蒙高新技术产品出口增幅远远高于全国水平,前11个月分别增长近24倍和10倍。

(三)高新技术产品出口存在的主要问题

扩大高新技术产品出口是实施"科技兴贸战略"的主要载体,总体上来看,由于我国高新技术产品出口获取了较大发展,因此,科技兴贸战略的实施取得了初步成效,其中存在的问题主要是结构性的。

在出口产品结构方面,我国在中低端产品供大于求、生产能力过剩的同时,信息通信技术产品(包括计算机技术、通信技术、电子技术、计算机集成制造技术和光电技术)占我国高新技术产品出口的较大比重,约占九成;电子信息产业以组装加工为主,缺乏核心技术的研发及产业化能力,高端核心电子信息产品仍然主要依赖进口。2004年,我国在信息通信领域的产品出口额达到1601.1亿美元,占高新技术产品出口总额的96.7%。而其他领域的产品出口所占比例一直没有明显的增长。这种产品结构的单一化发展使我国高新技术产品出口更易受到国际市场情况变化的影响,使其发展具有很大的不稳定性。

在贸易方式方面,目前高新技术产品通过加工贸易进行的出口约占90%,一般贸易仅7.37%。而同期,我国加工贸易占出口的55%多一些。可见,在高新技术产品出口方面,这种贸易方式发展的不平衡更为严重。与贸易方式相对应的是出口企业主体的不平衡,2004 年外资企业在高新领域的出口超过 1000 亿美元,达到 1445.9 亿美元,占全国高新技术产品出口总额的 87.3%,而国有企业和民营企业高新技术产品出口所占比重较低。

在出口地区来源方面,目前我国高新技术产品出口高度集中在东部地区,2004 年,东部地区出口额为 1633.6 亿美元,占全国高新技术产品出口总额的 98.68%。出口额居前 10 位的省市中前 9 位均位于东部地区。而中、西部地区高新技术产品出口近年来虽然也有较大发展,但在全国出口中所占比重始终没有较大提高。2004 年,中、西部地区所占的比重分别为 0.55% 和 0.77%。高新技术产品出口地区结构的高度集中进一步拉大了东部与中西部地区经济发展的差距,从长远来看不利于高新技术产品出口的稳定发展。

从出口的目标市场分布来看,我国高新技术产品出口高度集中于美国、欧盟、中国香港、日本、东盟等传统市场。2004 年,我国高新技术产品出口市场集中的现象依然十分明显,对前 10 位市场的出口额为 1573.9 亿美元,占高新技术产品出口总额高达 95.08%。美国仍然位居首位,出口额为 402.1 亿美元,占 24.3%;欧盟上升为第二位,占 22.5%;中国香港退居第三位,为 22.0%,三个市场的出口额合计为 1139.2 亿美元,所占比重为 68.82%。这种市场结构使我国高新技术产品出口的风险过于集中,同样增加了其发展的不稳定性。

另外,我国出口的绝大部分高新技术产品均没有自主知识产权,主要是通过加工贸易方式进行,即使是一般贸易,也大都贴上别国牌子,本国企业仅赚取少量的加工费。表面上出口的是具有高附加价值的高新技术产品,由于我国仅利用劳动力资源的优势,对进口来的核心元器件进行加工装配,因此,实质上是以出口装配加工的高新产品为载体,输出我国的劳务。一方面要肯定这种类型的贸易是适合中国现阶段国情的,另一方面不能被表面上的出口数据所迷惑。事实上,我国在进一步实施科技兴贸过程,将在继续发展这种类型贸易的同时,积极鼓励企业创新,开发产品,申请专利,出口拥有自主知识产权的高新技术产品。

三、我国技术引进发展现状

(一)我国技术引进总体情况

1. 改革开放前引进技术状况

新中国是在"一穷二白"的基础上开始建设的,引进国外先进技术是加速建设社会主义经济的重要手段,而技术引进工作往往与国际政治关系联系在一起,很大程度上影响了我国技术引进工作。中国技术引进始于一五计划时期,改革前其发展大致经历了三个阶段①：

第一阶段是 1950～1959 年。由于受西方国家的经济封锁和禁运的限制，这一阶段主要从前苏联和东欧国家引进技术和设备，共计引进 450 个项目，总金额约 37 亿美元。

第二阶段从 1960～1969 年。这一时期，由于与苏联关系恶化，中国转向从日本和英、法、联邦德国、意、瑞、奥、荷等西欧国家引进技术设备，共签订技术和设备进口合同 84 项，合同总金额 14.5 亿美元。

第三阶段从 1970～1978 年。1972 年中国恢复了在联合国的合法席位，并相继与美、日两国就关系正常化问题进行谈判，这为恢复和进一步扩大引进西方技术创造了良好条件。在此期间，我国先后从美、日、欧各国签订了 310 项新技术和成套设备项目合同，成交金额 58 亿美元。

2. 改革开放后技术引进的发展状况

改革开放后，我国技术引进工作迅速发展，通过建立经济特区、经济技术开发区、高新技术园区等等一系列吸引先进技术的集聚区，引进国外先进技术和设备，改造国内落后的技术装备，弥补技术空白，为我国产业竞争力的发展、对外贸易的迅速扩大，以及机电产品和高新技术产品出口份额的迅速提升做出了重要贡献。据统计，从 1979～1996 年间，我国共引进技术 15591 项，合同金额 731.83 亿美元，分别是改革开放前 30 年总和的 18.45 倍和 6.11 倍。

1991～2004 年，我国技术引进合同数和合同金额分别从 359 份和 34.59 亿美元增加到 8605 份和 138.56 亿美元，年均增长率分别达到 27.68% 和 11.26%，在这期间，2000 年技术引进合同金额达到顶峰。

2001 年技术引进金额的突然大幅下降部分原因是由于我国技术引进的统计口径有所缩小，不再将纯粹的成套设备、关键设备、生产线进口列入技术引进的统计所致。2002 年有较大幅度上升，但仍不及 2000 年的水平，而且 2003 年又有较大幅度下降，2004 年虽然有所上升，但增幅仅为 3%。

与高新技术产品出口快速稳定的增长相比，技术引进发展相对较慢，这一方面是因为欧美等发达国家对我国的技术封锁，使得不能获得真正的高新技术，另一方面，随着我国经济和科技实力的增强，一般性的高新技术已能自主研发，而无需引进，这种技术的自给能力的提高，导致技术对外国的依赖相对降

---

① 参见黄晓玲主编：《中国对外贸易概论》，对外经济贸易大学出版社，2003 年 10 月版。

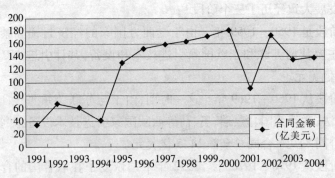

图 3 – 4 我国技术引进合同金额(1991~2004 年)

资料来源:商务部。

低①(见下图)。而且,技术引进合同金额较易受大项目的影响,因其发展波动较大,如 2002 年摩托罗拉(中国)电子有限公司条件签订了高额的专利许可协议,导致 2002 年有较大幅度上升。

总体上看,我国对外技术依赖不断下降,技术引进质量不断提高。

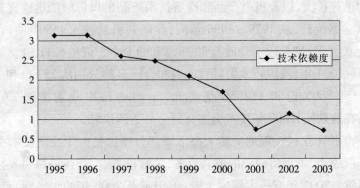

图 3 – 5 1995~2003 年我国技术依赖变化

资料来源:商务部统计与《中国科技统计年鉴 2004》。

另外,虽然技术引进规模增长有所波动,但技术引进质量却有明显改善,对外技术签订的技术引进合同中的技术费②从 1991 年的 5.73 亿美元增加到 2004

---

① 根据商务部《实施科技兴贸战略报告》(2004)的研究,虽然我国技术依赖度(技术引进费与研发经费支出之比)大多数年份均在 1 以上,但是已经从 1995 年的 3.12 下降到了 2003 年的 0.72。

② 技术费指我国技术引进中专有技术、专利技术、商标许可、技术咨询、技术服务等费用,技术费所占比重代表了软技术在我国技术引进中所占的份额。它是衡量技术引进质量的重要指标。

年的 96.25 亿美元,年均增长 24.24%,所占比重从 1991 年的 16.57% 增长到 2004 年的 69.46%。可见,我国技术引进中软技术已经处于主导地位,引进技术的质量有了明显改善。

表3-9 历年技术引进合同中技术费所占份额

单位:亿美元,%

年份	合同金额	技术费	技术费占合同份额
1991	34.59	5.73	16.57
1992	66.9	11.25	16.82
1993	61.09	11.35	18.58
1994	41.06	6.12	14.91
1995	130.33	13.81	10.60
1996	152.57	24.81	16.26
1997	159.23	23.69	14.88
1998	163.75	40.13	24.51
1999	171.62	53.88	31.39
2000	181.76	71.98	39.60
2001	90.91	43.95	48.34
2002	173.89	143.72	82.65
2003	134.51	95.11	70.71
2004	138.56	96.25	69.46

资料来源:商务部统计。

根据商务部最新统计,2005 年我国共签订技术引进合同 9902 份,同比增长 15.1%;合同总金额 190.5 亿美元,同比增长 37.5%;其中技术费 118.3 亿美元,占合同总金额的 62.1%。技术引进合同数量和金额均创历史最高水平。

成套和关键设备进口带动技术引进快速增长。2005 年,含有技术转让内容的成套和关键设备进口合同成交额达 53.3 亿美元,同比增长 41%,占合同总金额的 28%。专有技术许可和技术服务合同金额分别为 51.0 亿美元和 47.4 亿美元,占技术引进金额的 26.8% 和 24.9%,在 2005 年的技术引进中占主导地位。

2005 年,欧盟是我国技术引进的最大来源地,我国与欧盟签订技术引进合同 90.7 亿美元,同比增长 46.6%,占技术引进合同总金额的 47.6%。我国从德国引进技术 50 亿美元,同比增长 1.3 倍,占我国从欧盟引进技术的 55%,成为我国技术引进的最大来源国。从日本和美国引进技术分别为38.5亿美元和34亿美元,增长31.4%和16%,列技术引进的第二位和第三位。

2005年,国有企业技术引进总额为92.2亿美元,同比增长48.4%,占全国技术引进总额的近5成。外资企业引进技术82.7亿美元,同比增长23.6%,占全国技术引进总额的43.4%。

铁路运输业成为我国技术引进的最主要行业。2005年,铁路运输业共引进技术29亿美元,同比增长近8倍,占全行业技术引进合同总额的19.6%。2005年,电子及通信设备制造业和黑色金属冶炼及压延加工业分别引进技术21.1亿美元和19.6亿美元,占比分别为11.1%和10.3%,分列第二位和第三位。

(二)我国技术引进的主要特点

1. 从技术引进方式看

从技术引进方式看,专有技术、成套设备/关键设备/生产线、专利技术是技术引进的主要方式,尤其是专有技术的引进增长较快,从2001年的14.05%上升至2004年的29.81%。前三项技术引进方式所占份额从2001年的74.5%上升至2004年的82.1%。在其他几种技术引进方式中,计算机软件和合资生产/合作生产所占份额呈不断下降的趋势,这两种技术引进所占份额分别从2001年的7.17%和6.85%降至1.83%和0.83%。

表3-10 2001~2004年各种技术引进方式合同金额所占份额

单位:%

引进方式	2001	2002	2003	2004
专有技术	14.05	28.26	32.96	29.81
成套设备/关键设备/生产线	36.94	10.66	22.05	27.31
技术咨询/技术服务	23.51	15.76	26.35	24.98
专利技术	5.30	33.53	9.85	7.40
计算机软件	7.17	7.11	2.90	1.83
商标许可	0.49	0.45	0.84	1.85
合资生产/合作生产	6.85	2.96	0.94	0.83
其他	5.70	1.26	4.11	5.98

资料来源:商务部统计。

2. 从技术引进行业结构看

以第一、二、三产业来划分,近年来,我国技术引进高度集中于第二产业,第二产业引进的技术合同金额所占比重都在80%以上,而第一产业与第三产业所占比重则较低。2004年,第二产业份额有所降低,第三产业的技术引进得到更快发展。

表 3 – 11 2003～2004 年各行业技术引进合同金额

行业	合同金额(亿美元)		比重(%)	
年份	2003	2004	2003	2004
第一产业	0.42	0.15	0.31	0.11
第二产业	120.33	112.56	89.46	81.24
第三产业	13.77	25.84	10.24	18.65

资料来源:商务部统计。

3. 从技术引进地区结构看

多年来我国技术引进主要集中于东部发达地区,但近年来合同金额及其所占比重都有所降低。2004年,东部地区技术引进的比重继续降低,中西部地区所占比重则保持了增长的趋势。

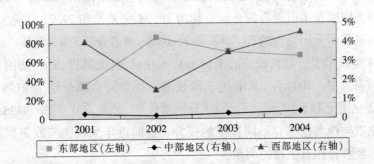

图 3 – 6 2001～2004 年东中西部地区技术引进合同金额占比
资料来源:商务部统计与《中国科技统计年鉴2004》。

4. 从技术引进企业类型看

目前,外资企业与国有企业是我国技术引进的主体,近年来二者合计技术引进合同金额都在120亿美元以上,所占比重保持在90%以上。2004年外资企业在我国技术引进合同金额中仍居首位,但所占比重呈下降趋势,而国有企业与民营企业则出现快速增长,这说明国有企业与民营企业在技术引进方面的主动性不断增强,尤其是民营企业,尽管目前技术引进合同金额较小,但表现出较大的增长潜力。

表3-12　2002～2004年各类企业技术引进合同金额

单位:亿美元

年份 企业性质	2002	2003	2004
外资企业	134.85	76.07	66.92
国有企业	30.36	46.57	62.12
民营企业	1.65	2.27	2.81
集体企业	1.15	1.54	0.59
其他	5.91	8.06	6.11

资料来源:商务部统计。

5.从技术引进国别来源看

2004年,我国技术引进主要来自于亚洲、欧洲与北美洲,引进技术的合同金额分别为46.83亿美元、59.88亿美元和29.93亿美元,分别占技术引进合同总额的33.80%、43.22%和21.60%。2001年后日本与美国在我国技术引进来源国中的排名一直居于前两位,是我国技术引进的主要来源国。2004年,我国来自日本与美国的技术引进合同金额分别为29.38亿美元和29.21亿美元,分别占我国引进技术合同总额的21.20%和21.08%,两者合计为42.28%。

2004年技术引进增长较快的来源国基本在欧洲,尤其以德国、法国与瑞典等欧盟国家为主。2004年,从上述三国技术引进合同金额分别为21.93亿美元、12.92亿美元和5.34亿美元,同比分别增长93.05%、201.17%和423.53%,所占的比重与排名也均有不同程度的提升。这同近年来我国与欧盟国家大力开展技术经济合作有密切的关系。

表3-13　2001～2004年技术引进主要国家(地区)合同金额

单位:亿美元

年份 国家(地区)	2001	2002	2003	2004
日本	11.29	29.80	35.15	29.38
美国	18.15	70.10	32.66	29.21
德国	18.25	15.34	11.36	21.93
法国	10.44	4.23	4.29	12.92
韩国	2.16	9.64	14.11	8.07

年 份 国家(地区)	2001	2002	2003	2004
中国香港	5.58	5.98	5.15	6.78
瑞典	7.00	9.63	1.02	5.34
瑞士	0.70	1.39	3.18	3.97
英国	2.12	2.13	4.45	3.46
芬兰	0.47	5.65	3.75	2.77
意大利	1.70	1.91	3.49	2.77
合计	77.86	155.8	118.61	126.60

资料来源:商务部统计。

(三)我国技术引进存在的主要问题

1.结构性矛盾

通过前文的分析,可以知道我国在技术引进方面存在以下几个方面的结构性矛盾:一是我国中西部地区技术引进所占份额相对较低。如2001~2004年四年间,东部地区引进技术的合同金额就高达363.52亿美元,而同期中部地区引进技术的合同金额仅为27.12亿美元,西部地区为17.28亿美元。而我国在实施西部大开发战略中,为避免对资源和环境的高消耗,对先进技术的需求势必相对较大,其对技术的引进就更为迫切和必要。这与目前的现实是有矛盾的。二是我国技术来源地较为集中。目前我国技术来源主要集中在美国、日本和西欧等少数发达国家。这些国家垄断了世界上大部分高新技术和尖端技术,但由于发达国家的技术封锁,使我国很难得到真正的尖端技术。此外,韩国在某些方面拥有比中国更为先进的技术,也在减缓其对华技术输出。如韩国政府多次授意三星、现代、LG等高新技术企业,建议其在华投资步伐"可适当减缓",涉及关键技术的合作尤其要保持谨慎。

2.对技术吸收改造不足,自主创新能力不够

在对引进技术的消化吸收方面,我国高新技术引进与消化吸收的比例最高时也仅为1:0.21,且近年来还有逐步下降的趋势,2003年仅为1:0.06,即每引进1元人民币的技术仅有0.06元人民币的配套资金用于消化。我国制造业这一比例则更低,最高时仅为1:0.09,这与日韩等国1:3的比例相去甚远。

在技术改造方面,虽然我国技术改造经费每年都在提高,但其在固定资产

投资中所占比例却仍较低。1996～2003 年,我国制造业技术改造经费支出占更新改造投资额的比重下降了 26.5%,从 1996 年的 59.96% 下降到 2003 年的 33.46%。然而,其他国家的经验表明,当经济进入高速发展期时,就必须增加技术改造在投资中的比重,加快设备更新速度,提升经济增长的速度和质量,提高全要素生产率。

在自主创新能力方面,从 1995 至 2003 年间,除 2001 年外,我国技术引进金额一直都远大于国内技术交易金额,这说明我国自主创新能力仍然没有得到很大提高,在这期间技术引进经费支出与购买国内技术经费支出比例最高仅为 1∶0.15,这说明企业主要技术来源仍然是技术引进,创新能力提高较慢。

3. 重复引进现象仍然存在

目前我国国外技术的重复引进主要体现在三个方面:一是低水平重复引进多,一般加工项目重复引进多;二是地方性重复引进的项目多;三是集中性重复引进多,主要发生在市场需求急剧扩大或者产品利润高的行业。如在化肥生产装置领域,自 20 世纪 70 年代以来,我国从国外引进的化肥生产装置就达一百二十多套,耗资 48.1 亿美元;引进乙烯生产装置 20 套,聚乙烯生产装置 21 套,共耗资二百多亿美元。可见,在某些领域我国重复引进技术的问题还较为严重。

四、扩大自主知识产权产品出口发展现状

(一)建设创新型国家必须发展具有自主知识产权的高新技术产业

拥有自主知识产权的高新技术产业是国家实力的象征,也是一国兴衰起落的重要标志。17 世纪末,英国由于当时作为高新技术的纺织工业的发展而成为世界经济的中心;第二次世界大战以后,美国由于在航天、生物、医药、电子信息等方面拥有的高新技术成为一股独大的超级大国。历史事实表明,高新技术产业的发展,尤其是拥有自主知识产权,并掌握了核心技术的国家,他们拥有强大的科技创新能力,拥有自主的知识产权,其国际竞争力才能得到真正提高。中国要建设创新型国家就必须大力发展拥有自主知识产权的高新技术产业。

1. 拥有自主知识产权的高新技术产业对国民经济的发展和综合国力的提升具有重要意义

在经济科技贸易竞争日益激烈的国际环境下,国家竞争的焦点将在高新技术领域的自主知识产权创造、管理、实施和保护等方面,这些方面的能力将成为一个国家经济社会发展的关键因素之一。一般来说,凡是知识产权拥有量多的

国家和地区,其经济竞争力就相对较强。当今世界知识产权85%以上被OECD的发达国家所拥有,美国、日本仍然处于第一、第二名的位置。如1989～1993年在欧洲专利局申请的28万多件专利中,近28%来自美国,20%来自日本,19%来自德国,8%来自法国,约6%来自英国。而1982～1996年在美国申请的近128万件专利中,来自美国本土的54%,来自日本的占20%,来自德国的占8%,来自英国的占3%,而来自包括中国在内的发展中国家总共不到3%。从某种意义上说,发达国家与发展中国家的差距是他们所拥有包括专利、发明、商标、品牌等在内的自主知识产权实力差异。

2. 高新技术产业对国民经济的运行安全具有重要的意义

上世纪80～90年代期间,发达国家与发展中国家进行了长达八年的谈判,最终发达国家达成于其有利的协议,纷纷要求发展中国家强化对知识产权的保护。在这种情况下,发达国家又进一步推出自己的知识产权战略,并把它作为维持其世界经济霸国的支柱。他们利用知识产权这样的武器对发展中国家进行打压,如通用大宇起诉奇瑞QQ等等。从跨国公司发展战略看,一方面在技术、市场、法律层面规划知识产权的伸展空间,把握技术竞争的主动权,另一方面运用技术合同条款对受让方后续改进和二次开发层层设防,遏制竞争对手的知识产权生存空间。再加上在国家层面的技术封锁,对真正的高新技术转让的国家限制,使得发展中国家在技术提升上更加困难。因此,如果不大力发展自主知识产权,不摆脱对发达国家的技术依赖,我国产业发展的主动权将完全控制在发达国家和跨国公司手中,经济安全得不到保障。

3. 发展具有自主知识产权的高新技术产业是调整经济结构,转变经济增长方式的需要

历史上世界主要发达国家的每次技术变革,均导致其产业结构的提升,并引领贸易结构改变,三次工业革命莫不如此。目前,高新技术产业在经济发展中的贡献越来越大,发达国家和发展中国家均如此,各国的经济发展重心越来越转移到高新技术产业。大力发展我国具有自主知识产权的高新技术产业对我国产业结构调整和优化同样十分重要。

4. 发展具有自主知识产权产品出口对我国实现从贸易大国向贸易强国转变具有十分重要的意义

转变外贸增长方式,实现贸易大国向贸易强国的转变主要指外贸商品结构的优化,即高附加价值、高出口效益的机电产品和高新技术产品出口份额不断扩大。而且随着我国外贸的进一步发展,外贸增长方式转变的内涵将会进一步

深化和细化,即出口商品结构的优化主要承担者或带来者应转向内资,即扩大本土企业通过一般贸易方式出口的机电产品和高新技术的出口份额。为实现此目标,必须发展自主知识产权,培育品牌,增强核心竞争能力。

鉴于知识产权对于国家经济发展有着如此重要的意义,许多国家特别是一些发达国家,已经把知识产权问题提升到国家战略高度来认识和对待。以日本为例,2002年7月3日,日本政府在知识产权战略会议上发表了《知识产权战略大纲》,将"知识产权立国"列为国家战略。同年11月27日,日本国会通过了政府制定的《知识产权基本法》,为"知识产权立国"提供了法律保障。对于我国来说,注重创新和自主知识产权也引起了党和国家的高度重视,中共中央在"十一五"规划建设中明确指出:"十一五"期间,要形成一批拥有自主知识产权和知名品牌、国际竞争力较强的优势企业;实行支持自主创新的财税、金融和政府采购政策,发展创业风险投资,加强技术咨询、技术转让等中介服务,完善自主创新的激励机制;加大知识产权保护力度,健全知识产权保护体系,优化创新环境。

(二)扩大自主知识产权产品出口是企业参与国际竞争的必然要求

按照流行的说法,一流企业卖标准,二流企业卖技术(专利),三流企业卖服务,四流企业卖产品。对于我国企业来说,总体上还处在卖产品的阶段,而且所卖产品大部分还没有自主知识产权。

世界上几乎所有知名的跨国公司均拥有以高新技术或独特秘方为基础的知识产权或知识诀窍(know-how),并以这种知识产权或知识诀窍为基础发展世界级品牌。2003年8月美国《商业周刊》综述了世界前100名的著名品牌价值评估结果,其中前10名为:可口可乐(704.5亿美元),微软(651.7亿美元),IBM(517.7亿美元),通用电气(423.4亿美元),英特尔(311.1亿美元),诺基亚(294.4亿美元),迪斯尼(280.4亿美元),麦当劳(247.0亿美元),万宝路(221.8亿美元),梅塞德斯(213.7亿美元)。所以这些世界顶级的跨国公司均有自己的独特技术和知识产权,微软、IBM、通用电气等高科技型企业自不必说,就拿麦当劳来说,它也有自己的独特的知识产权。如为了提高服务速度,麦当劳餐厅统一安装了店头销售系统,而这套店头销售系统是属于麦当劳的知识产权的典型例子。又如,麦当劳曾在新加坡状告一家名为"未来企业"的食品公司,理由是这家公司的产品名称"麦克面条"、"麦克茶"、"麦克巧克力"中使用了"麦克(Mac)"字样,同麦当劳的McDonald's标志非常相似。麦当劳要求该公司停止使用"麦克(Mac)"字样,虽然法庭判麦当劳败诉,但其对知识产权的高度重视和严密的知识产权保护体系由此可见一斑。

在跨国公司的企业管理中，知识产权管理占据了非常重要的位置。以德国西门子公司为例，它在全球设有 12 个知识产权管理部，400 名知识产权管理人员管理着该公司各类知识产权约 15 万项。荷兰飞利浦公司在全球设有 10 个知识产权办公室，也有约 150 名知识产权专业人员，管理该公司的 6.5 万个专利和 2.1 万个商标。

跨国公司的海外扩张，特别是进行境外投资、扩张，除了投入资金、设备等有形资产以外，更加注重投入技术、品牌、经营、商誉等以知识产权为核心和主要内容的无形资产。定牌加工则是其中很重要的一种知识产权无形资产投入方式。例如美国可口可乐公司的灌装厂遍布世界，它的主要投资无非是它的品牌、以商业秘密保护的"母液"以及经营、商誉等知识产权。再如，佳能连续十年稳坐美国专利注册数量前三名的位置，十年中佳能在美注册的专利总数仅次于IBM，位居全球第二。当初要进入复印机领域而受到施乐专利阻挠的历史，让佳能认识到专利的重要性。目前佳能对外宣布拥有美国专利达 74000 项，仅在数码复印机的光敏滚筒上就有 2000 项。佳能认为，在愈加激烈的竞争中，掌握核心技术就意味着企业有机会攫取商业价值链中附加价值最高的部分。如果在全球的市场份额为 100%，完全占据了某一市场，无疑要触犯反垄断法①。但是如果这个市场份额是几百项专利保护的合法份额，那么企业无疑是获得了一个保护自己的铜墙铁壁。

（三）拥有自主知识产权产品出口现状

1. 我国自主知识产权产品的出口面临严峻形势

我国出口的近两千亿的高新技术产品中，我国拥有自主知识产权的产品占多大份额，至今无确切统计。但是通过我国高新技术出口主要由外资企业完成，并主要通过加工贸易方式进行这一事实可以侧面反映我国自主知识产权的高新技术产品出口状况不容乐观。另外，通过以下具体数据或事实也可进一步印证这一判断。

目前我国虽然有近 200 种产品的产量位居世界第一，但具有国际竞争力的品牌很少，出口产品中拥有自主知识产权品牌的不到 10%，名牌发展滞后。我国面临的知识产权形势仍不容乐观，国外在我国申请的知识产权专利数量每年以 5000 件的数量在增加，是平均增长速度的 3 倍，这说明我国目前在知识产权

---

① 参见张红：《经济参考报》2004 年 4 月 13 日。

上缺乏竞争能力。

因此,我国知识产权形势非常严峻。一方面,我国发明专利和服务质量偏低;另一方面,我国在一些核心领域缺少自主知识产权。此外,我国拥有自主知识产权的数量偏少,而且多是改进性发明,缺少基础性、原创性的发明专利。发明专利是技术含量最高的专利,我们国内所占比例却很少,截至2004年年底,我国发明专利累计授权量国内仅占35.9%,2004年也仅占37%。在生物技术、信息技术、新材料等高新技术领域,仍然为跨国公司所垄断。特别是在信息、生物、新医药等高技术领域,国内授权的约90%的发明专利属于外国公司。更为严重的是,我国生产的医药、农药近90%产品没有自主知识产权。在信息产品、家电领域,我国虽逐步成为制造大国,但大部分核心技术却被国外公司掌握,我国大多数企业,包括国内一些较知名的大企业,不过充当了加工装配商的角色,赚取的微薄利润还不如交纳国外专利费多。

目前我国国内拥有自主知识产权的企业仅两千多家,占企业的万分之三,99%的企业没有申请专利,拥有自己商标的企业仅为40%,而且驰名商标很少,很多企业处在有制造没有创造,有知识没有产权的状况,有的企业甚至靠仿造过日子。从国内的累计数字统计看,我们国内职务发明仅占35.8%,2004年也仅占39.9%。在国外发达国家,职务发明一般都占95%左右。在向国外申请专利的数量方面,我国每年向国外申请的专利这些年来每年也就是2000件左右,被授权的也就是300件左右,这还抵不上国外的一个大公司①。

我国出口DVD大约一台40美元,可是要交专利使用费21美元;我国的药品90%仍离不开国外的专利;我国的数控机床70%都是国外专利;我国汽车90%都是合资企业或者是国外品牌。这一沉痛的事实指出我国与知识产权强国的差距。

2. 缺乏自主知识产权成为扩大我国产品出口的障碍

近年,随着我国加入WTO,国外的技术壁垒逐步增大,专利国际纠纷事件显著增多,专利壁垒已经使我国不少企业吃了苦头,对我国企业的利益和竞争力都造成一定的伤害。2004年头两个月由于知识产权纠纷和贸易摩擦的影响,手机出口下降,DVD出口增速下跌,这让中国相关企业感受到了巨大压力。

中国作为彩电最大的生产国和出口大国,遭到了美、日、欧等国家技术壁垒的种种发难。早在20世纪80年代末,美国无线公司就专门组团到中国要求对

---

① 以上数据来源于国家知识产权局副局长邢胜才的讲话。

出口彩电征收每台1美元的专利费,使得一些出口量较大的公司与他们签订了协议。20世纪90年代,接手美国无线的汤姆逊公司对不同规格的彩电提出了二十多项的专利要求;2002年,美国借反倾销调查为名,对中国彩电出口美国市场进行限制,并且提出彩电只有装上"童锁"装置,才能进入美国市场的技术壁垒;而此时,加拿大的三视(TRIVISION)公司,则要求对中国出口到美国、加拿大的彩电的"童锁"功能技术征收专利费,每台1.25美元。

我国DVD机的产量如今已占世界市场的90%,但DVD生产企业没有掌握该产品的核心技术和标准,如解码芯片、机芯和光学头等核心元器件都要靠进口,国内企业仅是拼装。2003年1月,国外企业开始向中国DVD生产企业征收专利费,经过艰苦谈判,达成协议:出口一台DVD机,交纳专利费21.3美元,即200元人民币,占其出厂价的20%。而国内销售一台,交专利费12~13美元,即100元人民币。同样地,美国高通公司不生产一台手机,可是它拥有CDMA的技术标准,中国手机厂商每生产一部手机,都要向高通公司交纳一笔专利费。

由于专利等国际性知识产权的存在,使我国相关产业吃了不少苦头,要么遭受出口限制,要么要交巨额专利费,在经过一系列挫折后,中国的企业已经开始觉醒。例如,针对"内联"技术和部件,即实现电脑、手机、家电、掌上电脑的互联的关键装置,联想、长城计算机、TCL、康佳、海信五家企业联手,制定了技术标准。

走向激烈竞争的国际市场的我国企业,几经呛水后逐渐明白,低价劳动力为代价的低价格,并非我们取得竞争优势的长远法宝,立足于国际市场,与国外跨国公司论伯仲、争市场,关键要靠强大的创新能力和技术实力。引进国外先进技术是我们后来居上的一条捷径,但真正取得国际市场竞争力,必须要拥有自主知识产权。一味引进,而不能消化吸收和创新,永远走不出低技术的泥潭,摆脱不了受制于人的局面。在经济全球化的今天,只有实施知识产权战略,中国才能赢得国际竞争中的强势地位。

(四)扩大自主知识产权产品出口存在的问题

我国高新技术产业虽然为我国社会科技发展作出了很大的贡献,但是其本身也受到了知识产权问题的困扰。目前我国在发展自主知识产权方面主要存在以下几方面的问题①:

1.我国高新技术的产权意识比较薄弱

我国企业的经营思路还比较传统,只要能挣钱,要不要知识产权都无所谓,

---

① 此处参考了国家知识产权管理局副局长邢胜才的有关讲话。

甚至有些企业根本不知道什么是知识产权。2003年,国家知识产权局对72家高新技术企业进行了调查。调查结果如下:72家企业中,4家企业没有一件专利,占总数6%;7家企业有专利,但是没有一件发明专利,占总数10%;47家有不足十件专利,占60%;其余14家企业有十件以上发明专利,但都不足50件,占总数19%。调查表明,我国高新技术企业知识产权意识比较薄弱。例如,实际上我国在超导的研究发展水平与美国相当,但是申请专利仅占美国在该领域的20%左右,这就成了公开为别人打工,别人拿我们的东西过去,稍作修改申请专利,结果我们的研究成果却不能进行产业开发。

2. 研究人员申请专利积极性不高

创新者在选择经济制度时会在专利制度和科技奖励制度两者之间进行博弈,对于一个理性的创新者来说,会倾向于选择利益最大的制度。在我国目前的专利制度下,创新者获得的收益是由市场说了算,专利产业化存着较大风险,而与此相比,科技奖励制度对创新者有丰富的奖励,对创新者来说,科技奖励制度风险小,收益大。因此,在选择发表论文和申请专利之间,多数人选择了前者。尽管这些年来,国家科技奖等奖项引入专利考核的指标,但是创新仍然不够,因此,研究人员申请和实施专利的积极性依然不高,知识产权制度的效用得不到最大程度的发挥,不利于我国高新技术产业的发展。

3. 知识产权保护不利

知识产权保护是知识产权制度的核心,要充分发挥知识产权制度的作用,就要做到有法必依,执法必严,对非法的行为进行严厉的制裁,只有做到充分保护知识创造者和拥有者的合法权益,才能有效发挥知识产权制度的功能。另外,由于知识产权制度的保护不利,造成市场缺乏公平有序的原则,使我们的发展受到制约。

4. 人才管理机制和队伍建设不到位

国外企业一般设有知识产权部门,并且开展卓有成效的工作,而我国不少高新技术产业不仅没有设置相关部门,也没有专门的人才。有这样一组数据:美国IBM公司专利工程师有五百多个,微软公司全球25000名员工近五分之一从事知识产权工作,索尼有300人,日立公司有310人,而我国仅有华为、中兴等企业有知识产权部门[①]。据统计,2004年华为和中兴专利申请量均位居国内前十名,显然充分发挥知识产权的创造力是与重视知识产权的作用分不开的。

---

① 参见国家知识产权局副局长邢胜才的讲话,来源于知识产权局网站。

5. 不熟悉知识产权国际规则

即便是已经具备了知识产权优势的企业，也有一个对知识产权国际规则由不熟悉到熟悉的过程。像华为这样具有多项自主知识产权的高新技术企业也还不熟悉国际规则，因此受到竞争对手的诉讼在所难免。面对这样的诉讼，我国企业往往缺乏应对和应急机制。

五、科技兴贸实施载体和平台建设情况

为全面贯彻实施科技兴贸战略，密切地方外经贸主管部门和企业的联系，商务部相继确定了北京、上海、天津等 20 个科技兴贸重点城市，北京中关村科技园区等 25 个高新技术产品出口基地；确定了计算机及外围设备、通讯设备、视听设备、软件、中药等 12 大类重点高新技术产品；并且积极组织和参与深圳高交会、北京科博会、上海工博会和杨陵农高会等四大高科技会展，搭建我国高新技术成果展示的窗口和交易的平台。

（一）科技兴贸重点行业和企业

为实施科技兴贸战略，外经贸部与科技部按照《科技兴贸行动计划》的要求，在信息、生物医药、新材料、消费类电子和家用电器等 5 个行业选择了 92 种产品以及生产和出口这些产品的 166 家企业，作为第一批重点产品和重点企业。

为进一步加强对高新技术产品及其出口企业的支持，培育有出口实力和潜力的高新技术产品出口企业，促进高新技术产品的出口，并带动相关产业的发展，2000 年外经贸部和科技部公布了新的科技兴贸重点企业标准，并进行了相应调整。调整后科技兴贸重点企业应符合以下要求：企业的产品属于信息、生物医药、新材料、消费类电子和家用电器领域，并已列入《中国高新技术产品出口目录》；企业的产品具有较强的技术优势和较好的国际市场前景；企业对符合上述要求的产品已有出口业绩并具有一定出口潜力，产品的年出口额在本领域居领先地位。具体标准是：信息类产品 100 万美元以上（其中软件产品 10 万美元），生物医药类产品 500 万美元以上、新材料类产品 1000 万元美元以上，消费类电子和家用电器 3000 万美元以上。

为了解重点出口企业高新技术产品出口状况和需要解决的问题，深入推进"科技兴贸行动计划"的实施，2002 年外经贸部对重点出口企业进行了问卷调查，并结合各地科技兴贸工作情况报告材料，对重点出口企业的出口状况和需解决的主要问题进行了初步分析。根据 2002 年组织的对 19 家重点出口企业

的调查,我国重点高新技术产品出口企业呈现出以下几个特点:

1. 出口规模扩大,但技术附加值相对较低

重点出口企业中92%的企业出口创汇在100万美元以上,44.9%的企业出口创汇在1000万美元以上。株洲冶炼厂、广东美的集团、广东格兰仕企业集团的出口创汇已超过1亿元。从人均创汇情况看,43.5%的企业人均创汇达到1万美元以上。株洲新时代橡塑元件开发有限责任公司和深圳莱宝真空技术有限公司的人均创汇超过10万美元。目前我国高技术产品出口的比较优势领域主要是劳动密集型产品领域,技术附加值相对较低,重点出口企业中出口创汇1000万美元以上的企业主要是新材料、家电和消费类电子领域的企业,以出口加工为主。

2. 出口经济效益较好,但企业间效益差距较大

出口企业中,销售利润率6%以上的企业占58.5%,销售利润率10%以上的企业占41.5%,重点出口企业的平均销售利润率为6.1%,与高新区企业的平均销售利润率(6.38%)基本相同,远高于全国大中型工业企业的平均销售利润率(2.38%),表明重点出口企业有较好的经济效益。出口企业间的经济效益差距较大,北京汉王科技有限公司的销售利润率高达73.11%,而少数企业的销售利润率不到1%。

3. 出口市场不断扩大,但技术开发后续经费支持不足

据统计,90%以上的企业实现了市场多元化,出口市场不断扩大,需要技术开发的后续支持。重点出口企业技术开发经费支出占企业销售收入的比例平均为6.9%,远远高于全国大中型工业企业的比例(1.28%)和高新区企业的比例(2.77%),其中53.1%的企业技术开发经费支出占企业销售收入的比例达到3%以上,但重点出口企业技术开发投入仍显不足,23.3%的企业资产负债率高达70%以上。大多数企业迫切要求国家提供贷款渠道,其贷款用途主要是技术开发,占43%;其次是技术改造,占34.4%;扩大生产规模,占31.3%;流动资金,占25%。

2003年10月10日发布的《进一步实施科技兴贸战略的若干意见》中确定的奋斗目标是:在五到十年内,培育10家左右高新技术产品年出口额在50亿美元以上的大型出口企业和跨国公司;培育100家左右高新技术产品年出口额在10亿美元以上的出口骨干企业;同时要培育一批高新技术产品年出口额在1000万美元以上的中西部地区出口企业。加强和完善与1000家重点高新技术产品出口企业的联系制度,帮助企业用好政策、用足政策。

（二）科技兴贸重点城市

科技兴贸重点城市对高新技术产品出口带动重要性相当明显。2004 年 20 个科技兴贸重点城市出口额合计 1108.6 亿美元,占全国高新技术产品出口总额的 66.97%。各省市内部的高新技术产品出口也主要是重点城市和高新技术产品出口基地带动的,尤其是一些中西部省份这种带动作用更为明显。2000 年和 2004 年 13 个科技兴贸重点城市占相应省市的高新技术产品出口份额如下表所示:

表 3-14 科技兴贸重点城市在各省高新技术产品出口中的地位

单位:亿美元,%

地区	2000 年		2004 年	
	绝对值	占本省份额	绝对值	占本省份额
广东	170.2		664.6	
深圳	83.93	49.31%	350.6	52.75%
广州	6.18	3.63%	33.4	5.03%
江苏	53.5		359.4	
苏州	24.63	46.04%	168.4	46.86%
南京	6.5	12.15%	16.9	4.70%
福建	16.52		68.3	
厦门	8.68	52.54%	35.8	52.42%
浙江	6.54		38.7	
宁波	1.18	18.04%	8.1	20.93%
辽宁	16.43		29	
大连	8.69	52.89%	17.4	60.00%
沈阳	5.07	30.86%	10.5	36.21%
山东	6.5		24.9	
青岛	3.57	54.92%	11.2	44.98%
四川	2.36		7.1	
成都	1.12	47.46%	1.2	16.90%
湖北	1.35		3.4	
武汉	1.13	83.70%	2.7	79.41%
安徽	0.6		2.1	

地区	2000 年		2004 年	
	绝对值	占本省份额	绝对值	占本省份额
合肥	0.44	73.33%	1.5	71.43%
陕西	0.68		1.4	
西安	0.54	79.41%	1.3	92.86%
黑龙江	0.77		1.1	
哈尔滨	0.67	87.01%	0.8	72.73%
吉林	0.18		0.4	
长春	0.14	77.78%	0.3	75.00%
甘肃	0.1		0.2	
兰州	0.09	90.00%	0.2	100.00%

资料来源:根据商务部统计资料计算整理。

由上表可见,在各省内部的高新技术产品出口分布也十分不平衡,其中相应省市的科技兴贸重点城市对其拉动作用十分明显。以 2004 年为例,深圳、厦门、大连、武汉、合肥、西安、哈尔滨、长春、兰州的高新技术产品出口均占各自省份的 50% 以上,尤其是中西部重点城市对各自省份的高新技术产品出口份额达到了 70% 以上,甚至 90%、100%。

根据最新统计,20 个"科技兴贸"重点城市高新技术产品出口地位继续提升,2005 年前 11 个月出口 1331.4 亿美元,增长 35.9%,高出全国高新技术产品出口增幅 3.4 个百分点,占全国高新技术产品出口额的 68.4%,比 2004 年提高 1.4 个百分点。

(三)科技兴贸重点基地

《科技兴贸行动计划》发布后,1999 年 11 月 16 日,科技部、对外经贸部发布《国家高新技术产业开发区高新技术产品出口基地认定暂行办法》,根据暂行办法,在国家高新技术产业开发区,选择培养一批国家高新技术产品出口基地,给予重点扶持,使之在短期内形成有特色并拥有出口产品的高新技术产品出口基地。

国家高新区高新技术产品出口基地由科学技术部和对外贸易经济合作部批准设立,科学技术部火炬高技术产业开发中心负责日常管理及指导工作。具体条件是:高新区总体发展迅速,软硬环境建设良好,高新技术产品发展强劲,孵化、创新体系比较健全,能为出口企业提供优良服务。区内高新技术企业产品出口增长较快，能在短期内形成有较大规模的出口主导产品，30% 以上的出口产品拥有自主知识产权。区内年出口额超过 1 亿美元；低于 1 亿美元者，年出口额达到 300 万美元的骨干出口企业应超过 10 家。出口产品以高新技术产品为主，高新技术产品出口创汇额占区内创汇总额的 50% 以上。当地政府重视出口基地的建设和发展，制定相应的政策措施并给予必要的资金支持。具备一支精干高效、有外贸经验的管理人员队伍。

截至目前，商务部会同其他部门认定了 25 个高新技术产品出口基地、6 个国家软件出口基地和 15 个医药出口基地。2005 年以来，商务部会同有关部门进一步加大了促进软件和医药产品出口的工作力度，预计全年我国软件和医药产品出口将分别达到 35 亿美元和 160 亿美元。研究制定了鼓励软件和信息服务出口的政策；会同有关部门开展了国家规划布局内重点软件企业认定工作。会同有关部门出台了《关于扩大医药产品出口的若干意见》，从建设国家医药出口基地、培育重点企业、加强研究开发等方面提出了具体政策措施；组织认定了北京、天津、上海、深圳、石家庄、长春、杭州、长沙、广州、成都、西安、通化、泰州、淄博和桂林等 15 个医药产业集中、研发力量雄厚、医药出口产业及企业整体竞争力较强的城市作为国家医药出口基地，初步形成了以国家医药出口基地为龙头，辐射、示范并带动周边地区的医药产品出口体系。

(四)高新技术成果展示和交易平台

实施科技兴贸战略以来，商务部会同有关部门共同努力，建立了高新技术成果展示和交易平台，构建了"两北一南、两东一西、一工一农一软一电两综合"六个各具特色的高科技交易会格局。就地域而言，南有深圳"高交会"，北有北京"科博会"和大连"软交会"，东有上海"工博会"和苏州"电博会"，西有杨凌"农高会"。就内容来看，深圳"高交会"和北京"科博会"属于综合类的高科技交易会，虽然都以高新技术为主题，但"高"交会以成果交易和产品出口为主；"科博会"除交易外还有国际经济技术合作与交流。其他四个交易会则强调专业化，如"工博会"重在用高新技术改造传统工业，以信息化带动工业化；"农高会"完全是以高新技术改造传统农业，提高我国农业的技术含量和附加值为主要内容；"软交会"以软件交易为主；"电博会"以电子产品交易为主。六个交易会各有重点，各具特色，它们完整地组成了我国高新技术产品出口的宣传服务体系，"成为展示我国高新技术领域最高发展水平和最新发展成就的窗口，成为科研成果产业化、商品化的重要平台，成为高新技术国际交流和合作的桥梁，成为国内外客商展示实力、获取信息、交流合作、共同发展的舞台。"[①]

2005 年以来,商务部相继主办了深圳高交会、大连软件交易会、苏州电博会等高科技展会,展会专业化、国际化、市场化和现代化水平进一步提高。第七届深圳高交会成交金额达到 135 亿美元;第四届苏州电博会参展企业达到 502 家,展位 1520 个,参观人数超过 12 万人次;第三届大连软件交易会展区面积达到 3 万平方米,专业观众总数达到 3 万人;9 月在澳大利亚悉尼举办的"中国高新技术产品展",企业成交金额接近 1 亿美元。

第四节 从"科技兴贸"到"科技强贸"的战略升级

1999 年正式实施的"科技兴贸"战略取得了显著成效,高新技术产品出口有力地推动了出口贸易的持续健康发展,促进了国内产业的结构改造与升级,高新技术企业的国际竞争力得到了明显提升,并逐渐形成了若干个各具特色的高新技术产品出口的产业集群。其具体标志就是高新技术产品出口占全国出口贸易总额的比重已经从 1998 年的 11% 大幅度上升至 2005 年的 29.2%,已经接近原定到 2010 年所要完成的目标。因此,可以说"科技兴贸"战略的原定目标已经全面超额提前完成。在全面建设创新型国家的新形势下,应当适时地对这一战略作出重大调整,即从"科技兴贸"走向"科技强贸",进行新的战略升级。

一、科技兴贸战略升级所面临的新形势

(一)世界贸易发展面临的新形势

1. 高新技术产品成为推动世界贸易发展的重要力量

随着世界经济日益向知识化方向迈进,高新技术产品在世界贸易所占份额将越来越大,并将成为拉动世界贸易增长的主要动力。几乎所有的发达国家,其高科技产业在制造业总增加值中的比重增加,在出口中的增加相当显著。

20 世纪 90 年代以来,以微电子、生物工程、新材料、光导纤维、航天工程、海洋工程、新能源和计算机信息产业为代表的新兴工业快速发展,极大地推动了世界产业结构的调整与升级,其中尤其以信息技术发展最为显著,据预测,

---

[①] 参见吴仪副总理 2004 年 1 月在全国科技兴贸工作会议上的讲话。

2002～2007 年间世界电子信息产业①均增长率将达 5%,2007 年其产值将达
1.28 万亿美元;全球生物技术产业产值到 2010 年将达 1471 亿美元以上②。随
着高科技产品的集成和零部件可贸易性的增强,跨国公司越来越倾向于在全世
界范围内布置生产工序,使得现今高新技术尤其是信息通信技术领域的高新技
术产品贸易成为推动世界贸易增长的重要因素。

2. 高新技术产品引领的技术标准愈益成为国际贸易竞争力的重要标志

首先,标准已经成为国际贸易规则的重要组成部分。WTO 通过签署《技术
性贸易壁垒协议》(WTO/TBT 协议)和《实施卫生与植物卫生措施协议》(WTO/
SPS 协议)等方式,把技术标准提升到国际贸易规则的地位。2000 年 11 月,
WTO/TBT 委员会做出规定:国际标准化机构在制定国际标准过程中,要保证制
定过程的透明度(文件公开)、开放性(参加自由)、公平性和协商一致(尊重多
种意见),要确保国际标准对全球市场的有效性和适应性。2002 年,国际标准化
组织(ISO)和国际电工委员会(IEC)根据 WTO/TBT 委员会的重大决策,提出了
确保全球经济大市场健康、有序发展的"一个标准,一次检测,全球接受"的战略
部署。2004 年,ISO、IEC 和国际电信联盟(ITU)三大国际标准化组织为了达到
"从简单到复杂,从微观到宏观,从区域到全球,国际标准无处不在;从产品到服
务,再到以国际标准为支撑的全球供应链的各部分,国际标准无所不及"的战略
目标,描绘了"标准提供解决方案,标准促使目标达成;标准联结人们,标准联结
世界!"的标准化战略蓝图。可见,由于 WTO 对应用标准的要求以及三大国际
标准化组织的积极回应,标准在国际贸易中的作用日益明显,已经成为国际贸
易规则的重要组成部分。

其次,国际高新技术产品贸易的竞争首先表现为标准的竞争。为了占领国
际经济竞争中的技术制高点,各国在高新技术领域的竞争越来越激烈,其实质
体现为创新能力的竞争,并进一步表现为将创新成果转化为标准的竞争。在高
新技术领域企业的经济利益更多地取决于技术创新、知识产权和技术标准。占
有知识产权和具有竞争力的技术标准成为知识经济时代衡量企业乃至国家核
心竞争力的重要标志。在知识经济时代的今天,往往是标准先行,谁制定的标
准为世界所认同,谁就会从中获得巨大的市场和由此带来的经济利益。以信息
领域为例,在互联网应用前就先制定了 IP 协议;在高清晰度数字电视和第三代

---

① 包括数据处理、有线通信、移动通信、消费电子、汽车电子和工业用电子六大类。

② 数据来源于中国台湾省经济部工业局,《2003 年生技产业白皮书》。

移动通信尚未产业化前,标准之战就已如火如荼;移动通信技术标准更是一个典型的佐证,GSM 作为目前第二代移动通信标准以及相应的核心技术一直牢牢掌握在欧美几个大公司的手里,通过 GSM 通信标准,这些公司牢牢控制着市场,获取了高额的利润。随着第三代移动通信标准逐步走向市场,美国高通公司之所以短时间内就从名不见经传的公司发展为通信业巨头,正是因为它掌握了 WCDMA 的核心技术,并使其成为第三代移动通信技术的标准之一。最近发生的关于中国无线局域网国家标准 WAPI 的争论以及其实施日期被推迟的事件,充分说明了在国际高新技术领域竞争中首先表现出来的是技术标准的竞争。

再次,获取最大国际贸易利益必须掌握技术的国际标准。二十世纪 80 年代至 90 年代初,美国以专利技术、日本以制造技术作为国际经济竞争的首选策略,但由于对国际标准重视不够,两大技术强国均遭致惨重的经济损失。根据美国商务部的统计,在每 1500 亿美元的出口贸易中,就有 200 亿至 400 亿美元的商品遭遇技术壁垒,其中主要原因之一就是由于国际标准没有反映美国技术所致。二十世纪 90 年代初,日本研制的 PDC 制式手机,其技术和质量属世界一流。为了独自占有市场,日本没有以这项技术为基础进行国际标准提案,其结果是这项技术没有相应的国际标准作为依托,日本的手机也未能打开国际市场而只能在本国销售。而欧洲研制的 GSM 制式手机技术 1992 年形成了欧洲电信标准协会(ETSI)标准,接口技术公开,产品销往 135 个国家,占领了世界 66% 的市场。日本进行的标准化经济效益评价结果表明,日本一项有国际市场需求的新技术或普通技术如果没有形成国际标准,每一项技术平均损失 300 亿日元(折合 20 亿人民币)①。

3.技术性壁垒成为新贸易保护主义的重要工具

在 WTO 条件下,国家之间传统的关税壁垒逐渐削弱,以国家安全、生态环境保护、人民健康为由的各种技术法规、标准和合格评定程序相互组合形成的技术性贸易措施正在成为当今各国保护本国市场最常见手段。据统计,在 20 世纪 70 年代,国际贸易中的技术性贸易措施约占非关税壁垒的 10% ~30%;到了 90 年代末,这一比例已上升到 45% 左右②。美、欧、日等发达国家,利用其科技水平高和经济实力强的优势,成为技术性贸易措施的最大受益者。如法国制

---

① 资料来源于中国标准化研究院《中国技术标准发展战略研究》。
② 宋明顺:《WTO〈贸易技术壁垒协议〉规则、实践及对策》,中国计量出版社 2002 版,第 5 页。

定的技术性贸易措施禁止含有葡萄糖的果汁进口，以此抵制含有葡萄糖的美国果汁的进口。欧盟通过的 CR（Child Resistant）法规，要求 2 欧元以下的打火机必须加装防止儿童打开的保护装置，以阻碍中国低值一次性打火机的进口。

绿色壁垒是技术性贸易壁垒的一种，它主要以维护国民健康、保护生态环境为由设置的各种技术性法律法规及措施。随着人类环境意识的提高，发达国家借环保之名，大量设置"绿色技术壁垒"。随着生产发展、贸易消费观念的变化，绿色贸易理念将越来越成为所有国家的共识，高技术产品的研究与开发将遵循一种新的指导思想，即科学、合理、综合、高效地利用现有资源，同时开发尚未利用的富裕自然资源，以取代已近耗竭的稀缺自然资源。因此知识经济下的生产更注重与自然、环境的和谐，在此基础上，绿色消费将成为潮流，绿色贸易将顺应环境保护的客观要求而得到极大发展。

（二）世界科技发展面临的新形势

知识差距决定发展差距的世界格局，向发展中国家和地区提出了严峻挑战。目前发达国家拥有世界 80% 左右的研究开发能力，占据世界科技发展的领先地位，并存在"胜者全得"或"赢者通吃"现象。

1. 未来 10～20 年内世界科技发展将取得一系列突破性进展[①]

生命科学和技术将是新的战略突破口，将可能在 2010 年形成新的主导地位，成为本世纪最值得关注的主导技术群，并以人们难以想象的方式改变未来的世界，带来农业、医疗、保健、化工、环保等领域的革命性变化，引起经济社会更加深刻的变革。

信息科学和技术在未来 30 年内仍将具有广阔的发展空间，将表现出以技术应用和市场需求为主导，通信、计算机与内容产业不断融合的发展趋势，进一步带动工业化的深入发展，引发经济和社会形态的深刻变革。在信息技术等的推动下，先进制造技术将得到迅速发展和广泛应用，未来的发展方向是集成化、智能化，并将在产业结构调整和转移中发挥重要作用，成为产品和产业竞争力的驱动力。

纳米科学和技术前景看好，将仍然是新一轮世界科技竞争的热点，进一步揭示出微观世界的新的规律和特性，并带来科学、技术和产业的重大变革，具有重大的产业化前景。在纳米技术等物质科学的推动下，材料科学和技术也将是现代高科技前沿最为活跃的领域，并向功能提高、性能改善、体积更小、与环境

---

① 此部分参考了杨耀武的观点，见《世界科学》2004 年第 12 期。

更友好的方向发展,带来制造业及人类生产、生活方式的重大变化。

资源、环境、空间科学和技术得到更大发展。随着人类可持续发展意识的不断增强和提高自身生活质量呼声的日益高涨,以节约资源、保护环境为特征的环境及绿色技术将大放异彩。能源技术的未来出路将是多样化的道路,节能、储能及新能源技术将备受关注,以解决不断突出的供需矛盾。航空航天技术将更加成熟,活动空间更为广阔。地球和海洋科学将不断拓展人类新的生存和活动空间,帮助人类更彻底地了解并掌握我们所居住的地球。

2. 各主要发达国家和地区均积极制定科技发展战略

科学技术历来是经济的主要推动力量,每一次科技革命都伴随着一次产业革命,而每一次产业革命又与世界科技中心的诞生和转移相辅相成。从历史上看,以机械技术和蒸汽动力技术为主导的第一次技术革命,导致了第一次产业革命并实现了生产的机械化;以电力技术和无线电技术为主导的第二次技术革命,导致了第二次产业革命并实现了生产的电气化;以微电子技术为主导的第三次技术革命,导致了第三次产业革命并实现了生产的自动化。而即将或正在到来的第四次技术革命将带来产业和社会的信息化、知识化、智能化,以信息技术为基础的信息经济将转化为包括信息技术及其产业在内的知识密集型产业,并且科学技术将在知识经济中成为直接的生产力。

然而,第五次、第六次科技革命将会发生在中国,还是继续发生在美国,这一切都取决于未来各国的科技发展策略。事实上,世界各主要发达国家和地区均制定了相应的科技发展规划。美、日、欧各国科技规划的共同点:提出了宏伟的科技与经济社会互动,以产业化为中心,突出创新与合作,重视制度创新和体系建设,将科技人力资源建设放在突出战略地位,都把信息技术、生物技术、纳米技术、环境技术、能源与航空航天技术作为优先领域。

欧盟:2000 年的里斯本欧盟峰会提出,要把欧洲建成全球竞争力最强、最具活力的知识经济社会,在新经济领域赶超美国。

韩国:2025 年科技发展长远规划构想认为,科技将成为创造国家财富、提高生活质量和提升国家地位的促进因素,提出了 2015 年成为亚太地区主要研究中心的目标。

日本:2001 年,日本政府第二个科学技术基本计划,立足于"依靠知识创造和技术的灵活运用为世界做出贡献的国家","具备国际竞争力的可持续发展的国家","人民安居乐业且生活质量高的国家",显示了日本"科技创世纪"的雄心。

二、科技发展为科技兴贸战略升级奠定了坚实基础

(一)我国科技投入情况

1. R&D 经费支出规模不断扩大

在科技兴国战略的指导下,我国科技资源投入不断增长,不仅 R&D 经费绝对规模不断上升(1998 年为 5511 亿元人民币,2003 年为 15396 亿人民币,增长了近 3 倍),而且 R&D 经费支出与 GDP 的比值也不断增加(从 1998 年的 0.7% 上升至 2003 年的 1.31%)。

表 3 – 15　全国 R&D 经费支出(1998 ~ 2003 年)

单位:10 亿元人民币

年份	1998	1999	2000	2001	2002	2003
R&D 经费支出	551.1	678.9	895.7	1042.5	1287.6	1539.6
比上年实际增长	10.9	20.3	16.9	15.0	23.8	17.2
R&D 经费支出/国内生产总值	0.70	0.83	1.00	1.07	1.22	1.31

资料来源:中国科技统计网站。

2. R&D 经费支出与发达国家还存在较大差距

2001 年,我国研发投入总额为 125.6 亿美元,仅相当于美国的二十五分之一。美国在上个世纪 60 年代研究开发投入已超过国内生产总值的 2%,日本超过国内生产总值的 1.5%。通过国际比较可以发现,一个国家在经济发展初期,研发投入占国内生产总值的比例一般在 0.5% 至 0.7% 左右;在经济起飞阶段,该比例则应上升到 1.5% 左右;进入稳定发展期,该比例应当保持在 2.0% 以上。而在前两个阶段,政府的科技投入应当占主导地位。国际经验表明,必须持续不断地增加对科技的投入,才能为保持经济的持续发展提供足够的知识积累。

表 3 – 16　世界部分国家 R&D 经费支出

单位:10 亿美元,%

	中国 2003	美国 2003	日本 2002	德国 2003	法国 2002	英国 2002	俄罗斯 2002	韩国 2002	巴西 2001	印度 2001
R&D 经费	186	2846	1240	601	314	293	43	138	46	37
R&D /GDP	1.31	2.62	3.12	2.50	2.20	1.88	1.24	2.91	0.87	0.84

数据来源:除中国、巴西和印度数据外,其他数据取自 OECD《主要科学技术指标 2004/1》。

3. R&D 人力资源规模国家比较

人力资源优势是高技术产业的根本竞争优势。产业结构向信息、通讯等高技术产业转化,需要高素质的人才,较高的人力资源不仅可以提高吸收外来技术的效果,而且可以提高科技开发的能力和质量。

虽然在 R&D 人力资源绝对数值的比较上,我国目前居于世界前列,与发达国家的数量基本相当,但在相对量的比较上,却与发达国家相差甚远。2002 年,我国研发总人数为 89.3 万人,居世界第二位。但若按每万人从事研发的科学家和工程师人数计算,则远落后于美、日等发达国家。如果从人均占有经费看,我国更落后于其他国家。2000 年,中国从事研发人员的年平均经费为 1.2 万美元,而日本是 15.8 万美元,相当于日本的 1/13。我国由于经费投入过低,很难充分发挥研发人员的潜力,极大地影响了我国研发水平的提升和效率。我国是人力资源比较丰富的国家,但人力资源素质差,知识劳动者的比例太小,2003 年我国每万个劳动力中 R&D 人力仅为 14 人,而日本、德国、法国、俄罗斯均在 120 人以上,就是韩国也为 75 人。

表 3 – 17　世界部分国家 R&D 人力规模比较

	R&D 人力（全时工作当量,千人年）	每万个劳动力中 R&D 人力（人年）
中国 2003	1094.8	14
日本 2002	857.3	128
德国 2002	478.6	121
法国 2001	333.5	124
俄罗斯 2002	986.9	137
韩国 2002	172.3	75

数据来源:除中国数据外,其他数据取自 OECD《主要科学技术指标 2004/1》。

当前,人才竞争还突出表现在全球范围内高科技人才的激烈争夺上。据统计,全世界科技移民有 40% 被吸引到了美国,在美国从事科学和工程项目工作的人员中有 72% 来自发展中国家。目前仅在硅谷地区供职的中国科技人才已超过 10 万。人才流向发达国家的趋势,增强了发达国家的竞争力,也严重削弱了发展中国家的科技发展潜力,成为进一步拉大其间差距的重要因素。

研究表明,一国教育投入和教育质量的不同是导致人力资源国别差异的最主要原因。因此,必须要加大教育投入,尤其是高技术产业的教育投入,在加强高等教育、普及义务教育的同时,重视和发展职业技术教育,培养各行业专门人才，强化职业培训，只有这样，才能使劳动者素质跟上高技术行业发展和我国经济结构调整的需要，这是经济可持续发展的重要条件之一。

4. R&D 投入主体

在科技研发投入中，政府财政投入情况是科技政策的重要表现。从近年看，我国中央财政在科技投入方面缺乏稳定的增长机制。上世纪 90 年代中期以后，国家财政科技拨款占国家财政支出比例从 1996 年的 4.36% 减少到 2001年的 3.72%，呈下降趋势。在发达国家中，企业投入已成为研发资金主要来源。而政府研发投入仍然占国内生产总值的 0.5% 至 0.8% 左右。相比之下，我国政府研发投入占国内生产总值的比重明显偏低。从研发资金来源和执行机构看，发达国家企业成为研发活动的主体，而我国企业还未能担负起研发主力军的重担。2001 年，我国全部国有企业和有一定规模的非国有工业企业研发经费的总和，仅相当于美国福特汽车公司当年研发经费的一半多。

5. 基础研究投入

从绝对额来看，2003 年我国 R&D 经费支出总额中用于基础研究的经费为9.92 亿美元，比上年增长了 1 亿美元，在世界主要国家中属中等水平，与以色列、俄罗斯相当。但仅为美国的 1.8%，日本的 5.8% 及法国（2002 年）的 13%；韩国、西班牙和澳大利亚（2002 年）的基础研究经费也分别是我国的 2.3 倍、1.9倍和 1.7 倍。

从相对额来看，我国 2003 年基础研究经费在全国 R&D 经费支出总额中的比重仅为 5.33%，从历史发展来看，我国这一比重长期稳定在 5% 左右的局面没有改变。在世界主要国家中处于较低水平，美国、日本等国的基础研究经费都在 15%~20% 之间，而试验与开发活动又都在 50% 以上，其余为应用研究。2000 年，美国用于基础性研究的经费是 479 亿美元，约占当年全部科研经费总额的四分之一，其中政府投入占将近一半。同时，政府投入中最重要的部分是医疗卫生、环境资源、技术标准等公益性研究领域。与之相比，我国基础研究占研发经费比例仅为 5.2%，公益性研究投入则更少。作为发展中国家的大国，我国应加大对基础研究和对公益性研究的政府投入，这在很大程度上就是投资于未来，投资于科技、经济和社会发展的持续竞争力。

（二）我国科技产出现状

1. 专利授权数量

专利的授权数量是衡量一个国或地区科技实力的重要指标。近年来，我国专利授权数量逐年提高。1993 年我国授权专利数量仅为 6 万多件，从 1997 年起持续上升,到1999年超过10万件,到2004年达到19万多件。

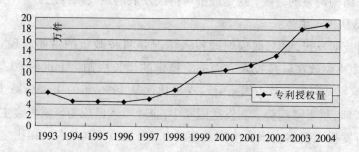

图3-7 我国历年专利授权数量(1993~2004)

单从专利授权数量看,我国专利授权呈现出较快的增长态势,但是从授权专利的结构上看,我国主要以实用新型专利和外观设计专利为主,而发明专利较为薄弱。以2004年数据为例,在授权的190238件专利中,发明专利49360件,占专利授权总量的25.9%,实用新型专利70623件,占37.1%,外观设计专利70255件,占36.9%的份额。而且在份额较少的发明专利中,也多为外国企业和个人拥有,而国内企业和个人仅占少数。截至2005年10月,我国授权的发明专利中,国内仅占36.3%,而63.7%的发明专利为外方所有(见3-18表):

表3-18 1985年4月~2005年10月国内外三种专利授权状况总累计表

单位:件

	合计		发明		实用新型		外观设计	
	授权量	构成	授权量	构成	授权量	构成	授权量	构成
合计	1433613	100.00%	228513	100.00%	718790	100.00%	486310	100.00%
国内	1236697	86.3%	82976	36.3%	713719	99.3%	440002	90.5%
国外	196916	13.7%	145537	63.7%	5071	0.7%	46308	9.5%

资料来源:知识产权局统计。

发明专利是一国知识产权战略的制高点。因此,发明专利的多寡是衡量一国科技发展实力的重要指标。如下表所示,2002年我国发明专利授权量居世界第12位,其数量仅为美国的八分之一,日本六分之一,德国的三分之一,可见,总体上,我国与世界发达国家在科技实力方面还存在较大差距。

表3-19　部分国家发明专利授权量(2002 年)

	中国	美国	日本	德国	法国	英国	韩国	意大利	荷兰	西班牙
本国人	5868	86976	108515	22637	10899	5211	30175	1285	3010	1181
外国人	15605	80358	11503	38516	42516	47382	15123	33614	24472	25445
合计	21473	167334	120018	61153	53415	52593	45298	34899	27482	26626
合计位次	12	1	2	3	4	5	6	7	8	9

数据来源:世界知识产权组织工业产权统计(2002)。

2.高新技术产业在制造业中的地位

衡量高新技术产业在制造业中的地位重要指标之一就是看其增加值在制造业增加值总额中所占的份额。如下表所示,从 1996 到 2001 年间,我国高技术产业增加值占制造业增加值比重呈不断上升的态势,从 1996 年的 6.5%上升至 2001 年的 9.5%,可见,高新技术产业在制造业中的地位不断上升。

另一方面,与发达国家相比,我国高技术产业在制造业中的地位还有进一步提升的空间。各主要发达国家的高技术产业增加值比重均在 10%以上,美国则各年均在 20%以上,韩国各年也在 17%以上,某些年份高达 20%。可见,我国高新技术产业还有进一步发展的潜力。

表3-20　1996~2001 年部分国家高技术产业增加值占制造业增加值的比重

单位:%

	1996	1997	1998	1999	2000	2001
中国	6.5	6.9	8.1	8.7	9.3	9.5
美国	21.1	21.6	21.8	22.1	23.0	—
日本	16.5	16.7	16.8	17.8	18.7	16.7
德国	9.2	9.6	9.5	10.3	11.0	10.4
法国	12.5	13.9	13.7	14.0	14.0	14.1
英国	14.3	15.0	15.5	16.3	17.1	—
加拿大	9.3	9.6	9.0	10.4	10.8	—
意大利	8.7	8.5	8.6	9.0	9.8	9.8
韩国	17.2	17.2	17.5	19.3	20.9	17.2

资料来源:科技部网站。

3.高新技术产业在制成品出口中的地位

从纵向看,我国高新技术产品出口占制成品出口的份额逐年提高,由 1999 年的 14.12%上升到 2004 年近 30%的份额。

表3-21　高新技术产品出口占制成品出口份额(1999~2004年)

	1999	2000	2001	2002	2003	2004
高新技术产品出口总额	247.04	370.43	464.57	678.65	1103.21	1655.4
制成品出口额	1750	2237.5	2398	2970.8	4035.6	5543.2
高新占制成品出口份额	14.12%	16.56%	19.37%	22.84%	27.34%	29.86%

资料来源:由商务部及海关统计相关数据计算而得。

从横向看,我国高新技术产品出口占制造业出口的比重相对较低,2001年这一比重的世界平均值为22%,而中国为19.37%,而以2004年的数据计算,中国高新技术产品占制成品出口份额已经接近30%。已经高于2001年世界平均水平,而与2001年主要发达国家的水平相比,略有差距,新加坡为59.7%,美国为32.1%,荷兰为31.5%,韩国为29.1%。

4.高新技术产业效益

2002年我国高技术产业单位产值增加值率为25%,高于韩国2001年的水平(22.2%),但与主要发达国家还存在一定差距,2000年或2001年主要发达国家高新技术单位产值增加值率大都在35%以上。

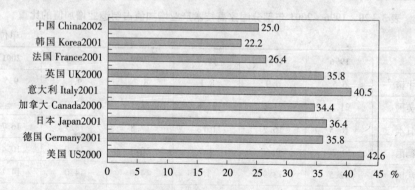

图3-8　部分国家高技术产业单位产值的增加值率

资料来源:科技统计信息网。

(三)高新技术产品出口面临的新形势

1.从贸易大国向贸易强国的转变

2004年我国进出口贸易总额达到11547亿美元,我国在世界贸易的排名由上年的第四位上升至第三位。我国已经成为世界贸易大国,但是我国的外贸出口仍以中低端产品为主,而出口的高新技术产品中拥有我国自主技术的产品仅占10%。因此,我国目前只能称得上世界贸易大国,但远非贸易强国。

为实现我国从贸易大国向贸易强国的转变,必须加快转变对外贸易增长方式。为此,中共中央关于国民经济社会发展"十一五"规划的建议中提出,要积极发展对外贸易,优化进出口商品结构,着力提高对外贸易的质量和效益。扩大具有自主知识产权、自主品牌的商品出口,控制高能耗、高污染产品出口,鼓励进口先进技术设备和国内短缺资源,完善大宗商品进出口协调机制。继续发展加工贸易,着重提高产业层次和加工深度,增强国内配套能力,促进国内产业升级。大力发展服务贸易,不断提高层次和水平。

对于我国来说,从 20 世纪 90 年代末实施科技兴贸战略以来,积极发展本国高新技术产业的同时,大力吸引海外投资,契入到高新技术产业的国际分工中,尤其是吸引 IT 通信领域的增值业务,使我国信息通信产业得到较大发展,据估计全社会电子信息产品市场规模在 2010 年可能达到 6 万亿人民币,2004年我国高新技术产品出口占外贸出口比重达 27.9%,其中主要以信息通信产业为主,这类产业出口额达 1601.1 亿美元,占高新技术产品出口总额的 96.7%[①],对外贸增长贡献率达 35.6%。高新技术产品的贸易成为我国外贸发展最具活力,出口增长最快的领域。随着科技兴贸战略的深入实施,未来一段时间,这种趋势必将继续下去,高新技术产品必将成为提高出口产品附加价值,转变外贸增长方式的重要推动力量。

2. 阻碍我国对外贸易发展的热点难点问题不断出现

目前,我国外贸领域不断出现各种不利于我国外贸稳定发展的因素,以技术性贸易壁垒为代表的非关税壁垒和以反倾销为代表的贸易补偿措施一直就是我国具有传统优势产品出口的拦路虎;而自 2005 年 1 月 1 日起世界纺织品回归自由贸易体系后,欧美等国则利用特保措施限制我国纺织品的出口;而对中国影响最大的则是美国以巨额贸易逆差为由,要求人民币汇率升值,并以提高关税相威胁,更对我国外贸出口增长形成了新的压力。所有这些均对我国对外贸易,尤其是轻纺、化工、机电等出口贸易的发展造成了不利影响。

知识产权问题对于高新技术产品的出口影响最为直接。近年来,专利国际纠纷事件显著增多,专利壁垒已经使我国不少企业吃了苦头,对我国企业的利益和竞争力都造成一定的伤害。美、欧、日等国与我国 DVD、手机、数字电视等高新技术产品的知识产权纠纷此起彼伏。如 2004 年 4 月,美国卓然公司向 ITC (美国国际贸易委员会)提起申诉,指控我国一些信息技术公司向美国出口和销

---

① 资料来源:商务部《实施科技兴贸战略报告》(2004)。

售侵犯其专利权的芯片及与之相关的 DVD 等产品,违反了美国《1930 年关税法》的 337 条款,要求 ITC 禁止从涉案公司进口上述产品,并颁布限制这些公司的产品在美国市场销售的永久禁止令。随后 ITC 对此进行了 337 特别条款调查。为应对 ITC 的调查,诸如新科电子等中国 DVD 机生产企业终止了向美国的出口业务,借以避免可能出现的惩罚性关税保护。受此影响,2004 年我国第三季度 DVD 机出口出现下滑态势,比上一季度出口下降了 20% ~ 30% 。

又如,我国 DVD 机的产量如今已占世界市场的 90% ,但 DVD 生产企业没有掌握该产品的核心技术和标准,如解码芯片、机芯和光学头等核心元器件都要靠进口,国内企业仅是拼装。2003 年 1 月,国外企业开始向中国 DVD 生产企业征收专利费,经过艰苦谈判,达成协议:出口一台 DVD 机,交纳专利费 21.3 美元,即 200 元人民币,占其出厂价的 20% 。而国内销售一台,交专利费 12 ~ 13 美元,即 100 元人民币。

这样的例子还很多,知识产权问题已经成为影响我国高新技术产品出口的重要因素。而且,发达国家发难的对象往往是我国具有明显竞争力的高新技术出口产品,而发难的时机也多选在产品的高成长期,对我国高新技术产品出口造成了较大的影响[1]。

三、从科技兴贸走向科技强贸的战略升级

(一)走向科技强贸战略的重大意义

在"科教兴国"和"人才强国"战略深化实施并取得实质性重大进展的大背景下,党中央、国务院在"十一五"开局之年又进一步做出了事关社会主义现代化建设全局的建设创新型国家的重大战略决策。总体目标是:到 2020 年,使我国的自主创新能力显著增强,科技促进经济社会发展和保障国家安全的能力显著增强,基础科学和前沿技术研究综合实力显著增强,取得一批在世界具有重大影响的科学技术成果,进入创新型国家行列,为全面建设小康社会提供强有力的支撑。

建设创新型国家,核心就是把增强自主创新能力作为发展科学技术的战略基点,走出中国特色自主创新道路,推动科学技术的跨越式发展;就是把增强自主创新能力作为调整产业结构、转变增长方式的中心环节,建设资源节约型、环境友好型社会,推动国民经济又快又好发展;就是把增强自主创新能力作为国

---

[1] 中华人民共和国商务部:《实施科技兴贸战略报告》(2004)。

家战略,贯穿到现代化建设各个方面,激发全民族创新精神,培养高水平创新人才,形成有利于自主创新的体制,大力推进理论创新、制度创新、科技创新,不断巩固和发展中国特色社会主义伟大事业。

根据建设创新型国家战略的要求,应在外经贸领域"科技兴贸"战略取得了大大超出预期成就的条件下,应将科技兴贸战略升级为科技强贸战略,进一步使科技成为推动我国对外贸易,特别是出口贸易的核心动力。

第一,科技强贸就是要在建设创新型国家战略的引领下,将促进高新技术产品出口的重点转移到在一般贸易中强调扩大自有自主知识产权的高新技术产品出口上来,在加工贸易中强调扩大高新技术产品高端环节的参与,提高增值率。

第二,科技强贸就是要在促进高新技术产品出口,以高科技改造传统产品出口,引进国外先进技术的基础上,进一步将科技进步手段和促进措施运用到所有出口产品领域,包括以适用技术提升出口产品附加价值全面提高出口产品的科技含量和附加值,从根本上改善贸易条件。

第三,科技强贸就是要进一步推动采用先进的交易方式、交易手段,包括电子通关技术、国际贸易领域 EDI 的应用,提升交易效率、降低交易成本,使贸易便利化惠及所有外经贸经营主体。

(二)科技强贸战略的指导思想

科技强贸战略的指导思想是:以科学发展观为指导,在外经贸领域贯彻落实科教兴国、人才强国和建设创新型国家战略,按照加快转变经济增长方式和外贸增长方式的要求,在货物贸易中以培育高新技术产品自主品牌为中心,进一步提升高新技术产品出口的比重、加快以高新技术改造传统产品出口,夯实高新技术产品出口基地和高新技术产品出口产业集群,完善鼓励自主创新的出口政策服务体系,推动我国从贸易大国向贸易强国迈进。

(三)科技强贸战略的基本原则

实施科技强贸战略的基本原则是:

第一,将促进高新技术产品出口与提高传统出口商品的技术含量和附加值结合起来,优先扶持具有自主知识产权及高附加值的高新技术产品出口,全面提高企业的研究开发能力和自主创新能力,大力引进先进技术和关键设备改造传统出口产业。

第二,将保持加工贸易政策连续性和加强对加工贸易的引导结合起来,着力向加工贸易产业链的高端环节延伸,并进一步提高加工贸易的本地配套能力,提高本土企业的技术含量与附加值。

第三,将整体推进与重点扶持结合起来,加大对科技兴贸重点城市、重点企业、出口基地,特别是中西部地区和东北地区等老工业基地的支持力度,促进高新技术产品出口的可持续发展。

第四,将全过程支持与重点环节的支持结合起来,将支持政策向源头延伸,特别要支持高新技术的研究开发、技术引进和技术进步以及建立技术标准。

在坚持上述基本原则的同时,还应进一步加强促进科技强贸的国内相关制度建设。实施科技强贸的核心制度基本已经形成,这些核心制度主要是与外贸密切相关的,如建立科技兴贸联席工作制度,认定高新技术产品出口基地和重点城市,以及促进高新技术产品出口的一些在财政、税收、通关、检验检疫等方面的便利。今后应建立和完善包括技术标准的制定,技术性贸易壁垒的应对,知识产权保护,建立企业研发创新支持服务体系等在内的制度。

科技强贸战略要与其他战略相结合。为使科技强贸战略最大限度地服务于我国高新技术产品的核心竞争力,并提升我国国际分工地位,促进外贸增长方式转变,应与引资政策、加工贸易政策密切配合与协调,积极承接国外高科技产业的转移,并促进加工贸易企业的落地生根,扩大对本土企业的带动和示范效应;并以知识产权战略、品牌战略大力提升企业和自主研发能力,扩大自主知识产权的高技术品牌产品的出口;同时与走出去战略的结合,积极通过"走出去"再"引进来"的方针,通过并购、战略联盟等多种途径获取国外的先进技术,提升国内企业的研发实力。为使科技兴贸战略最大限度服务于我国经济社会发展,科技强贸战略应与西部大开发战略、振兴东北老工业基地战略相结合,为国家区域协调发展贡献力量;同时应与科技发展观相结合,推进节能、绿色环保产品的出口贸易,从而带动国内相关产业的发展。

(四)科技强贸战略的目标

科技强贸战略的奋斗目标是:

——进一步扩大高新技术产品出口。到2010年高新技术产品年出口额占出口总额的比重提高到35%,力争到2020年进一步提升至45%左右。

——培育高新技术出口骨干企业,提高出口增长的质量和效益。在5~10年内,培育10家左右高新技术产品年出口额在50亿美元以上的大型出口企业和跨国公司;培育100家左右高新技术产品年出口额在10亿美元以上的出口骨干企业;同时要培育一大批民营和中小型高新技术产品出口企业。

——培育高新技术产品品牌。到2010年将拥有自主知识产权和自主品牌的高新技术产品出口占高新技术产品出口总额的比重提高到 15% 以上，重点培育 100 个高技术出口品牌。

第五节 实施"科技强贸"的战略举措

一、实施科技强贸战略的总体政策

（一）强化对高新技术产品出口的鼓励与支持

国际经济理论表明，国家对出口产品的支持和鼓励要遵循国际经济规律，才能使本国福利最大化。对于高新技术产品出口鼓励和支持，当然有利于国内高技术产业的发展及其国际竞争力的提高，但要选择那些外部性较强，对国民经济发展最有基础作用和关键作用的产业给予重点支持，支持要向产业源头延伸。经济理论及实践表明，对于国外市场是竞争性较强的产业或产品，对其支持要向生产或研发倾斜，而逐步淡化对企业直接的出口价格补贴；对于国外市场属于垄断性的产业或产品，则可以通过直接的价格补贴，帮助国内企业获取市场份额，使国家利益最大化。

（二）按照国际标准适时调整高技术进出口目录

目前国际上对高技术产品的界定与分类方法主要有两种①，一是以美国为代表的建立在尖端技术产品（ATP）分类体系基础上的高新技术产品进出口统计目录；另一个是以欧盟国家为代表的建立在 OECD 利用 R&D 强度分析及产品细化基础上的高技术产品统计目录。

目前我国高技术产品进出口贸易统计所依据的统计目录是参照美国尖端技术产品（ATP）分类体系，根据海关合作理事会的"商品名称及编码协调制度（HS）"，参照国际可比的 6 位代码制定的。该分类突出了高、精、尖的特点，技术领域分为：计算机与通信、生命科学、电子、计算机集成制造、航空航天、光电、生物、材料与其他共 9 大类。在此目录的基础上，科技部早在 1993 年开始了我国高技术产品贸易的统计工作。1999 年，科技部与原外经贸部联合发文将该目录命名为"高新技术产品统计目录"，正式列入海关统计范围，并在 2002 年第 2 期海关《统计月报》予以公布。十多年来，该目录对我国高技术产品贸易统计分析和研究工作都起到了积极作用。

---

① 参见吴辰：《OECD 高技术产品统计方法及借鉴意义》，来源于中国科技统计网站。

但是,需要说明的是,目前我国高新技术进出口统计标准存在与国际标准口径不一致的问题,较难进行国际上的对比分析。与美国相比,我国 HS 码前 6 位,明显扩大了高新技术产品的统计范围,高估了我国高新技术产品出口状况。与国际高技术产品贸易统计的不一致,使得我国高新技术产品贸易不具有国际可比性,更重要的是,统计目录是我国给予高新技术产品出口政策支持的依据,如果没有正确的高技术产品目录,那么我国科技兴贸政策资源将不能用到最能体现国家利益的产业和产品中去。因此,需要根据国内外高技术产品贸易的发展变化情况,适时调整高新技术产品进出口目录,为我国实施科技兴贸战略提供正确依据。

(三)加强与"以质取胜"战略和"走出去"战略的有机结合

科技兴贸战略要加强与国民经济发展的其他战略相结合,其中尤其是要与当前外经贸领域正在实施的"以质取胜"战略和"走出去"战略相结合。

实施"以质取胜战略",推动出口产品质量提高和附加价值增长,优化出口商品结构,这与科技兴贸密切相关。可以这样说,以质取胜战略也是科技兴贸战略中以高新技术改造传统产业,扩大传统出口产品竞争力的一部分。尤其是以质取胜战略中"名牌战略"的实施,进一步使"以质取胜战略"与"科技兴贸战略"形成了互动关系,而大力促进有自主知识产权的名牌产品出口可以说是两大战略最重要的共同目标。

实施"走出去战略",一方面运用贸易、投资、经济技术合作、国际援助等多种形式,推动科技型企业和信息产业走出去,鼓励出口基地加快在海外建立科技园区,建立战略联盟,推动科技型企业开拓国际市场。另一方面,通过直接投资,到海外设立研发机构,利用国外高科技人才,获取发达国家最新技术信息和情报,尤其是通过跨国并购方式,中国企业可以购买国外拥有先进技术和高科技人才的企业,通过"走出去"与"引进来"相结合的方式,推动我国技术水平的提升。

二、进一步促进高新技术产品出口的政策措施

(一)进一步完善科技强贸领导机制

在国家层次上,要进一步加强十部委联合工作机制,定期召开科技强贸领导小组办公室会议;利用联合工作机制组织调查研究,为领导决策提供依据;指导各省市根据自身情况制定更为具体的措施推动科技强贸战略在当地的实施。

在地区层次上,条件成熟的地区,要建立与中央相类似的科技强贸联合工

作机制；充分发挥各地区商务主管部门的积极性，积极鼓励地方商务部门申报高新技术项目的技改贴息和研发资助项目；加强联系沟通，鼓励地方商务主管部门参与制定各项促进科技强贸战略实施的政策和意见。

同时，要加强科技强贸干部队伍建设。要建立科技强贸干部定期培训制度；建立干部交流制度，完善信息交流渠道，为科技强贸工作提供强有力的组织保证。

（二）加强科技强贸战略的实施载体建设

科技强贸战略最终要落实到微观领域，它需要一批重点产业、城市、基地、和企业，以及各种举办各种高新技术产品交易会、展会，作为实施科技强贸战略的实施载体，为此，要做好以下几方面工作：

进一步促进重点产业的高新技术产品出口工作，包括电子信息，软件和医药产品的出口。同时，要积极跟踪高新技术产业化的最新动态趋势，积极发展有潜力的未来主导高新技术产品贸易的高技术行业，如要积极培育新材料、航空航天、数字电视、新一代通信产品、新型显示器件等产业和产品的出口，培育高新技术产品的新增长点。

强化科技强贸重点城市、高新技术产品出口基地、国家软件出口基地和国家医药出口基地的工作，发挥高新技术产业开发区和科技园区的集聚效应，通过以点带面的方式，促进科技兴贸主体建设。

培育和发展高新技术产品出口的企业主体，包括民营企业、大型企业集团、外资企业等。要进一步扩大民营企业发展政策空间，推动民营企业自主创新，鼓励其开拓国际市场；要在各重点行业确定若干具有较强国际竞争力和自主创新能力的大型企业集团，作为重点培育和支持对象，推动其扩大高新技术产品出口，提升国际核心竞争能力。要进一步鼓励外商投资企业扩大本土的配套能力，延长产业链条，加大外商投资设立研发中心的引资力度，鼓励外资研发中心技术成果在国内产业化，鼓励其向国内企业的技术转让。

要继续发挥展会的桥梁和平台作用。继续办好深圳高交会、苏州电博会、大连软交会、北京科博会、上海工博会和杨凌农高会等高科技展会，为我国高新技术产品出口牵线搭桥，服务于科技强贸战略。

（三）完善实施科技强贸战略的核心政策措施

在确定科技强贸战略的实施载体后，就需要一系列科技强贸政策措施的推动。首先应在财政、税收、保险、通关、检验检疫等方面为高新技术产品出口企业做好切实支持和鼓励外，为使科技强贸工作取得长远的更大成绩，还需要在以下几方面进行完善：

科技发展政策。主要是增强对企业高新技术产品技术开发的专项资金支持，组织企业对重点出口产品的关键技术联合开发等；要建立科技成果的转移机制，向重点出口企业推介具有国际市场前景的科技成果；国家技改资金优先支持面向高新技术产品的新科技成果产业化项目。在发展高新技术产业的同时，要注意利用高新技术改造传统出口产品，增加其技术含量和附加价值，运用先进技术提高精深加工程度，延长产业链条。

国际标准建设，包括外经贸领域的标准化建设。要在条件成熟的领域将国内标准与国际标准统一起来，制定新的国内标准要与国际标准尽量一致，以利于我国企业开拓国际市场。要建立国际标准跟踪发布采用的机制，鼓励并创造条件参与国际标准的竞争。完善标准法规，优化政策法规，制定企业参与标准制定活动的政策。

知识产权保护政策。建立规范、完善的保护知识产权制度，发展各类知识产权中介机构，提供商业性的知识产权服务，加强科技成果、专利等无形资产的评估，对企业和科研机构取得的科研成果，要重视运用法律手段保护知识产权。

技术性贸易壁垒预警体系建设。扩大高新技术产品出口的重要工作就是要突破国外日益增多的技术性贸易壁垒。因此，要及时收集、通报国外技术法规及产品标准的变化情况，对影响我国产品出口的国外技术法规、标准和合格评定制度，及时组织专家研究、论证，制定并发布《应对国外技术壁垒重点发展技术目录》和《出口商品技术指南》，引导企业应对国外技术壁垒。同时，要建立和完善出口商品技术竞争力监测体系，形成动态监测及定期报告制度。

出口服务中介组织。建立有效的出口服务中介组织，培育和发展信息咨询、物流代理、国际认证、争端解决的专业化中介服务组织；改革、整顿和规范各商会、协会，加强行业服务和行业自律；加强人员培训，帮助企业应对知识产权纠纷和贸易摩擦。要加强信息服务工作，通过建立科技出口信息服务数据库，为企业提供技术贸易、高新技术产品国际市场动态、行业发展、技术标准、出口管制、国别贸易政策等各类信息；同时充分发挥我驻外经商参处的作用，为企业开拓国际市场服务。

科技强贸评介指标体系。丰富监测分析内容，将目前以高新技术产品进出口规模和速度指标为主，转变为整合产业竞争力、产业结构调整、对外贸易和国民经济增长拉动等方面的综合指标体系，全面、准确反映实施科技强贸战略对我国经济社会发展的影响。

三、进一步扩大自主知识产权产品出口的政策措施

我国科技兴贸战略总体上取得了较大成绩,但是不容忽视的是还存在较多结构上的问题,其中最突出的是我国拥有自主知识产权的高新技术产品出口较少,高新技术产品出口"以外资为主体,加工贸易为主要方式"的结构性矛盾突出。因此,在进一步实施科技强贸战略过程中,要关注并采取措施扩大自主知识产权的高新技术产品出口。

(一)营造扩大自主知识产权产品出口的氛围

要强化对外贸易中知识产权竞争的战略意识,现今国际竞争越来越表现为科技的竞争,而科技专利以及知识产权摩擦逐步成为对外贸易争端的重要形式。要认识到扩大自主知识产权的高新技术产品出口是科技强贸战略的重要内容的组成部分,随着经济的发展和科技水平的提升,科技强贸战略将越来越强调自主知识产权问题。要通过各种媒体,利用培训、研讨会等各种有效形式,使外经贸干部和企业家们增强高新技术出口企业积极开发和保护自主知识产权的意识,在高新技术出口企业中逐步普及知识产权发展战略。要看到长期利益,而不是只顾眼前利益。要专门针对自主知识产权产品出口制定相关规划。可以考虑在科技强贸领导机制下设立专门的自主知识产权出口小组。

要加强知识产权保护,对侵犯知识产权的行为坚决查处,及时处理知识产权纠纷,通过严格执法强化企业对自主知识产权的认识。加强科技成果、专利等无形资产的评估,对取得的科研成果,要重视运用法律手段保护知识产权,鼓励和促进自主发明和有序的技术转让,创造优质名牌产品。

(二)研究制定扩大自主知识产权产品出口的战略规划

在部际工作机制下,由商务部牵头协调各相关部门共同研究制定我国自主知识产权产品出口的总体战略规划,确立我国知识产权战略。要深入研究发达国家和地区实施知识产权战略的经验,如美国、日本、中国台湾地区知识产权发展战略对我国具有较大的借鉴意义。同时,要加强对TRIPs协议及国外有关法律制度的研究,促进我国知识产权管理与国际制度的接轨,建立快速高效的应对机制,加强协调,妥善处理涉外知识产权纠纷。

政府在制定知识产权战略发展规划的同时,要引导企业将自主知识产权的开发和保护纳入企业发展战略。鼓励企业从技术、市场、法律等角度综合分析决定研究开发的方向、选题和技术路线,充分利用国内外专利文献信息资料,不断跟踪国内外企业的技术信息,研究和预测技术发展趋势和市场竞争动向,赢

得发展的主动权。建立规范的知识产权管理章程和完善的知识产权管理机构或制度,加强对知识产权创造人员的鼓励和约束,促进企业管好、用好、保护好自己的知识产权。

(三)实施知识产权兴贸工程

按照国务院颁布的《国家中长期科学和技术发展规划纲要(2006——2020年)》的要求,实施知识产权战略。规划指出,"保护知识产权,维护权利人利益,不仅是我国完善市场经济体制,促进自主创新的需要,也要树立国际信用、开展国际合作的需要。要进一步完善国家知识产权制度,营造尊重和保护知识产权的法制环境,促进全社会知识产权保护意识和国家知识产权管理水平的提高,加大知识产权保护力度,依法严厉打击侵犯知识产权的各种行为。同时,要建立企业并购、技术交易等重大经济活动知识产权特别审查机制,避免自主知识产权流失。防止滥用知识产权而对正常的市场竞争机制造成不正当的限制,阻碍科技创新和科技成果的推广应用。将知识产权管理纳入科技管理全过程,充分利用知识产权制度提高我国科技创新水平。强化科技人才及管理人员的知识产权意识,推动企业、科研院所、高等院校重视和加强知识产权管理。充分发挥行业协会在保护知识产权方面的重要作用。建立健全有利于知识产权保护的从业资格制度和社会信用制度。根据国家战略需求和产业发展要求,以形成自主知识产权为目标,产生一批对经济、社会和科技等发展具有重大意义的发明创造。组织以企业为主体的产学研联合攻关,并在专利申请、标准制定、国际贸易和合作等方面予以支持。具体而言就是要实施"知识产权兴贸工程"。

要通过实施知识产权兴贸工程,集成各方资源和力量,营造"保护严密、执法有力、服务便利"的知识产权保护环境,给予积极发展自主知识产权的创新型企业切实的政策优惠和支持,具体来说,可以从以下几方面入手:

将知识产权作为实施科技强贸战略成效的重要指标;鼓励企业申请国际专利保护;对高新技术企业知识产权生产者(个人)提供奖励;企业拥有专利发明,申报新项目同等条件优先;借鉴中小企业国际市场开拓资金做法,采取 R&D 经费"凭专利报销"制度,根据专利实际情况给予适当额度 R&D 费用补偿。

鼓励产学研联合开发。对与高校联合开展 R&D 活动的企业,对企业联合开展 R&D 活动的高新技术,在项目经费及立项上给予倾斜。促进大专院校、科研机构按照产业发展方向和企业需求进行适当的专业设置及研究课题的调整。

利用外贸发展基金、优惠信贷利率、政策性贷款和贷款贴息等多种方式加大资金扶持力度。必要时可由政府提供有关专利信息的免费检索、免费翻译等服务。同时,建立健全创业投资体制,充分利用社会资金支持自主知识产权产品出口。

建立完善的市场信息服务体系、法律咨询服务体系和高新技术企业人才培训体系。及时为高新技术出口企业提供国际高新技术产品市场发展动态,国外有关知识产权、产品或行业标准等方面的管理规定,及有关专利文献等信息。建立和发展各种类型的中介机构,促进高新技术研究成果的商品化。为企业培养高水平的复合型人才。其中包括知识产权方面的专业人才。

鼓励本土企业由各自为战转向整合产业和行业的力量,成立企业联盟或联盟实体,进行关键技术的联合开发,形成具有自主知识产权的核心技术,特别是能够支撑产业可持续发展的技术体系的集成创新,为整体提升"中国制造"的核心竞争力提供技术保障。促进各类企业在开发和保护自主知识产权领域的合作,共同分享知识产权和市场份额的分配。通过优势组合,加快实现重大技术项目的突破,谋求在未来国际市场中的优势地位。坚持整体推进与重点扶持相结合,将我国有相对优势并可能较快取得突破的领域作为扶持重点。将自主知识产权产品出口作为评定高新技术出口企业和各类高新技术园区的重要标准。

四、强化引进国外先进技术的政策措施

(一)确定我国技术引进的优先领域

技术引进政策应服务于产业发展政策。在技术引进方面,要重点发展主导经济和把握国际竞争走向、关系国家实力以及国家经济和社会安全的战略性技术;关联性强、制约我国产业总体技术水平提高的关键技术;通用性强、应用领域广泛,在经济发展中发挥基础性作用的通用技术,具体包括以下几个方面:

引进高技术,发展我国高技术产业。要抓住世界科技发展的最新形势,重点引进电子信息、生物工程、机械制造、新材料、航空航天、新能源和海洋、石油化工等领域的先进技术,缩小我国与发达国家在高技术领域的差距。

引进高新技术,用其改造我国传统产业。在农业、能源与环保、交通运输业、原材料、加工制造业等传统领域,引进国外的高技术或适应技术,改造我国传统产业,提升其竞争力。

(二)转变、创新我国技术引进模式

随着我国经济的发展和科技水平的提升,在引进技术方面,改变传统的引进模式,要做到以下几个转变:引进主体要从国家主体向企业主体转变,从企业单独引进向科研、制造系统联合引进转变;引进目的要从生产使用与进口替代

为主向消化创新及参与国际合作为主转变;引进对象要从以"产品导向"技术为主逐步向产业基础技术、关键技术转变;技术引进工作要逐步向法制化轨道转变,技术引进管理的制度要法制化,同时要重视技术引进中的知识产权保护,维护中国对外信誉。

要积极探索技术引进的新模式。可以依托国内重大工程项目,采取集中市场资源、捆绑招标谈判、技贸结合方式,引进更多更好先进技术;引导有条件的高新技术在国外建立研发中心,引进国外智力资源;鼓励国内科研机构、高等院校和企业与跨国公司共同设立研发机构;鼓励国内企业与外资企业开展技术配套,加速高新技术研发领域的国际化进程;鼓励科技人员交流,积极引进国外科技人才,加速培养壮大国内研发力量。

(三)加强引进技术的消化吸收与创新

要改变过去重引进,轻消化吸收和创新的做法。要引导组织对重大技术引进的消化吸收与创新工作;通过科技人才"请进来、走出去"的方式推动引进技术的消化吸收与创新;利用现有资金渠道,对利用引进技术开发产品和提高产品档次的企业,提供贷款贴息。政府采购优先购买我国具有自主知识产权的高新技术产品,支持引进技术的消化、吸收和创新工作。

第四章
"走出去"战略：跨越贸易竞争的国际投资

第一节 "走出去"战略形成的背景与内涵

"走出去"开拓国际市场是中国面向 21 世纪对外开放的一项战略抉择。自从 20 世纪 70 年代末改革开放以来，中国打开国门积极采取"引进来"的开放战略，大力吸引国外的资金、先进的设备和技术、先进的管理经验以及人才，极大地促进了中国国民经济的发展和人民生活水平的提高。在世纪之交，特别是在中国加入 WTO 的条件下，党中央、国务院又不失时机地提出了在新世纪要采取"走出去"与"引进来"并举的开放战略。

一、制定和实施"走出去"战略的背景

（一）"走出去"战略的国际背景

世纪之交，世界范围内正发生着深刻的变革。从国际上看，经济全球化趋势加速发展，已形成了以知识为基础、以金融活动为中心、以信息技术为载体、以跨国公司为依托的新格局。具体表现在：一是世界范围内经济结构调整加速；二是科技进步突飞猛进；三是跨国公司的影响力日益增大。世界各国都在顺应经济全球化的大潮，相应制订新世纪、新千年的战略和应对策略。

20 世纪 80 年代以来，世界经济发展中呈现出的一个重要特点是：世界投资与世界贸易之间的关系愈益密切，世界投资甚至成为拉动世界贸易增长的主要动因之一。贸易与投资二者相互依赖、相互依存，共同促进了世界经济的发展。世界贸易组织 1999 年年度报告显示，1998 年度世界商品贸易总额（出口额）为 5.37 万亿美元，世界服务贸易总额为 1.29 万亿美元。根据联合国贸发会议

《1999 年世界投资报告》,1998 年全球对外直接投资总额超过 7000 亿美元,世界对外直接投资存量达到 4 万多亿美元。

到 1998 年为止,全球共有六万多家跨国公司,它们在国外的五十多万个分支机构,总共占全球产值的 25%。国外分支机构在所在国的销售额超过 11 万亿美元,大大超过世界商品贸易和世界服务贸易的总和(6.66 万亿美元)。世界贸易的三分之二(包括跨国公司的内部贸易),世界投资的 80% 和世界技术转让的 80% 都是由跨国公司进行的。由此可见跨国公司在当今全球经济中的主导作用。同时,发达国家跨国公司之间的跨国兼并是二十世纪末全球对外直接投资迅速增长的一个重要原因。

根据联合国贸发会议 1999 年《世界投资报告》指出,1998 年发达国家吸收的对外直接投资总额为 4600 亿美元,占全球总额的 71.43%,而所有发展中国家吸收的外资仅占全球总额的 25.78%。1998 年发达国家的对外直接投资占全球总额的 91.67%,发达国家在全球对外直接投资中是投资流入和流出的主体,而发展中国家则居于次要地位。

在经济向全球化和自由化发展的趋势中,世界各国除在经济贸易体制上更加开放之外,更重要的是利用以信息技术为代表的高新技术发展推动产业结构的调整与升级。在世界产业结构调整中,发达国家第一、第二产业的比重进一步降低,而第三产业的比重继续提高,与此同时高新技术产业化的进程大大加快,为了在二十一世纪的世界经济竞争中占据更为有利的地位,以发达国家为母国的跨国公司全球兼并浪潮一浪高过一浪,大有瓜分世界市场之势,而且世纪末的兼并规模特别巨大,领域也越来越宽。

一体化国际生产已成为世界经济的核心特征之一。信息、通讯技术的跨越式革命极大地提高了跨国公司与其子公司之间协调和一体化的程度。即使中小企业现在都可以从事跨国经营,竞争的加剧使愈来愈多的公司认识到,为了生存和发展,对外投资成为必然的选择,并且一体化国际生产正在形成一种自我发展的势头。

(二)"走出去"战略的国内背景

改革开放以来,在邓小平理论指导下,中国的国民经济实现了令世人瞩目的腾飞,中国日益融入世界经济整体发展的潮流之中。改革开放二十多年中,在贯彻对外开放的基本国策方面,我国通过大胆引进国外的先进技术、设备和管理经验,加快了我国传统产业的改造与升级,在较短时间内完成了轻工、纺织、家电等消费类产业由进口替代到出口导向的转变。我国相当一部分产业、企业已初步具备了一定的国际竞争力，在国内外市场上站稳了脚跟。同时，也应当看到，我国的出口贸易基本上是以国内一般贸易出口和以外商投资企业为主的加工贸易出口为支撑的。在利用国外资源方面，主要是通过引进外资和利用外商在国外的营销渠道进行的。因此，过去的 20 年我国对外开放更多的是倚重"引进来"战略，我国已经成为世界上发展中国家中的最大引资国就是明证。应当说，"引进来"的开放战略取得了重大的成就，它使中国经济逐渐融入世界经济发展的潮流，传统产业及高新技术产业的发展举世瞩目，整个国民经济日益呈现出开放性的特征。

对外开放以来，我国在"走出去"方面也做了许多有益的尝试，从对外投资上的资源开发、境外加工组装、高新技术上的研究发展机构，到境外上市融资及服务业的海外投资，都得到了一定的发展。但"走出去"主要是靠数量扩张型的出口及其他经济技术合作实现的，对外投资受国力制约，虽然取得了一定进展，但其规模较小，其对国民经济发展的作用与影响远远不能和利用外资相比。截止到 1999 年年底，我国的海外投资按外经贸部批准的口径统计，累计已达 70 亿美元左右，这一统计未包含其他渠道流出国境的投资，如金融领域的对外投资，当然还有相当一部分是未经批准的对外投资。根据 1999 年世界投资报告的统计，截至 1998 年底，中国的对外直接投资已达到 220 亿美元，应当说这一数据较为真实地反映了中国对外直接投资的整体状况。但无论如何"引进来"的成功与"走出去"的缓慢步伐形成了巨大的反差。世纪之交，在人类社会经济生活中，"地球村"已不再是一个梦想，信息化、网络化及现代交通通讯工具的发展，使经济全球化成为不可逆转的潮流，如何顺应潮流，趋利避害，使之服务于我国的经济发展和人民生活水平的提高，已成为摆在国人面前的一道有待破解的难题。加入 WTO 将进一步加速我国融入世界经济整体的步伐，中国的对外开放面临新的跨越，因此，加快制定和实施"走出去"战略已成为更为迫切的问题。

在经济全球化浪潮中，国际上不少经济学家利用"垂直——水平分工"学说、"中心——外围"学说及"头脑——躯干"学说等，阐述发达国家在这一过程中的主导作用或优势地位和发展中国家所处的被动屈从或劣势地位。我国作为世界上最大的发展中国家，绝不能仅仅被动地卷入这一潮流，而必须主宰自己的命运。要想不被中心国家甩在外围，就必须积极参与国际经济事务，从制定规则、修改、完善规则到实际运行，都要依靠不断增长的实力参与；要想摆脱"垂直分工"中总是处于上中游产业的局面，就必须在更深层次上参与国际分工与交换,在国际竞争中争得自己的一席之地;要想铸就"头脑与躯干"健全的大国经济体,就必须拥有自己的自主知识产权,而不能满足于做别国的加工基地(或所谓的"世界工厂")。所有这些都有赖于我国在新世纪的进一步改革与开放,特别是"走出去"与"引进来"战略的并举实施。

在当前条件下,中国已初步具备了"走出去"的基本条件。国际实证经验表明,影响一国对外直接投资的基本因素有三个:一是国际收支状况;二是外汇储备情况;三是对资本流动的管制。较长一段时间以来,我国在国际收支和外汇储备方面有较大盈余,为对外直接投资提供了基本保证。至于资本项目,目前及今后一段时期仍以管制为主,只能采取渐进自由化的策略,但这不应影响我国"走出去"战略的实施。除了上述三个基本要素之外,作为发展中国家的对外直接投资及其规模,还受到 GDP 总量及人均 GDP 水平的制约,同时,发展中国家的对外直接投资流向一般选择比本国经济发展水平略低的发展中国家,这个规律或趋势同样也适用于中国。

如果说"引进来"战略是我国对外开放的第一部曲,那么二十多年前的 1978 年 7 月,在吸取国外加工贸易发展经验的基础上,国务院颁发的《开展对外加工装配业务试行办法》就是它的序曲。在加工贸易政策的推动和鼓励下,加工贸易由小到大迅速发展起来,目前已占我国进出口贸易的 50% 左右。在国内经济相对封闭的情况下,通过实施"引进来"战略,获得了国外的先进技术、设备、资金和管理经验,加快了国民经济结构的调整和升级,从中我们也学到了市场经济体系、运行机制及规则等方方面面的知识,积累了经验,为我国迈向现代化的第三步宏伟目标奠定了基础。

在经济全球化的背景下,我国经济经历了由卖方市场向买方市场的转变(虽然是低水平的),随着生产能力的提高,产业规模的扩大,市场总量供给相对过剩,而有效需求不足,特别是低档次产品需求急速下跌。日益突出的结构性矛盾主要表现在三次产业中第一、第二产业仍占 2/3 以上,层次较低;相当一部分行业生产能力过剩,产品结构不合理,低水平的产品多且开工不足,而高水平的产品少,且相当一部分依赖进口;关键生产技术落后,主要产业装备水平低,一般落后于国际先进水平 5 ~ 10 年以上;高技术产业规模过小,研究和发展经费投入严重不足,制约了传统产业的改造和升级,也制约了高新技术的进一步产业化;各个地区的区域产业结构趋同,未能充分体现出比较优势。

为了顺应经济全球化的挑战,特别是因应迫在眉睫的加入 WTO 的要求,我国政府提出了要以"控制、淘汰、改造、提高"为重点,对传统产业进行结构调整,以"振兴、培植"为重点，促进高新技术发展和产业化，从而从根本上提高我国产业和企业的竞争能力。实施淘汰一批落后生产能力、禁止一批重复建设的投资项目，改造一批替代进口而且可以促进产品升级换代的生产工艺和产品、鼓励发展一批高新技术装备和产品。配合产业结构调整目标的实施，当时国家经贸委制定并完善了《淘汰落后生产能力、工艺和产品的目标（第一批）》;《当前工商领域禁止投资目录（第一批）》;《当前鼓励企业技术改造、技术进步目录（第一批）》;《中西部地区外商投资优势产业指导目录》、《外商投资产业指导目录》和《适合中小企业发展的产业指导目录》等一批产业指导性文件。

如果说"走出去"战略是我国对外开放战略的第二部曲，那么1999年2月国务院办公厅转发的国家经贸委、外经贸部和财政部《关于鼓励企业开展境外带料加工装配业务的意见》就是它的序曲。从鼓励在国内开展对外加工装配（境内加工贸易）到支持企业走出国门开展境外带料加工装配（境外加工贸易），这不仅是名称上的改变，更是21世纪我国对外开放战略的重大拓展。制定和实施"走出去"战略，是我国国民经济结构、产业结构调整、升级和优化通过国际市场加以实现的一个重要载体和手段。

二、制定和实施"走出去"战略的必要性

（一）制定和实施"走出去"战略，开展对外投资是我国国民经济结构调整的迫切需要

目前我国国民经济发展已进入了以结构优化和产业升级为特征的新时期。经过二十多年的改革开放，我国已经初步完成了轻纺、家电等产业的进口替代，这类产业中的许多企业及其产品在激烈的国内市场和国际市场的竞争中不断成长壮大，规模扩大，实力增强。在总供给相对过剩而国内市场相对饱和、内需相对不足的情况下，政府有必要引导和推动这类产业和企业在调整和升级过程中，面向国际市场，通过实施以对外直接投资为核心的"走出去"战略，积极参与国际市场的竞争，并在国际竞争中增强自身的能力。因此，通过实施"走出去"战略，既可以使国内产业生产能力向海外延伸，又可以藉此加快国内产业结构和国民经济结构的调整。

（二）制定和实施"走出去"战略，开展对外投资是充分利用国外资源的迫切需要

我国是一个幅员辽阔的大国，但人均资源占有量较低，在向现代化迈进的过程中，国内资源供求矛盾日益突出，如石油、天然气、黑色金属（铁）、有色金属

（铜、铝等）、森林以及渔业等资源,在21世纪即将到来之时,已经显示出不同程度的匮乏征兆,许多资源面临着日益增长的进口压力,如果仅单纯依赖一般进口贸易,则极易受到国际初级产品市场价格波动的影响,而主动出击,走出国门,进行资源开发型投资,将可以使我们能够在一定程度上掌握主动权。与此同时,还应在广义上认识利用国外资源,它不仅包括自然资源,而且包括国外资金和国外技术。我国是一个发展中的大国,目前还不具备大规模对外投资的条件,因此应对目标投资国的融资条件进行分析,争取在国外融资或贷款,再以此在国外进行投资。在利用国外技术方面亦如此,通过在国外,特别是在发达国家设立研发中心,及时掌握最新科技动向并开发出适应国际市场趋势的高新技术产品。

（三）制定和实施"走出去"战略,开展对外投资是千方百计扩大出口,培育新的出口增长点的迫切需要

当今国际实证经验表明,贸易与投资的关系日益密切,一国以单打一的方式一味扩大出口,其在国际市场上的生存空间是有限的,也难以长久地占领已有的市场并扩大市场份额。必须辅以必要的对外投资,这样才能真正贴近市场,了解当地市场信息、发展动向,并通过售后服务方式不断改进自身的产品,以适应当地市场的需求,从而长久地占领并扩大当地市场。作为千方百计扩大出口中的一个重要方略,就是要通过"走出去",在国外投资办厂,开展境外加工贸易,带动国内设备、技术、零部件及原材料的出口。由于境外加工贸易的内在特性,利用得好,就有可能成为我国扩大出口贸易的一个新的增长点。

（四）制定和实施"走出去"战略,开展对外投资是我国企业国际化经营,参与国际竞争的迫切需要

经济全球化的目的是促进资源在全球范围内的配置最优化,而各种生产要素在国际间的自由流动是其必不可少的条件。从亚洲一些主要国家和地区企业国际化经营发展的经验看,日本企业在20世纪70年代,韩国企业和我国台湾地区企业在80年代都先后走上了海外投资、开展境外加工贸易之路,而后才逐步扩大在当地零部件生产和当地采购的比率,最终一些企业发展成为在全球范围内颇具影响力的跨国公司。从企业发展史的角度看,走境外加工贸易之路是企业国际化经营、进而发展成为真正意义上的跨国公司所必由之路。我国目前已有一些颇具实力的企业集团,也以这种方式"走出去",开始了其漫长的国际化、跨国化的征程。在我国加入WTO之后,国内市场上国内外企业的竞争将日趋激烈,国际市场上也必将有国内外企业的竞争,只有在国际竞争中不断拓

展自身的发展空间,提高国际市场的占有率才是国内企业顺应当今世界发展潮流的正确战略选择。

(五)制定和实施"走出去"战略,开展对外投资是扩大、加深我国与发展中国家双边经贸关系的需要

随着中国综合国力的日益增强和国际政治经济地位的不断提高,广大发展中国家更加希望与我国开展多种形式的经济贸易合作,而我国在国力增强,吸引外资取得显著成果,外贸出口不断扩大,外汇储备较多的情况下,有可能、同时也具备了一定的(虽然是有限的)对外投资能力。我国与发展中国家传统的深厚友谊、政治上的相互友好与支持,经济上互补性的潜力较大,具备进一步加强经贸合作的基础和前提,在平等互利的基础上,开发当地资源为我所用;根据东道国的市场需求,以我国现有设备和技术进行投资建厂,加工装配适销对路的产品,不仅可以为东道国发展经济、填补产业空白、增加就业作出贡献,而且也将使我国企业及其产品在当地市场的竞争中,逐步积累各方面的经验,站稳脚跟,稳步扩大市场份额,进而融入东道国整体经济发展之中,成为发展和加深双边经贸关系的重要力量。对我国(母国)和发展中国家(东道国)来说,是一种真正意义上的"双赢"的经贸合作方式。

总之,对外投资对促进、带动出口贸易的发展具有十分重要的作用。我国是长期处于社会主义初级阶段的发展中国家,虽然目前还不具备进行大规模对外投资的能力,但是今后一段时期内,以境外加工贸易及资源型对外投资作为重点是切实可行的选择,大有文章可做。而且要加快培育中国自己的跨国公司,也有必要推动具有相当实力的大型企业或企业集团在海外设立包括研究开发中心在内的分支机构,使之真正走上跨国经营之路。

三、"走出去"战略的内涵

(一)"走出去"战略的内涵

在深刻分析国内外政治经济形势与发展趋势,党中央、国务院适时提出"走出去"战略,以开放促改革促发展。这是中央高瞻远瞩做出的一项关系我国全局和经济长远发展的重大战略决策,是国家发展战略的重要组成部分。

应当说"走出去"战略的提出,是经历了一段相当长的时间和过程的。上世纪改革开放初期,中央就提出要充分利用国际国内"两个市场、两种资源"。在1992年党的十四大政治报告中,江泽民同志就第一次明确提出要"积极扩大我国企业的对外投资和跨国经营"。这实际上已经在一定程度上显示出了"走出去"思想的端倪。20世纪90年代末,江泽民同志高屋建瓴地指出,在今后的对外开放中,必须坚持"引进来"与"走出去"相结合的方针,特别是要抓紧研究和实施"走出去"的开放战略。必须积极开拓国际市场和利用国外资源以利于增加我国经济发展的动力和后劲。有计划、有步骤地"走出去",投资办厂,与各国、特别是发展中国家搞经济技术合作,同西部大开发一样,是关系到我国发展全局和前途的重大战略之举。"走出去"与"引进来"是对外开放政策两个相辅相成的方面,二者缺一不可。这是一个大战略,既是对外开放的重要战略,也是经济发展的重要战略。2000年,中央正式明确提出制定和实施"走出去"战略。2001年,实施"走出去"战略写入我国"国民经济和社会发展第十个五年计划纲要",并得到九届人大四次会议的确认,成为今后一个时期我国的一项主要工作。

江泽民同志在阐述"走出去"战略内涵时深刻地指出,只有大胆地、积极地"走出去":第一,才能弥补我国国内资源和市场的不足;第二,才能把我国的技术、设备、产品带出去,才更有条件引进更新的技术,发展新的产业;第三,才能由小到大逐步形成我们自己的跨国公司,以便更好地参与全球化的竞争;第四,才能更好地促进第三世界的经济发展,增强反对霸权主义、维护世界和平的国际力量。这实际上是对"走出去"战略内涵的高度概括。

(二)"走出去"战略的实现形式

"走出去"战略实质上就是现阶段我国对外投资战略,其基本实现形式包括:资源开发型的对外投资、市场需求型的对外投资、出口导向型的对外投资和高新技术研发型的对外投资。

1.资源开发型的对外投资

这种对外投资以弥补我国国内资源不足为主要目标,在面向21世纪中国现代化的进程中,资源短缺将是一个严重的制约因素。在实施资源开发型对外投资时应当区分对我国经济发展具有重要战略意义的对外能源投资(石油、天然气)和一般性资源投资(如黑色和有色金属矿产资源、森林资源等)。江泽民同志指出,美国等西方国家正在全世界加紧争夺市场和资源,美国不仅加强了对非洲的争夺,在中亚、高加索地区也展开了战略行动,美国已购买了哈萨克斯坦的一些油田,但其并不开采,而是封起来,目的是控制战略资源,一旦别人把市场都占了,中国再要进去就难了,不仅要从我国现在的实际出发,还要着眼于国家长远的发展和安全,争取更多地利用国外的资源和市场,考虑我们的后代怎么办? 因此必须重视这种类型的对外投资,它应当成为我国今后对外投资的一个战略重点。

2. 出口导向型的对外投资

出口导向型的对外投资主要是通过直接投资的方式规避东道国贸易保护主义的限制,在当地设厂就地生产就地销售,维持原有的市场,或开辟新的市场,或转向没有受到出口限制的第三国投资生产,然后复出口。就我国的具体情况而言,出口导向型的对外投资主要是以设备和原材料作为投资,以带动我国产品出口为目的的境外加工贸易项目。这应当是现阶段我国对外直接投资的重点。

3. 市场寻求型的对外投资

市场寻求型的对外投资主要是企业在国外市场的开拓已达到一定程度,为巩固和扩大市场占有份额,向当地消费者提供更好的服务,在当地投资设厂进行生产、销售及售后服务。市场寻求型的对外投资还包括产品在国内市场占有比例已接近饱和或受到其他竞争对手的强有力的竞争,因而在国内进一步发展受到限制,通过对外直接投资,可以开发新的海外市场。

4. 高新技术研发型的对外投资

这种类型的对外投资主要是在发达国家投资设立高新技术研发中心或高新技术产品开发公司,将开发出来的产品交由国内母公司的企业进行生产,然后再将产品销往国内外。在知识经济时代,这种类型的对外直接投资方式,可以缩短新产品开发周期,降低成本,获取最新技术。这种国外研发、国内生产、国内外销售的方式,将加速我国产品的升级换代,填补国内某些高新技术产品的空白,缩短与发达国家的差距并能带来巨大的经济效益。

总之,现阶段我国对外开放的"走出去"战略应以上述四种类型的对外直接投资为核心内容,以资源开发型和出口导向型对外投资为主,同时不失时机地辅以市场寻求型和高新技术研发型对外投资。

必须指出的是,在实施"走出去"战略的过程中,除生产型对外直接投资外,承包工程以及劳务合作也是其重要组成部分。与此同时,还应注意充分发挥我国在境外已有的贸易型、售后服务型、金融企业等服务性行业对外投资的重要作用。与此同时,应当积极鼓励以国际融资及其他间接对外投资方式在境外开展投资活动,进一步扩展我国对外投资的范围,利用好国外资源,为我所用。

(三) 加快培育中国的跨国公司

实施"走出去"战略的主体是我国有实力、有相对比较优势的企业,特别是生产型企业或企业集团。江泽民同志指出,"要鼓励和支持优势企业逐步扩大对外投资,开展跨国经营,通过建立海外销售网络、生产体系和融资渠道,促进企业在更大范围内进行专业化、集约化和规模化的跨国经营,加快培育我们自己的跨国公司,努力促使我国经济在参与国际经济合作与竞争中迈出新的步伐。"可以说,实施"走出去"战略成败的关键就是要看能否培育出一批中国自己的(即以中国为基地的)、在国际上具有竞争力的跨国公司。目前我国大陆虽然已有数家进入世界 500 强的企业,但与国外企业相比,我国企业的集团总部只是管理部门,是众多法人拼接成的"联合舰队",而不是真正的"航空母舰",因而只"大"不"强",要想在做大的基础上继续做强还有很长的路要走。

与此同时,我们还要走出对跨国公司认识上的误区,不能以为只有宝塔尖上的世界 500 强才算得上是跨国公司,事实上在这个宝塔的底部,有 60000 之众的中小型跨国公司,我们真正要做的就是首先从已经"走出去"的企业中培育自己的跨国公司,只有从小做起,才能最终做大做强。

四、"走出去"战略的指导原则和发展规划

(一)现阶段"走出去"战略的指导原则

21 世纪到来之际,在经济全球化和中国加入 WTO 后的关键时期,我们必须站在我国国民经济和社会发展的战略高度,不失时机地进行从以"引进来"为主的开放战略转到以"引进来"和"走出去"并举的对外开放战略的转变,并且应当以主动出击的"走出去"战略作为重点和突破口从而真正使我国经济融入全球经济的整体发展之中,提高我国国民经济的水平和国际竞争力。为此必须明确现阶段我国"走出去"战略的指导原则,这就是以保证我国国民经济可持续发展和提高国际竞争力为目标,根据我国经济发展水平、实际能力与需要,积极推进企业对外直接投资和开展跨国经营,以此弥补国内资源不足,加快国内产业结构调整,提高国际竞争力,通过对外投资带动对外贸易及对外经济技术合作的发展。

(二)"走出去"战略的具体目标

"走出去"战略的具体目标是:以对外直接投资为核心,以间接对外投资和其他对外经济技术合作为外延;在对外直接投资中应以资源开发型投资和出口导向型投资(境外加工贸易)作为重点,以市场寻求型投资和高新技术研发型投资作为补充;同时在对外直接投资中加快培育一批中国自己的、有国际竞争力的跨国公司。

（三）实施"走出去"战略的主体

在我国社会主义市场经济日趋完善的条件下，特别是在加入 WTO 之后，应当对国内外所有企业一视同仁，不能搞差别待遇或歧视。在国有经济逐渐部分退出竞争性产业的大环境下，应当鼓励有实力、有优势（管理、技术等）的国内各种所有制企业走出国门，大胆在海外创业，在国际竞争中求得生存和发展。除在资源开发型投资上应以国有大型企业（集团）为主外，因为能源领域的开发涉及我国经济发展战略和经济安全问题，其他类型的对外直接投资应当全部放开，使不同所有制企业均有机会平等参与国际竞争。

（四）实施"走出去"战略，开展对外投资的"十五"计划（2001～2005 年）

"走出去"战略的提出和实施，正值我国制定"十五计划"和至 2015 年长期规划的时刻，为此，我们①提出，应当将"走出去"战略列为重点，并将对外直接投资列入"十五"计划之中。我们受当时的外经贸部委托，对此进行了重点研究，并最终列入了"十五"外经贸总体规划之中。我们提出在 2001～2005"十五"计划期间"走出去"战略的具体规划是：

——"十五"计划期间，应当使我国对外投资有较大幅度的增长，到"十五计划"末，我国吸引外资（流量）和对外投资（流量）的比例应力争达到 10∶1 的水平。同时，使我国对外投资的结构合理化、区域分布合理化。

——在资源开发型对外投资上，应由国家计委、国家经贸委和外经贸部等部委根据编制"十五"规划的指导原则，将今后我国持续发展相对短缺的资源如石油、天然气等战略资源以及黑色金属、有色金属、森林资源等进行缺口分析、排队，制订出可对外投资的项目清单和投资市场清单，然后根据清单加速进行项目的立项和可行性研究，以便为中长期"走出去"战略规划奠定基础。当前，特别要做好对已有的对外能源投资项目的实施工作（如哈萨克斯坦石油开采及管道运输项目），对中俄间"跨国油气走廊"项目应作为"十五"计划重点加以推进、实施。

——对出口导向型对外投资（境外加工贸易）应当在简化程序、完善相关政策的基础上加大力度予以支持。与此同时，还应鼓励各种所有制企业本着量力而行的原则基础上开展市场寻求型和高新技术研发型的对外投资。争取经过 5年左右的时间培育出一批有相对国际竞争力的跨国公司。

----

① 参见李钢、李蕙瑛、刘华芹"'十五'期间我国对外投资与建立中国跨国公司的战略研究"，对外贸易经济合作部国际贸易经济合作研究院编：《2001 年形式与热点——迎接新世纪的挑战》，中国对外经济贸易出版社 2001 年 3 月第一版。

从"十五"期间的实施情况看,已经达到或超越了上述规划目标。如我们提出 2005 年我国吸引外资(流量)和对外投资(流量)的比例力争达到 10:1,实际结果是当年我国吸引外资总额为 603 亿美元,对外投资总额为 65 亿美元,已经超过了上述比例目标。再如我们提出"十五"期间要重点加以推进、实施中哈石油开采及管道运输项目以及中俄间"跨国油气走廊"项目,前者已经开工建设,后者也有了明确的结果等等①。

(五)实施"走出去"战略,开展对外投资的中长期规划(2001～2015 年)

——我国对外投资的中长期规划中,首先是落实大型资源型对外投资开发项目,通过利用国外资源,弥补国内资源之不足,长期稳定地解决我国经济可持续发展和经济安全的问题。

——对于出口导向型、市场寻求型和高新技术研发型的对外投资,应在制定和完善对外投资法律法规和政策措施的基础上,持续加以推动。应着力培育有实力、有优势的跨国经营企业,使其逐步成长为真正的跨国公司。争取到 2015 年在世界"跨国公司俱乐部"中有我国一大批大(50 家)、中(500 家)、小型(5000 家)的跨国公司,力争有 50 家左右的我国企业跻身于全球 500 强的行列。

——为真正落实"走出去"和"引进来"并举的整体对外开放战略,应当在我国利用外资和对外投资之间形成一个恰当的比例。这虽然不能与广义上对外贸易进出口基本平衡相提并论,但也有类似之处。我们只有通过国际间的相互投资,才能加深相互依存,也才能真正使我国融入全球经济的整体发展之中。

五、正确处理实施"走出去"战略的相关问题

"走出去"开放战略在其基本意义上就是对外投资战略,这一点毋庸置疑。但同时我们也应看到,它与我国对外贸易,特别是出口贸易的发展密切相关,与我国对外经济技术合作的其他形式,特别是对外援助等也有着内在联系。

(一)对外开放战略中"走出去"与"引进来"的关系

江泽民同志深刻地指出,必须积极开拓国际市场和利用国外资源以利于增加我国经济发展动力和后劲。有计划、有步骤地"走出去",投资办厂,与各国,特别是发展中国家搞经济技术合作。同西部大开发一样,也是关系到我国发展全局和前途的重大战略之举。"走出去"、"引进来"是对外开放政策两个相辅相成的方面,二者缺一不可。

---

① 参见本章第二节相关部分。

这 20 年,我国以"引进来"为主,把外国的资金、技术、管理经验、人才等"引进来",这是完全必要的,不先"引进来",我们的产品、技术、管理水平就难以提高,你要想"走出去"也出不去。现在情况与 20 年前不同了,我们的经济水平已大为提高,应该也有条件"走出去"了。既要"引进来"又要"走出去",这是我们对外开放相互联系、相互促进两个方面,缺一不可。

在 2000 年 3 月召开的九届人大三次会议上,江泽民同志再次指出,随着我国经济的不断发展,我们要积极参与国际经济竞争,并努力掌握主动权。必须不失时机地实施"走出去"的战略,把"引进来"和"走出去"紧密结合起来,更好地利用国内国外两种资源、两个市场。这是我们在参与国际竞争中掌握主动权、打好"主动仗"的必由之路。这样做,有利于在更广阔的空间里进行经济结构调整和资源优化配置,从而不断增强我国经济发展的动力和后劲,促进我国经济的长远发展。

(二)实施"走出去"战略与"多元化"战略的关系

江泽民同志指出,"实施'走出去'战略也要贯彻多元化方针。开拓欧美市场难度较大,一方面由于其采取了许多保护自己市场的措施,另一方面由于我国技术水平、产品质量、竞争力还不高。尽管如此,我们还是要努力开拓。同时,继续努力开拓亚洲、非洲、拉丁美洲一些发展中国家市场。这些国家的经济发展水平较低,我国的产品和技术对它们还是比较适用的,何况那里市场广阔,资源丰富,应当精心组织我们的企业,特别是国有大中型企业到这些国家去开拓市场,发展贸易,开展经济技术合作。"对"走出去"投资办厂,开展贸易活动必须加强管理,要抓紧制定出一套有关的政策措施和法律法规。

市场多元化是分散我国对外经济贸易风险,逐步改变过度依重少数国家的重要战略。在亚非拉及东欧、独联体等国开展境外加工贸易,不仅仅是扩大出口,增强双边经济技术合作的手段,而且也是实施市场多元化战略的一种手段。目前这些国家在我国对外贸易中所占份额还很小,在可预见的将来还难以成为最为重要的经贸合作伙伴,这也是由世界经济贸易的大格局所决定的。但是,与这些国家的合作,特别是发展境外加工贸易以及资源开发等投资领域的合作仍具有较大的潜力,存在许多难得的机遇,只要扎扎实实地开展境外加工贸易等多种海外投资方式,就能使"市场多元化"战略得到进一步的贯彻落实,并将促进对亚非拉、东欧及独联体市场的开发、开拓不断走向深入。

(三)实施"走出去"战略与对外经济技术合作的关系

在走向新世纪的今天,我们必须通过进一步开拓对外经济贸易的深度和广度,形成对内对外全方位、多领域、多渠道的开放格局,加快我国经济与世界经济的接轨,奠定我国开放型经济体系的基本格局;加快实现对外贸易、利用外资、对外投资和其他经济技术合作业务的大融合,实现一体化协调发展。因此,在实施"走出去"战略的同时,应与我国对外经济技术合作有机地结合起来,特别是与对发展中国家的对外援助结合起来。国际实证经验表明,许多国家的官方对外发展援助就是以母国公司对受援国的直接投资方式进行的。我国援外工作自改革以来,对发展中国家援助也大多以合资、合作方式进行并取得了良好的成效。今后我国的对外援助工作应继续朝着这个方向进一步发展,以推动我国主导产业增强国际竞争力和参与国际竞争为目标,通过实施"走出去"战略,有力地提高我国对外援助工作的水平。

第二节 "走出去"战略的实施:对外直接投资的发展

一、我国对外直接投资的发展状况

(一)我国对外直接投资的发展阶段

中国的对外投资是在改革开放以后逐渐发展起来的一项新兴事业。大致经历了以下几个发展阶段。

第一阶段是从 1979~1983 年。中国只有中央部委级的大公司及个别省、直辖市所属企业在海外投资,开办合资经营、合作经营和独资企业,这一阶段经正式批准的境外投资企业共 61 个,中方总投资额为 4573 万美元,分布在 23 个国家或地区。这是我国对外投资尝试性起步阶段,投资项目少,规模小,投资领域主要集中在航运服务、金融保险、承包工程和餐饮业。

第二阶段是从 1984~1988 年。中国境外投资企业数增至 450 家,中方对外投资总额达到 6.65 亿美元。在这一阶段,一些有一定国际经验、技术基础和管理水平的大企业走出国门,进行了多项大规模海外投资。对外投资领域也扩大到资源开发(铁矿开采、林业开发、远洋渔业)、加工生产装配等。

第三阶段是从 1989~1993 年,中国在境外投资企业增加到 1132 家,中方累计对外投资总额为 12.32 亿美元。这一阶段主要是国有外贸专业总公司和工贸公司在海外设立了大量的贸易型企业,以及一些大公司在海外进行了资源开发型投资。

第四阶段是从 1994 年至 1999 年(1999 年 2 月国务院批转发外经贸部、国家经贸委、财政部《关于鼓励企业开展境外带料加工装配业务的意见》之前)。这个阶段的前期由设立一般贸易型企业为主,后期逐渐转到重点以工业(加工工业、特别是境外加工贸易企业)、资源开发企业为主。伴随深化改革和扩大开放,中国国有公司开始进行比较大规模的海外投资。但是由于当时一些国有企业改制没有完成,产权不清晰,激励机制和约束机制不完备,跨国投资往往失控。一些企业的跨国投资带有盲目性,不清楚自己进行跨国经营的优势与劣势,对跨国投资项目的可行性分析和风险评估不够,因此,常常导致投资失败。而且一些腐败分子也利用跨国投资的名义,将国有资产转移到个人名下,造成了国有资产的流失。基于以上种种情况,从 1994 年起,国家对企业的海外投资进行了整顿,境外投资数量也明显下降。从 1994 年到 1999 年,国家外汇管理局统计的我国对外直接投资每年保持在 20 亿美左右,相当于 1992 年和 1993 年的一半。同期外经贸部统计的经批准的境外投资金额每年大约在 2 亿美元左右。

第五阶段是从 1999 年到现在。自从 1999 年 2 月国务院批转发外经贸部、国家经贸委、财政部《关于鼓励企业开展境外带料加工装配业务的意见》之后,党中央国务院正式制定和实施"走出去"战略,加快对外投资步伐。资源开发型投资大幅度增加,生产加工型投资也获得了快速发展。2001 年以后,中国企业海外并购迅速发展,成为中国企业对外直接投资的重要方式,如 TCL 并购德国彩电著名生产商施耐德公司,京东方并购韩国现代显示技术株式会社资产,联想并购美国 IBM 个人电脑业务等,掀起了一股中国企业通过并购方式"走出去"的热潮。

(二)中国企业海外直接投资的流量分析

根据商务部公布的《2004 年中国对外投资统计报告》的数据,2004 年中国对外直接投资净额(以下简称流量)55 亿美元,同比增长 93%;截至 2004 年中国累计对外直接投资净额(以下简称存量)448 亿美元。截至 2004 年,中国累计对外直接投资总额 449 亿美元,扣除对外直接投资企业对境内投资主体的反向投资,累计对外直接投资净额(即存量)448 亿美元。

根据最新统计,2005 年 1～11 月,我国非金融类对外直接投资达 56.5 亿美元。2004 年中国对外直接投资总额 55.3 亿美元,扣除对外直接投资企业对境内投资主体的反向投资,投资净额为 55 亿美元,较上年增长 93%。

1. 投资规模快速增长

2004 年,商务部努力推进对外投资便利化,在 2003 年行政审批改革试点的基础上,下发了《关于境外投资开办企业核准事项的规定》,并与国务院港澳办联合下发了《关于内地企业赴中国香港、中国澳门投资开办企业核准事项的规定》。上述规定在全国范围内下放境外投资核准权限,简化手续,进一步体现了在市场化原则下国家投资体制改革的精神和政府职能转变的要求,对推动中国企业对外投资起到了积极的促进作用。2004 年全年对外直接投资 55 亿美元,比上年增长 93%,达到"走出去"战略实施以来的新顶点。(见图 4-1)

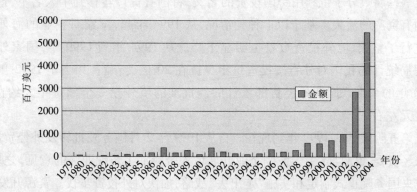

图 4-1 中国企业对外直接投资历史趋势图

注:2003 年和 2004 年是根据新的统计制度统计的数据。

资料来源:商务部。

2. 当期利润再投资占投资流量的一半

从 2004 年对外直接投资额的构成情况看,其中股本投资 17 亿美元,占 31%;当期利润再投资 28.5 亿美元,占 52%;其他投资 9.5 亿美元,占 17%。

3. 跨国并购成为当前对外直接投资的重要方式

"十五"期间,中国企业对外直接投资由"绿地投资"向跨国并购等方式扩展,单个项目的平均对外投资额从 2002 年的 281 万美元增加到 2004 年的 448 万美元,很多有影响力的跨国并购案例均发生在近几年。尤其是进入 2005 年,跨国并购趋势进一步加强,并成为当前对外直接投资的主要方式。并购类投资在 2005 年前 10 个月占对外直接投资总额的 53.8%,主要集中在电讯、汽车、资源开发等领域;境外加工贸易类投资占总额的 42%,主要集中在轻工、机械、建材、电子、纺织服装等行业。

4. 投资行业分布广泛

2004 年,各行业对外投资分布如下,采矿业 18 亿美元,占 32.7%,主要是石油和天然气开采业的投资;交通运输、仓储业 8.3 亿美元,占 15.1%;批发和零售业 8 亿美元,占 14.5%;制造业 7.6 亿美元,占 13.8%,主要是通信设备、计算机及其他电子设备制造业、纺织业、食品制造业、医药制造业等中;商务服务业 7.5 亿美元,占 13.6%;农、林、牧、渔业 2.9 亿美元,占 5.3%,主要是农业方面的投资;其他行业 2.7 亿美元,占 5%。

5. 投资目的地以发展中国家为主

对亚洲地区的投资占当年对外直接投资额的五成以上,中国香港仍是投资热点地区。2004 年我国对外直接投资在各个洲的分布如下,亚洲 30 亿美元,占当年对外直接投资净额的 54.6%,其中,中国香港 26.3 亿美元,以下依次为印度尼西亚、新加坡、韩国、蒙古、柬埔寨、中国澳门、泰国;拉丁美洲 17.6 亿美元,占 32%,主要流向开曼群岛、英属维尔京群岛;非洲 3.17 亿美元,占 5.8%,主要流向苏丹、尼日利亚、南非、马达加斯加、几内亚等国家;欧洲 1.7 亿美元,占 3.1%,主要流向俄罗斯、英国、德国、法国;北美洲 1.26 亿美元,占 2.3%,主要流向美国;大洋洲 1.2 亿美元,占 2.2%,主要流向澳大利亚。

6. 地方省市区的投资流量与上年相比增长较快

2004 年,地方省市区对外投资额 9.73 亿美元,较上年增长 28.5%。其中,上海、北京、广东三省市投资最为活跃,当年对外直接投资额均在一亿美元以上。以下依次为山东、浙江、江苏、黑龙江、辽宁、新疆生产建设兵团等。

7. 中国已经成为发展中国家对外投资之首

据联合国贸发会议(UNCTAD)发布的 2004 年世界投资报告显示,2003 年全球外国直接投资(流出)流量为 6122 亿美元,存量为 81969 亿美元,以此为基数进行测算,2004 年中国对外直接投资分别相当于全球对外直接投资(流出)流量的 0.9% 和存量的 0.55%。中国吸引外资连续十多年居发展中国家之首。

8. 利用外资与对外投资之比不断下降

随着我国经济实力的增强,在继续大力推进"引进来"的同时,积极推动有实力的中国企业"走出去",吸引外资与对外投资金额的比例不断下降,表明我国逐步从单一"引进来"的引资大国向"引进来"与"走出去"相结合的阶段转变。(见表 4-1)

单位:百万美元

表4-1　吸引外资与对外投资比例(2000~2004)

年份	对外直接投资	吸引外资	吸引外资与对外投资比例
2000	550.97	40714.81	73.90
2001	707.54	46877.59	66.25
2002	982.68	52742.86	53.67
2003	2850	53504.67	18.77
2004	5500	60629.98	11.02

资料来源:商务部。

(三)中国对外直接投资存量的特点

1.存量规模不断放大,投资分布的国家(地区)更为广泛。2004年中国对外直接投资存量分布在全球149个国家和地区,较上年增加10个。(见图4-2)

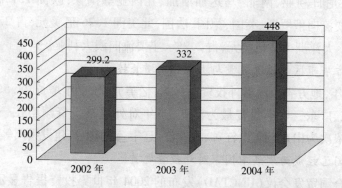

图4-2　2002~2004年中国对外直接投资存量情况(亿美元)

2.从行业分布情况看,以投资控股为主的商务服务业占存量的三分之一强。各行业投资存量分布如下,商务服务业(主要为投资控股)164亿美元,占36.7%。批发和零售业78.4亿美元,占17.5%;即进出口贸易类的投资。采矿业59.5亿美元,占13.3%,主要是石油和天然气开采业、黑色金属、有色金属矿采选业。交通运输、仓储业45.8亿美元,占10.2%,主要是水上运输业。制造业45.4亿美元,占10%;主要分布在通信设备、计算机及其他电子设备制造业,纺织业、交通运输设备制造业,医药制造业、黑色金属冶炼及压延加工业(如钢、铁)、有色金属冶炼及压延加工业(如铜、锌、铅、镍等)、电器机械及器材制造业等。信息传输业、计算机服务和软件业 11.6 亿美元,占 2.6%,主要是电信和其他信息传输服务业的投资。居民服务和其他服务业 10.9 亿美元,占 2.4%,主要为其他服务业的投资。农、林、牧、渔业 8.34 亿美元,占 1.9%,主要是对农业的投资。建筑业 8.33 亿美元,占 1.8%。其他行业 15.73 亿美元,占 3.5%。

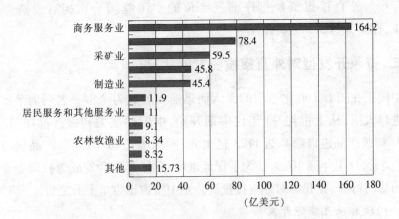

图 4 - 3 2004 年中国对外直接投资存量分行业情况

3. 亚洲的存量占七成以上,中国香港地区是存量最集中的地区。截至 2004 年,亚洲地区存量 334.2 亿美元,占 74.6%,主要分布在中国香港地区 304 亿美元,占 68%,以后依次为中国澳门地区、韩国、新加坡、泰国、越南、日本、马来西亚、印度尼西亚。拉丁美洲存量 82.7 亿美元,占 18.5%,主要分布在英属维尔京群岛、开曼群岛、秘鲁、墨西哥等。北美洲 9.1 亿美元,占 2.4%,主要分布在美国、百慕大群岛、加拿大。欧洲地区 7.5 亿美元,占 1.7%,主要分布在西班牙、俄罗斯、英国、德国。非洲地区 9 亿美元,占 2%,主要分布在苏丹、赞比亚等。大洋洲5.4亿美元,占 1.1%,主要分布在澳大利亚、新西兰。

4. 中央管理的企业占存量的 83.7%,地方省市区的投资规模及所占比重均

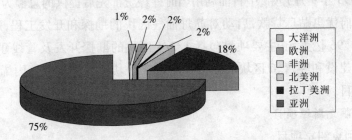

图 4 - 4 截至 2004 年对外直接投资额按地区分布情况

有所增加。从存量规模上看,截至 2004 年地方省市区的投资存量为 65 亿美元,较上年增加 28 亿美元;广东省雄居榜首,以后依次为上海市、北京市、山东省、江苏省、浙江省、福建省、河北省、黑龙江省。从所占比重看,2004 年地方省市区存量占 14.5%,较上年提高三个百分点。

5. 按对外直接投资额排序前三十位的中国跨国公司拥有投资存量的 80.4%,存量为 360.2 亿美元。

二、资源开发型对外直接投资发展状况

中国正在随着工业化进程的深入而迅速发展成为全世界名列前茅的初级产品进口大国,从上世纪 90 年代中期开始,中国便成为初级产品净进口国,2004 年初级产品进口额高达 1173 亿美元,同比增长 61%;初级产品贸易逆差 767 亿美元,比上年高 102%。为了保证进口,自然资源开发成为我国企业海外投资的热门行业,在我国对外直接投资总额中所占比重呈上升之势。

(一)境外油气资源开发

在与境外油气资源丰富国家的合作中,中国企业除通过签署购油协议、进行油气田勘探开发和开展石油化工领域合作等方式外,努力探索出了多种合作方式,如上下游结合,贸易与项目结合,承包工程和区块开发及原油贸易结合,项目与劳务出口结合,投资与引资结合等,我国公司通过参与国际油气合作,掌握了部分权益油,开拓了市场,积累了经验,锻炼了队伍,赢得了声誉,取得了较好的经济效益和社会效益。初步形成了包括苏丹、阿曼、阿尔及利亚、伊朗、沙特、利比亚等国在内的西亚北非区;以委内瑞拉为主的南美区;以印度尼西亚、马来西亚、文莱为主的东南亚区;以哈萨克斯坦、俄罗斯为主的中亚—俄罗斯区等四个重点战略开发区。其中比较重要的项目有:

1. 苏丹油气项目

从 1995 年 9 月开始,中石油利用当时外经贸部先后提供的总额为 5 亿元人民币的政府优惠贴息贷款,启动对苏丹油气区块的勘探和开发工程,迄今已滚动投资 11.96 亿美元,主要项目包括 1/2/4 区块的勘探开发及管线建设、喀土穆炼油厂建设和经营、6 区块的勘探开发、3/7 区块勘探开发和聚丙烯生产等 5个投资项目。

2. 哈萨克斯坦项目

(1)阿克纠宾项目

中石油 1997 年参加了哈萨克斯坦第四大石油公司——阿克纠宾油气股份

公司私有化投标并中标,以3.2亿美元购买了阿油股份公司60.3%的股份并获得该公司相应的资产及经营管理权,包括扎那诺尔油田、肯基亚克盐上油田、肯基亚克盐下油田的开采许可证,上述油田可采储量1.4亿吨。

(2)肯基亚克—阿特劳输油管道项目

为解决阿克纠宾项目原油生产与外输之间的矛盾,2001年12月,中石油国际(哈萨克斯坦)公司与哈萨克斯坦油气运输公司组成合资公司,权益分别为51%和49%,双方共同进行全长428公里的肯基亚克—阿特劳输油管道的建设和经营,该管道始于阿克纠宾斯克州的肯基亚克首站,止于阿特劳州的阿特劳末站,已于2002年底建成投产。

3.委内瑞拉项目

1997年6月,中石油在委内瑞拉国家石油公司举行的第三轮石油作业协议招标项目中,通过竞标获得委内瑞拉英特甘博油田和卡拉高莱斯油田20年的生产开发权。

4.印度尼西亚项目

中海油有限公司于2002年出资5.91亿美元,收购了西班牙瑞普索(REPSOL-YPE)公司在印度尼西亚资产的五大油田的部分权益,这些权益包括:东南苏门答腊65.34%权益,西北爪洼海上36.72%权益,西马杜拉(WEST MADURA)25.00%权益,坡棱(POLENG TAC)50.00%权益,布劳拉(BLORA)16.70%权益。

五大油田2001年总产量8370万桶,2002年,中方获得权益原油590万吨,实现销售收入4.01亿美元,从2002年起,10年内每年可获得工作权益油五百多万吨。

5.阿曼项目

2002年3月,吴仪国务委员访问阿曼期间,中石油与阿曼石油天然气公司签署了购买5区块50%权益的协议,该区块的达利尔(DALEEL)和莫仲(MEZOON)两个油田的剩余可采储量为0.15亿吨,项目总投资为2.165亿美元。

6.亚特兰蒂斯项目

2001年初,中化国际石油公司与挪威亚特兰蒂斯(ATLANTIS)油气公司签订合同,以1.75亿美元收购该公司在突尼斯、阿联酋和阿曼的12个石油合同项下的资产,包括6个待开发的油气田和8个勘探目标,合同区总面积约2.1万平方公里,可采原油储量373万吨,天然气储量203亿立方米。中化公司与中石化按各占50%的股比成立合资公司,共同经营这一项目。

7.阿尔及利亚项目

(1)扎尔则油田提高采收率项目

中石化胜利油田2002年10月中标,该油田已探明储量2.835亿吨,剩余可采储量2011万吨。预计项目最低投资额1.39亿美元。

(2)阿达尔上下游一体化项目

中石油2003年3月中标,7月与阿国家石油公司签署了合作的框架协议,合作期限25年,项目包括对三个区块的油田进行炼厂建设与经营,产品油批发和零售。项目以炼厂为核心,油田生产规模及炼厂设计加工能力为60万吨/年。

8.沙特项目

2004年3月中石化国际石油勘探开发公司中标沙特天然气B区块招标项目,将以签署产品回购合同的形式与沙特阿美公司共同开发该项目。

9.叙利亚油田项目

2002年12月,中石油通过竞争获得叙GBEIBE油田生产开发合同,合同期限25年。该油田发现于1976年,地质储量6亿桶,剩余可采储量6400万桶。

10.伊朗项目

2001年1月胡锦涛副主席访伊期间,中石化与伊朗石油部签署了卡山(Zavareh-Kashan)区块石油勘探服务合同,该区块位于伊朗东部,面积4080平方公里。

该项目第一阶段投资为1325万美元。2003年5月中石化第一口勘探井开钻,12月31日油井开始喷油。初步测算,单井最低日产原油700吨,并有望超过1000吨。

应该看到,中国石油企业在参与境外油气资源开发还面临不少困难。西方发达国家凭其强大的经济政治军事实力不断加强对优质资源的控制;俄罗斯、伊朗、利比亚等富油国对与我开展油气合作或存有戒心或期望以此为筹码换取更大的政治、经济利益。此外,国际大石油公司纷纷调整战略,进行了大规模的企业兼并、联合和重组,对我国石油公司形成了巨大的市场竞争压力。这些都增加了我石油企业进入国际油气勘探开发市场的难度。

(二)境外固体矿产资源开发

矿产资源是工业原料和战略性物资的重要物质基础,也是维护国家安全的重要保障。由于我国工业化进程中矿产资源消耗大幅增长,需求不断增加,资源供需矛盾日益突出,资源压力对我国经济社会发展的制约也越来越显著。如何以积极的姿态推动我国境外矿产资源开发,充分利用国内国外两种资源,建立多元、稳定、可靠的全球矿产资源供应体系,成为当前我国"走出去"战略中的一个工作重点。

2004 年,我国非金融类对外直接投资 36.2 亿美元,同比增长 27%;其中对采矿业投资为 19.1 亿美元,占 52.8%,同比增长 38%。而且,迄今我国最大的一批对外直接投资项目也几乎全部集中在采矿业,谈判中的宝钢巴西铁矿等项目将进一步刷新我国企业海外直接投资单个项目金额的纪录。

中国固体矿产资源的储藏与供需状况决定了我国国民经济要实现可持续发展,必须从全球资源配置的高度出发,大力实施"走出去"战略,积极开发利用境外资源,逐步提高自主开发的境外矿产资源在进口中的比重。我国境外固体矿产资源开发起步比较晚,但经过努力,在一些紧缺矿种(铁、铜、铝、镍、铬、锰、钾盐等)资源的开发上已经取得了一定成绩。

1. 铁

(1)澳大利亚恰那铁矿。该矿为中国中钢集团公司于 1987 年与澳大利亚哈默斯利公司建立的契约式合营项目,合作期限到 2013 年,开采铁矿石 2 亿吨。该项目于 1990 年投产,总投资 3.15 亿美元,其中中方投资 1.26 亿美元,占 40% 股份,年产铁矿石 1000 万吨,全部由中方按照国际市场价格购买并运回国内。

(2)澳大利亚帕拉布杜铁矿。该矿储量 3.08 亿吨,平均品位 62.4%。上海宝钢集团公司于 2002 年与澳大利亚哈默斯利公司合资开发,总投资 9621 万美元,其中中方投资 4426 万美元,占 46% 股份。该项目于 2004 年投产,年产铁矿石 1000 万吨。

(3)秘鲁马尔科纳铁矿。该矿探明铁矿石储量 8.38 亿吨,可采储量 1.88 亿吨,平均品位 75.5%;另有含铜矿石储量 130 万吨,平均品位 0.6%。首钢集团公司于 1992 年通过购买秘鲁铁矿公司获得。中方投资 1.18 亿美元,占 98.4% 股份。该矿于 1993 年恢复生产,平均年产量 490 万吨。

(4)巴西林帕铁矿。该矿探明矿石储量 1.6 亿吨。上海宝钢集团公司与巴西淡水河谷公司于 2001 年合资开发,合资期限 20 年,总投资 3780 万美元,其中中方投资 1890 万美元,占 50% 股份。该项目年产铁矿石 600 万吨,全部运回国内。

2. 铜

(1)赞比亚谦比西铜钴矿。该矿探明矿石储量 2.3 亿吨,含铜 500 万吨,铜平均品位 2.2%;另有钴金属量 15 万吨。中国有色矿业集团有限公司 1998 年从赞比亚联合铜业公司购买获得,中方投资 1.5 亿美元,占 85% 股份。该矿于 2003 年投产,年产铜精矿 12.5 万吨。中国有色矿业集团有限公司拟进一步开发该矿的西矿体和东南矿体,预计投产后铜精矿年产量将达到 25 万吨~30 万吨。

(2)巴基斯坦山达克铜金矿。矿石总储量 1.11 亿吨,平均品位为铜 0.43%,金 0.492 克/吨,金属量为铜 477.73 万吨,金 54.61 万吨。中国冶金建设集团公司 1991 年以交钥匙总承包方式承建该矿,后因巴方经营不善而停产。2001 年,中国冶金建设集团公司租赁经营该矿,租赁期 10 年,投资额 2918 万美元(其中使用政府优惠贷款 2 亿元人民币)。2003 年 8 月,该矿正式恢复生产,年产粗铜 1.5 万吨。中巴双方于 2004 年签订了项目扩建协议,拟进一步扩大该矿的采选能力,预计粗铜年产量将达到 2.5 万吨。

3. 铝

(1)澳大利亚波特兰电解铝厂。该厂为中信集团公司分于 1986 年和 1998 年先后投资 2.2 亿美元收购获得,中方持股 22.5%,其他股东为美国铝业公司(持股 55%)和日本丸红公司(持股 22.5%)。该厂采用非公司型合营方式,企业本身不是法人,项目的投资者直接拥有其所投资比例的项目资产,直接负责有关项目建设和生产经营的资金安排,自行组织相关生产所需的氧化铝和电力供应,并获得相应比例的最终产品自行销售。该厂于 1987 年正式投产,年产电解铝 34 万吨,中方每年可获得电解铝 7.7 万吨。

(2)澳大利亚中矿氧化铝项目。该项目为中国五矿集团公司于 1997 年与美国铝业公司以签订长期供货协议的方式投资开发。中方投资 2.4 亿美元,每年可从美国铝业公司在澳产量中获得 40 万吨氧化铝,有效期为 30 年。

4. 铬

南非迪劳空铬矿。该矿探明储量 4550 万吨。中国中钢集团公司联合吉林铁合金厂于 1996 年与南非北德兰士瓦发展公司合资开发。项目总投资 7000 万美元,其中中方投资 4200 万美元,占 60% 股份。该项目于 1999 年正式投产,年产铬矿 40 万吨,铬铁 6 万吨。

5. 锌

蒙古图木尔廷敖包锌矿。该矿地质储量 757 万吨,平均品位 13.67%,锌金属量 103 万吨。中国有色矿业集团有限公司 2000 年 4 月投资开发项,2005 年 8

月建成投产。该项目总投资 4299 万美元（其中利用政府优惠贷款 2 亿元人民币），中方占股 51%。该矿设计生产年限 25 年，日采选矿石 1000 吨，年产锌精矿含锌 3.6 万吨。

当前，世界矿业正处于开放状态，广大发展中国家，特别是拉美、非洲和亚太地区矿产资源丰富的国家，通过修改矿业法和调整资源政策，积极鼓励和吸收外资进入本国勘探开发资源，发展经济。这对于我国实施"走出去"战略，开发利用境外矿产资源是一次难得的机遇。

（三）境外森林资源开发

中国森林资源有限，森林覆盖率为 14%，相当于世界平均水平（25%）的 56%，并存在总量缺口矛盾和结构性矛盾突出的问题。随着国民经济的发展以及人民生活水平的提高，中国木材需求呈大幅上升的趋势，但由于各种原因，木材供应量大幅下降，木材供需矛盾增加，据预测，到 2010 年中国生产建设用材的年缺口量均在 3300 至 4300 万立方米之间。进行海外森林资源开发，为中国经济建设提供稳定的木材补充供应渠道是中国面临的一项十分紧迫的任务。

从 20 世纪 90 年代起，中国企业开始"走出去"开发境外森林资源，取得了较好的成效。截至 2004 年底，中国企业已经开展的境外森林资源开发项目共 49 个，分布在俄罗斯、缅甸、苏里南共和国、巴布亚新几内亚、赤道几内亚、加蓬等国家，境外实际采伐林木 477.76 万立方米，加工原木两百余万立方米。协议总投资额 27683.40 万美元。2004 年，中国企业共采伐木材 192.36 万立方米，比 2003 年增加了 32.44%。协议投资额约 1.15 亿美元，同比增长 39.56%。

三、境外加工贸易发展状况

境外加工贸易，是指我国企业以现有设备及成熟技术投资为主，在境外以加工装配的形式，带动和扩大国内设备、技术、原材料、零配件出口的国际经贸合作方式。举办境外加工贸易项目，是现阶段我国对外投资的一种重要形式，必须按照有关政策规定报国家主管部门核准。经国家批准从事境外加工贸易业务的企业，凭外经贸部颁发的《境外加工贸易企业批准证书》，可享受资金、退税、金融服务等多方面的鼓励政策。

（一）境外加工贸易发展概况

截至 2003 年年底，在商务部核准和登记备案的境外加工贸易项目共有 489 个，遍及 86 个国家，中外企业双方协议投资额约 15.5 亿美元，其中中方投资额约 12.4 亿美元。见表 4 - 1。

表4-2　截至2003年年底我国境外加工贸易统计

单位:亿美元

年　度	项目个数	双方总投资额	中方投资额
1999 年前	113	2.1	1.4
1999 年	46	3.1	2.6
2000 年	105	2.8	2.3
2001 年	81	3.6	3.0
2002 年	75	2.2	1.7
2003 年	69	1.7	1.4
2004 年	—	—	7.6

注:2004年数据用制造业直接投资额代替,由于制造业直接投资可能包括了并购等类型非境外加工型直接投资,其数据偏大,"一"表示数据无法获得。

资料来源:商务部。

（二）我国企业开展境外加工贸易业务的主要特点

我国企业开展境外加工贸易业务的主要特点如下:

1. 投资主体:主要以大型企业、国有企业为主,中小企业、民营企业投资规模较小,国有企业是开展境外加工贸易的主力军,民营企业是后起的生力军。中央企业对外投资额为3.3亿美元,占境外加工贸易中方投资总额的近三成,平均单项投资额945万美元,远远高于全国境外加工贸易的单项投资规模254万美元。

2. 投资行业:主要集中于我国制造业中市场化程度较高、具有比较优势的传统行业,以机电、纺织服装、轻工等传统行业为主。近年来,医药、建材、环保、烟草、农业综合开发等新领域项目增多,也出现了一批技术含量高的项目(见表4-2)。

表4-3　我国境外加工贸易的行业分布

单位:个,亿美元

行　业	项目数	双方投资额	中方投资额
机电	189	5.6	3.9
轻工	148	2.5	1.8
纺织服装	108	5.53	5.19
制药	25	0.48	0.36
烟草	10	0.23	0.13
化工	7	0.40	0.39

资料来源:商务部。

3. 投资区域：主要集中在与我经济互补性强的国别或地区，如亚洲、非洲、东欧、拉美地区，这些地区的东道国大都与我国外交关系友好、政局相对稳定、经济基础较好、劳动力价格低廉、市场规模较大。我企业在进军发展中国家市场的同时，在美国、加拿大、澳大利亚等发达国家的市场也有突破(见表4-4)。

表4-4　我国境外加工贸易的区域分布(个,亿美元)

洲别	亚洲	非洲	东欧	拉美	北美	西欧	大洋
项目数	220	122	67	30	26	7	17
双方投资额	6.3	2.7	1.3	2.8	1.5	0.32	0.29
中方投资额	4.7	2.1	1.0	2.5	1.4	0.25	0.21

资料来源：商务部。

4. 投资方式：主要以实物投资为主；从境外企业的建立方式看，以新建最多，租赁和并购的较少；从境外企业的法律形式看，以合资类最多，其中又以中方股权占控制地位的居多，独资的其次。

五年来的实践表明，境外加工贸易是与我国现阶段经济发展水平相适应的境外投资方式，是实施"走出去"开放战略的一条重要途径，它对于促进我国产业结构的调整，带动扩大出口，加快市场多元化进程，增强企业的国际竞争力都起到了积极的作用。境外加工贸易的发展，还有力地促进了我国与项目所在国的政治、经贸关系，加快了我国企业国际化经营步伐，提升了我国的国际形象。随着经济全球化进程日益加快，国际市场竞争日趋激烈，境外加工贸易作为我国企业参与国际竞争和分工的一种重要形式，在我国对外经贸合作中将发挥越来越重要的作用。

四、境外研发投资状况

(一)境外设立研发中心的主要特点

中国企业在境外设立研发机构，进行海外研发，目前还处于起步阶段，分析近几年中国企业获准在境外设立研发中心的情况，可以发现如下特点：

1. 设立境外研发中心地点主要集中在美国

根据商务部的统计，从2000年1月到2002年3月，中国企业获得原外经贸部批准在境外设立研发中心共26处，其中设在美国的有18处，英属开曼群岛2处，英属维尔京群岛、英国、澳大利亚、韩国、日本、新加坡各1处。

美国市场容量大，开放程度高，更重要的是，美国在世界研究开发中的排名一直是处于第一位的,因此,国内企业在境外设立研发中心往往首选美国。同时,美国也是中国最大的出口市场之一,本着产品本地化,或者是以外养内的目的,许多中国企业纷纷到美国设立研发中心。

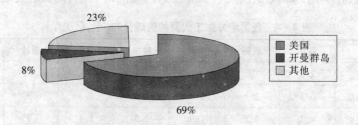

图4-5 2000~2002年中国企业境外研发中心地点分布

资料来源:商务部。

2.设立境外研发中心的企业主要来源于北京、上海和深圳

在2000年1月到2002年3月期间在境外设立地26处研发中心中,有10处总部位于北京,4处总部位于上海,3处总部位于深圳,其余几处分别来自山东、江苏、辽宁、浙江、湖南以及福建。

与之相对应的是,跨国公司在华设立研发中心也主要集中在北京、上海等地,最基本的原因也就是由于这些地区基础条件好,高校等研究机构众多,研究开发力量在国内处于较高水平。同时,因为这些地区积累了一批有实力的企业,传统上和国外经贸往来较多,因此有必要,也有条件到境外设立研发中心。

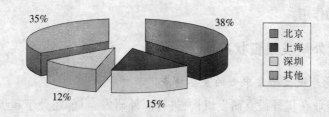

图4-6 2000~2002年中国在境外设立研发中心企业来源地

资料来源:商务部。

3.设立境外研发中心主要集中在电子、通信、制造业及软件业

从行业分布来看,这26个境外研发中心中有14处隶属于电子及通信设备制造业,超过了半数,接下来是软件业,有6处,再接下来是计算机服务业、医药制造业和通用设备制造业,分别为 3 处、2 处和 1 处。

可见中国在境外设立研发中心的企业也是以高新技术企业为主,这些行业在中国改革开放的 25 年里,充分把握机遇,利用外资,引进和吸收国外先进技术,不断发展壮大,终于成长成为具有国际竞争力的优势企业。

技术发展具有跳跃性特点,也就是说,在技术发展的过程中,本来技术比较落后的国家或地区,如果具备一定的技术基础,在新的技术浪潮兴起时,往往有机会抓住机遇,加入到技术浪潮中,从而赶上甚至超过以前技术比较先进的国家。印度软件业的兴起就是一个典型的例子,印度给中国人最深的印象就是穷,工业落后,基础设施差,人们的生活水平也不高,但就是这样的印度,1998 年软件销售额为 40 亿美元,其中出口 27.5 亿美元,1999 年出口 50 亿美元。目前全球软件开发市场中,印度占据了 16.7% 的份额。印度政府计划到 2008 年实现软件产值 850 亿美元,其中出口 500 亿美元。在代表高科技的软件业,印度的实力不容小视。

高科技行业同时也是竞争异常激烈的行业,中国高科技企业将研发中心设立到境外科技水平较高的国家,不仅有利于把握世界最新科技动态,赶上世界科技发展的步伐,同时也使中国企业有机会站在世界科技的最前沿,一同推动世界科技的发展。

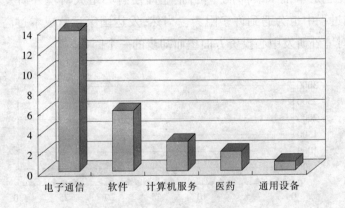

图 4 - 7 2000～2002 年中国各行业企业在境外设立研发中心数目

资料来源:商务部。

4. 境外研发中心的投资规模较小

中国企业在境外设立研发中心的投资规模普遍较小。调查显示,从 2000 年到 2002 年 8 月中国在境外设立的研发中心中,总投资量最小为 1 万美元,最大为 3000 万美元,而中方投资量最大为 2000 万美元。总投资不到 100 万美元的占 50%,总投资大于 500 万美元的只占 23.08%。

中国企业境外研发中心投资规模偏小限制了境外研发中心的发展。首先,太小的投资规模使研发中心难以开展较大的项目,使研发中心停留在进行产品本地化阶段,致使研发中心研发水平难以提高,不能充分发挥研发中心的作用。其次,研发中心资金短缺不便于吸引到一流的研发人才,这对研发中心的长远发展无疑是很不利的。再次,由于境外研发中心在当地面对的竞争者一般是国际知名跨国公司,它们不仅技术基础好,研发力量雄厚,而且软硬件设施也是中国企业在境外的研发中心没有办法比拟的。中国企业在境外的研发中心要与这样的对手竞争,其劣势地位一目了然。因此,过小规模的投资不利于中国企业在境外的研发中心与竞争对手进行竞争。

境外研发中心投资规模过小是由多方面的原因决定的。首先,国内企业规模整体上偏小。国内企业,尤其是制造业,与发达国家企业相比,在规模上有很大差距。国内的大型企业,不要说与发达国家相比,就是放在新兴工业化国家,也只属于中小企业。企业规模不大,境外研发中心的投资规模就很难大起来。其次,国家的外汇投资额度上的限制也是造成国内企业在境外的研发中心投资规模偏小的一个重要原因。中国对外汇的使用历来十分审慎,因此对外汇投资无论是额度还是审批手续都很严格,企业即使有心增大对境外研发中心的投入,在实施过程中也会遇到许多阻力。当然,发达国家运营成本过高也是使企业在扩大对境外研发中心投资方面望而却步的一个因素。

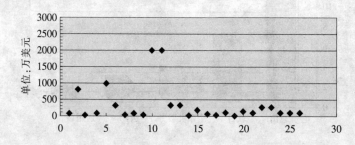

图 4-8 2000~2002 中国企业在境外设立研发中心中方投资额分布统计

资料来源:商务部。

(二)设立境外研发中心的方式

中国企业在境外设立研发中心一般采取独资和当地企业合资建立公司,公

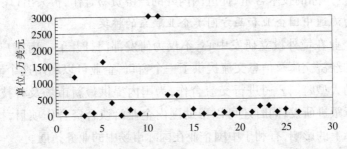

图 4 – 9　2000～2002 中国企业在境外设立研发中心投资总额分布统计

资料来源:中华人民共和国商务部。

司的业务以研究开发为主,同时承担其部分当地市场开发以及服务和技术支持职能。因此,这些研发中心往往并不像跨国公司在华设立的研发中心那样冠以某某研发中心的名称,而是像注册成立普通公司那样冠名。

1. 独资设立研发中心

中国企业在境外设立的研发中心中,独资的占 50%,主要包括电子及通信设备制造业、软件业和计算机服务业。独资研发中心的投资规模偏小,投资金额在 100 万美元以下的占 84.62%。投资地点主要集中在美国,占全部独资研发中心数目的 84.62%。

2. 合资设立研发中心

中国企业在境外设立的研发中心中,合资的也占到了 50%。与独资研发中心相比,合资研发中心的总投资规模和中方投资规模都较大,其中中方投资规模在 100 万美元以上的占 53.85%。在合资设立的研发中心中,大多数都由中方控股,中方投资份额大于等于 50% 的研发中心占合资研发中心总数的 84.62%。中方投资份额最高为 85%,最低为 30%,平均为 63.40%。

境外研发中心采取独资还是合资的方式,主要是受公司总体战略的影响。由于中国企业境外研发中心的设立地点基本上都是在市场经济国家,而且国家开放程度较高,由于政策限制而设立合资研发中心的可能性较小。

中国企业在境外设立的研发中心在研发过程中,除了自己独立承担研发项目以外,还十分注重和当地大学、科研院所合作,也经常与研发能力较强的相关公司共同开发。

(三)境外研发中心的作用

一般认为,在境外设立研发机构,可以利用引进境外先进的技术、管理经验,提高国内产品的技术含量,促进国内外的经济贸易合作,扩大出口。

1.作为沟通中国企业和西方同类企业联系的桥梁

中国企业在境外设立研发中心,不仅为研发部门打开了一扇窗户,同时也为企业间的经济交流及信息交流提供了一个窗口,企业可以利用这个研发中心同同行业的大型跨国公司进行交流合作,为国内提供最新市场及科技信息,从而尽早进行跟进研发,同时还可以帮助国内企业洽谈合资合作项目,扩大中国企业在国际上的影响,有利于中国企业在国际市场中的业务拓展。

2.有利于进行技术及管理方面的培训交流

在境外建立研发中心,可以利用当地的地域及人才优势,为国内企业的经营管理、技术开发及生产企业的人员提供新型、先进的现代管理及技术培训,为今后发展和逐步进入国际市场打下管理和人才基础。

3.有助于改进提高企业现有产品品质

在境外设立研发中心的企业,其产品在国内往往占有较大份额,但是品质同西方发达国家同类企业产品品质相比还是有一定的差距,这一差距的产生源于中外研发资源、信息、条件以及起点上的差异。在境外建立研发中心,可以在较短时间内对企业现有产品进行改进,使其在质量上接近或达到甚至超过西方跨国公司产品水平。

4.利用地域优势和技术优势进行新产品开发

在西方发达国家,例如美国,每年企业的研发机构、高校及科研单位都会推出新产品、新技术,而且由于发达程度不同,许多西方国家的成熟产品,对于中国市场来说还是新产品。在发达国家建立研发中心,就为这些新产品进入设立研发中心的国内企业提供了便利,通过技术转让、技术合作及合作开发市场等方式,可以在短期内将这些产品在中国进行推广,提高我国同类产品的整体水平。此外,在境外建立研发中心,也可以根据国内需求开发新产品,满足国内企业生产和市场需求。

同时,境外研发中心也可以将国内开发的独有产品按照当地要求改进和标准化,引入到当地市场。

5.充分利用中国在当地的留学人员,建立企业未来的人才库

在境外建立研发中心,可以吸收中国在当地相关专业的留学人员进来工作,利用他们的研发力量,一方面提高境外研发中心的研发水平,另一方面也可以帮助这些留学人员转化他们的研发成果,实现其报效祖国的愿望,甚至可以为他们回国服务提供方便。

6. 拓宽研发资金筹集渠道

中国企业的境外研发中心作为在当地建立的研发机构，在开展研究开发项目时，除了自己投入研发经费以外，还可以向当地政府、企业和民间基金组织申请项目及课题经费，使研发中心不断发展壮大。

（四）境外研发中心存在的问题

中国企业在境外设立研发中心的实践中，遇到了各种各样的问题，下面就几个比较有代表性的问题进行讨论。

1. 外汇管制问题

目前国内外汇管制太严，企业在境外开展项目的投资用汇不仅审批程序繁琐，周期长，而且对投资额度限制得也很严，这一限额对境外研发中心的进一步发展造成了一定的障碍，企业无法实现在境外研发事业的长期发展战略，也不能在更深更广程度上实现企业的目的。同时，由于许多境外研发中心并不直接产生经济效益，因而也不应该以境外研发中心的经济效益作为对境外研发中心进一步投资及增资审批时的前提条件。

2. 人才问题

研发方面的竞争主要是研发人才之间的竞争，也是企业在招贤纳士方面的竞争，但中国企业在境外的研发中心因投资规模、软硬件环境等限制性因素的存在，致使其很难在境外吸引一流人才，也无法解决其待遇、福利、事业发展、家庭等现实问题，对境外研发中心的发展造成了不可避免的先天性硬伤。这一问题对于那些业务重点在研发而不在于开发当地市场的境外研发中心而言尤其显著，他们一方面受到外汇管制的限制，另一方面，研发中心有效收入来源建立较为困难，软硬件环境很难改善。这就需要国家在放松这方面的外汇管制的同时，政府主管部门从政策、资金上给予一定的支持，改善境外研发中心的软硬件环境，吸引更多更好的人才，这样才能提高境外研发中心的研发力量，使境外研发中心更好地为振兴民族工业服务。

3. 与当地文化的摩擦问题

跨国公司在华进行直接投资，设立研发中心，会有一个与中国文化磨合的过程，中国企业在境外设立研发中心也会遇到相同的问题。这种文化的摩擦主要包含两个层次的问题：首先，中国企业在境外设立研发中心，往往会在当地聘用研发人员或其他工作人员，这就存在一个对方能否接受我们的经营理念，以及双方能否适应对方的工作方式的问题；另外一个更深层次的问题就是我们在境外的研发中心能否融入当地文化，为当地人们所接受。前一个问题只关系到境外研发中心的运行效率,而后一个问题则事关研发中心的生死存亡。

4.中外法律不同产生的问题

中国公司在美国设立研发中心(以成立新公司形式),尽管其在形式上是我国公司的分支机构,但从其设立伊始,就是一家美国公司,公司的设立和存续使用美国的有关法律法规(包括美国政权法、登记注册的州公司法等),我国的公司法与美国的公司法无论在内容还是在形式上都存在着很大的差异。以股票期权为例,美国的高科技企业普遍建立了一套科学而完善的股权激励计划,这既是保持企业核心竞争力的需要,也为公司的经营确保了相对稳定的优秀人力资源。但是,由于设置股票期权必然会出现个人持有公司一定股权的情况,从而导致公司股权结构发生变化,由此产生设立原则与实际经营的矛盾。

5.人员出境时签证困难

在境外设立研发中心经常会有总部人员外派以维持研发中心的正常运转,但中国人员出境时往往签证很困难,以至于中方人员常常难以按时甚至不能达到境外研发中心,对境外研发中心的正常运作造成不利影响。例如中国企业在印度设立研发中心,目前中方常驻印度人员均是持商务签证,期限为 30 天,而且必须在印度驻中国大使馆申请,到期内政部不再续签。因此这些员工每在印度工作一个月就必须回国办理签证,而回国签证大约需要 7 个工作日。这不仅增加了境外研发中心的运营成本,也妨碍了研发中心的正常运营,如果能够将商务签证延长到半年,签证问题对研发中心运营的妨碍将会显著减小。而设立在美国的研发中心遇到的问题则更为严重,因为受到国际形势的影响,中国企业派往美国研发中心的工作人员多人多次被美国驻华使馆拒签,对研发中心工作安排造成了很大影响。

五、服务业对外直接投资状况

(一)中国服务业对外直接投资概况与特点

1.概况

目前,服务行业在境外直接投资中占有较大份额,根据商务部的统计(非金融类),2004 年交通运输仓储业、批发零售和商务服务分别占直接投资总额流量的 15.1%、14.5%、13.6%,合计服务业占整个对外直接投资的 43.2%,金额达到 23.8 亿美元。从流量看,三个产业分别占直接投资总额的 38%、13.8% 和 43.2%(其他占 5%),可见,服务业已经成为最主要的直接投资行业。

另外,根据 2005 年《世界投资报告》按外汇资产排名的中国最大的 5 家跨国公司(非金融类)中,服务业类型的跨国公司占2家,分布在远洋运输、贸易及建筑工程承包领域。

表4-5 2003年中国最大的5家跨国公司(按外汇资产排名,单位:百万美元)

名 次	公 司	行 业	外汇资产	总资产
1	中国远洋运输集团总公司	交通运输	8457	18007
2	中国石油天然气集团公司	石油	3350	83254
3	中国建筑工程总公司	建筑承包	3417	9677
4	中国海洋石油总公司	石油	1467	14479
5	中国五金矿产品进出口总公司	贸易	1150	5352

资料来源:2005年《世界投资报告》英文版。

2.服务业对外直接投资的基本特点

(1)海外投资企业的经营活动多元化,行业领域分布以贸易、金融服务、远洋运输、工程承包、旅游餐饮服务为主,其中贸易型投资企业数目众多,其他诸如信息咨询、通讯服务、连锁经营等方面发展较为迟缓。

(2)投资以稳健型见长。投资主体多为实力强、有一定信誉的国内大型企业,投资区域多集中在投资环境好,政局稳定的国家和地区,尤其以亚洲和非洲等发展中国家最为集中;投资取得了良好的社会效益和经济效益。

(3)所有权形式以合资和合作为主,合营伙伴多数为当地华侨。这些海外投资企业分别采用了股份有限公司和有限责任公司的组织形式,一般采取新设投资的方式,对于国际流行的收购与兼并方式采用不多。

(4)海外投资管理尚存在一定问题。如海外投资企业对母公司的依赖较重,自我开拓和横向联系能力不足。就目前状况而言,中国多数海外投资企业各方面均由国内直接控制,在海外进行较孤立和分割式的经营,没有形成独立的营销及信息网络。

(二)贸易型对外直接投资

1.贸易型对外直接投资发展概况

贸易是中国较早进行对外直接投资的领域,改革开放初期,中央和地方各种行业的外贸专业公司利用其长期从事出口贸易,拥有知识丰富、实际操作能力强的外贸人才的优势,建立发达的信息网络,形成了国外销售渠道,积累了一套切实可行的涉外经营策略,为我国企业国际化经营发挥了开路先锋的作用。其中表现最为突出的是中国化工进出口总公司和中国粮油进出口总公司。

（1）中国化工进出口总公司

中国化工进出口总公司成立于1950年，是中国最早的外贸专业公司之一。1987年年底，国务院批准中化公司进行国际化经营试点。1994年12月31日，国务院正式批准中化公司在全国首家进行综合商社试点，目前为止，中国化工进出口总公司已成为以贸易为主业，集贸、工、技、金融、信息等功能为一体的国际化、实业化、多元化、集团化的综合贸易公司。其海外业务遍布世界各地，目前已经建成中化美洲集团、中化欧洲集团、中化亚洲集团、中化澳新集团、中化香港集团5大海外集团，所属各类子公司、代表处已达近百家，已成为中化集团经营额、利润额的增长主体。

（2）中国粮油进出口总公司

中粮集团长期从事粮油食品进出口贸易，是中国最大的进出口企业之一。截至2001年，中粮集团进出口额累计1415亿美元，其中，出口总额累计753亿美元，进口总额累计662亿美元。业务遍及贸易、实业、金融、信息、服务和科研、酒店、地产等众多领域。海外机构遍布亚洲、欧洲、北美二十多个国家及地区。其中中粮集团四大经营利润中心中的两大经营利润中心在中国香港联交所上市，分别是主营食品业务的中国粮油国际有限公司、主营房地产和酒店业务的鹏利国际集团有限公司。

此外众多的中小型贸易公司也纷纷走出海外，拓展业务空间，如1997年3月，国务院正式批准东方国际（集团）有限公司进行综合商社的试点工作，成为第一家探索综合商社道路的地方企业集团。目前，东方国际集团公司业务范围已涵盖了外贸、内贸、货运、房地产、工业生产、服务贸易和对外经济合作等领域，已初步实现了从单一的专营外贸公司向多功能的国际化综合商社的转变。

2. 贸易型对外直接投资发展战略

中国的大型外贸企业集团应借鉴日本和韩国的综合商社发展经验，根据自身特点，积极进行国际化经营探索，逐步发展成为以贸易为核心，以实业、金融、信息、服务为外延的多功能的综合跨国机构。

（1）积极发挥贸易的核心作用

大型外贸企业集团应充分利用国内国际市场资源，发挥全方位的贸易功能，实现出口贸易、进口贸易、国内贸易、第三国贸易相结合的综合贸易优势，追求最大的经济效益。首先，应积极拓展海外营销网络，扩大贸易规模，通过内部价格优势消除贸易壁垒，建立起国内外市场的流通网络，实现国内贸易与国际贸易的顺畅结合；其次，应充当组织者和协调者的角色，带动国内中小型企业走向国际市场,利用广泛的客户关系和丰富的贸易经验,发挥强大的接单能力,并通过联系中小企业,获得较强的订单消化能力,以调节中小企业的生产经营活动,实现产业内最优化组合。另外,综合商社的贸易功能还应包括发挥第三国贸易的优势。这是跨国综合商社推进国际化战略的重要举措。目前日本综合商社的第三国贸易额已达到贸易总额的25%。

(2)实现贸易和产业的结合

从日本和韩国综合商社发展的成功经验来看,中国的外贸企业应当着重贸易与产业的密切结合。一方面,通过为生产部门提供能源、材料及先进的科技情报,给予海外营销、金融服务及组织协调支持,创立产销一体化的综合运营体系,建立起稳定贸工代理关系,以便发挥综合优势。另一方面,贸易企业应在建立稳定贸工关系的同时,发展自身的产业基础,加强与科研机构、生产厂商的合作,直接参与或以兼并、收购手段进行实业领域及资源开发领域的投资,特别是资本和技术密集型的行业。中化公司在实业化方面取得了积极成果,投资兴办了近200个实业项目,涉及石油、化工等12个领域,为提高集团在海外市场的竞争力奠定了坚实基础。

(3)发展和完善金融功能

综合商社应以巨大的筹资、融资功能为基础,在全球范围内建立起广泛的金融服务网络。一方面,综合商社应利用良好的信誉,在交易中发挥企业间信用媒介和承担风险的功能,通过向贸易伙伴提供商品的赊购、赊销、票据支付和接受、延期付款信用等,为买卖双方提供便利的交易平台;另一方面,应开展综合型金融服务,开展投资、融资业务,通过发行债券、从金融机构借款在国际金融市场筹措资金,向企业提供信贷、担保、租赁服务,同时积极参与资本市场运营,以支持自身贸易规模的扩大和综合性多功能经营目标的实现。

(4)发挥综合商社的其他服务功能

综合商社可利用遍布全球的信息网络和丰富的海外投资经验,组织协调众多的国内企业共同参与国外大型项目的承包与建设,为海外投资企业提供市场信息调研、可行性研究报告、市场追踪调查等服务,促进海外投资的整体发展。同时,综合商社也应发挥在研发、运输、仓储、流通、房地产等相关行业的辅助功能,实现综合性经营和跨国经营的战略目标。

(三)海运型对外直接投资

1.海运型对外直接投资发展概况

建国以来,我国的国际海运业的宗旨一直是为我国外贸运输服务,并使之减少和替代依靠外轮的局面,所以一开始就以"进口替代"的模式创建和发展,它为促进我国建成一个独立的、完整的国民经济体系发挥了重要作用。

进入20世纪80年代,随着国内外海运市场出现运力过剩的局面,我国大型骨干国际海运企业(例如中远公司)逐步迈向世界市场,从事一定比例的第三国运输,采取了一种防守型的"出口导向"战略。随着国际海运市场上供求矛盾进一步扩大,海运市场的竞争愈演愈烈,企业要进一步增加和保持原有的第三国货运份额则非常困难,因此,我国国际海运业单凭"出口导向"战略是不能取得长期成功的。除此之外,企业还需要逐步开展跨国经营,实施国际化发展战略。

(1)中国远洋运输总公司

中远集团目前是我国最大、全球第二大航运企业集团,其全球网络覆盖了五大洲,航线遍及世界一百六十多个国家和地区的一千三百多个港口,在五十多个国家和地区设有公司和办事机构。在海外开设了中国香港、欧洲、美洲、新加坡、日本、澳洲、韩国、非洲和西亚9个区域公司,对所属区域内的中远业务实施统一经营管理。目前中远在海外的资产已占集团总资产的一半。海外有三家上市公司,其中两家为蓝筹股。在海外共有近5000名员工,其中中方外派人员仅占十分之一左右。

(2)中国外运总公司

中国对外贸易运输(集团)总公司是一个以运输为主业,全面发展的,实行跨地区、跨行业和跨国经营的大型企业集团。中国外运经过近50年的发展,在国内外拥有完善的业务经营网络,业务范围涉及货运代理、海洋运输、租船、船舶经营、班轮运输、船务代理、航运货运、航空快件、铁路运输、汽车运输、多式联运、仓储、进出口贸易,以及对外经济合作、工程承包、集装箱租赁等诸多领域。在海外有9个代表处,67家独资、合资企业。

2.海运型对外投资的主要特点

(1)全球性航线网络

中国远洋运输集团和中国外运总公司已在全球建立起庞大的货运网络,其船队规模、船型配置和船龄结构都居世界先进水平。中远集团目前经营五百多艘船舶,拥有全球最大规模的特种专业船队之一,拥有专业船舶24艘,载重38.6万吨,居世界航运业前列,已具备以远东、孟加拉、西非、西北欧、南北美为主的全球化客户网络。其专业船队、优质服务和高技术高难度的运输解决方案获得了全球客户的广泛认同。

(2)专业化的服务优势和管理经验

目前,中国远洋集团根据客户的不同要求、专业货物和配套货物承运合同的不同条件优化配置船型结构,开辟不定期航线或航次,所有船舶按照国际标准,配备先进科技装备,如自主开发具有国际领先水平的远洋运输装载模拟系统(SLS)、安装了国际远洋运输卫星导航系统(GPS)、国际远洋运输通讯系统(GMDSS)及首次配备先进的动力定位系统(DPII),为各类客户提供高技术、高性价比、安全可靠的专业运输服务。

(3)海外投资模式以进入式为主

从迄今为止的实践来看,中远集团和中国外运跨国经营采取的多是单一的投资进入模式,缺乏灵活性和多样性,未开展特许经营、战略合伙等方式。另外,对所投资企业的股权参与形式仍以独资企业为主,所有权结构缺乏灵活性和多样性。

(4)通过广泛签订双边、多边协议加强国际合作

我国已陆续与一些国家签订了双边的海运协议,保证海运业在海外的发展。改革开放到上世纪末,我国已同56个国家签订了双边海运协议。我国制定了以《海商法》为核心的一系列海上运输的法律法规,海事法院也得到了进一步发展,为海运业向海外拓宽提供了有力保证。

3.海运型对外投资发展战略

服务贸易总协定生效后,给我国的海运企业进行海外业务拓宽提供了十分难得的机遇,国内的远洋运输服务企业应积极开拓海外市场,建立全球性业务网络,培养出具有雄厚实力的跨国经营企业。

(1)坚持以航运服务为主业

远洋运输领域的海外投资企业应优先保证集团航运主业在海外的延伸发展,积极推进集装箱营销一体化,立足于巩固完善集团整体运输系统,重点加强揽货能力及建立海外支线运输网络,着力发展船舶与货运代理、码头装卸、中转仓储、内陆运输,以补充和满足集装箱班轮航线和干线运输的需要,并促成海陆空多式联运及综合运输服务的实现。并通过建立覆盖广泛、布点合理的分支网络,通过网点之间的分工协作,获得规模经济优势,取得最大经济效益。

(2)积极开拓多元化业务领域

海外投资企业在以航运服务为基础产业的同时,应根据自身的不同特点,利用各自的区位优势,有选择地开拓贸易、房地产、旅游等相关产业,以减轻航运风险。同时加大资产经营力度,充分利用企业多年的商誉、网络和融资优势,采用兼并、收购及合作等方式发展海外投资业务,积极稳妥地扩充产业内的总

体实力。

(3)逐步实行经营与管理"当地化"策略

海外投资企业应积极利用东道国的优势,通过寻找权威而可靠的代理人或合作伙伴,广泛雇佣当地雇员,积极开展公关活动,熟悉当地法律、法规,并选择信誉良好的代理律师,力争使经营方式和目标符合东道国的经营习俗。

(4)加强对海外企业的投资管理

应严格规范远洋运输企业海外投资项目的运作与管理,根据各企业自身特点选择调整投资重点区域,并制定适当的风险防范措施,避免投资过于分散。海外企业的经营内容、业务范围和结构应与国内母公司的核心产业相关联,实现国内外业务的有机结合,实现集团经营目标一体化。

(四)金融服务型对外直接投资

1.中国各大商业银行的国际化进程

(1)中国银行

目前,中国银行是国际化进程发展最为迅速的商业银行,其分支机构遍布全球,业务包括传统的商业银行、投资银行和保险业务在内的全面的金融服务。2001年,中国银行的总资产达到3.39万亿元人民币,实现税前利润109.14亿元人民币,其中国内机构实现22.48亿元,海外机构实现86.66亿元。截至2002年年底,中国银行拥有12967个国内机构和559个海外机构(包括代理行),包括40家海外分行,3家海外代表处,附属各类海外财务公司、保险公司约10家,广泛分布在亚洲、欧洲、美洲及大洋洲,已经建立起全球布局的金融服务网络。在中国香港和中国澳门,中国银行已成为当地的发钞行之一。

(2)中国工商银行

目前,中国工商银行总资产已超过四万亿元人民币,金融电子化水平在同业居领先地位。截止到2002年年底,中国工商银行的海外分支机构中拥有6家分行,1家子银行,3家代表处。

(3)中国建设银行

目前,中国建设银行已在海外设有中国香港、法兰克福、新加坡三个分行和四个代表处,已与世界上600家银行建立了代理行关系,其业务往来遍及五大洲的近80个国家。通过发行债券,组织银行贷款等方式在国际金融市场筹集资金,是建设银行的一项优势业务,并已成为国际金融资本与中国经济建设结合的重要桥梁。

(4)中国农业银行

目前为止,中国农业银行已在新加坡、中国香港设立分行,在伦敦、东京、纽约开设了代表处,进行海外扩展战略的积极探索。

2.其他金融服务企业的海外扩展

(1)中国国际信托投资公司

中国国际信托投资公司是最早获得海外投资和经营权的企业之一,自20世纪80年代初就开始在海外拓展业务。截至2001年年底,中国国际信托投资公司的总资产为4326亿元;当年利润为23.6亿元,已成为具有较大规模的国际化大型跨国企业集团,目前拥有38家子公司(银行),其中包括设在中国香港、美国、加拿大、澳大利亚、新西兰等地的子公司及东京、纽约、法兰克福设立的代表处。其业务主要集中在商业银行、证券、保险、信托、租赁和其他服务业领域。

(2)中国光大集团

中国光大集团以金融业为核心事业。目前已开展包括商业银行、投资银行、基金管理、资产托管以及保险代理在内的多种金融服务,并利用自身的金融优势有选择地发展基础设施、高新技术等业务。集团通过中国光大集团有限公司(香港)作为控股公司,业务已遍布中国内地、中国香港、新加坡、南非等地。

3.中国金融服务企业跨国经营中存在的主要问题

(1)业务范围有限,创新能力较弱

我国的银行及其他金融机构在海外的业务范围仍局限在传统的外汇存贷款、外汇结算和贸易融资等方面,金融服务种类比较单一。商业银行业务、中间业务、衍生金融工具等业务尚处于起步阶段,业务创新能力较差。服务对象绝大部分为华人或华商,层次较高的分支机构主要集中在港澳地区,尚未形成统一规模的全球网络。业务品种单一,服务不全面导致海外分支机构无法吸引长期的大型客户,一方面业务收入有限,另一方面,也使得中国金融业接受当地银团贷款的规模受到限制。

(2)业务手段电子化程度较低

电子化金融产品在发达国家盛行,开办"网上金融服务"已成为金融机构发展的趋势,而我国的金融机构在计算机系统的应用和开发上整体发展还比较缓慢,在线银行服务、银行间数据通信系统还不完善,运行机制和管理模式比较落后,规模效益尚不显著。

(3)银行跨国经营与跨国公司发展相互脱节

国外有实力的跨国公司大都有本国跨国银行作为金融后盾,产业资本与金融资本配合默契,跨国银行在实现对本国企业有力的支持的同时发展自身的业务。而目前我国的金融机构尚缺乏对本国企业跨国经营的有力支持,实业型境外投资企业与我国海外金融分支机构的联系比较薄弱。

第三节　中国跨国公司成长与海外并购

一、中国跨国公司的发展战略

(一)培育中国跨国公司的必要性和迫切性

实施"走出去"战略的主体是我国有实力、有相对比较优势的企业,特别是生产型企业集团。江泽民同志指出,要鼓励和支持优势企业逐步扩大对外投资,开展跨国经营,通过建立海外销售网络、生产体系和融资渠道,促进企业在更大范围内进行专业化、集约化和规模化的跨国经营,加快培育我们自己的跨国公司,努力促使我国经济在参与国际经济合作与竞争中迈出新的步伐。可以说,实施"走出去"战略成败的关键就是要看能否培育出一批中国自己的(即以中国为基地的)、在国际上具有竞争力的跨国公司。目前我国大陆虽然已有数家公司进入了世界 500 强的企业,但与国外企业相比,我国企业的集团总部只是管理部门,是众多法人拼接成的"联合舰队",而不是真正的"航空母舰",因而只"大"不"强",要想在做大的基础上继续做强还有很长的路要走。

与此同时,我们还要走出对跨国公司认识上的误区,不能以为只有宝塔尖上的世界 500 强才算得上是跨国公司,事实上在这个宝塔的底部,有 60000 之众的中小型跨国公司,我们真正要做的就是从已经"走出去"的企业中培育自己的跨国公司,只有从小做起,才能最终做大做强。

在当今的世界经济中,大型跨国公司已成为经济活动的主角。作为经济全球化的主要产物和载体,跨国公司通过跨越国界、地区界限的投资,实现了生产要素的优化组合,带动了技术、管理经验、信息和人才在全球范围内的流动,取得了令人瞩目的业绩,由此也加速了世界经济一体化的进程。

世界 500 强中的绝大多数公司都集中在发达国家。1999 年联合国贸发会议的《世界投资报告》揭示了跨国公司发展的两大特点:一是发达国家的大型跨国公司在世界经济中发挥着越来越重要的作用,二是发展中国家和地区的新兴跨国公司已成为国际直接投资的新生力量,这些国家和地区在国际投资中的地位明显提高,国际投资主体多元化的格局正在形成。中国作为一个重要的发展中国家,也应顺应这一潮流,积极地纳入到国际资本的大循环之中。

中国加入世贸组织标志着对外开放进入一个新阶段。迎接挑战,抓住机遇的一个重要举措便是及时地"走出去",扩大利用国际市场和国际资源。而"走出去"的主要方式是进行跨国经营,也就是将经营组织和生产要素部分或全部地转移到境外,在更广阔的空间范围内组织生产经营活动,以实现利用国外资源和占领国际市场的双重目标。同时还可以防范经济全球化给我们带来的负面影响,将可能造成的损失减到最低限度。

伴随着经济全球化的发展,是否拥有世界级的本土跨国公司,已成为衡量一国综合经济实力和竞争力的重要标志。为了促进我国的对外开放和经济发展,必须要研究中国跨国公司的发展战略,这是一个极其现实和迫切的课题。

(二)中国跨国公司未来的发展目标和步骤

国际经验表明,跨国公司的发展规模及数量与该国对外投资的规模成正比。日本对外直接投资的实践揭示出,在日本经济处于进口大国与生产大国阶段,其对外投资的规模很小,进入出口大国阶段,其对外直接投资已初具规模,而在投资大国阶段,其对外直接投资规模则迅速膨胀。

如果将我国的经济发展进程作一比较,可以发现,我国目前正处在由生产大国(开始实施进口替代战略,贸易赤字下降,国民生产总值有一定的增长)向出口大国(一国产品出口大于进口,产生大量的贸易盈余,国民生产总值迅速增长,其出口额占世界出口总额的比重迅速上升,对外直接投资迅速发展)的转变时期,我国的对外直接投资仍处于初级阶段,境外企业的平均投资规模约为220万美元,低于发达国家平均600万美元,也低于发展中国家平均450万美元的水平。

从我国企业的实际状况看,就生产规模而言,我国企业与世界500强的差距甚远。中国最大500家工业企业的销售总额小于通用汽车公司一家;中国电子行业百强企业的销售总额只相当于IBM公司的1/5;中国零售商业的百强企业销售总额不到沃尔玛公司的1/10。世界炼油企业的平均年产量规模是533万吨,最大炼油厂年产可达三千多万吨,而我国116家炼油企业平均年生产规模仅为167万吨,不到世界平均水平的45%。我国汽车整车生产厂122家,企业数在世界上可排到第一位,但所有汽车厂的总产量加起来只相当于通用汽车公司产量的1/5。

从技术水平看,我国企业的科研经费支出仅占销售收入的1.4%,远低于美国5%～6%的水平。我国机械、电子、石化和汽车四大支柱工业的总体技术水平比工业发达国家要落后15～20年。

上述分析表明，无论在对外投资规模，还是在企业的生产技术水平上，我国企业与世界级跨国公司还相差甚远。在今后5年，以至10年内，中小型跨国公司在我国的对外直接投资中仍占主流。与此同时，将涌现出少量的世界级跨国公司，并有可能进入世界500强。

培育中国跨国公司应分两阶段。第一阶段，在我国目前鼓励企业"走出去"，开展境外加工贸易，进行资源开发，以及创办境外研发机构的基础上，发展多种类型、规模不同的跨国公司，包括贸易、金融及生产型的跨国公司，同时有选择地培育和支持一些具有国际知名品牌的集团成为世界级跨国公司。第二阶段，在前一阶段发展的基础上，伴随中国跨国公司自身的发展壮大、经营水平不断提高，企业规模日渐合理化，可能形成30～50家具有国际竞争力的世界级跨国公司，它们将成为中国对外投资的主力军，由此便形成了大、中、小企业相结合、金字塔型中国跨国公司结构。

（三）培育中国跨国公司的方法和措施

培育中国本土跨国公司可分为两个层次，一是培育世界级的中国跨国公司，二是发展中小型跨国公司。

1. 培育世界级的中国跨国公司

（1）培育世界级中国跨国公司所应坚持的原则

培育世界级中国跨国公司应坚持市场取向原则。这是形成世界级跨国公司所应遵循的最主要的一个原则，它包括两方面含义，一是指形成跨国公司的主体应是企业，而不应该是政府。动机应是企业自我发展、自我扩张的需要，而不应是政府的行政指标压力。二是跨国公司的形成方式应以市场为导向。国际经验表明，跨国公司是成熟市场经济发展的产物。只有通过激烈的市场竞争才能使跨国公司保持较高的管理水平、较强的技术创新能力和抵御风险能力。我国以往的经验也证实，以行政捆绑方式组成的企业集团，无论产权结构，还是经营机制，均处在较低的水平上，与国际跨国公司的要求相差甚远。这种企业集团即使勉强进入了世界500强，迟早也会因其机制落后，无法适应市场经济发展的要求而败下阵来。

因此，以市场取向为原则是保证跨国公司顺利、持久发展的前提。跨国公司发展史表明，所有世界级跨国公司均是由管理出色、经营状况良好的大企业发展而来的。根据我国目前的状况，在培育世界级跨国公司的过程中，应从行业角度出发进行综合评价,选择经营业绩好,管理体制灵活,有创新能力,能与国际市场接轨的企业给予扶持,使其能尽快加入到世界级跨国公司的行列,以缩短培育我国跨国公司的进程,取得事半功倍的效果。

（2）行业选择

在知识经济和信息技术快速发展,以及加入世贸组织的形势下,只有能与国际市场接轨、拥有创新能力、能够尽快将新技术应用于生产并创造出财富,且拥有世界知名品牌的产业才可能在国际竞争中获得一席之地。

就总体而言,我国目前仍处在工业化时期,与信息化社会还有相当大的差距,传统的工业部门,如机械、电子、石化等在未来相当长时期内还将是我国国民经济中的支柱产业。这些行业中的一些大企业,虽已达到了较大的经营规模,但因受传统管理体制的束缚,进一步扩大遇到了较大障碍。加之国有企业的沉重历史包袱,加大了其向世界级跨国公司发展的难度。目前我国能够达到上述标准的只有家电行业、高新技术产业（包括软件、网络、电子商务等）少数行业。

在近十几年时间里,家电行业在引进外国先进技术和管理经验的基础上,通过消化吸收,提高了这一行业企业的创新能力,其管理机制和管理水平在国内也居于领先地位,并形成了许多国际知名品牌,如海尔、海信、小天鹅、康佳、春兰、TCL 等等,这使家电行业成为我国最具国际竞争力的行业。

我国的高新技术产业,因其起点高,管理机制灵活,易于与国际接轨,是我国未来发展潜力巨大的产业,也是未来经济发展的支柱。

因而在这些行业中,有可能较快地培育出世界级跨国公司。特别是家电行业,可以成为我国制造业走向世界,形成世界级跨国公司的先锋。

（3）企业选择

跨国公司作为跨越国界的企业,不应存在区域和所有制的限制。尤其是在加入世贸组织之后,无论外国企业,还是国内企业均应享受同等待遇。国家经贸委在 1999 年列入"国家重点企业"的名单中,首次打破了所有制界限,将三资企业和民营企业列入其中。在培育我国的世界级跨国公司过程中亦应遵循这一新思路。

可考虑在相应的行业中,如家电和高科技产业,按企业的销售收入和盈利水平,不分所有制类别排出前 10 名或前 5 名,作为培育对象。由政府向其提供一些新的鼓励措施和政策,使其尽快地发展成为世界级跨国公司。因只有行业的前几名才能享受到国家的鼓励政策,因此可以激励企业首先在国内做好做大,为"走出去"做好准备,然后再开展对外投资,从而保证对外投资的规模和质量。

(4)培育世界级跨国公司的途径

世界各国的经验表明,跨国公司在成长过程中基本上都是通过资本集中来实现规模的扩张。跨国公司对资产存量和增量的调整,大多是通过产权交易市场来进行的。近几年来,我国产权交易市场的发展已为企业规模的扩张提供了有效途径。

在培育我国世界级跨国公司的过程中,通过企业购并的方式进行资本集中以扩大经营规模,是一种实现跨越式发展的有效途径。但以往我国企业购并所存在的问题说明,企业购并应严格遵守以下原则:第一,购并必须是企业自身发展的需要;第二,坚持市场化原则;第三,奉守公平的原则,才可能取得好效果。与此同时,还必须大力发展金融市场,使企业能够较容易地筹集到资金,为企业购并创造条件。

(5)培育世界级跨国公司的体制要求

培育世界级跨国公司所遇到的最大障碍是管理体制落后,特别是对于国有大型企业来讲,这一问题就更加突出。若要在短期内实现我国跨国公司的跨越式发展,体制创新是不可或缺的条件。体制创新的主要方向是由"管"向"放"与"扶持"相结合的目标过渡。

2. 发展中小型跨国公司

受资金及外汇管制的影响,中小型跨国公司将在我国今后一个时期的对外投资中占主流。对于中小型跨国公司的培育,在保险、信息咨询、人员培训以及签证等问题上,与大型跨国公司应解决的问题基本相同。在资金方面,因受国家财力限制,中小型跨国公司取得国家财政资金的支持难度较大。在这种条件下,可考虑发挥我国中小企业基金的作用,为中小企业的对外投资提供一些财力支持,并提供相应的保险服务。在中小企业基金中也可设立相应的对外投资咨询机构,为企业的对外投资提供咨询服务。

二、中国跨国公司的发展现状

新中国成立初期,中国企业在国外进行了一些投资活动,但是中国企业真正从事跨国经营,则是在1979年改革开放之后才逐步发展起来的,目前中国的跨国公司已经初具雏形。

从改革开放到1991年的第一阶段,以北京市友谊商业服务总公司与日本东京丸一商事株式会社合资在东京开办的"京和股份有限公司"为开端,它是中国实行对外开放政策后在国外开办的第一家合营企业,也可以说是中国改革开放以来的第一家跨国公司。随后的 1980 年,中国船舶工业总公司和中国租船公司与中国香港环球航运集团等合资成立了"国际联合船舶投资有限公司",总部设在百慕大,并在中国香港设立"国际联合船舶代理公司"。20 世纪 80 年代中期前后经国务院批准,在金融、产业和贸易领域开展企业国际化经营试点,1984 年中国国际信托投资公司进行了第一项海外直接投资,中信公司投资4000 万元人民币,在美国西雅图与一家美国公司合资建立了西林公司,从事林业和木材加工。1988 年首都钢铁公司在美国注册成立了一家独资公司,开启了走向世界级跨国公司的道路。1988 年中国化工进出口总公司开展集团化、多元化和国际化试点。20 世纪 90 年代之后,特别是实施"走出去"战略以来,更多的中国企业开展跨国经营,进行对外直接投资。一些大型企业更是朝着跨国公司的目标迈进,如中石油、中国有色金属建设股份有限公司、万向集团、海尔集团、华源集团、三九集团、华立集团、京东方等众多知名企业向海外项目投资了数十亿美元。经过一系列的横向和纵向海外直接投资,使中国的跨国公司迅速成长起来。

经过改革开放 25 年的发展,中国跨国公司有了较大发展。

首先,从跨国公司数量上看,根据《2000 年世界投资报告》,以中国为基地的母公司在 1997 年有 379 家。即中国跨国公司的大致数目为 379 家。而此时世界跨国公司总数为 6.3 万家,中国仅占 0.6%。

其次,从海外子公司数量来看,由于其他方面的数据很难得到,可以考察中国跨国公司海外子公司的平均数目做一大致描述。按照商务部的统计,2003 年年底,中国政府批准中国内地企业在境外建立了 7470 家企业。其中 2336 家建立在港澳地区。

三、中国企业通过并购方式"走出去"的发展现状

根据商务部公布的统计数据,2004 年我国对外直接投资额为 55 亿美元,比上年增长 93%。而 2003 年我国企业海外直接投资额为 28 亿美元,其中有 18%是通过跨国并购方式进行的,即在 2003 年的跨国并购投资金额大约为 5 亿多美元[①]。但是根据历年世界投资报告反映的中国对外直接投资和跨国并购数据

---

① 需要指出的是,这里的 5 亿美元是直接投资金额,而非跨国并购交易金额。

则与商务部发布的数据相差较大①。而 2005 年 1～7 月我国对外直接投资额为 25 亿美元,其中通过跨国并购方式进行的直接投资达到 80.6% 的份额②。但是尽管如此,根据《经济学人》最近研究报告表明,"直到 2004 年,中国企业海外并购的规模远小于 25 年前的日本"③,目前中国企业海外并购还处在较为幼稚的初级阶段。著名的咨询公司罗兰·贝格公司最近针对国际化战略调查了 50 家中国领先企业,从调研结果来看,中国领先企业进行海外经营时主要采取新建、战略联盟和收购三种方式,但这三种方式中,收购兼并排在最后,仅为 13%,新建的进入方式比例最高,达 48%,其次是战略联盟方式,占 39%。可见,海外并购已经成为我国企业"走出去"的重要方式之一。

鉴于跨国并购数据缺乏和不完善,很难对中国企业海外并购现状作准确描述。我们从可获得的一些数据,特别是从典型案例入手对中国企业海外并购现状进行分析,以此对中国企业海外并购的特点做出判断。重点和典型性案例样本数量虽然较少,但是金额较大,能在一定程度上代表中国企业海外并购的整体情况。对这些案例的研究有可能找出中国企业海外并购的最主要目的和动机。

对重点和典型案例的研究实质是一种"重点抽样调查"的研究方法,从理论上看,它可以使我们对整体有一个大致的把握。因此,对重点和典型样本的研究也能大致推测整体的状况。我们收集了近些年几乎所有可以公开获得的中国企业海外并购案例共 45 个④,并以这 45 个案例作为重点抽样(典型抽样)的样本,对这 45 个案例做具体的深入分析,以得出中国企业海外并购的典型特点,从而也在一定程度上反映出中国企业海外并购的总体现状。

---

① 《国际贸易问题》2005 年第 1 期赵伟等人文章利用 UNCTAD 的数据描述了中国企业跨国并购现状。

单位:百万美元

年份	1988～1996 年均	1997	1998	1999	2000	2001	2002	2003
对外投资(1)	1987	2563	2634	1775	916	6884	2518	1800
跨国并购(2)	260	799	1276	101	470	452	1047	1647
(2)/(1)	13.1%	31.2%	48.4%	5.7%	51.3%	6.6%	36.7%	91.5%

资料来源:UNCTAD:《World Investment Report》,根据 1992～2003 年各期数据整理而得。

② 数据来源于《经济日报》2005 年 10 月 12 日第 9 版。

③ 见《经济观察报》2005.10.3～10.10 第 24 版:《"中国并购"尚未成型》。

④ 此处收集了 2005 年 5 月前公开可获得的 45 个案例。

（一）我国企业海外并购的主要特点

1.时间特点

纵观45个中国企业海外并购的案例，可以发现一个最明显的特点，那就是中国企业海外跨国并购（cross-border M&A）明显呈两个发展阶段。第一阶段（1992年到2000年），这一阶段主要以窗口公司或者比较有创新思维的公司为主，而且集中于一些能够在当地市场受到欢迎的行业和产品如机电产品，从区域来看这个阶段的对外投资分布主要集中在与中国有贸易往来的东南亚和非洲发展中国家，而且并购的动机多在于绕开贸易壁垒，获取更大的贸易机会。第二阶段（2001年直到现在），2001年中国正式加入WTO后，进入了海外并购的第二个阶段。这个阶段与世界跨国并购浪潮发展相反，2000年世界跨国并购达到高峰，从2001年起出现了下降的趋势，而中国则从2001年起海外并购迅速增加。

2.地理分布

一般来说，中国企业进行跨国并购的地区分布主要集中在比较发达的市场经济国家，或是矿物资源（如石油）储藏量大的地区。具体地说，中国企业重大海外并购的主要目标地区包括北美、西欧以及东南亚各国和地区，以及其他部分资源丰富的发展中国家。在这45个典型案例中，大多数案例发生在欧盟和北美（美国和加拿大），其次，主要分布在中国香港、韩国、日本等地区。可见，中国企业重大海外并购的区位选择非常集中，其中又以美国和欧盟最为主要。值得一提的是，中国对发展中国家也不断出现重大并购案例，在继几起对韩国的并购案例后，TOM在线收购了印度移动游戏开发商Indiagames公司80.6%的股权。

而截止到2004年，中国累计对外直接投资净额的地区构成分别为：亚洲（74.6%），拉丁美洲（18.5%），北美洲（2.4%），欧洲（1.7%），大洋洲（1.1%），非洲（2%）①。因此，对外直接投资的地区构成与中国海外并购的典型案例的地区构成明显不同，从案例看出，中国企业海外并购的典型地区分布特点以北美、欧洲居多，而亚洲地区的典型案例相对较少，主要集中在韩国和中国香港以及其他个别资源性国家。

因此，从对外直接投资的地区分布和海外并购的地区分布特点的比较可以看出，中国企业海外直接投资中，通过并购方式投资的倾向于发达国家，而通过

---

① 资料来源：商务部网站。

新建投资的则倾向于发展中国家。

3.行业特点

从中国企业海外并购的典型45个案例可以看出,其行业分布特点主要集中在石油及其他矿冶资源、IT通讯、家电等行业。另外,在化工、航空、汽车、钢铁、轻工、医药等行业也有少量的典型并购案例。其中交易金额最大的前五位中有四个均出现在石油和矿产资源领域,仅有一个案例是IT业。可见,中国企业在海外并购过程中,石油和矿产资源业,以及高科技IT通讯业占据重要位置。

各行业具有代表性的海外并购案例如下:

——石油业

2002年1月,中海油出资5.85亿美元,购入西班牙瑞普索公司在印尼五大油田的部分权益,成为印尼最大的海上石油生产商。这一并购将为中海油每年带来4000万桶的原油份额,为公司贡献6%~7%的净收益。

2002年4月,中石油与戴文能源达成协议,收购其在印尼的油气资产,包括油田和天然气田。

2002年10月,中海油又宣布,中海油与澳大利亚西北大陆架合营伙伴正式签订协议,以3.2亿美元收购西北大陆架天然气项目的上游生产及储量5.56%的权益。依据收购要约,中海油还同时取得了中国液化天然气合资企业25%的股权,该合资企业将会为广东省天然气转运站供应液化天然气。

——家电业

2002年9月,TCL国际通过其全资子公司与德国施耐德公司达成收购资产协议,收购施耐德生产设备、研发力量、销售渠道、存货及多个品牌,其中包括"SCHNEIDER"(施耐德)及"DUAL"(杜阿尔)等著名品牌的商标权益;同时协议租用施耐德2.4万平方米的生产设施,建立其欧洲生产基地,涉及金额820万欧元。

——IT业

2002年11月,中国网通(香港)公司牵头,包括美国新桥投资、软银亚洲基金三方共同投资设立的亚洲网通公司与亚环签订了资产收购协议,以8000万美元的价格收购亚洲环球电信账面价值约19亿美元的泛亚洲网络资产。

而截止到2004年,中国累计对外直接投资总金额的行业构成分别为:商务服务(36.7%)、批发零售(17.5%)、采矿业(13.3%)、交通运输仓储业(10.2%)、制造业(10%)、信息传输计算机服务和软件业(2.6%)、居民服务和其他服务业（2.4%）、农业（1.9%）、建筑业（1.8%）、其他（3.5%）。

通过比较可以看出，并购投资主要集中在能源行业和高技术的设备制造、家电等技术含量相对较高的制造行业。而整体上的直接投资行业分布则主要集中在为贸易服务的行业，如批发零售、商务服务等行业。

（二）中国企业海外并购战略

通过媒体发布的案例研究发现，中国企业海外并购战略首先以横向并购为主，这与世界并购发展趋势是一致的；从并购类型看，以资产收购为主；支付方式绝大部分是以现金支付，以资产作价或是股票互换的并购案例极少，海尔与法国汤姆逊彩电部分资产合并是少有的资产作价方式实施并购的；融资渠道主要以自有资金及国内外汇贷款为主，能在当地融资或取得国际银团贷款的案例也较少。这些特点表明我国企业在迅速成长过程中有了一定的资金积累，但是国际融资手段和能力相对欠缺，没有国际资本运营能力的国际化发展将会受到极大限制。

（三）中国企业海外并购动机

从中国企业海外并购动机来看，获取石油矿产资源、先进技术、完善的国际市场网络以及国际性品牌几乎是每个并购企业所追求的目标。无论哪一种动机都与我国企业目前整体的发展现状是相联系的。生产和制造无疑是我国企业的比较优势，但是资源缺乏，技术为外方控制，生产出来的产品贴上外方的牌子再由外方卖出去，这是很多中国企业国际化的主要特征。这一特点决定了我国企业急需获取进一步发展的国际性资源。

以京东方海外收购韩国 Hynix 和 Hydis 为例。通过收购 Hynis 的 STN - LCD 及 OLED 资产与业务，京东方可以即时掌握技术源头和国际市场销售网络，实现产业链条的向上和向下的延伸，通过技术逐步向国内转移，还可以提升国内显示器件研发和制造的附加值，实现产业链条的提升。

同样，京东方通过收购 Hydis 所拥有的三套完整的 TFT - LCD 生产线的生产设备、建筑物、厂房、其他固定资产、各项技术专利等知识产权和其他无形资产以及全球性的市场营销网络，使京东方能够迅速实现产业链条的提升和延伸。京东方这两次海外并购的微笑曲线分析可用下图表示。

获取资源、技术、品牌无疑是我国企业海外并购的最主要动机。需要指出的是，企业并购动机同时也是多元化的，如早些时期，买壳上市是很多中国企业的海外并购动机之一。又如最新一起盛大网络并购韩国 ACTOZ 公司的动机之一就是将两家公司有关传奇游戏的法律纠纷内部化，并且通过并购，两家公司

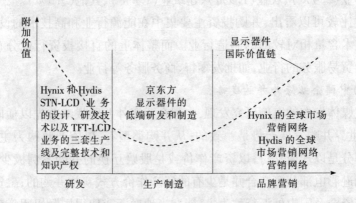

图 4 − 10　京东方海外并购的微笑曲线分析

可以建立某种形式的战略联盟。

（四）中国企业海外并购的主体和目标企业特点

从海外并购的主体看,我国海外并购企业中绝大多数为国有或国家控股的大型垄断性企业,一方面他们本身实力雄厚,且有国际化经营的基础,另一方面他们涉足的行业往往是国家重点鼓励和支持的战略性行业,需要"走出去"获取国外的战略性资源,如中石油、中海油、首钢等。除此之外,在改革开放后逐步成长起来的民营企业和其他股份制企业发展到一定阶段后,也开始通过并购方式"走出去",且取得了较好成绩,他们多集中在竞争性强且技术密集行业,以及我国有竞争力的家电、轻纺业,如 TCL、海尔、联想等。

从海外并购的目标企业看,我国企业的并购多为"强弱"并购。在并购的目标企业中分三类,一是大型跨国公司实行"归核化"战略抛弃的"边缘业务",一是处于破产倒闭甚至是法庭竞拍的企业,还有就是质优企业和资产。从 45 个典型案例可以看出,我国企业海外并购的目标企业中第一、第二类最多,而并购经营相对良好的企业并不多见。但别国经营不善的企业并不意味着对我国企业没有价值。相反,很多案例表明,国外企业的"包袱"很可能是我国企业国际化经营的"宝贝",如联想并购 IBM 个人电脑业务。

大型企业无疑在中国海外并购浪潮中唱主角,但中小企业也在尝试通过并购方式"走出去",如 2004 年 10 月 18 日,温州民企飞雕公司出资 550 万欧元收购意大利 ELIOS 公司 90% 的股份,标志着中国民营中小企业也完全可以通过并购方式进行海外扩张。

四、中国跨国公司成长中跨国并购的作用

在中国跨国公司的培育与发展中,跨国并购的方式能加快推进了中国跨国公司向世界级跨国公司成长。

(一)中国跨国公司与世界典型跨国公司的差距

经过改革开放二十多年的发展,中国的跨国公司得到了相当大的发展。现在已经有了像中国石油、中石化、首钢集团公司、海尔集团等一批生产制造型跨国公司,同时在金融业的中国银行和中国信托投资公司等等初具规模。但这还远远不够,不仅与世界典型跨国公司存在巨大差距,单从我国企业自身在跨国经营过程来看,也存在着许多问题。据不完全统计,我国的跨国公司海外子公司盈利的占 55%,其中多为非生产性企业;收支平衡的占 28%;亏损企业占 17%,以生产性企业居多。这种状况,不仅与发达的资本主义国家的跨国公司不可同日而语,甚至与许多发展中国家的跨国公司也有很大的差距。

世界上最典型的跨国公司就是世界 500 强企业,中国跨国公司成长的目标就是向世界典型跨国公司看齐,因此,想要培育中国跨国公司,首先就得进行"对标",以向先进的跨国公司学习。根据专家的分析,典型跨国公司(世界 500 强企业)一般具有以下特征:

高成长性与规模性:考察 500 强的历史与成长,可将其分为两类:一是历史悠久而又享有盛名的百年企业;二是 20 世纪下半期尤其 80 年代以来超高速成长的企业,而且高速成长起来的 500 世界强企业所占比例越来越大。另外,达到一致的规模也是典型跨国公司的必要条件。

居于全球市场的领导、支配地位或强势地位:世界典型跨国公司在市场竞争中的特征,表现为居于全球市场的领导或支配地位,或称强势地位。例如,通用电气明确提出的"数一数二"原则,即如果该项业务如果不能居于全球前 2 位,就将其放弃。

拥有技术积累与技术创新能力,拥有战略性资产:日本经济学家斋藤优认为,"现代的产业垄断,已经从资本垄断向着技术垄断的时代迈进"。和强大的技术创新开发能力相一致,现在典型的跨国公司往往拥有创造性资产或战略性资产。

具有跨地域的控制能力、跨文化的协同能力:跨地域、跨国际生产的主要目的是为了规避贸易障碍,取得规模经济性,降低成本,进而整合全球资源,进行全球销售,以实现企业全球战略目标。目前跨地域、跨国界的综合协调和控制

能力成为全球500强的重要特征。

多元化业务的管理能力：多元化业务的管理能力即是企业成为跨国公司的一个前提条件，同时又是跨国公司发展的最终结果，并成为典型跨国公司的主要特征。

具有整合内外部资源的能力：具有整合内外部资源的能力也是企业进行跨国经营的一个前提条件，同时也是跨国公司发展的最终结果，并成为典型跨国公司的主要特征。

根据前面的推测，尽管现在中国有379家公司可以称作跨国公司，但是根据世界级跨国公司主要特征的"对标"来看，很少有公司可以称为典型的跨国公司。因此，中国的跨国公司的发展水平和层次还很低，要达到世界跨国公司的平均水平还有很长的路要走。

(二)跨国并购促进中国跨国公司的发展

发展中国的跨国公司，需要理论上、实践上的不断探索。简单概括地说，主要是加强企业自身管理体制的改革，完善公司治理模式，制定并实施正确的跨国经营战略。要做到这些，国家相关政策的支持，技术的创新，人才的培养等等需要一系列条件和措施的配套。这些促进中国跨国公司发展的措施基本是基于国内条件，发展自身跨国经营能力出发的。这种方式也基本是一种传统的思维，有意无意地受到了垄断优势理论的影响，并以新建投资为假设条件，来思考如何发展中国的跨国公司。完全通过自身的积累来发展壮大，在形成了完全垄断优势后再进行大规模的海外投资，这种方式无疑是关起门来发展。在WTO条件下，在经济日益全球化、国际生产一体化的今天，恐怕中国企业还没有积累起足够的力量时，早就被外国的跨国公司给挤垮了或成为其世界生产体系中的一部分。因此，中国企业需要"走出去"①，而中国跨国公司的发展的问题也要在"走出去"的过程中解决。

然而，中国企业凭什么"走出去"（涉及对外直接投资能力）？如何"走出去"（涉及对外直接投资方式）？对外直接投资战略的这两个方面的问题是相互联系的，投资能力影响着投资方式的选择，同时，不同的直接投资方式也需要不同的能力。由于中国目前的379家跨国公司大多为中小型跨国公司，与世界级跨国公司的发展水平还有很大差距，尽管经过二十多年的发展，我国一些企业确实也有了一定的积累，但是进行跨国投资经营的"资本"仍然有限。另一方

---

① 此处的"走出去"仅指通过对外直接投资方式走出去，不包括劳务输出和工程承包。

面,通过直接投资"走出去"有两种方式:即新建投资和跨国并购。一般来说,新建投资基本上是利用自身的能力进行海外投资和经营,需要的各种垄断优势较强,而跨国并购则可以整合目标企业的有价值资产,只要经过整合后企业具有在海外生产经营的优势,则跨国并购就可以实施,因此,通过这种方式的直接投资对企业自身所积累的特殊资产和垄断优势要求较低。结合我国的实际情况,由于中国跨国公司以小型跨国公司为主,即使是稍微大一些的跨国公司在国际市场上也不是具有绝对的垄断优势,因此,通过跨国并购方式向海外投资就成为可能。另外,跨国并购不仅可以获取基于东道国的区位优势,还可以获取基于企业的特殊优势(如技术专利、品牌、市场渠道等),而这些特殊优势正是中国跨国公司急需获取的,而通过新建投资则不能获取这些资产和优势,从这一方面来看,中国企业又必须要以跨国并购方式进行投资。

通过上面的分析,可以得出这样一个结论:要缩小与发达国家的跨国公司的差距,使中国公司迅速成长为包含有中国文化和中国价值内含的世界级跨国公司,跨国并购相对于新建投资有较大的优势。

第四节 实施"走出去"战略的政策体系

一、"走出去"战略政策体系的形成与发展阶段

改革开放二十余年来,中国的对外直接投资的审批、管理、促进政策体系逐步形成,我国对外直接投资管理体制从无到有,逐渐形成了一整套对外直接投资的审批、管理和促进政策措施体系,推动了我国对外直接投资的稳步发展。但由于其历史的局限性,它从一开始就带有中央计划经济的色彩,这种以项目审批为主的管理体制随着与我国社会主义市场经济的发展,加入世界贸易组织后经济体制的深化改革与进一步开放,特别是我国制定和实施"走出去"开放战略逐步进行了改革与完善。当然这种改革不能一蹴而就,而是符合我国经济发展水平、对外开放的程度、对外投资的特点和我国资本与外汇管制渐进自由化的要求,稳步地进行的改革。我国对外直接投资管理体制大致经历了五个发展阶段。

(一)个案审批阶段(1979～1983年)

这个阶段只是尝试性的、极为有限的对外直接投资,在管理上实行中央高度集中的统一管理。1979～1982年中国企业境外投资项目,无论以何种方式出

资,也无论投资金额大小,一律报请国务院审批。从 1983 年开始,国务院授权外经贸部为中国境外投资企业审批和管理部门。从管理角度看,主要是个案审批,尚未形成规范。

(二)规范性审批阶段(1984~1992 年)

这一期间,外经贸部根据中国企业对外投资发展的实际需要,在 1984 年 5 月颁布了《关于在国外和港澳地区举办非贸易性合资经营企业审批权限和原则的通知》,1985 年 7 月又制定并颁布了《关于在境外开办非贸易性企业的审批程序和管理办法的试行规定》,从管理角度看,初步实现了由个案审批向规范性审批的转变,形成了我国对外直接投资管理体制的雏形,促进了中国企业对外直接投资的发展。

(三)强化管理阶段(1993~1998 年)

1993 年外经贸部在前一阶段的基础上,根据对外投资业务发展的需要,着手起草《境外企业管理条例》,以进一步强化管理。外经贸部作为国务院授权的境外投资企业审批和归口管理部门,负责对境外投资方针政策的制定和统一管理。国家计委负责审批项目建议书和可行性研究报告。其他部委及省一级外经贸厅(委)为其境外企业主办单位的政府主管部门。外经贸部授权驻外使(领)馆经商处(室)对中方在其所在国开办的各类企业实行统一协调管理,这种管理办法一直沿用到现在。与此同时,1997 年还颁布了《境外贸易公司、代表处管理办法》。从管理角度看,各有关部门的明确分工及相关配套政策措施构成了我国对外直接投资管理体制较为完整的基本内容,它有力地促进了这一时期我国各种类型对外直接投资的迅速发展。

(四)重点突破阶段(1999~2001 年)

这一阶段以 1999 年 2 月国务院办公厅转发的外经贸部、国家经贸委、财政部《关于鼓励企业开展境外带料加工装配业务的意见》为标志,成为稍后形成的我国"走出去"开放战略的前兆。这份文件从指导思想和基本原则、工作重点、有关鼓励政策、项目审批程序、组织实施等五个方面提出了支持我国企业以境外加工贸易方式"走出去"的具体政策措施。随后,国务院各有关部门又分别制定了具体实施的配套文件。该意见突破了以往由国家计委审批境外投资项目建议书和可行性报告的做法,而由国家经贸委负责境外加工贸易项目的审批。从管理角度看,该意见是对业已形成我国对外直接投资管理体制的重大改进和发展。此后,以这类业务为核心,对外实业投资取得了突飞猛进的发展,并极大地促进了"走出去"战略的实施。

（五）支持鼓励阶段（2002 至今）

在中国加入 WTO 后，我国经济体制以及外经贸体制改革也不断深化：外贸领域修订了《对外贸易法》，外汇管制逐步放松和资本项目开放与自由化进一步加快，使得"走出去"政策体系重新构建，从而形成了真正意义上的对外直接投资体制，摆脱了与投资有关的贸易政策范畴，改变为明确的与贸易有关的对外投资政策。从时空角度看，中国实施"走出去"战略新的政策体系重构主要是在第四和第五个阶段进行的。以下主要对制定和实施"走出去"战略以来的新型政策体系进行重点分析。

二、"走出去"战略的主要政策措施

（一）企业"走出去"境外投资由审批制改为核准（备案）制

1999 年国务院转发了原国家经济贸易委员会、原对外经济贸易部和财政部《关于鼓励企业开展境外带料加工装配业务意见的通知》，突破了在加工制造领域原有的对外直接投资的限制，属于境外加工贸易类型的对外投资（300 万美元以下），不再由原国家计委的审批（300 万美元以上仍由其审批），改由原国家经济贸易委员会、原对外经济贸易部进行审批，这种有限的突破，实际上是一种"快车道"，即在中小型境外加工贸易项目上放宽限制，鼓励有比较优势的企业进行对外投资。

为规范有实力的各种所有制企业"走出去"对外投资，我国对对外投资设立非金融类企业实行了核准和备案制度。2003 年，商务部在部分省市进行了简化境外投资审批手续的试点、在全国范围内简化了境外加工贸易项目审批程序。

1. 投资设立境外服务贸易类企业和机构

具有经国家商务主管部门或其授权部门批准的外经贸经营权，从事对外经贸业务 3 年以上，自营进出口生产企业获得经营权后，须从事外经贸业务 1 年以上；遵纪守法，资信良好；有相应的人才、资本和国际化经营能力。

试点省市企业在非热点国家和地区投资设立境外企业或境外机构的，由所在地省级商务主管部门审批，商务部发放批准证书。在未建交国（地区）和热点国家（地区）设立境外企业或机构的，由所在地省级商务主管部门报商务部核准并申领批准证书。非试点省市企业在非热点国家和地区投资设立境外企业或境外机构，企业上年度进出口总额在 5000 万美元以上，或上年度出口额在 1000 万美元以上，或对拟投资的国家或地区出口额连续 3 年在 300 万美元以上的，由所在地省级商务主管部门报商务部备案；在未建交国（地区）和热点国家（地区）设立境外企业或机构的，由所在地省级商务主管部门报商务部核准并申领批准证书。中央企业下属企业由中央企业报商务部核准。

2. 投资设立境外加工贸易企业

中方投资额在300万美元以下（含300万美元）的境外加工贸易项目，由投资主体所在地省级商务主管部门核准。中方投资额在300万美元以上的，由省级商务主管部门报商务部核准。中央管理的企业及其所属企业在境外投资举办境外加工贸易项目，由中央企业总部径报商务部核准。

与此同时简化了申报材料的内容，目前只要求申报境外加工贸易项目基本情况（特别是投资主体资质和带动产品出口的情况），境外加工贸易企业合同、章程，投资主体营业执照（副本）、外汇资金来源审查意见，驻外使（领）馆经商参处（室）意见等内容。

3. 明确建立境外投资企业核准（备案）制

对北京、天津、上海、江苏、山东、浙江、广东、福建、青岛、宁波、深圳、厦门等沿海12个省市进行下放非贸易性境外投资审批权限，简化境外企业和机构审批手续改革的试点，改革境外加工贸易项目核准制度，改革内地企业在港澳设立企业和机构审批制度，加强和完善对境外资源开发项目的管理。在实施上述简化程序的基础上，2004年10月商务部颁布了《关于境外投资开办企业核准事项的规定》，进一步明确、简化了境外投资的程序，使之制度化。2005年商务部又制定下发了《境外投资开办企业核准工作细则》，以便进一步贯彻执行上述规定，促进各级对外经济合作主管部门境外投资核准工作规范、科学、高效和透明。

（二）建立并逐渐完善企业"走出去"的促进体系

在境外加工贸易方面，根据国务院转发的《关于鼓励企业开展境外带料加工装配业务意见的通知》，原外经贸部会同有关部门据此制定了15项配套政策，从而在对外投资方面形成了第一个较为完整、配套的鼓励政策体系，对促进我国境外加工贸易乃至整个对外投资的持续健康发展起到了重要作用。其主要内容包括资金、财政、外汇、出口退税政策、金融服务和政策性保险、货物进出口、人员培训及简化出国手续等方面的鼓励政策。

更为有效地利用援外资金，促进"走出去"战略的实施。经国务院批准，原外经贸部积极推进援外方式改革，调整援外合资合作项目基金以及援外优惠贷款的使用方向，支持企业利用援外资金"走出去"，在保证对外工作需要的同时，使之与实施"走出去"战略有机结合。

《国务院办公厅转发外经贸部等部门关于加强同发展中国家经贸关系若干意见的通知》(国办发[2000]50号)，从扩大同发展中国家的进出口贸易、推动投资办厂、鼓励资源开发、承包工程、增加援外支出、大力发展双边多边经贸关系、创造和改善外部环境以及加强领导和协调等方面做出全面部署。有关部门和机构还根据"走出去"战略的需要，推出了一批财税、信贷、保险、外汇、通关、质检、出入境、领事保护等政策措施，有效地促进了"走出去"战略的组织实施。

在前一阶段出台的财政金融、贴息优惠、出口退税、简化外汇和人员手续等鼓励境外投资一系列配套文件的基础上，进一步朝着符合国际惯例和国际规范的方向不断完善。在境外投资财政支持、外汇支持、信贷支持、投资保险支持等方面，财政部、外汇管理局、进出口银行、出口信贷保险公司等相继改进或完善了各自领域的促进措施，使得企业"走出去"，开展境外投资的各项业务得到了不同程度发展。

在境外资源开发方面，2002年经国务院批准，设立了中俄森林资源采伐与木材加工合作项目贷款贴息资金，从中央外贸发展基金中划拨4亿元人民币，对中俄林业合作项目的国内银行贷款予以全额贴息。

为鼓励企业在非洲开展资源领域的合作，商务部会同有关部门制定下发了《关于进一步支持企业在非洲开展资源领域投资合作有关政策问题的通知》(商合发[2003]423号)，文中对加强对企业的指导与服务、外汇支持、加大现有政策性资金的支持力度、发挥税收政策的支持作用、发挥政策性保险业务的促进作用等方面支持企业在非洲进行资源开发与合作。研究设立"走出去"风险保障基金，与国土资源部协商设立"境外矿产资源勘查开发专项资金"。

(三)建立企业"走出去"的服务体系

1. 制定《国家鼓励开展境外加工贸易产品目录》

按照实施"走出去"战略的要求，为引导和推动企业开展境外加工贸易，原国家经贸委和原外经贸部于2000年联合制定了《国家鼓励开展境外加工贸易产品目录》。该目录按机械、电力电器、电子、轻工、纺织、石油和化工、建材、医药、烟草等10大行业类别、78个小项明确划分了鼓励境外加工贸易产品的品种范围。2002年两部委又对上述目录进行了补充和完善，领域与范围进一步扩大。

2. 制定境外加工贸易国别指导目录

为加快实施"走出去"战略，加强境外投资信息服务，及时了解我国企业境外投资动态,做好引导和协调工作,商务部(原外经贸部)在 2003～2004 年陆续印发了四个境外加工贸易国别指导目录,即《在东南非洲国家开展纺织服装加工贸易国别指导目录》《在中东欧地区开展家用电器加工贸易类投资国别指导目录》《在拉美地区开展纺织服装加工贸易类投资国别指导目录》《在亚洲地区开展纺织服装加工贸易类投资国别指导目录》。

3. 建立《境外投资国别环境库》,定期发布《国别贸易投资环境报告》

在"十一五"期间,商务部制定了"走出去"的国别和地区规划,建立《境外投资国别环境库》及境外加工贸易潜在项目和拟开展境外加工贸易国内企业信息库。陆续发布《国别贸易投资环境报告》,为国内企业提供各国和地区法律法规、税收政策、市场状况和企业资信等投资信息。发挥我驻外使领馆经商机构的前沿信息优势和国内有关行业组织联系企业的职能,通过网络、报刊等渠道,及时收集、传递和发布境外市场、境外项目信息,为企业提供信息咨询服务。

商务部在政府网站合作司子站上搭建企业境外投资意向信息库,在驻外经商机构子网站上建立驻在国(地区)投资项目招商信息库,其主要功能是,发布我国企业境外投资意向信息,为境内外各类机构和企业提供一个相互了解和沟通的信息平台,以加强中外企业间投资信息交流,促进我国对外经济合作业务的发展。

4. 制定《对外投资国别产业导向目录》

2004 年商务部与外交部联合制定了《对外投资国别产业导向目录(一)》,该目录列入了 67 个国家有投资潜力的领域,涉及农业、林业、交通、通讯、制造、矿山、能源等诸多行业,为我企业开展对外投资提供有益的指导。2005 年商务部、外交部又联合制定了《对外投资国别产业导向目录(二)》,该目录新列入了 28 个国家有投资潜力的领域,以便进一步加强对境外投资的引导和协调,完善对外投资服务体系。

5. 加强"走出去"政策培训和人才队伍建设

为了加强"走出去"政策培训和人才队伍建设,原外经贸部举办了 20 期境外加工贸易培训班,对约 1700 名企业跨国经营管理人员进行了有针对性的业务培训,为企业培养了一批开展"走出去"业务需要的经营管理人员。

6. 搭建"走出去"展会平台

充分发挥中国(厦门)投资贸易洽谈会的作用,吸引东盟、加勒比、阿拉伯等地区以及英国、加拿大、土耳其等国家的机构和企业同我国一起,连续多年共举办 20 多场"走出去"系列招商会;选择在印度、阿联酋、巴西、印尼等有潜力的境外市场,举办多次"中国工程和技术展览会";多次组织我国企业参加"中美工程合作论坛"等境外专业论坛、赴非洲、中东、中东欧等地区进行市场考察,寻求合作机会,取得了良好效果。

7. 利用经济外交,推动企业"走出去"

积极利用国家领导人高层互访和多双边会晤,开展经济外交,宣传推介我国企业,推动境外投资大型项目,并纳入政府合作框架;利用多双边经贸联系机制和磋商机制,协调国内外有关部门,落实和推动有关项目等。

(四)建立和进一步完善对企业"走出去"的监管体系

1. 建立《对外直接投资统计制度》。为全面、准确、及时地反映我国对外直接投资的全貌,为国家分析境外投资发展趋势,检测宏观运行,制定促进导向政策和实施监督管理,以及建立我国资本项目预警机制提供依据,2002 年原外经贸部、国家统计局共同印发了《对外直接投资统计制度》,该制度实施两年来,对外直接投资统计工作进展顺利,2004 年,中国对外贸易投资洽谈会期间商务部、国家统计局共同发布了《2003 年对外直接投资统计公报》(非金融部分)。2004年年底在借鉴国际组织和有关国家(地区)对外直接投资理论与方法的基础上,结合对外直接投资统计工作中的实际情况,经广泛征求有关部门、企业以及专家、学者的意见,商务部与国家统计局对原统计制度进行了修订和完善。修订后的《对外直接投资统计制度》已自 2005 年 1 月 1 日起开始执行。

2. 建立对外投资联合年检制度。为加强对外投资的宏观监管,掌握对外投资变动情况,促进对外投资的健康发展,国家对对外投资实行联合年检制度。商务部和国家外汇管理局制定了年检办法,对年检工作进行组织、协调和监督检查。从 2003 年起,组织实施对外投资联合年检查,企业依据年检结果等级享受相应的优惠政策或受到相应的限制。商务部联合有关部门对年检结果进行抽样复核。如发现年检结果与事实不符,商务部将责令有关单位限期整改;对造成严重后果的,将予以处罚。

3. 建立对外投资综合绩效评价制度。为全面掌握我国境外投资状况,对境外投资活动进行客观、科学的综合评价分析,从而对境外投资活动进行有效监管,商务部根据政府职能转变的要求,结合加入世贸组织后对外投资的新情况、新问题,建立了"境外投资综合绩效评价体系"。从 2003 年起,组织实施对外投资综合绩效评价制度。

商务部对全国对外投资综合绩效评价工作进行组织、协调和监督检查,绩效评价的结果将作为境外企业进行年检的一项重要内容。评价结果作为国家对外投资和境外企业管理政策制定和调整的依据。

4. 建立企业境外并购事项前期报告制度。近年来我国企业在对外投资中并购成为主要方式,为及时了解我国企业境外并购情况,向企业提供境外并购及时有效的政府服务,2005年商务部制定了企业境外并购事项前期报告制度。企业在确定境外并购意向后,须及时向商务部及地方省级商务主管部门和国家外汇管理局及地方省级外汇管理部门报告。国资委管理的企业直接向商务部和国家外汇管理局报告;其他企业向地方省级商务主管部门和外汇管理部门报告并分别向商务部和国家外汇管理局转报。企业履行境外投资核准手续,仍需按照《关于境外投资开办企业核准事项的规定》和《关于内地企业赴中国香港、中国澳门特别行政区投资开办企业核准事项的规定》办理。

5. 建立境外矿产和林业资源备案制。商务部与国土资源部联合建立了境外矿产资源开发项目备案制度,商务部与国家林业局联合建立了境外林业资源开发项目备案制度。

6. 建立境外中资企业(机构)报到登记制度。为了进一步完善登记备案制度,规范对境外中资企业的管理,2005年商务部制定下发了《境外中资企业(机构)报到登记制度》。该制度明确规定凡经商务部或省级商务主管部门核准、持有《中华人民共和国境外投资批准证书》(含境外加工贸易、境外机构)的中资企业,须向所在国我使(领)馆经商处(室)报到登记。

7. 建立境外中资企业商会制度。为了促进境外中资企业健康发展,维护我国境外中资企业的合法权益,2002年原外经贸部《关于印发〈关于成立境外中资企业商会(协会)的暂行规定〉的通知》,旨在推动中资企业之间相互联系和交流;增进中资企业和当地工商界的了解和沟通;扩大与所在国的经贸合作与维护中资企业的合法权益;指导和协调中资企业合法经营、公平竞争,协商解决重大经营问题,为会员提供各种信息、咨询服务,代表会员对外交涉,及时向我国驻外使(领)馆经商参处(室)和商务部反映工作中遇到的问题和建议。

8. 建立多种形式的协调机制。推动建立了国内有关行业组织、我驻外使领馆经商机构、境外中资企业商会、国内投资主体等共同参与的形式多样的协调机制,加强行业自律,规范经营行为,防范恶性竞争,维护我国利益。从2004年11月开始建立《国别投资经营障碍报告制度》,维护我国境外企业的利益免遭东道国不当贸易保护的损害。

近期商务部出台了《关于新形势下加强和完善境外中资企业管理的指导意见》。该指导意见要求在当前国际政治形势复杂多变,对我企业的对外经济活动、人员在外工作生活造成的威胁和损害有加剧趋势的情况下,必须加强对境外中资企业的监管,有效控制风险。各有关部门要建立相互配合的综合协同监管体系。企业要健全决策机制、规范决策程序,保持清醒的头脑,避免不顾条件一哄而起的盲目行为,以免造成损失,危害国家经济安全。要加强风险监控,建立健全境外投资和跨国经营风险评估和预防机制。

(五)加强国际政策协调,为我国对外投资企业提供国际保障

自 20 世纪 60 年代以来,发达国家一直在寻求对外直接投资的国际保护与支持政策,1961 年亚太经合组织就通过了《资本流动自由化法典》,以此来对本国对外投资政策加以补充。这就逐渐形成了对外投资领域的一些双边、区域和多边协议。双边投资协定适用于缔约国双方的投资者,它保证为外国分支机构提供国民待遇和投资保护等。在税收政策方面,许多发达国家都签有双边避免双重征税协定,以服务于跨国公司的对外直接投资与海外经营。20 世纪 80 年代之前,发展中国家大多以东道国的身份进行国际直接投资的国际政策协调,主要着眼于减轻跨国公司经营带来的潜在不利影响,要求对外直接投资承担者承担更多的义务。这之后一些发展中国家开始以投资母国身份出现,这就使之卷入了推进对外投资国际政策协调与合作的潮流之中。发展中国家签订的双边投资保护与促进协定,避免双重征税协定也越来越多。

我国在实施"引进来"与"走出去"战略的过程中,也不断提高了对国际政策协调的重视程度,进一步加强了双边投资保护协定和避免双重征税协定的商签、修改和实际履行的工作。截至 2004 年年底,中国已与世界上 112 个国家签订了双边投资保护协定,与 86 个国家签订了避免双重征税协定,为中国实施"走出去"战略建立了一定的国际法律保障体制。但同时也应当看到,上述两个协定仅占与中国有贸易投资往来国家和地区(目前有 223 个)的 50.22% 和 38.57%。今后应依据国别地区政策,重点进行市场开拓和对外投资的国家在商签上述两类协定方面还应进一步加大力度,加快进度,以促进对这些国家和地区对外投资的发展。特别是应加强与尚未同中国我签订这两类协定众多发展中国家的工作,为中国"走出去"的企业提供切实的国际保障,从而维护国家利益。

与此同时,我国早已是世界银行属下的多边投资担保机构公约和华盛顿公约(多边投资争端解决公约)的缔约国,但我国对外投资企业尚无运用这些条约保护自身利益的先例。切实利用好中国已经参加的多边投资担保公约和多边投资争端解决公约也是一个值得高度重视的问题。签署公约不仅是履行义务,

还应享受其权利,在这方面应在宣传、普及和运用上加强工作力度,促使中国"走出去"企业实际使用多边投资担保公约提供的相应支持,并且利用多边投资争端解决公约维护中国对外投资企业自身利益。

三、外汇管理自由化措施

(一)外汇管理初步自由化措施

在促进企业"走出去"的过程中,外汇管理部门深化改革,增加便利,迈出了重要而坚实的步伐。主要包括三个方面:

1. 简化手续,放宽限制

经国务院批准,外汇局已取消境外投资外汇风险审查制度,同时大力简化外汇资金来源审查制度,将外汇资金来源审查的审核材料从过去的 11 项减少为 5 项并缩短了审核时间,从而简化了审批程序,有利于企业把握投资时机。外汇局还进一步放宽了境外投资购汇限制,保证境内机构境外投资的合理用汇需求。此外,外汇局于 2003 年发布公告取消了投资主体缴纳汇回利润保证金的要求。同时,为了彻底解决这一历史遗留问题,外汇局先后两次组织全系统对已收取的保证金进行了清理,并发布通知,将已收取的保证金退还给相关投资主体。这些措施,简化了审批程序,有利于企业把握投资时机,降低企业的投资成本,调动企业境外投资的积极性。

2. 开展试点,深化改革

为了切实解决贯彻落实"走出去"发展战略过程中外汇管理的配套措施问题,确保各项境外投资改革和便利措施能够满足企业的实际需求,2001 年 10 月以来,外汇局已先后批准北京、上海、浙江、江苏等 19 个省(市)进行境外投资外汇管理改革试点。试点对现行境外投资外汇管理模式进行了调整和创新,对国内企业"走出去"给予有力支持。具体政策措施包括:

根据这些省(市)境外投资的需求,试点期间共给予其 22.3 亿美元的购汇额度,在额度内允许投资主体购汇境外投资。这是对当地企业"走出去"实实在在的支持,可以有效地解决企业"走出去"过程中配套外汇资金不足的问题。

境外企业产生的利润,不再强制要求调回境内,可由企业自主决定保留用于境外企业的增资或者在境外再投资。在政策上鼓励境外企业通过自身积累发展壮大,事实上也是对企业"走出去"的间接外汇支持。

境内机构进行境外投资,可以使用多种外汇资金来源,自有外汇不足的,可以使用国内外汇贷款、政策性外汇贷款或者购汇解决。试点地区境外投资项目前期资金(开办费、履约保证金等),经核准可以先行汇出。从近期来看,出于财务成本的考虑,境内企业更倾向于使用外汇贷款,利用外汇贷款资金投资比例上升很快,购汇投资方式有所下降。

优先支持利用国外资源、带动国内出口、外贸服务、科技研发等境外投资项目的用汇。重点保证用汇和优先支持用汇的项目都是和我国境外投资的发展战略及产业导向相一致的。区别对待、重点扶植的用汇政策,与产业导向相互配合、相互促进,共同为境外投资乃至宏观经济发展服务。近期来看,这一用汇政策已经产生了显著的导向和指引作用。

扩大试点地区外汇分局的外汇资金来源审查权限,进一步简化了审核环节。允许试点分局结合本地的实际情况,有针对性地制定试点办法和操作规程,以更好地为地方经济发展服务。

在上述改革试点成功运行的条件下,2002 年 10 月国家外汇管理局将境外投资外汇管理改革试点扩大到 24 个省(市)。

3. 积极研究,加强支持

境外投资企业经营过程中流动资金短缺,且境外融资成本高、条件苛刻,这已成为境外企业在"走出去"之后发展壮大最迫切需要解决的问题之一。在现行管理框架下,境外企业从境内获得资金支持只能通过境内投资主体对其增加资本金的方式进行,这种方式国内审批程序复杂、耗时久,资金运作周期长,无法有效解决流动资金短缺的困难。因此,境内的中资跨国投资企业提出了以其外汇资金向境外企业放款的境外运作需求。

资金境外运作是跨国公司降低财务成本、提高外汇资金使用效率、实现集团内部资金集中管理的客观要求。在我国外汇储备稳定增长,国际收支总体形势良好,风险可控、审慎监管的前提下,适当放松资本项目外汇管制,允许符合条件的跨国公司以自有外汇资金进行境外运作,不仅可行,而且十分必要。外汇局正在研究制定办法,允许符合条件的跨国公司将其自有外汇资金用于境外运作,一方面拓宽其投资渠道,分散投资风险,另一方面可以更好地支持境外企业的发展。

(二)外汇自由化改革全面推进,支持企业"走出去"

1. 深化改革,全面推进

自 2003 年开始,国家外汇管理局进一步深化了境外投资管理体制的改革,在外汇管制自由化方面迈出了具有决定性的一步,强有力地支持了企业实施"走出去"战略。国家外汇管理局 2003 年 10 月 15 日发布《关于进一步深化境外投资外汇管理改革有关问题的通知》，推动"走出去"发展战略的深入贯彻实施，深化境外投资外汇管理改革试点工作，进一步完善境外投资外汇管理，经国家外汇管理局批准进行境外投资外汇管理改革试点地区的分局、外汇管理部可以直接出具中方外汇投资额不超过300万美元的境外投资项目外汇资金来源审查意见。报经国家外汇管理局批准，试点分局可授权辖内境外投资业务量较大的支局直接出具中方外汇投资额不超过100万美元的境外投资项目外汇资金来源审查意见。非试点地区境外投资外汇资金来源审查权维持现状不变。

项目前期资金包括筹建境外企业所需的开办费、为收购境外企业资产或股权所支付的履约保证金等。前期资金应当被纳入中方外汇投资总额之内进行管理，由投资主体依照项目实际情况使用。对于开办费项下的前期资金，投资主体应当直接支付给境外机构或个人，无须开立境外专用账户存放。境外专用账户应当以投资主体名义开立，并首选在境外中资银行开户，投资主体凭试点分局出具的境外开户核准件、境外开户证明材料及资金购付汇核准件办理履约保证金项下前期资金的购付汇手续。所投资境外企业成立后，剩余前期资金可直接划入该境外企业账户。对于收购境外资产或股权的项目，另需向所在地外汇局提交拟收购资产或股权的说明文件、收购协议、中介机构对拟收购标的评估报告等证明材料。对已设立境外企业增资的，另需向所在地外汇局提交项目主管部门关于设立境外企业的批复以及该境外企业设立时外汇局出具的资金来源审查意见、外汇资金汇出核准件、境外投资外汇登记证、境外企业注册登记证书和营业执照等合规性材料。

2005年5月19日国家外汇管理局发布《关于扩大境外投资外汇管理改革试点有关问题的通知》，指出为促进我国企业到境外投资的便利化，深化境外投资外汇管理改革，国家外汇管理局决定在总结2002年以来在部分地区开展境外投资外汇管理改革试点（以下简称"试点"）经验的基础上，将此项试点扩大到所有地区。试点范围从目前的24个省、自治区、直辖市扩展到全国。增加境外投资的用汇额度，总额度从目前的33亿美元增加至50亿美元。扩大试点地区外汇局的审查权限。凡办理此项业务的外汇分局和外汇管理部，其对境外投资外汇资金来源的审查权限从300万美元提高至1000万美元。通知发布之日前尚未被批准实施试点的省、自治区、直辖市的外汇分局、外汇管理部，可结合本地区的实际情况制定试点办法和相应的操作规程，并测算出2005年度辖内境外投资用汇额度，一并报国家外汇管理局备案后开始实施。

国家外汇管理局对企业境外投资采取了积极的政策支持。一是每年给予试点地区一定的境外投资购汇额度,在额度内允许投资主体购汇境外投资,优先支持国家鼓励的境外投资项目用汇。二是境外企业产生的利润,可由企业自主决定保留用于境外企业的增资或者在境外再投资,鼓励境外企业通过自身积累发展壮大。三是允许境外投资使用多种外汇资金来源,自有外汇不足的,可以使用国内外汇贷款、政策性外汇贷款或者购汇解决。四是允许跨国公司通过财务公司运作、银行委托放款或通过直接放款等方式,在集团内部开展跨境资金运作,向集团内部的境外成员公司提供放款。五是批准中国银行和中国工商银行进行全球授信的试点,中国银行和中国工商银行境外机构可以直接使用国内总行对境外中资企业国内母公司的授信额度为海外中资企业提供贷款。截至 2004 年年底,外汇局共支持 1152 个项目在境外投资,中方投资总额 51.19 亿美元。

2006 年国家外汇管理总局将出台《境外投资管理规定》,拓宽资金流出渠道,稳步推进资本项目可兑换,其中包括将全面取消境外投资的用汇额度的限制,进一步简化手续,放宽前期相关费用用汇限制,支持企业"走出去",参与国际经济合作与竞争。

2. 边境地区境外投资外汇管理的改革

2005 年 3 月 3 日国家外汇管理局发布《关于边境地区境外投资外汇管理有关问题的通知》,为了进一步落实"走出去"发展战略,促进与毗邻国家的经贸往来,对边境地区境外投资外汇管理进行相关改革,其主要内容是:

一是确立边境地区境外投资主体,边境地区境外投资是指在我国边境地区登记注册的企业、公司或者其他经济组织(包括个体工商户)(以下简称边境地区投资主体),在毗邻国家设立各类企业或购股、参股,从事生产、经营活动。

二是国家外汇管理局各有关分局可以在自身权限范围内扩大所辖边境地区外汇中心支局境外投资外汇资金来源的审核权限,并将授权情况报总局备案。对于边境地区投资主体使用自有外汇、国内外汇贷款或购汇进行境外投资的项目,边境地区外汇中心支局可在上述授权范围内直接出具外汇资金来源审查意见。

三是边境地区境外投资应根据境外投资有关管理规定办理境外投资登记手续。边境地区投资主体以人民币进行境外投资的,可以持相关材料,到所在地外汇局办理境外投资登记手续。

四是对于在该通知生效前已经发生的边境地区境外投资(包括未办理境外投资外汇资金来源审查和境外投资外汇登记的,以及已办理境外投资外汇资金来源审查、未办理境外投资外汇登记的），其投资主体可持相关材料到所在地外汇局补办境外投资外汇登记手续。

五是边境地区投资主体以实物进行境外投资的，在实物投资出境后，凭出口收汇核销单、出口货物报关单和《境外投资外汇登记证》正本及复印件到外汇局办理出口不收汇差额核销手续。外汇局在为企业办理核销手续时，应在《境外投资外汇登记证》上注明实际核销的金额、币种和日期。

3. 为个人和民营企业对外投资开辟新的渠道

（1）颁布实施《个人财产对外转移售付汇管理暂行办法》

2005 年 1 月 31 日为落实《个人财产对外转移售付汇管理暂行办法》（中国人民银行公告〔2004〕第 16 号）国家外汇管理局联合发布关于个人财产对外转移提交税收证明或者完税凭证有关问题的通知，便利申请人办理业务，防止国家税收流失，税务机关对申请人缴纳税款情况进行证明。税务机关在为申请人开具税收证明时，应当按其收入或财产不同类别、来源，由收入来源地或者财产所在地国家税务局、地方税务局分别开具。申请人拟转移的财产已取得完税凭证的，可直接向外汇管理部门提供完税凭证，不需向税务机关另外申请税收证明。申请人拟转移的财产总价值在人民币 15 万元以下的，可不需向税务机关申请税收证明。

2005 年 2 月 25 日国家外汇管理局、外交部、公安部、监察部、司法部等五部门联合发布《关于实施〈个人财产对外转移售付汇管理暂行办法〉有关问题的通知》，为进一步做好个人财产对外转移售付汇监管工作，加强对申请人身份及有关财产来源合法性和真实性审查，防止违法犯罪人员对外转移资产，所涉各部门职责分工及合作监管问题进行了明确。《通知》规定，国家外汇管理局及其分、支局负责申请人申请的受理和对申请材料的审查，并按照《办法》规定的管理权限进行审批。驻外使领馆负责为申请人出具或认证申请人在国外定居的证明。公安、监察、司法行政部门负责协助审查申请人身份和拟转移财产的合法性。

《通知》要求，各驻外使领馆、各级公安、监察、司法行政和外汇管理部门应充分发挥各自职能优势，密切配合，加强信息交流和合作监管，建立有效的沟通和协调机制。特别要加强对申请人身份的识别和对申请人有关财产权利及其他合同文书公证的管理，各部门间建立信息通报制度和协助调查机制。省级（含）以上人民政府监察机关可定期向相应地（涉案人员户籍所在地或限制资产所在地）的外汇局提供已立案侦查人员或限制资产转移人员的名单和相关信息资料。对涉及国家公职人员（包括国有企业负责人）及其近亲属、申请金额超过等值 100 万元人民币的申请，外汇局在审核过程中可向相应地省级（含）以上人民政府监察机关进行询证；对大额可疑或涉嫌非法转移财产的申请，外汇局在审核过程中要向省级（含）以上公安、司法机关进行询证。

（2）颁布实施《关于境内居民通过境外特殊目的公司融资及返程投资外汇管理有关问题的通知》

为进一步贯彻落实国务院关于支持和引导非公有制经济发展的精神，完善创业投资政策支持体系，扶持境内高新技术产业和创业投资行业的发展，规范境内居民通过境外特殊目的公司从事投融资活动所涉及的跨境资本交易，为上述企业通过国际资本市场融通后续经营发展所需资金提供便利渠道，根据《中华人民共和国外汇管理条例》、《境外投资外汇管理办法》、《外国投资者并购境内企业暂行规定》，2005 年 10 月 21 日国家外汇管理局发布了《关于境内居民通过境外特殊目的公司融资及返程投资外汇管理有关问题的通知》，从而使境内居民通过境外特殊目的公司开展股权融资及返程投资涉及外汇管理进一步自由化，为个人和民营企业的投融资活动，特别是对外投资开辟了新的渠道。

近年来，非公有制经济不断发展，对促进我国经济发展发挥了积极作用。随着其自身的快速发展，不少民营企业和高新技术企业开始面临后续发展资金不足的问题。为此，一些企业通过多种方式进行境外融资活动，获得了一定的境外资金。但由于缺乏公开、透明的法律保障和规范，中外投资者权益得不到充分保护，资金流出入也面临一定的障碍，运营成本较高。而且，形成一部分对外投、融资游离于现行统计监督体系之外，不利于全面掌握我国对外资产负债状况和准确分析预测我国涉外经济形势。同时，也容易引发企业权益流失、资本违规外逃等问题。

为解决上述问题，《通知》明确允许境内居民（包括法人和自然人）可以特殊目的公司的形式设立境外融资平台，通过反向并购、股权置换、可转债等资本运作方式在国际资本市场上从事各类股权融资活动，合法地利用境外融资满足企业发展的资金需要。《通知》明确了境外设立特殊目的公司、返程投资等业务的登记管理程序，只要特殊目的公司按规定办理了境外投资外汇登记及变更手续，其返程投资企业就可到外汇管理部门办理外商投资企业外汇管理相关手续，按现行规定办理相关的资金流出入等业务活动。境内企业也可向特殊目的公司支付利润、清算、转股、减资等款项。《通知》允许境内居民通过特殊目的公司完成境外融资后，根据商业计划书或招股说明书载明的资金使用计划，调回应在境内安排使用的资金;境内居民从特殊目的公司所得利润、红利等收入应于取得之日起 180 天内调回境内,利润或红利可进入经常项目外汇账户或者结汇,资本变动收入经外汇局核准可开立资本项目专用账户保留,也可经外汇局核准后结汇,用于境内企业的发展壮大,切实发挥特殊目的公司境外融资平台的作用。

《通知》的发布,将引导企业积极、合理、有效利用国际资本市场,降低境外融资的法律风险和融资成本,建立高效、透明、公正的市场融资环境,规范跨境资本流动秩序。进一步体现各种所有制企业平等准入、公平待遇的原则,是贯彻党中央国务院鼓励、支持和引导非公有制经济发展的具体政策。同时,通过完善登记管理,加强对境外离岸与在岸资金之间流动的统计和监测,有助于全面掌握跨境资本流出入的实际情况,也有助于防范化解可能产生的风险。

四、政策性金融支持

实施"走出去"战略是一项难度很大的系统工程,需要有关方面密切配合,形成合力。目前,中国公司与发达国家跨国公司相比,在资产规模、资金实力、核心竞争力、创新能力、国际竞争力、效益和行业结构等方面还存在先天不足,处于不平等竞争地位,只能在西方跨国公司既定格局的狭缝中寻求发展,迫切需要政府提供政策性支持。企业"走出去"开展海外投资和跨国经营,特别是开发海外资源,既涉及双边外交关系,又涉及国家主权、民族感情、宗教习惯,既要投入巨额资金,又要承担很大风险,对经营环境的选择远比国内经营苛刻。没有良好的外部环境和条件,往往很难"走出去"。需要建立相应的政策推进体系。由于国际市场竞争激烈,条件苛刻,企业"走出去"需要很大的资金投入,也要承担很大风险,如果单纯依靠企业自身力量在国际市场上竞争,不仅进程十分缓慢,而且成功的可能性十分有限。没有政府强有力的政策支持,特别是强有力的政策性金融支持,在当前情况下,无论是资源开发,还是工程承包,难度都是很大的。

为此 2003 年国家发展改革委、中国进出口银行联合下发《关于对国家鼓励的境外投资重点项目给予信贷支持有关问题的通知》,为国内企业对外投资提供了信贷支持,有效地鼓励和促进了企业"走出去",取得了良好成果。2004 年10 月根据《国务院关于投资体制改革的决定》(国发〔2004〕20 号)和《境外投资项目核准暂行管理办法》(发展改革委令第 21 号),国家发展改革委、中国进出口银行联合下发了《关于对国家鼓励的境外投资重点项目给予信贷支持政策的通知》，进一步加大了对企业"走出去"的信贷支持力度。其主要内容是：

第一，国家发展改革委和中国进出口银行共同建立境外投资信贷支持机制。根据国家境外投资发展规划，中国进出口银行在每年的出口信贷计划中，专门安排一定规模的信贷资金(以下称"境外投资专项贷款")用于支持国家鼓励的境外投资重点项目。境外投资专项贷款享受中国进出口银行出口信贷优惠利率。

第二，境外投资专项贷款主要用于支持下列境外投资重点项目：(1)能弥补国内资源相对不足的境外资源开发类项目；(2)能带动国内技术、产品、设备等出口和劳务输出的境外生产型项目和基础设施项目；(3)能利用国际先进技术、管理经验和专业人才的境外研发中心项目；(4)能提高企业国际竞争力、加快开拓国际市场的境外企业收购和兼并项目。

第三，拟申请使用境外投资专项贷款的项目，须按《国务院关于投资体制改革的决定》和《境外投资项目核准暂行管理办法》的规定获得核准，并由中国进出口银行遵循独立审贷的原则对项目的贷款条件进行审查。

第四，规定了申请使用境外投资专项贷款的程序：(1)境内注册的企业法人按规定向国家发展改革委或省级发展改革部门上报项目申请报告，并抄送中国进出口银行总行及相应的营业性分支机构。同时，境内投资主体向中国进出口银行提出贷款申请；(2)中国进出口银行就项目使用境外投资专项贷款问题出具意见函，作为国家发展改革委或省级发展改革部门审核项目申请报告的参考依据；(3)国家发展改革委或省级发展改革部门对项目进行审核，并将审核意见抄送中国进出口银行。项目获得核准后，由中国进出口银行对项目的贷款条件进行最终确定。对国别风险较大的项目，要求境内投资主体充分利用现有的境外投资保险机制，办理有关投保手续，积极规避境外投资风险。

第五，国家发展改革委对符合使用境外投资专项贷款条件的项目，加强政策指导，强化必要协调，加快核准进度。同时，促成有关单位完善境外投资风险保障机制，进一步做好境外投资保险工作。

第六，中国进出口银行对境外投资专项贷款依照有关规定加快贷款审查速度，并视具体情况提供便利：(1)根据贷款企业信用等级和境外投资项目的经济效益情况授予一定的信用放款额度；(2)对风险小、投资收益稳定且效益较好的项目，可考虑直接对境外项目公司提供贷款，由项目的境内投资主体提供担保和/或以项目形成的资产或其他权益作为抵押；(3)对一些投资期较长的战略性项目,可视情况适当延长贷款期限。

第七,中国进出口银行还将对拟使用境外投资专项贷款的项目,提供与项目相关的投标保函、履约保函、预付款保函、质量保函以及国际结算等方面的金融服务,并根据境内投资主体和项目情况在反担保和保证金方面给予一定优惠。

利用进出口银行支持本国商品出口,提高出口商品和企业的国际竞争力,是世界上大多数国家的通行做法,但西方发达国家进出口银行更大的作用在支持企业"走出去"方面。这些国家的进出口银行通过国家财政强有力的支持,实施海外投资战略,扩大国际市场,开发海外资源,在发展本国经济中发挥着十分重要的作用。特别是近年来,随着经济全球化的不断进展,国际贸易与国际投资越来越紧密地结合在一起,呈现出相互依赖、相互促进的发展趋势。在这种情况下,许多国家的进出口银行都把促进外贸出口与实施海外投资战略结合起来,对本国企业"走出去"提供多方面的政策性金融支持,有的已达到相当规模。

作为支持我国开放型经济发展的国家出口信用机构,中国进出口银行自1994年成立以来,积极运用多种政策性金融工具,为扩大我国机电产品(包括成套设备和船舶等)、高新技术产品出口以及对外承包工程和各类境外投资项目,促进我国与发展中国家的经贸合作提供了有力的政策性金融支持。进出口银行目前已发展成为世界第三大国家出口信用机构。

中国进出口银行从我国机电产品出口的现状和特点出发,对能够带动机电产品、成套设备、劳务与技术出口的境外加工贸易、对外承包工程和资源开发等海外投资项目,提供了出口信贷、对外优惠贷款、对外担保等多方面的政策性金融支持,初步形成了配套的业务品种体系。一是专门开办了境外加工贸易贷款、海外投资贷款、对外承包工程项目贷款等业务品种,利用出口信贷等条件优惠的政策性资金支持我国企业"走出去",帮助一部分企业解决了"走出去"所需的资金问题。二是把对外援助与"走出去"结合起来,利用我国政府对外优惠贷款支持国内企业在受援国投资建厂、承包工程、合作开发资源,为我国企业"走出去"开辟了渠道,扩大了市场。三是根据双边经贸关系发展的需要,对某些国家提供了条件优惠的出口买方信贷业务,有力地推动了国内企业"走出去"项目的实施。

中国进出口银行不仅大力支持我国机电产品和高新技术产品出口,而且大力支持境外加工贸易、对外承包工程等海外投资项目,推动企业"走出去"。截至 2003 年年底，中国进出口银行为支持企业"走出去"累计提供了信贷资金六百六十多亿元人民币，支持了一批有比较优势的企业"走出去"。通过利用多种政策性融资手段，中国进出口银行有力地促进了我国企业"走出去"规模的不断扩大，为利用海外资源、带动大量货物、设备、技术和劳务出口、进而为拉动经济增长、增加就业，作出了积极的贡献。

截至 2003 年年底，累计发放出口信贷和对外优惠贷款 2700 多亿元人民币，贷款余额超过 1000 亿元人民币，共支持了一千四百多亿美元的机电产品和高新技术产品出口，累计为国家创造了 2800 万个就业机会。同时，也支持了大量的资源开发、境外加工贸易和对外承包工程项目，为优化我国出口商品结构、实施"走出去"战略、出口市场多元化战略和科技兴贸战略，支持我国开放型经济发展作出了重要的贡献。2004 年全年共批准境外投资及对外承包工程等"走出去"项目贷款金额 179.6 亿元，占批准贷款总额的 24.6%。

中国进出口银行在实施"走出去"战略方面不断加大对"走出去"项目的支持力度，根据企业开展跨国投资和经营所需信贷资金具有期限长、金额大、不确定因素多、国别风险大等特点，充分发挥国家出口信用机构的优势，不但为企业"走出去"提供期限长、金额大、利率低的信贷支持，而且利用渠道多、信息灵的优势，帮助企业开拓市场、争取项目。

除中国进出口银行外，近年来国家开发银行也将支持企业"走出去"列入其业务范畴。在中国一些大型企业拓展国外市场的过程中，大项目本身的高风险性和大额融资需求使其他金融机构难以介入，而这些项目正是开发性金融发挥支持作用的领域，政府政策和市场需求是开发银行业务的主要驱动力。为此开发银行作出战略决策，依靠其强大的融资能力以及管理信用风险的技术能力，为一部分企业的海外发展提供支持。2004 年开发银行配合"走出去"战略，承诺了 7.84 亿美元贷款，当年发放 4.77 亿美元，支持企业海外业务的发展。

中国银行自 2001 年以来，通过跨国集团客户全球统一授信方式，为我国有实力的大型集团企业实施"走出去"战略提供了强有力的支持。

五、境外投资的担保与保险

（一）境外投资的担保

2005 年 8 月 16 日国家外汇管理局发布《关于调整境内银行为境外投资企业提供融资性对外担保管理方式的通知》（以下简称《通知》），将境内外汇指定银行为我国境外投资企业融资提供对外担保的管理方式由逐笔审批调整为年度余额管理,将实施对外担保余额管理的银行范围由个别银行扩大到所有符合条件的境内外汇指定银行,将可接受境内担保的政策受益范围由境外中资企业扩大到所有境内机构的境外投资企业。

根据《境内机构对外担保管理办法》及其实施细则,我国对银行提供的融资项下对外担保采取事先审批、事后登记和履约核准的管理制度。随着我国涉外经济的快速发展,越来越多的境内企业在海外参与国际市场竞争。但是,海外融资难的问题制约了境外投资企业的发展壮大。为支持境内企业走出国门,拓展市场,参与国际竞争,外汇局对银行为境外投资企业在海外融资担保的管理政策进行了调整。

此次政策调整遵循高效、简便、可控原则,主要内容包括:一是在银行申请的基础上,国家外汇管理局根据我国对外担保状况,依据银行的资产负债、上年度对外担保业务开展及履约状况等财务指标,按年度为境内银行核定对外担保余额指标。二是银行可在已核定的指标额度之内为境外投资企业提供融资性对外担保,不再报外汇局逐笔审批。三是申请对外担保余额指标的银行是有经营对外担保业务资格的境内银行法人和经法人授权的银行分支机构。对外担保余额指标可由银行总行(或主报告行)直接使用,也可以分解给经总行(或主报告行)授权的境内分支机构使用;被担保人应当是我国境内机构在境外合法注册的全资附属企业和参股企业,包括国有企业、民营企业、外商投资企业等在境外设立的公司和企业。此外,担保人和被担保人还须符合《境内机构对外担保管理办法》及其实施细则所规定的资格条件。四是银行提供对外担保后,由担保人按《境内机构对外担保管理办法》及其实施细则规定到所在地外汇局办理对外担保定期登记手续。对外担保履约需经所在地外汇局核准。如涉及人民币购汇对外履约的,由银行办理购汇手续。

上述政策调整,有利于鼓励和支持有比较优势的各类企业对外投资,在更大范围、更广领域和更高层次上参与国际经济技术合作和竞争;有利于促进中、外资银行的平等竞争;同时,也有利于对资金流入流出的均衡管理,稳步推进我国资本项目可兑换进程。

(二)中国企业"走出去"的风险防范与保险服务

1.中国企业"走出去"的相关风险

在经济全球化及中国加入WTO的大背景下,有条件的中国企业积极"走出去",参与国际分工合作,实现跨国经营已成为企业寻求国际发展的必然趋势。

但是,"走出去"对于国内企业毕竟是新事物,我国企业走出国门后,由过去仅承担生产经营风险转变为承担复杂的国际竞争风险,多数走出去的企业对国外投资市场、国际竞争环境及投资所在国法律法规不甚了解,因此其开拓国际市场所面临的潜在风险就非常突出。

中国企业走出去面临的风险主要有政治风险、收汇风险(如买家破产、拖欠等)、经营风险(如市场变化、汇率波动等)、管理风险(如工人罢工,管理人员流失等)以及项目风险(如合同、成本、支付、销售风险等)。

归结起来,政治风险主要包括:

征收和国有化:指东道国政府采取的国有化或者歧视性的行为,导致被保险人或项目企业丧失其通过投资获得的权益和收入。例如,20 世纪 60、70 年代,南美洲、非洲一些发展中国家兴起的国有化运动导致一些外国企业被东道国收归国有;

汇兑限制:指东道国政府采取行动,造成被保险人或者项目企业无法将投资收益兑换为可自由兑换货币或无法将可自由兑换货币汇出东道国。例如,2002 年阿根廷货币危机导致政府发布禁令,禁止外国投资者的外汇汇出阿根廷;

战争和政治性暴力事件:指东道国参与的任何战争或者在东道国内发生的革命、内战、叛乱、暴乱和政治性的大规模骚乱和恐怖活动。例如,二战、越南战争、海湾战争等战争给一批外国投资者带来了重创。某日本化学企业在伊朗投资的化工厂因伊斯兰革命的爆发而遭受严重损失;

政府违约:指东道国政府非法解除与投资项目相关的协议或者非法违反或者不履行与被保险人或项目企业签订的合同项下的义务。例如,在主要政党轮流执政、缺乏政策连贯性的国家,新政府上台后往往对上届政府执政期间签署的合同多方刁难,甚至单方面中止上届政府签署生效并已实施的合同或协议,对我国在这些国家的项目公司或工程承包公司造成了重大损失。1997 年亚洲金融危机期间由于印尼政府提前中止了十几个电站的特许权协议,导致这些外国投资者遭受了不同程度的损失。

2. 中国企业"走出去"的风险防范机构和手段

虽然"走出去"对中国企业来说是个新鲜事物,但在发达国家,海外直接投资已经有相当长的历史,不仅如此,发达国家对支持本国企业进行海外投资已经形成了一整套的制度措施,其中对风险进行防范的重要措施之一就是海外投资保险。它是促进和保护国际投资普遍行之有效的重要制度。许多国家都有国家投资保险计划,通过出口信用保险公司为本国企业在东道国可能面临的征收、战争和本利汇回风险等提供担保。

我国的出口信用保险业务开始于 1988 年,先后由中国人民保险公司和中国进出口银行分别承办。2001 年,国务院批准成立了中国出口信用保险公司。作为从事政策性出口信用保险业务的国有独资公司,中国出口信用保险公司的主要任务是:依据国家外交、外贸、产业、财政、金融等政策,通过政策性出口信用保险手段,支持货物、技术和服务的出口,特别是高科技、附加值大的机电产品等资本性货物出口,积极开拓海外市场,为企业提供收汇风险保障,促进国民经济的健康发展。

目前,中国信保的经营范围包括:短期出口信用保险业务、中长期出口信用保险业务、投资保险业务、与出口信用保险相关的信用担保业务、出口信用保险服务及信息咨询业务等。

3. 中国企业"走出去"的保险服务

作为支持中国企业"走出去"不可或缺的政策性金融机构,中国信保为企业提供了强有力的支持和服务。

(1)"走出去"的相关保险产品与作用

中国信保支持企业"走出去"的保险品种主要有:海外投资保险、中长期出口信用保险和劳务出口保险。

海外投资保险是承保中国企业在海外的投资及其收益因投资所在国征收、战争、汇兑限制以及政府违约等政治风险所造成的损失,可保的投资形式包括境外资源开发、投资设厂、收购兼并、境外加工贸易、BOT 等等。

中长期出口信用保险承保信用期限在一年以上的出口的收汇风险,除支持大型机电产品和成套设备的出口外,还可支持海外工程承包项目。这类项目金额大、期限长、融资需求强烈,项目的收汇风险也较大,非常需要信用保险支持。

劳务出口保险主要承保劳务出口过程中劳务人员违约、雇主违约、破产以及劳务出口对象国的政治风险等。

中国信保为中国企业"走出去"提供保险服务的作用主要体现在:

第一,促进融资。由于自有资金不足,多数中国企业"走出去"需要资金支持,而融资困难造成的瓶颈会严重影响项目的进展。如果"走出去"项目获得了中国信保的保险支持,银行通常会重点考虑提供贷款,或者会提高贷款额度以及放松贷款条件,使企业更易于获得银行的信贷支持。

第二，减少损失。虽然中国企业在进行"走出去"决策之前一定会进行风险评估和防范，但是，对于经营风险之外的政治风险，企业往往难于控制，从而导致损失的发生。如果投保了中国信保的保险产品，企业就可在损失发生时及时获得经济补偿，使得损失金额大为降低。

第三，开拓市场。中国信保不仅可以通过其保险产品为企业分散"走出去"的风险，解除后顾之忧，使企业更安心地进行海外投资，同时还能通过系统的国别分析和风险管理帮助企业更大胆地在不熟悉和风险较高的国家进行投资，开拓新的海外市场。

第四，风险管理。中国信保是"国际投资和信用保险人协会"（伯尔尼协会）正式成员，与各成员国间有密切的合作，同时，中国信保与国内相关部委、银行及国际上多家资信调查和评估机构保持通畅的联络渠道，可随时了解海外政治经济最新动态和东道国投资环境的状况，为企业提供及时准确全面的资讯服务。

（2）保险业务不断拓展，支持"走出去"

中国信保自2001年底创建之后，就将积极引导和组织国内条件成熟的企业走出去、帮助中国企业更大范围、更大程度和更高层次上参与经济全球化、进一步拓展我国经济的发展空间作为公司业务的一项重点。不断探索，及时推出新险种，凭借对信用风险专业化评估的优势，通过出口信用保险和风险管理咨询等方式，利用倾向性的承保政策、灵活的产品组合，以符合国际惯例和市场化的方式，支持我国企业"走出去"，不仅为企业在海外的直接投资以及股权收购等提供了融资保险支持，而且帮助部分企业与国外资本市场建立了直接联系。截止到2003年年底，中国信保承保境外投资、资源开发和境外加工贸易项目各1个，保险金额为1.1亿美元；承保海外工程承包项目19个，保险金额为7.6亿美元。

中国信保在加大扶持企业"走出去"的力度方面也进行了一些有益的探索。一是中国信保将其服务的对象群体从原来的仅对国有企业，扩大至服务全中国各种所有制企业。二是针对国家鼓励的境外资源开发类项目，中国信保设计了资源担保和债务重组的新思路，以取代长期沿用的主权类担保的方式，更有力地保障了企业的投资风险和国家利益。三是针对国有企业在"走出去"过程中"融资难"的瓶颈问题，中国信保在开发国内融资市场的同时，积极开拓海外市场，以期使国际资本市场为我国企业走出去服务。目前，中国信保已与20多个知名国际大银行和世界银行及伯尔尼协会的成员机构签订了业务合作协议，共同协助中国企业到海外投资,进行跨国经营。四是中国信保积极探索支持企业"走出去"的多种模式,帮助企业构建与国家资本市场的联系,尝试了海外直接融资、海外间接融资、债权转股权、债务重组等多种方式,为中资企业的海外经营提供融资和风险保障。

(3)支持"走出去"拟推出的新举措

为进一步帮助企业规避"走出去"的相关风险,中国信保将继续酝酿新的举措。首先,中国信保正在研究开发简易型海外投资保险品种和相对简便的投保和承保程序,以方便中小企业参与"走出去"战略的需要。第二,针对中国企业普遍缺乏投资和金融运作经验的现状,中国信保还将利用风险管理专业机构的优势和资源,向投资企业提供境外经营环境、政策环境、项目合作机会、合作伙伴资质等信息咨询服务。第三,根据国外成功经验,针对中国企业不敢投资或由于自身实力的问题难以筹集到境外投资所需股本金的现状,积极研究有限度地参与境外股权投资方式,一方面解决投资者的资金困难,另一方面提升有关投资项目的信誉度,进而鼓励国内外金融机构提供融资。第四,通过一系列的措施,整合各种资源,以不断创新的精神,想方设法加大支持企业在发展中国家,特别是周边国家投资的力度。第五,对于石油化工、飞机制造、通信业、汽车制造、海外工程承包和劳务输出、轨道交通建设、生物制药业、软件业等有相对或潜在优势的行业力求重点突破,与这些行业中的龙头企业携手发展,为他们"量体裁衣",提供专门的支持和服务,协助他们"走出去",迅速做大做强。第六,利用出口信用保险在拉动企业对外投资、融资和产业链的组合,以及帮助企业建立与国际资本市场的联系、选择灵活的海外经营模式等方面具有的独特功能和作用,从重点国家、重点资源和重点企业进行突破,以支持我国企业开展境外资源开发,扩大对全球战略资源的占有,缓解国内资源紧张。

中国出口信用保险公司将根据我国企业走出去发展的具体要求,增强服务意识,进一步提高服务质量,并在允许范围内适当下浮保险费率,扩大承保范围,为中国企业"走出去"和中国的品牌跨出国门,走向世界提供更好的服务。

4.支持非公企业对外投资

2005年8月19日商务部、中国出口信用保险公司发布了《关于实行出口信用保险专项优惠措施支持个体私营等非公有制企业开拓国际市场的通知》,这是为贯彻落实《国务院关于鼓励支持和引导个体私营等非公有制经济发展的若干意见》(国发〔2005〕3号),进一步完善个体、私营等非公有制企业(以下简称非公有制企业）出口配套政策,健全非公有制企业出口促进体系,推动非公有制企业积极"走出去"开拓国际市场,对非公有制企业实行专项优惠支持措施。其主要内容是:

（1）各级商务主管部门和中国信保各营业机构建立有效的工作协调机制,帮助非公有制企业积极利用出口信用保险开拓国际市场,提高风险管理能力,提高国际化经营的效益。

（2）商务部、中国信保共同为非公有制企业提供出口贸易风险管理培训,帮助非公有制企业建立健全出口贸易风险管理机制,规避贸易风险,实现稳健经营。

（3）中国信保各营业机构要与当地商务主管部门密切配合,向非公有制出口企业宣传出口信用保险的政策性功能,及时了解企业需求,制定专项服务计划,实施有针对性的支持,并向当地商务主管部门及时通报有关情况。

（4）对大型非公有制出口企业提供个性化便利服务,中国信保及各营业机构要根据企业需求为企业量身定做出口信用保险服务方案。

（5）对中小型非公有制出口企业简化投保程序,提供便捷服务。中国信保短期出口信用保险业务的"中小企业综合保险"在试用期向中小型非公有制企业全面开放。

（6）积极协助非公有制企业解决融资问题,为非公有制出口企业提供出口信用保险项下的贸易融资便利和担保服务。

（7）中国信保为投保的非公有制企业开通"信保通"网上业务操作系统,便利企业减少人工成本,提高工作效率。

（8）中国信保为非公有制企业"走出去"提供全方位的出口信用管理优惠服务,包括短期出口信用保险、中长期出口信用保险、海外投资保险、国内贸易信用保险、海外商账追收等产品组合服务。

第五节 "走出去"战略实施的深化与拓展

党的十六大进一步将"走出去"战略提升到全面提高对外开放水平的新高度,指出要坚持"引进来"和"走出去"相结合,全面提高对外开放水平。适应经济全球化和加入世贸组织的新形势,在更大范围、更广领域和更高层次上参与国际经济技术合作和竞争,充分利用国际国内两个市场,优化资源配置,拓展发展空间,以开放促改革促发展。实施"走出去"战略是对外开放新阶段的重大举措。鼓励和支持有比较优势的各种所有制企业对外投资,带动商品和劳务输出,形成一批有实力的跨国企业和著名品牌。党的十六届五中全会强调,要积极实施"走出去"战略,鼓励和支持有条件的企业对外投资和跨国经营,搞好境外投资的规划和产业政策指导,完善财税、金融、保险等方面的支持政策,加强对境外投资的协调和监管。

一、"走出去"战略面临的新形势

(一)资源瓶颈制约迫切需要对外投资换取国外资源

自改革开放以来,中国经济保持了持续高速增长的态势,根据国家统计局2005年所做的首次中国经济普查的数据显示,2004年我国GDP现价总量为159878亿元,其中,第一产业增加值为20956亿元,占GDP的比重为13.1%,第二产业增加值为73904亿元,占GDP的比重为46.2%,第三产业增加值为65018亿元,占GDP的比重上升到40.7%。三次产业结构更加符合我国的实际情况,与发展中国家的一般水平也比较接近。调整后我国GDP总量略有增加,目前中国的GDP在全世界的排名跃居第六位,但人均水平仍在世界第100位之后。上述数据充分表明,中国经济发展的确取得了令人瞩目的成绩。但与此同时,中国经济未来发展也面临不少瓶颈制约,主要表现在两个方面:

1.资源与环境压力

未来15年是中国经济发展的战略机遇期,同时这一阶段也是各种矛盾的暴露期,更是资源环境消耗的高峰期。2003年中国石油、铝、铜、镍、钢铁、煤炭和水泥的消费分别占全球消费的7%、19%、20%、21%、25%、30%和50%。中国对钢铁的需求超过了美国和日本需求的总和,而中国对铜、镍、锌、铁矿砂和水泥的需求也都超过美国。然而目前,中国人均资源占有量远远低于世界平均水平,人均矿产占有量约为世界人均水平的1/2,人均耕地面积、人均水资源量约为世界人均水平的1/3,人均森林面积仅为世界人均水平的1/6,人均石油、天然气和煤炭量分别为世界平均值的约1/10、1/20和3/5。

国内各种自然资源的供需缺口日益凸现,并将进一步扩大,从而制约中国经济持续高速发展。解决这一供需矛盾的办法无非有二:一是如国民经济社会发展"十一五"规划建议那样,坚持科学发展观为指导,增强资源使用效率,降低能耗,到"十一五"末期将单位GDP的能耗降低20%;二是积极鼓励国内企业走出动,充分利用国内国外两种资源,利用全世界的资源为我国经济社会发展服务。当然,矿产资源的国内供给率将进一步下降,而对国际市场的依赖程度将会提高。

表4-6 中国主要矿产品对国际市场的依赖程度将不断提高

	进口依存度(%)		
	2000 年	2010 年预计	2020 年预计
石油	31	41	58
铁	33	34	52
锰	16	31	38
铜	48	72	82
铅	0	45	52
锌	0	53	69

资料来源:国务院发展研究中心"十一五"规则课题组"十一五"期间至2020年中国经济社会发展的突出矛盾、基本任务、前景展望和政策取向,内部研究报告。

2.技术、品牌及自主知识产权的压力

影响未来中国经济持续健康发展的另一制约因素就是技术、品牌及自主知识产权。目前中国是经济大国、贸易大国、制造加工大国,但远不是技术大国、品牌大国及知识产权大国。然而,从长期来看,技术以及由其衍生出来的品牌、知识产权等等知识要素的积累才是决定经济增长的惟一因素。所谓优化产业结构,提升经济增长质量,从粗放型的外延式增长转换到集约型的内涵式增长,其关键还在于技术、品牌及知识产权的积累。

然而,中国在技术、品牌及知识产权方面的现状不容乐观,已经成为制约我国从经济大国迈向经济强国的瓶颈。据统计,国内拥有自主知识产权核心技术的企业,仅占大约万分之三,有99%的企业没有申请专利,有60%的企业没有自己的商标。我国的民航客机,百分之百从国外进口。我国高端医疗设备、半导体以及集成电路制造设备和光纤制造设备,基本上都是从国外进口的。很多重要的装备,制造产品的机器,都是从国外进口的:石化装备的80%、数控机床和先进纺织设备的70%依赖进口,彩电、手机的关键技术50%以上掌握在跨国公司手里,包括电脑,甚至鼠标我们也要向国外公司交专利费,DVD播放机也要交专利费[①]。

---

① 国家知识产权局局长:田力普在中央电视台经济频道——"中国经济大讲堂"中的演讲,由《知识产权报》整理。

我国的外贸总额已经居世界第三位,但是自主创新的高技术产品仅仅占外贸总额的2%。在最近一次的季广交会,有关方面做了一个抽样统计:在广交会上,我们国家的企业出口产品50%是贴牌的,29%没有商标、没有牌,只有21%有自己的商标。这些企业还是出口型的企业,有一定的国际竞争能力,但是拥有自己品牌的只有两成。国外有一个统计,2005年全球100个最有价值的品牌,前100个亚洲有10个,其中日本有7个,韩国有3个,中国为零①。

为此,国民经济社会发展"十一五"规划的建议中明确提出必须要提高自主创新能力,经济发展要依靠科技进步和劳动力素质的提高,要深入实施科教兴国战略和人才强国战略,把增强自主创新能力作为科学技术发展的战略基点和调整产业结构、转变增长方式的中心环节。并提出三种创新和提高技术能力的方式:大力提高原始创新能力、集成创新能力和引进消化吸收再创新能力。

可见,解决技术上的瓶颈制约一要自力更生,二要借助外力。对于借助外力方面,包括技术引进、吸引外资,以及通过"走出去"再"引进来"的方式,主动获取国外的先进技术。最近兴起的中国企业海外并购浪潮涌现出了很多这样的案例。

——纵向整合产品技术的高科技部分和零配件部分。广东美的集团出资2000万美元购买了日本三洋电器公司(Sanyo Electric)的微波炉业务,并将这部分业务的相关工作人员和设备转移到了公司的中国生产基地。

——收购世界级的研发机构。京东方是一家国有企业,2002年的收入达到了91.1亿人民币。京东方出资3080万美元收购了韩国现代集团全资子公司现代显示技术株式会社。现代显示技术株式会社生产TFT-LCD显示屏,产品主要用于笔记本、台式电脑和电视机。京东方收购了现代显示技术株式会社以后,成为了世界第9大TFT-LCD显示屏生产商。这是中国自1949年以来最大的一笔向外收购。

——收购上游核心技术。华立的收购反映的就是这个思路。2001年,华立集团通过对飞利浦集团在美国加州圣何塞的CDMA移动部门的收购,一下切入到了3G核心,掌握了CDMA手机生产的上游核心技术—芯片软件设计及整体参考设计相关业务。这样,美国高通CDMA芯片独霸中国市场的格局将不复存在。

——收购外国高科技品牌,用它来主打国内市场。上海电气集团(SEC)是

---

① 国家知识产权局局长:田力普在中央电视台经济频道——"中国经济大讲堂"中的演讲,由《知识产权报》整理。

中国最大的设计、制造和销售电力设备和机械设备的公司。上海电气斥资 2300 万美元收购了日本著名的印刷机械厂商 Akiyama International Co.（AIC）和其全部的彩色打印设备与技术。上海电气现在控股了这家日本公司，它将在中国市场上继续使用 AIC 这个品牌。

——在全球市场收购当地品牌。上海海欣集团生产长毛绒和法兰绒原料，产品主要用于玩具、服装、家居和鞋帽用品等等。它是中国最大的长毛绒玩具制造商，并正计划成为世界最大的长毛绒玩具制造商。公司收购了美国家用织物制造商 Glenoit 公司的纺织品工厂和商标专利。Glenoit 公司在加拿大安大略和美国北卡罗莱纳州都有工厂。海欣集团现在已经在美国市场上拥有了自己的家居品牌，公司的绒毛织物年产量增加了近三分之一。

以上案例可能并不是每一件均是成功的收购案例，但是从获取技术和品牌这个角度看，以上收购案例无疑是成功的。未来一段时间，随着新的世界跨国并购高潮的到来，以及中国国际收支的进一步改善，以及人民币汇率的升值，将会有更多的中国企业通过并购方式"走出去"，以实现企业发展的战略目标，其中，通过收购获取国外公司的核心技术、品牌、专利将是重要战略目标。相信，通过并购方式"走出去"对于提升中国企业技术水平和核心竞争能力意义重大。

（二）过剩生产能力及贸易保护要求国内发展相对成熟的产业"走出去"

改革开放二十多年来，我国已经形成了一批有竞争实力的优势产业，如家用电器业、纺织业以及其他轻工类产业，这类产业在国内竞争非常激烈，利润微薄，在国际市场上有较强的竞争力，而且通过出口扩大国际市场方面常常遇到贸易保护主义的压力，因此，对于这类企业完全可以通过"走出去"的方式转移部分过剩的生产能力，提高企业国际化生产经营能力，增加企业利润、提高技术和品牌的开发能力。

以纺织工业为例，它是我国传统具有比较优势的产业，在国内市场上竞争相当激烈，生产能力严重过剩，同时在国际纺织品贸易中也占有较大份额，在日本、美国、欧盟等世界纺织品主要消费市场均有较强的竞争力。但是，最近纺织行业出现了一些令人关注的问题：一是 2005 年 1 月 1 日世界纺织品回归自由贸易以来，为中国纺织企业发挥优势提供了机遇，同时面临的贸易摩擦也明显增加，其中一些发达国家坚持贸易保护主义立场，是妨碍我比较优势发挥的主要因素，中美、中欧就部分纺织品出口数量达成限制协定，使中国的纺织品贸易事实上又重返配额时代；二是在新的形势面前，进一步暴露了我国纺织企业在自主创新、原创品牌和现代营销管理、产业整合能力等方面的不足，使大部分利润控制在中间商、品牌所有者和国外跨国公司手中,虽然有价格上的比较优势,但却无以品牌、营销网络为基础的核心竞争能力。为此,纺织工业走出去缓解目前国内生产能力和过剩,化解当前出现的纺织品贸易争端,将具有重要意义。

事实上,经过"改革开放"二十多年的发展,中国在轻工、机电等具有比较优势的行业涌现出不少开展海外经营的成功案例。目前,中国已被联合国评为新兴的海外投资国,中国有数家公司已经被联合国列入来自发展中国家最大的50家跨国公司行列。中国一批优秀企业,如海尔集团、上海广电、万向集团、杉杉集团、新希望、华为、科龙、格兰仕、森达、东方集团等,都已不同程度地走向跨国经营。

在此背景下,重温江泽民主席于1998年在中共十五届二中全会上的讲话,"在积极扩大出口的同时,要有领导有步骤地组织和支持一批有实力有优势的国有企业走出去,到国外,主要是到非洲、中亚、中东、中欧、南美等地投资办厂,从事境外加工贸易,扩大出口,实现成熟产业的国际转移",可以进一步坚定实施"走出去战略"的决心,为中国具有比较优势的产业开拓国际市场,促进产业升级,培育中国本土跨国公司具有重要意义。

(三)充足外汇储备和人民币汇率升值进一步促进中国企业"走出去"

中国企业能大量对外投资的一个重要条件就是国家的足够的外汇储备。近年来,我国外贸连年顺差,年吸收的外汇超过美国,居全球第一。外贸顺差和外资的流入使我国外汇储备迅速增加,并出现了人民币升值的压力。这不仅为中国企业大量进行海外投资提供了资源基础,同时也是解决人民币升值压力的较好手段。

根据国家外汇管理局的报告,2001年以来,我国逐渐摆脱亚洲金融危机的影响,对外部门发展表现强劲,国际收支连年顺差且不断扩大。2001年新增外汇储备466亿美元,2002年又增742亿美元,截至2005年9月底,中国外汇储备已达到7690亿美元。在这样的背景下,我国资本项目不断自由化,国家外汇局通过设定对外直接投资的购汇额度等形式保证外汇资金的供给,使我国对外直接投资摆脱了外汇不足的制约。

外汇储备的不断增长不仅使我国实施"走出去"战略有了资金保证,同时不断增长的经常账户和资本账户的又顺差使得人民币汇率不断出现升值的预期和压力,尤其是以美国为首的西方国家以中国大量贸易顺差为由压迫人民币汇率升值,使得我国在汇率政策上面临严峻两难境地。在外汇储备居高不下的情况下,无论人民币升值还是保持目前水平不变,更大规模的对外直接投资都将成为必然。在人民币汇率保持不变的情况下，势必需要想办法减少庞大外汇储备，而对外直接投资是较好的选择，因为将外汇储备转化为我国企业在国外重要资产的股本股权，保证国内重要资源和原材料的供应，也可以提高中国企业国际化经营能力，这可以起到一石多鸟的效果。在人民币汇率升值的情况下，国外资产变得相对便宜，则可进一步促进对外直接投资的发展，尤其是海外并购的发展，日本1985年日元升值后的表现就可以充分说明这一点。

（四）跨国并购日益成为中国企业"走出去"的重要方式

跨国并购作为对外直接投资的一种方式，相对于新建投资（绿地投资）有着独特的优势。并购投资是通过资产或股权的收购或合并，整合两家企业的专有性资产和资源，实现一加一大于二的效果，它对于企业提升核心技术水平、跨国经营管理能力十分重要。国际经验表明，发达国家之间的投资经历了新建投资到跨国并购投资的转变，尤其是进入20世纪70年代后，跨国并购已经西方国家主要的对外直接投资形式，主要发达国家的并购投资占直接投资总额的70%以上。虽然现在我国海外并购还处于起步阶段，可以预见，随着国民经济、国际经济形势及汇率的变化，跨国并购将成为最重要的投资形式。

根据商务部最新公布的统计数据，2004年我国对外直接投资额为55亿美元，比上年增长93%。而2003年我国企业海外直接投资额为28亿美元，其中有18%是通过跨国并购方式进行的，即在2003年的跨国并购投资金额大约为5亿多美元①。而2005年1~7月我国对外直接投资额为25亿美元，其中通过跨国并购方式进行的直接投资达到80.6%的份额②。但是尽管如此，根据《经济学人》最近研究报告表明，"直到2004年，中国企业海外并购的规模远小于25年前的日本"③，目前中国企业海外并购还处在较为幼稚的初级阶段。著名的咨询公司罗兰·贝格公司最近针对国际化战略调查了50家中国领先企业，从调研结果来看，中国领先企业进行海外经营时主要采取新建、战略联盟和收购三种方式，但这三种方式中，收购兼并排在最后仅为13%，新建的进入方式比例最高，达48%，其次是战略联盟方式，占39%。可见，海外并购已经成为我国企业"走出去"的重要方式之一。

从改革开放之初中银集团与华润集团联手并购中国香港康力投资公司67%股权到TCL通过收购法国汤姆逊公司，成为世界上最大的彩电生产商，联

---

① 需要注意的是此处的5亿美元是指直接投资金额，而不是跨国并购交易金额。
② 数据来源于《经济日报》2005年10月12日第9版。
③ 见《经济观察报》2005.10.3~10.10第24版：《"中国并购"尚未成型》。

想集团通过收购 IBM 的 PC 业务,使其跻身于世界第三大 PC 供应商之列,中国企业海外并购已经走过了 20 多个年头。尤其是至 2001 年开始的若干重大海外并购案例掀起了中国企业通过并购方式"走出去"的热潮。仅仅在 2004 年后半年的几个月,就涌现了 5 起有影响的中国企业海外并购案例。2004 年 9 月份,上海汽车工业总公司宣布,将购买韩国卡车生产商双龙公司 48.9% 的股份,交易额接近 5 亿美元;11 月,上海盛大网络发展有限公司以 9170 万美元现金夺得韩国 Actoz 公司 28.96% 的股份;12 月 7 日,中国最大的计算机生产商联想集团成功收购了 IBM 全球 PC 业务的绝大部分股份,交易总金额达 17.5 亿美元;12 月 16 日冠捷科技以 3.58 亿美元收购了飞利浦的全部显示器业务与低端平板电视的外包业务;12 月 17 日,TOM 在线收购印度 Indiagames 公司 80.6% 的股权。如此众多而金额较大的海外并购案例几年前是没有过的。可以预见,未来一段时间,这类并购案例将会越来越多,并逐渐成为我国企业"走出去"的主要形式。

二、"走出去"战略内涵的深化与拓展

(一)从贸易型的对外直接投资政策转向制定独立的对外直接投资政策

长期以来,我国对外直接投资均以服务于对外贸易,尤其是出口贸易。这可从我国企业对外投资发展的历程可以看出,在改革开放初期,我国企业大多在港澳地区设立商务服务型窗口公司,为内地企业进军国际市场打前哨;后发展到在亚非拉国家设立贸易型企业,为国内企业出口当地市场服务;而到 1999 年"走出去"战略提出之时,其主要内容是促使境外加工贸易的发展,即支持和鼓励有比较优势的国内企业带料、带件到亚非拉国家设立加工制造企业。可见,尽管我国对外投资不断扩大,贸易类型的直接投资在下降,而制造业的直接投资在上升,但是作为出口贸易的附属品仍然是我国对外直接投资的显著特点,这在一定程度上与我国国民经济发展现状和企业竞争实力是相匹配的。但是随着我国经济和企业实力的不断壮大,对外直接投资作为中国参与国际分工、利用国内国外两种资源、两类市场的重要形式,必将越来越独立地发挥作用。因此,在进一步实施"走出去"战略过程中,在思想意识上要更加重视对外直接投资的作用,要将出口贸易与对外直接投资视为中国参与全球化过程中的两个轮子,在政策制定上,逐步跳出贸易型的对外直接投资政策,转而制定更加独立的对外直接投资政策。

(二)将境外加工贸易类投资升级为制造业对外直接投资

将境外加工贸易型投资升级为制造业对外直接投资,这是将投资政策作为

贸易政策的依附的自然延伸。目前我国积极鼓励和支持的境外加工贸易实际就是制造业的对外直接投资，之所以称为境外加工贸易，是由于这类投资以扩大国内原料和原器件的出口为目的，明显带有贸易型的对外直接投资政策的色彩。随着我国制造业实力的不断壮大，一些发展相对成熟并具有国际竞争能力的行业，如纺织业、电子、家电等行业，通过对外直接投资转移国内的生产能力，并为规避国际贸易摩擦的考虑，将有越来越强的投资愿望。国际经验表明，制造业的对外直接投资是新兴工业化中国家对外投资的主要形式（发达国家以服务业直接投资为主），而我国是个制造业大国，未来制造业投资必将是我国对外直接投资最主要行业。为此，升级境外加工贸易为制造业直接投资，不仅仅是名称回归本色，更重要的是符合我国对外直接投资的发展趋势。

（三）从新建投资转向更加注重跨国并购型的对外直接投资

到目前为止，以美国为代表的西方发达国家经历了五次并购浪潮，到2000年结束的第五次跨国并购浪潮以将规模大、交易迅速、强强并购、集中在服务业等为主要特点。世界主要发达国家通过并购方式的直接投资占70%以上，跨国并购已经成为对外直接投资的主要形式。跨国并购相对于新建投资而言，对企业能力的要求更大，同时企业通过并购方式"走出去"，其收获也更多。一般来说，新建型直接投资只是本国生产技术的海外扩张，而并购型投资则通过整合目标企业及国内企业的优势，实现一加一大于二的效果。尤其对于发展中国家来说，通过并购，可以获取发达国家先进的技术、专利、品牌等特殊资产为我所用，从某种程度上说，获取国外有价值资产比通过投资赚取利润更重要。为此，考虑到我国对外直接投资的发展阶段、目前我国海外并购的发展现状，以及即将到来的世界第六次海外并购浪潮，我国企业通过并购方式"走出去"将越来越成为最吸引力的投资方式。因此，建议我国在进一步推进"走出去"战略过程，要对跨国并购给予足够的重视，要制定专门的政策措施保障中国企业顺利通过并购方式"走出去"。

（四）将培育和壮大中国本土跨国公司视为"走出去"战略的重要内容

"走出去"战略最终要落实到中国企业身上，能否走得出去，关键在于企业有没有条件和实力。从国际范围看，世界直接投资的80%均是跨国公司进行的。事实上，无论是直接投资，还是国际贸易以及国际技术转让等一切形式的国际经济活动，跨国公司是主要载体。对于中国来说，增强国家走出去能力的重要方面就是加强"走出去"主体的建设，即培育中国自己的中国公司。目前，我国在国际上排得上名的跨国公司主要是一些国家垄断型企业，而且主要集中在自然资源领域及银行业,而在竞争性较强的制造业领域,具有真正意义上的跨国公司寥寥可数。为此,在进一步实施"走出去"战略中,要充分重视培育中国本土跨国公司,尤其是在竞争性较强的,能充分体现中国国际竞争优势的各个领域和行业分别培育一家有代表性的中国跨国公司。

附录　大经贸战略

20 世纪 90 年代在中国对外经济贸易领域曾经提出并实施了"大经贸战略"。这一战略是在外经贸领域一定时期内实施，并且在一定程度上超越了本领域，产生了重要影响并取得了积极成果。考虑到本书的完整性，这里对大经贸战略作一简单介绍。

一、"大经贸战略"提出的背景

"大经贸"思想最先发端于改革开放之初外经贸领域的机构改革。1982 年以前，对外经济贸易管理分别由对外贸易部、对外经济联络部、国家进出口管理委员会与外国投资管理委员会（后二者为一套人马，两块牌子）三个机构（简称"两部一委"）各管一方，独立行使职能。为了适应我国改革开放，特别是外经贸发展的需要，1982 年党中央和国务院决定将上述机构合并，组建对外经济贸易部。这为后来形成"大经贸"的发展格局，提出"大经贸"战略奠定了基础①。

改革开放以来，我国经济体制改革的不断深化，社会主义经济建设取得了长足进步，对外经济贸易管理体制也相应进行了一系列重大甚至超前的改革，对外经济贸易规模扩大，在国民经济发展中的重要作用日益显示出来。要求人们的思想观念与对外经济贸易的指导和管理，跳出狭隘的框框，适应发展的形势，进一步推动外经贸事业的发展。这为"大经贸战略"的提出创造了条件。

"大经贸战略"一词最早见于 20 世纪 80 年代中期的一些理论性文章，主要指经济和贸易的结合，20 世纪 90 年代以来，"大经贸战略"构想逐渐清晰。外经贸部于 1994 年正式提出了"大经贸"战略，并得到了国务院领导同志的充分肯定。这一战略形成的具体背景有以下几个方面：

第一，我国经济体制改革的目标是建立社会主义的市场经济，开放的目的是实现国内外经济互接互补，充分利用国内外的两种资源和两个市场，实现现代化。20 世纪 90 年代初我国积极进行恢复关贸总协定缔约国地位谈判并争取加入即将诞生的世界贸易组织。这反映了我国坚持对外开放的决心，表明我国

---

① 刘向东：《邓小平对外开放理论的实践》，中国对外经济贸易出版社 2001 年 6 月第一版。

要按国际经济贸易的普遍规则来规范我们的外经贸活动,更加广泛地参与国际经贸合作,这就要求我国进一步进行外经贸体制改革,实施"大经贸"战略。

第二,我国开放的地域、领域和范围逐步扩大。地域上,由沿海向内地,沿海的许多政策和做法当时已推广到内地;领域上,开放的除加工业外,服务业也在逐步开放市场开放的范围在扩大。此外,当时外经贸本身已形成商品、资金、技术和劳务相互结合,相互渗透,相互促进,共同发展的格局,增强了外经贸的综合竞争能力。同时,外经贸业务已扩展到整个国民经济的所有领域,成为促进国民经济发展的重要力量。20世纪90年代初,出口贸易占国民生产总值的比重已达到20%以上,外资包括直接和间接投资在内,已占社会固定资产总值的10%以上。外经贸已成为牵动沿海经济发展的龙头。

第三,外经贸经营的主体已实现了多元化。进出口贸易经营主体也增多了。20世纪90年代初已有内资外贸企业包括原来的外贸专业公司、工贸公司、生产企业、科研院所、大专院校、商业物资企业。这里既有国有企业、也有集体所有制企业,此外,还有数量更多的三资企业。生产企业的外经贸经营范围也放宽了,有的大型、特大型生产企业除经营自产商品外,还可经营其他企业生产的同类产品和成套设备的配套产品出口。对大型企业集团和特大型企业除赋予进出口权外,还赋予对外劳务承包的经营权。对外承包劳务的经营权也在逐步放宽,国家核定的甲级设计院。一级建筑工程公司以及大型、特大型生产企业只要申请就可以赋予对外承包劳务的经营权。外商投资企业几乎覆盖了所有的经济部门,对外工程承包和劳务合作也是很多行业的企业都参与了的。外商投资企业更是得到了迅猛的发展,成为中国对外贸易发展的重要力量。

第四,外贸公司、外经公司都实行一业为主、多种经营,有条件的向集团化、国际化、实业化的方向发展,贸工农技商相结合,突破原经营范围,具备条件的外贸公司还可经营承包劳务。承包劳务的公司具备条件的也可经营进出口业务。外贸与外经公司在发展实业化和多种经营中又都同利用外资结合,利用外资兴办了许多新的产业。

以上情况表明在外经贸领域,"大经贸"意识已经发展到了一定程度,外经贸业务的实际发展需要进一步宣传贯彻这种意识,为此,提出并实施"大经贸"战略是顺应当时国内外形势的必然之举。

二、"大经贸战略"的内涵

"大经贸"战略是在社会主义市场经济条件下,调动各方面发展对外经济贸易的积极性,按照国际经济贸易的通行规则来管理和经营的高效益、高效率具有较强的综合整体竞争能力的外经贸发展战略。其主要内涵在于:要使对外贸易、利用外资、对外经济技术合作等一系列对外经贸业务活动相互融通、相互结合、优势互补、共同发展。"大经贸战略"是建立在外经贸经营主体多元化基础上的,具体来讲它包括以下内容:

1. 从宏观指导与微观操作的各个层次上,实现各项外经贸业务的渗透与融合,主要是对外贸易、利用外资、对外工程承包与劳务合作、对外援助、对外投资和其他对外经济合作业务的相互渗透与融合,实现商品贸易、技术贸易和服务贸易的一体化协调发展。这与我国《外贸法》的界定是一致的。

2. 加强外经贸主管部门与国民经济综合管理部门及其他相关部门的协作与配合,把对外经贸的宏观管理与国民经济的宏观调控更好结合起来,促进经济体制从传统的计划经济体制向社会主义市场经济体制转变。

3. 加强外经贸行业与国内相关产业的结合,发挥对外经济贸易对国内产业结构调整、产品结构升级、企业技术进步、资源有效配置等方面的导向作用,促进经济增长方式由粗放型向集约型转变,促进国民经济的有效增长。

4. 发挥贸、工、农、商、技、银等各方面的积极性,形成全合力,从深度和广度上不断拓展国际市场,促进全方位、多领域、多渠道的对外开放,推动我国经济与世界经济互接互补,提高我国利用国外市场和国外资源的能力和水平。

与以往的外经贸相比,大经贸的覆盖面更广了、水平要求更高了。它体现着对外经贸活动与国民经济发展的内在联系,适应了社会主义市场经济条件下,发展开放型经济的要求,反映了中国经济与世界经济日益紧密且在其中不断扩大影响的客观进程①。

三、"大经贸战略"的历史使命

"大经贸战略"的提出和实施具有极强的针对性和鲜明的时代特点,这一战略的付诸实施,有力地对促进了对外经贸领域的改革与发展。

第一,"大经贸战略"的有效实施,有力地推动了"统一政策、放开经营、平等竞争、自负盈亏、工贸结合,推行代理制"这一外贸体制改革的方针和目标的实现,进一步了打破在国内市场与国际市场之间存在的隔层以及国内各部门之间和各地区之间的界限,增进竞争,促进专业化协作和联合,在一定程度上解决了

---

① 参见吴仪同志在 1997 年第 1 期《对外经贸研究》上发表的文章。

外贸质量和效益不高、经营秩序不佳等问题。

第二,有利于促进产业结构调整和技术进步。产业国际竞争力和技术水平是决定外经贸发展的根本因素。迄今为止,由于外经贸发展仍沿用外延式发展模式,两者之间并未建立起良性循环体系,外经贸促进产业结构调整和技术进步的作用远未发挥出来。实施"大经贸战略"的一个重要目标就是要加快外经贸发展模式由粗放型到集约化的转变,很自然这一目标的实现必将同时促进两者之间逐步建立起真正的良性循环关系,其结果是实现产业结构调整和出口产业、产品结构调整的双重目标。

第三,"大经贸战略"的实施,有利地打破了部门与行业领域的界限,极大地推动了贸、工、农、技、商、金融等各类企业在微观层次上的联合,适应了规模经济的要求,为我国企业实现集团化、国际化经营和增强国际竞争实力创造条件。与此同时,客观上也推动并加快了国有外贸企业的改革、创新、建立现代企业制度的进程。

总体上来看,"大经贸"战略的提出与实施,顺应了由传统的中央计划经济向社会主义市场经济转变的要求,极大地推动了外经贸领域体制改革。随着我国社会主义市场经济体制的进一步完善,特别是加入世贸组织之后,我国经济体制特别是外经贸体制改革不断深化与完善,以外贸、外资以及对外经济技术合作的一系列法律法规的修订、颁布与实施为标志,外经贸领域改革的方针与目标基本实现,大经贸战略已经取得了预期的成果并完成了其历史使命。

主要参考文献

1. 汪海波主编:《中国国民经济各部门经济效益研究》,经济管理出版社1990年3月第一版。

2. 张培基主编:《中国对外开放与经济发展政策》,中国对外经济贸易出版社1991年9月第一版。

3. 徐贤权主编:《90年代中国出口战略研究》,中国对外经济贸易出版社1992年8月第一版。

4. 李钢:《从"国际富人俱乐部"到"经贸联合国"》,人民出版社1993年4月第一版。

5. 吴家樾、余维香、李钢编著:《关贸总协定与中国社会主义市场经济》,中国政法大学出版社1993年8月第一版。

6. 李岚清主编,曾培炎、何椿霖、吴仪副主编:《中国利用外资基础知识》,中共中央党校出版社、中国对外经济贸易出版社1995年4月第一版。

7. 张祥主编:《知识经济与国际经济贸易》,中国对外经济贸易出版社1999年8月第一版。

8. 陈文敬主编:《邓小平对外开放理论与我国的对外开放政策》,中国对外经济贸易出版社2000年4月第一版。

9. 对外贸易经济合作部国际贸易经济合作研究院编:《2000年形势与热点——中国融入世界经济大潮》,中国对外经济贸易出版社2000年3月第一版。

10. 刘向东著:《邓小平对外开放理论的实践》,中国对外经济贸易出版社2001年6月第一版。

11. 张祥编著:《新经济与国际经济贸易》,中国对外经济贸易出版社2001年6月第一版。

12. 李钢主编:《"走出去"开放战略与案例研究》,中国对外经济贸易出版社2000年6月第一版。

13. 李钢主编:《跨国经营实务——境外加工贸易》,中国对外经济贸易出版社 2001 年 6 月第一版。

14. 张松涛著:《宏观经济 对外经济 世界经济》,中国对外经济贸易出版社 2001 年 12 月第一版。

15. 对外贸易经济合作部国际贸易经济合作研究院编:《2001 年形势与热点——迎接新世纪的挑战》,中国对外经济贸易出版社 2001 年 3 月第一版。

16. 李钢主编:《国际对外投资政策与实践》,中国对外经济贸易出版社 2003 年 9 月第一版。

17. 李钢主编:《上海合作组织——加速推进的区域经济合作》,中国海关出版社 2004 年 3 月第一版。

18. 李钢主编:《欧盟东扩新商机——新世纪中欧经贸关系发展前景》,中国海关出版社 2004 年 11 月第一版。

19. 本书编写组编:《〈中共中央关于制定国民经济和社会发展第十一个五年计划的建议〉辅导读本》,人民出版社 2005 年 10 月第一版。

20. 边振瑚、李钢:《评"国际大循环"战略》,载于《中国:发展与改革》1988 年第 6 期。

21. 李钢等:《过度贸易与适度贸易》,载于《经济纵横》1988 年第 4 期。

22. 李雨时、李健、李钢、陆燕、赵玉敏:《90 年代世界经济贸易形势与我国外贸出口发展战略》,中国国际贸易学会发展与战略研究会课题(1991 年)。

23. 徐贤权、李钢:《我国企业国际化经营若干问题的思考》,载于《国际贸易》1991 年第 1 期。

24. 李钢:《90 年代跨国公司的发展趋向》,载于《外贸调研》1992 年第 6 期。

25. 强永昌:《对构建我国九十年代出口市场战略的思考》,载于《国际贸易》1992 年第 4 期。

26. 傅政罗:《我国实施市场多元化战略浅析》,载于《国际贸易》1995 年第 6 期。

27. 赵永青:《积极实施市场多元化战略 大力开拓国际市场》,载于《国际贸易问题》1998 年第 9 期。

28. 李钢:《知识经济与我国对外经贸事业发展》,载于《国际贸易论坛》1999 年第 2 期。

29. 李钢:《关于我国加工贸易发展战略的若干思考》,载于《国际贸易论坛》1999 年第 3 期。

30. 李钢:《关于高新技术及其产品产业概念界定的若干思考》,载于《国际技术贸易市场信息》1999 年第 4 期。

31. 李健、李钢："新形势下开拓我国出口市场的对策研究"课题主报告，载于对外贸易经济合作部国际贸易经济合作研究院编《1999 年形势与热点——中国融入世界经济大潮》，中国对外经济贸易出版社 1999 年 3 月第一版。

32. 课题组：《淡化所有制形态——中国加入 WTO 后外贸经营主体发展问题研究》，载于《国际贸易》2001 年第 9 期。

33. 课题组：《鼎足之势中之国企》，载于《国际贸易》2000 年第 9 期。

34. 课题组：《鼎足之势中之私企》，载于《国际贸易》2000 年第 9 期。

35. 课题组：《鼎足之势中之外企》，载于《国际贸易》2000 年第 9 期。

36. 李健、李文锋、赵陵、李钢等：《中国进出口商品波动规律和预测模型的初步研究》，载于对外贸易经济合作部国际贸易经济合作研究院编《2000 年形势与热点——中国融入世界经济大潮》，中国对外经济贸易出版社 2000 年 3 月第一版。

37. 课题组：《谁审批谁监管 谁投资谁负责——我国企业"走出去"战略管理政策分析》，载于《国际贸易》2002 年第 7 期。

38. 华晓红：《拓展均衡—我国出口市场多元化战略评价与调整》，载于《国际贸易》2002 年第 9 期。

39. 李钢：《加快实施"走出去"战略——我国境外加工贸易政策落实中的若干问题》，载于《国际贸易》2003 年第 5 期。

40. 李钢、李俊：《中国的市场多元化战略》，载于《2004 年中国对外经济贸易白皮书》，中信出版社 2005 年 1 月版。

41. 李钢：《我国对外贸易增长方式转变的回顾与主要成绩》，载于《研究报告》2005 年第 10 期。

后　记

　　《迈向贸易强国——中国外经贸战略的深化与升级》一书稿终于完成之时，笔者还有一些话想说。我作为78级大学生的一分子，与中国的改革开放一路走来。作为外经贸领域内对外经济理论与政策实务的研究者，使我有机会接触许多改革开放的重要文件，并曾亲身参与外经贸领域一些文件的起草与制定以及专题报告的研究与撰写，对于对外开放，特别是对外经济贸易领域的许多重大问题，做过较为深入的研究，因而久有心得，这本书在一定程度上也可以说是笔者投身这一领域研究的阶段性回顾与总结。

　　笔者1978年进入首都经济贸易大学（原北京经济学院）政治经济学系，后留校教书（原北京财贸学院）。1983年考入中国人民大学研究生院开始学习、研究世界经济。1986年毕业之后进入现商务部国际贸易经济合作研究院（原对外经济贸易部国际贸易研究所）从事中国对外经济研究，期间还在多个驻外使馆经商参处工作过一段时间，至今已经在这一领域工作了整整20年。研究的领域涉及中国对外开放理论与政策；对外贸易理论与政策，对外贸易体制改革；对外投资理论与政策；双边经贸关系（中国与原苏联东欧及后来的独联体经贸关系、中国与欧盟经贸关系）；区域经济一体化（亚欧会议 ASEM 成员国经贸合作、亚太经合组织 APEC 成员国贸易投资便利化、上海合作组织区域经济一体化等）；多边贸易体制（WTO＼GATT）及中国恢复关贸总协定缔约国地位、加入世贸组织等诸多方面。特别是在1991年第一次从多边贸易体制视角，详细阐述了中国恢复关税与贸易总协定缔约国地位与中国实行社会主义市场经济的关系问题，进而明确提出了外经贸领域改革开放的政策取向与战略抉择。与此同时，对于20世纪90年代以来，外经贸领域形成并实施的各项战略，笔者在不同时期和不同程度上均有过实质性的参与并提出过许多具有重要价值的参考性意见与建议：如外贸体制改革、发展及外贸经营权放开之于以质取胜战略；多元市场与"区域元"市场之于市场多元化战略；高新技术、技术贸易之于科技兴贸战略；"走出去"的总体实施构想与建议，特别是对外直接投资之于"走出去"战略以及外贸经营主体多元化之于大经贸战略等等。

在我国全面建设小康社会,向经济强国迈进的过程中,必须继续坚持改革和对外开放的基本国策。在新形势下对外经济贸易领域,也必须转变增长方式,提升国际竞争力,对业已实施且卓有成效的外经贸各项战略进行深化与升级,才能由贸易大国变为真正的贸易强国。正是基于这一考虑,笔者才萌生了写作本书的想法。在本书写作的过程中,得到了陈文敬、李雨时、张松涛等诸位学长的支持与帮助,本书中的一些重要观点也引自他们的著述,在此深表感谢。在本书成稿的过程中,我的学生李俊做了许多工作,特别是在数据统计与指标计算方面,以及资料的整理与文献检索上做了大量工作,因此我也将其列为本书的第二作者。在本书中也引用了我的另两位学生崔艳新和杨鹏学位论文中的一些内容(服务领域的对外投资和研发领域的对外投资);李光辉同志也提供了资料文献的帮助(科技兴贸方面),均此致谢。最后还要感谢人民出版社经济室主任李春生编审和姜玮编辑为本书出版所做的工作。

本书对"外经贸战略"的研究只是初步的,许多问题还有待进一步探讨并不断深化完善,不足之处在所难免,敬请读者不吝赐教。

李 钢

2006 年 2 月 28 日于北京